Tatiana

Le roman d'une passion impossible

Paullina Simons

Tatiana

Le roman d'une passion impossible

ÉDITIONS FRANCE LOISIRS

Titre original : *The Bronze Horseman*
Traduit de l'américain par Marie-Hélène Sabard
Publié par HarperCollins Publishers Inc. ; New York

Édition du Club France Loisirs,
avec l'autorisation des Éditions Robert Laffont.

Éditions France Loisirs,
123, boulevard de Grenelle, Paris.
www.franceloisirs.com

ISBN Version reliée : 2-7441-5741-4
Version brochée : 2-7441-5740-6

À mes grands-parents bien-aimés, Maria et Lev Handler, qui ont vécu la Première Guerre mondiale, la Révolution de 1917 et la guerre civile, puis la Seconde Guerre mondiale, le siège de Leningrad et l'évacuation, les famines et les purges, Lénine et Staline, et, au merveilleux crépuscule de leurs vies, vingt étés new-yorkais sans climatisation. Dieu vous bénisse.

C'est ainsi que, par une saison calme,
Même très avant dans les terres,
Nos âmes peuvent voir cette mer éternelle
Qui nous porta ici,
Peuvent en un instant aller à elle,
Voir les enfants jouer sur la rive, et entendre
Les grandes eaux rouler perpétuellement.

William Wordsworth, *Ode : pressentiments de l'immortalité, d'après les souvenirs de la première enfance* (1807, traduction de Louis Cazamian, Stock, 1946).

Livre 1

Leningrad

Première partie

Les nuits blanches

Le Champ-de-Mars

1

La lumière du matin baigna subitement la pièce. Tatiana Metanova dormait du sommeil lourd de la jeunesse en ce mois de juin que berçaient les « nuits blanches » de Leningrad.

Quand les rayons du soleil se posèrent près de l'oreiller, elle tira le drap sur sa tête. Alors la porte s'ouvrit et elle entendit le plancher craquer. C'était Dasha, sa sœur.

Daria, Dasha, Dashenka, Dashka.

Tatiana l'adorait. Pourtant, à cet instant précis, elle l'aurait volontiers assommée : Dasha s'efforçait de la réveiller... et, hélas, y parvenait à merveille. Elle secouait vigoureusement sa cadette tandis que sa voix, d'ordinaire mélodieuse, sifflait, stridente :

— Psst ! Tania ! Réveille-toi. Mais réveille-toi donc !

Tatiana poussa un grognement, avant de marmonner :

— Arrête. Tu vois pas que je dors ?

Nouveau bruit de porte. Nouveau craquement du plancher. Cette fois c'était leur mère.

— Tania ? Tu es réveillée ? Lève-toi tout de suite.

La voix d'Irina Fedorovna, elle, n'était jamais mélodieuse. Il n'y avait chez elle aucune douceur. Petite, bruyante, elle semblait toujours sur le point de déborder — soit d'énergie, soit d'indignation. Elle avait noué un fichu sur ses cheveux, sans doute par commodité afin de pouvoir nettoyer à genoux la salle de bains collective sans avoir de mèches dans les yeux.

— Qu'est-ce qui se passe, Maman? grommela Tatiana.

— Dépêche-toi de te lever, grinça sa mère. Il va y avoir un communiqué à la radio.

Dans un souffle, la jeune fille chuchota à Dasha qui se penchait vers elle :

— Où t'étais passée hier soir? T'es rentrée après le lever du jour.

— Qu'est-ce que j'y peux, répondit sa sœur avec un grand sourire, si le jour se lève à minuit? Et puis minuit, c'est une heure très convenable.

— Faux : le jour s'est levé à trois heures et tu n'étais pas rentrée.

Un instant, Dasha garda un silence perplexe :

— Bon, d'accord, conclut-elle, je dirai à Papa que je suis restée bloquée de l'autre côté du fleuve parce qu'on avait relevé les ponts mobiles.

— T'as raison. Après t'auras plus qu'à lui expliquer ce que tu fichais sur l'autre rive de la Neva à trois heures du mat' !

Tatiana dévisagea sa sœur : Dasha avait décidément une mine radieuse ce matin, sous une chevelure noire rebelle ses yeux bruns pétillaient, malicieux. Puis elle surprit l'expression tendue de sa mère et demanda :

— Un communiqué à la radio? Quel communiqué?

Irina Fedorovna ôtait les couvertures du canapé.

— Le gouvernement va faire un communiqué dans quelques minutes, répondit-elle. Je ne sais rien de plus.

Un communiqué du gouvernement, c'était un événement rare : Tatiana s'arracha à sa somnolence.

— Peut-être qu'on a encore envahi la Finlande, fit-elle en se frottant les yeux.

— Silence, dit sa mère.

— À moins que la Finlande ne nous ait envahis. Ils veulent récupérer la Carélie et la partie de la Laponie qu'on leur a prises l'an dernier.

— On ne leur a rien pris, riposta Dasha. L'année dernière, on a juste reconquis des territoires qui nous appartenaient. Ceux qu'on avait perdus dans la Grande Guerre. Et puis cesse de te mêler des conversations des adultes.

— Ces territoires, repartit Tatiana, le camarade Lénine les avait cédés librement, de son plein gré. Ça ne compte pas.

— Tatiana Georgievna ! Tais-toi et sors du lit !

Lorsque sa mère l'appelait ainsi, par son prénom tout entier, Tatiana savait qu'elle ne plaisantait pas.

— Daria, fais lever ta sœur, reprit Irina Fedorovna avant de quitter la pièce en maugréant.

Dasha ne fit pas un geste, mais souffla à l'oreille de sa cadette avec un murmure de conspiratrice :

— J'ai un truc à te raconter !

Comme mue par un ressort, Tatiana se retrouva assise dans le lit, la curiosité en éveil : d'ordinaire, Dasha révélait peu de choses de sa vie de grande personne.

— Je suis amoureuse ! Tania, je suis sûre que tu n'as encore jamais vu un garçon aussi beau !

— Tu veux dire qu'il est plus présentable que ce Sergueï avec lequel tu me torturais la semaine dernière ?

— Tais-toi, siffla Dasha en gratifiant sa sœur d'une claque sur la jambe. Tu ne peux pas comprendre, tu n'es qu'une horrible gamine.

À cet instant, leur mère fit à nouveau irruption dans la pièce, interrompant les confidences. Elle portait un plateau rond sur lequel étaient posés six tasses et un samovar en argent. Georgi Vassilievitch Metanov, son mari, la suivait. La quarantaine, il arborait une masse de cheveux noirs hirsutes qui commençaient à grisonner par endroits. Dasha tenait sa chevelure bouclée de son père. En passant près du lit, celui-ci jeta un regard absent à Tatiana :

— Tania, il est midi. Je veux te voir habillée dans deux minutes.

— Fastoche, répliqua la jeune fille en se levant d'un bond pour montrer à sa famille qu'elle portait toujours ses vêtements de la veille.

Dasha et Irina Fedorovna secouèrent la tête d'un air navré. Georgi Vassilievitch soupira.

— Si seulement je me mariais, gémit Dasha, j'aurais enfin une chambre à moi.

— Tu rigoles ! répliqua sa sœur. Tu vivrais ici avec ton mari, un point c'est tout. Toi, moi, lui, tous dans le même lit, avec Pasha à nos pieds. Romantique, non ?

— Ne te marie pas, Dashenka, lui dit sa mère. Pour une fois, Tania a raison. On n'aurait pas de place pour ton mari.

Georgi Vassilievitch ne fit aucun commentaire. Il tourna le bouton de la radio.

Dans la longue pièce étroite qu'ils habitaient, il y avait un vrai lit, celui de Tatiana et de Dasha, un canapé où dormaient leurs parents et, au pied du lit des filles, le lit de camp de Pasha, le jumeau de Tatiana. Les grands-parents, Babouchka et Deda, vivaient dans une pièce contiguë, reliée à la leur par une petite entrée. De temps en temps, Dasha dormait sur le petit divan de l'entrée lorsqu'elle rentrait tard et préférait se coucher discrètement pour ne pas réveiller ses parents et risquer des ennuis le lendemain matin...

Les Metanov avaient de la chance : ils disposaient non seulement de deux pièces, mais aussi d'une partie du couloir. Six ans auparavant, ils avaient fermé leur bout de couloir par une porte, ce qui leur donnait presque l'impression d'avoir un appartement à eux, alors que les Iglenko, leurs voisins, dormaient à six dans la même pièce.

La lumière du soleil filtrait par les rideaux blancs que gonflait une légère brise. Tatiana connaissait cet instant, c'était le moment du dimanche qu'elle préférait : le tout début. Elle savait qu'il ne durerait qu'une fraction de seconde, cette fraction de seconde où la journée semblait encore pleine de promesses. Une seconde plus tard, toutes les promesses auraient disparu...

Pasha pénétra à son tour dans la pièce, accompagné de Deda et de Babouchka. Bien que jumeau de Tatiana, il était trapu et brun et ne lui ressemblait pas du tout. Il salua sa sœur d'un hochement de tête désinvolte, en disant :

— Hmmm, jolie coiffure.

Tatiana lui tira la langue tandis qu'il s'asseyait sur son lit de camp, sa grand-mère à ses côtés. Avec son allure imposante, son franc-parler et ses cheveux gris, Babouchka dominait toute la famille : d'instinct, on s'en remettait à elle pour tout, à l'exception des sujets touchant à la moralité sur lesquels Deda, le père de Georgi Vassilievitch, faisait autorité. Il s'assit sur le canapé et murmura :

— Il doit se passer quelque chose d'important, fils.

Georgi Vassilievitch acquiesça, l'air anxieux.

La radio commença à émettre un chuintement. Il était midi et demi, ce 22 juin 1941. La voix du camarade Viatcheslav Molotov, commissaire aux Affaires étrangères, sortit du poste :

« Hommes et femmes, citoyens de l'Union soviétique, le gouvernement soviétique et son chef, le camarade Staline, m'ont chargé de faire la déclaration suivante : ce matin, à quatre heures, sans déclaration de guerre, et sans qu'aucune exigence ait été présentée à l'Union soviétique, les troupes allemandes ont attaqué notre pays et effectué des bombardements aériens sur Jitomir, Kiev, Sébastopol, Kaunas et d'autres villes. Il y a plus de deux cents morts et blessés. Cette attaque contre notre pays est un acte de perfidie sans précédent dans l'histoire des nations civilisées. Elle a été lancée malgré l'existence d'un pacte de non-agression entre l'Union soviétique et l'Allemagne, pacte dont nous avons toujours respecté les clauses avec le plus grand scrupule. Nous avons été attaqués alors que, depuis la signature de ce pacte, les Allemands n'avaient jamais eu le moindre motif pour reprocher à l'URSS d'avoir failli à ses obligations. Le gouvernement fait appel à vous, hommes et femmes, citoyens de l'Union soviétique, pour rallier en rangs plus serrés encore le glorieux parti bolchévique, le gouvernement soviétique et notre grand chef, le camarade Staline. Notre cause est bonne, l'ennemi sera écrasé, la victoire sera à nous. »

La radio se tut. La famille Metanov resta un long moment plongée dans un mutisme hébété. Assis sur le canapé, Georgi Vassilievitch regardait fixement Pasha, sans un mot. Irina Fedorovna rompit le silence la première :

— Il faut tout de suite retirer notre argent de la banque, dit-elle.

— Je ne survivrai pas à une nouvelle évacuation, fit Babouchka. Autant rester en ville.

— Et moi, est-ce que je retrouverai un poste d'enseignant une fois évacué ? demanda Deda. J'ai bientôt soixante-quatre ans. C'est un âge pour mourir, pas pour partir.

Puis Pasha s'exclama :

— La guerre ! Tania, t'entends ça ? Je vais m'engager, tu te rends compte ? Me battre pour la patrie !

Avant que Tatiana ait pu lui donner son avis — à savoir un énorme « ouaouh ! » —, leur père bondit, s'adressant uniquement à Pasha :

— Qu'est-ce que tu t'imagines ? Tu crois peut-être que l'armée voudra de toi ?

— Voyons, mon petit Papa, fit Pasha avec un sourire. La guerre a toujours besoin d'hommes.

— D'hommes, oui. Pas d'enfants !

Et, sur ces mots, Georgi Vassilievitch tomba à genoux et plongea sous le lit de Dasha et de Tatiana, d'où il tira une vieille valise toute cabossée.

— La guerre... c'est impossible, articula enfin lentement Tatiana. Le camarade Staline n'avait pas signé un traité de paix ? Vous croyez qu'on va être obligés... d'*évacuer* ? ajouta-t-elle en s'efforçant de masquer l'excitation qui perçait dans sa voix.

L'évacuation, elle la connaissait d'après les récits que lui en avaient faits ses grands-parents : lors de la révolution de 1917, ils avaient fui vers l'Oural et vécu dans un village dont elle ne se rappelait jamais le nom. Chargés de toutes leurs affaires, ils avaient attendu un train improbable qui avait fini par arriver, ils s'étaient entassés dedans avec des centaines d'autres personnes, avaient traversé la Volga sur des barges...

À cette seule pensée, le cœur de Tatiana s'emballait. C'était l'idée d'un changement qui l'excitait. L'inconnu. Elle ne s'était rendue qu'une seule fois à Moscou, quand elle avait huit ans, et encore n'y avait-elle passé que quelques heures — ça ne comptait pas. Et puis Moscou n'avait rien d'exotique. Ce n'était ni l'Afrique ni l'Amérique. Ce n'était même pas l'Oural. Moscou, c'était juste Moscou.

Elle avait aussi visité en famille les anciennes résidences

impériales de Tsarskoïe Selo et de Peterhof. Les bolchéviques avaient transformé les résidences d'été des tsars en de somptueux musées ceints de jardins paysagés. Tatiana se souvenait des salles immenses de Peterhof, ce « Versailles russe ». Avec précaution, elle avait foulé le marbre froid sans parvenir à croire qu'en d'autres temps certaines personnes aient pu disposer d'*autant de place* pour vivre.

Puis la famille avait regagné son deux-pièces de Leningrad, dans l'appartement collectif où les six Iglenko vivaient porte ouverte sur le couloir.

Quand elle avait trois ans, les Metanov avaient passé des vacances dans cette Crimée que venaient d'attaquer les Allemands. Tout ce qu'elle se rappelait, c'était que, pour la première fois — et la dernière —, elle avait mangé une pomme de terre crue. Elle avait aussi vu des têtards dans une mare et dormi sous la tente. Elle avait gardé en mémoire une vague odeur d'eau salée. Ce même mois d'avril glacial, alors qu'elle se baignait dans la mer Noire, elle avait senti une méduse frôler son petit corps nu et poussé un cri de terreur ravie.

L'idée de l'évacuation la remplissait de la même frayeur enthousiaste. Née en 1924, l'année de la mort de Lénine, elle était certes arrivée *après* le pire — après la révolution, après la famine, après la guerre civile —, mais aussi *avant* quoi que ce fût de bon. Elle était née *pendant*.

Deda leva vers elle un regard sombre :

— À quoi penses-tu, Tanechka ?

Tatiana tenta de se composer un visage impassible :

— À rien.

— Qu'est-ce qui se passe dans ta petite tête ? C'est la guerre, tu comprends ? Tania, la vie que tu as connue est finie, crois-moi. À partir d'aujourd'hui, plus rien ne sera comme avant.

— On va renvoyer ces Teutons au diable, et à coups de pied au cul ! s'exclama Pasha.

Il gratifia Tatiana d'un large sourire qu'elle lui retourna bien volontiers.

Leurs parents gardaient le silence. Babouchka alla s'asseoir sur le canapé, près de son mari. Elle posa sur la sienne sa large main, eut une moue réprobatrice et hocha la tête comme quelqu'un qui sait des choses mais préfère ne rien dire. Deda aussi avait l'air de quelqu'un qui sait des choses. Pourtant, quel que fût leur secret, il n'était pas à la hauteur du tumulte intérieur qui agitait Tatiana. Ils ne comprennent pas, se dit-elle. Ils sont trop vieux.

Georgi Vassilievitch se dirigea vers l'armoire et entreprit d'en sortir tous les habits de Pasha pour les jeter en vrac dans la valise ouverte sur le sol.

— Que fais-tu ? demanda Irina Fedorovna.

— Trop d'enfants, répondit laconiquement son mari. Oui, trop d'enfants c'est trop de soucis, répéta-t-il avec tristesse. J'éloigne Pasha, Irina. Il va partir un peu plus tôt pour son camp d'adolescents de Tolmachevo, c'est tout. On allait l'y envoyer la semaine prochaine de toute façon. Avec Volodya Iglenko. Nina sera rassurée de les voir partir une semaine plus tôt. Tout va bien se passer.

Irina Fedorovna secoua la tête :

— Tolmachevo ? Tu es sûr qu'il sera en sécurité là-bas ?

— Absolument.

— Mais, Papa, c'est la guerre ! s'exclama Pasha. Je ne veux pas partir camper. Je veux m'engager.

Bravo, Pasha ! se dit Tatiana, enchantée. Mais lorsqu'elle vit leur père faire brusquement volte-face pour attraper son frère par les épaules, elle lut sur son visage une expression de désespoir qu'elle ne lui avait encore jamais vue. Et elle comprit.

— Qu'est-ce que tu racontes? hurla Georgi Vassilievitch. Tu es fou, ma parole! *T'engager*?

Pasha se débattait, mais son père ne lâchait pas prise.

— Pavel, tu es mon fils et tu vas m'écouter. Tu commences par quitter Leningrad, ton engagement, on en reparlera plus tard. Pour l'instant, tu as un train à prendre.

Il y avait quelque chose d'embarrassant dans cette confrontation physique : une si petite pièce, tant de spectateurs... Tatiana eut envie de détourner les yeux, mais sans trouver un seul endroit où les poser sereinement : face à elle se tenaient ses grands-parents, derrière elle Dasha, et à gauche sa mère, son père et son frère. Elle baissa le regard sur ses mains et ferma les paupières. Elle s'imagina couchée au beau milieu d'un champ de trèfles, l'été. Sans personne.

Comment la vie pouvait-elle changer à ce point en quelques secondes?

Elle rouvrit les yeux. Une seconde. Les referma. Deux secondes. Les rouvrit. Trois secondes.

Quelques secondes plus tôt, elle dormait.

Quelques secondes plus tôt, Molotov parlait à la radio.

Quelques secondes plus tôt, c'était son père qui parlait.

Et voilà : Pasha partait. Quelques secondes, rien que quelques secondes, le temps d'un battement de cils.

Comme à leur habitude, Deda et Babouchka gardaient un silence diplomatique. Deda avait cette grâce de ne jamais manquer une occasion de se taire. En cela, Babouchka ne lui ressemblait pas. Pourtant, cette fois, elle décida à l'évidence de prendre exemple sur lui.

Dasha, qui ne craignait pas Georgi Vassilievitch et que n'abattait pas la perspective — pour elle, lointaine — d'une guerre, se leva et déclara :

— C'est de la folie, Papa. Pourquoi veux-tu éloigner

Pasha ? Les Allemands ne sont pas aux portes de Leningrad. Tu as entendu ce qu'a dit le camarade Molotov. Ils sont en Crimée. À des milliers de kilomètres d'ici.

— Tais-toi, Dashenka. Tu ne sais pas de quoi tu parles. Tu ne sais pas de quoi ces Allemands sont capables.

— Mais ils sont loin, Papa ! répéta Dasha, catégorique.

Tatiana regretta de ne pas savoir s'exprimer avec une telle conviction. Sa voix à elle était toute fluette, comme s'il manquait encore à sa panoplie de femme quelques hormones indispensables. De fait, à maints égards, c'était le cas. En effet, elle n'avait eu ses règles que l'année précédente, et encore... si peu. Des « réglettes » en quelque sorte, et trimestrielles avec ça. Elles étaient venues l'hiver, avaient sans doute jugé la saison peu propice et n'avaient plus reparu jusqu'à l'automne suivant. Là, elles étaient restées longtemps — comme pour ne plus jamais disparaître. Depuis, Tatiana ne les avait eues que deux fois. Elle se disait que de vraies règles s'accompagnaient peut-être aussi d'une vraie voix, une voix sérieuse et ferme comme celle de sa sœur.

— Ce n'est certainement pas avec *toi* que je vais en discuter, Dasha ! s'écria Georgi Vassilievitch. Ton frère ne restera pas une seconde de plus à Leningrad, un point c'est tout. Toi, habille-toi, ajouta-t-il en se tournant vers Pasha.

— Papa, je t'en prie...

— Je te dis de t'habiller. On n'a pas de temps à perdre. D'ici une heure on ne trouvera plus une place dans ces camps d'adolescents, je te le garantis. Et puis tu ne pars pas pour toujours, fils, ajouta Georgi Vassilievitch en voyant la mine désolée de Pasha. C'est une précaution, rien de plus. Tu seras en sécurité à Tolmachevo. Tu y resteras peut-être un mois, le temps de voir comment tourne cette guerre. Ensuite tu reviendras et, s'il y a évacuation, nous vous ferons partir ensemble, tes sœurs et toi.

Oui ! Génial ! C'était exactement ce que Tatiana rêvait d'entendre.

— Georg, fit doucement Deda. Tu ne peux pas empêcher ce garçon d'être touché par la conscription. C'est impossible.

— Bien sûr que si, je peux. Il n'a que dix-sept ans.

Deda secoua sa belle tête grise.

— C'est bien ce que je dis : il a dix-sept ans, il sera appelé sous les drapeaux.

Une expression de terreur passa, fugitive, sur les traits de Georgi Vassilievitch.

— Non, Papouchka, il n'ira pas, fit-il d'une voix tremblante. Je ne vois même pas de quoi tu parles.

De toute évidence, il était incapable d'exprimer ce qu'il ressentait : *Qu'ils se taisent tous et me laissent protéger mon fils*. Deda se rencogna dans les coussins du canapé.

Irina Fedorovna dit :

— Pasha, mon amour, prends un pull.

— Je ne vais pas prendre de pull, Maman. On est en plein été !

— Il gelait il y a encore deux semaines.

— Et maintenant il fait chaud. Je ne prendrai pas de pull.

— Pavel, écoute ta mère, fit Georgi Vassilievitch. Les nuits sont fraîches à Tolmachevo. Prends ce pull-over.

Avec un profond soupir de dépit et d'exaspération, Pasha prit son pull dans l'armoire et le jeta dans la valise. Son père rabattit immédiatement le couvercle et tourna la petite clef dans la serrure.

— Maintenant écoutez-moi tous. Voici mon plan...

Et il entreprit d'expliquer à chacun des membres de la famille ce qu'il attendait.

Tatiana se laissa retomber sur son lit. S'ils n'évacuaient pas *à l'instant même*, elle ne voulait pas en entendre davantage. Rien d'autre ne l'intéressait.

Pasha partait en camp chaque été — à Tolmachevo, à Louga ou à Gatchina. Il préférait Louga à cause de la rivière, à l'en croire le meilleur des cours d'eau pour la natation. Et sa jumelle aimait le savoir à Louga parce que, alors, il se trouvait près de leur datcha et elle pouvait lui rendre visite. En coupant à travers bois, le camp de Louga n'était qu'à cinq kilomètres de la datcha, mais Tolmachevo était à vingt kilomètres de Louga. Et puis, là-bas, les moniteurs ne plaisantaient pas : il fallait se lever à l'aube. Pasha disait toujours que c'était un peu comme à l'armée. Eh bien, maintenant ce sera un peu comme s'engager, songea Tatiana sans écouter ce que disait son père.

Dasha lui pinça discrètement le mollet. La jeune fille poussa un « aïe » sonore, espérant que sa sœur se ferait gronder. Mais personne n'y prêta attention. Ils ne tournèrent même pas la tête. Tous gardaient les yeux rivés sur Pasha, debout au milieu de la pièce, gauche et maladroit dans son pantalon marron et sa vieille chemise beige. Ils l'aimaient tous tellement.

Il le savait : il était le fils préféré, le petit-fils préféré, le frère préféré.

Il était l'unique garçon.

Tatiana se leva et vint se poster à côté de lui. Elle passa un bras sur ses épaules et dit :

— Fais pas la tête, va. T'as de la chance. Tu pars camper, tandis que moi je ne vais nulle part.

Il s'écarta un peu, juste un peu, non pour s'éloigner d'elle — Tatiana le comprit bien —, mais parce que lui n'avait pas le sentiment d'avoir tellement de chance : plus que tout, il voulait devenir soldat et n'avait aucune envie de passer un mois dans ce stupide camp d'ados.

— Papa, poursuivit gaiement Tatiana, je peux faire ma valise ? Je voudrais partir camper moi aussi.

— Boucle-la, Tania, dit Pasha.

— Boucle-la, Tania, répéta Georgi Vassilievitch. Tu es prêt, Pasha ? On y va.

Il n'y avait pas de camp pour les filles.

2

— Tania, va ouvrir la porte d'entrée, ta mère a mal au dos, dit Georgi Vassilievitch alors qu'ils s'apprêtaient à descendre les affaires de Pasha.

— D'accord, Papa.

L'appartement était disposé comme un train : un long couloir sur lequel donnaient neuf pièces. Il avait deux cuisines, une sur le devant et l'autre sur l'arrière. Salles de bains et toilettes étaient contiguës aux cuisines. Ces neuf pièces étaient habitées par vingt-cinq personnes. Cinq ans auparavant, ils avaient été trente-trois dans l'appartement, mais il y avait eu les déménagements, les morts, les arrestations aussi...

La famille de Tatiana vivait sur l'arrière. C'était un avantage : la cuisine était plus grande et elle avait des escaliers — un qui montait sur le toit, et un autre qui descendait dans la cour. Tatiana aimait bien emprunter cet escalier : il lui permettait de se glisser dehors sans passer devant le logement de ce cinglé de Slavin.

La cuisine de derrière avait aussi une plus grosse cuisinière que celle de devant, et la salle de bains était plus spacieuse. Les Metanov ne les partageaient qu'avec trois autres familles : les Petrov, les Sarkov et ce cinglé de Slavin, qui ne cuisinait jamais et ne se lavait jamais non plus.

Ouf, cette fois il n'était pas dans le couloir.

Elle sortit de l'appartement, descendit les trois étages et passa devant le téléphone. Petr Petrov occupait la ligne. Elle se dit qu'ils avaient vraiment de la chance d'avoir un téléphone en état de marche. Sa cousine Marina vivait dans un immeuble où le téléphone ne fonctionnait jamais. Il fallait soit lui écrire, soit passer la voir, chose que Tatiana ne faisait que rarement, Marina habitant à l'autre bout de la ville, de l'autre côté de la Neva.

Elle trouva Petr Petrov très agité. Il attendait sa communication et, le fil étant trop court pour lui permettre d'arpenter l'entrée, trépignait sur place. Il obtint la ligne au moment précis où Tatiana passait près de lui. Tout de suite il hurla :

— Luba ! C'est toi ? C'est toi, Luba ? Tu m'entends ? La ligne est mauvaise. Tout le monde doit essayer de téléphoner. Luba, rentre tout de suite à Leningrad ! Tu m'entends ? C'est la guerre. Prends ce que tu peux et saute dans le prochain train. Luba ! Non, pas dans une heure, ni demain — *tout de suite*, tu comprends ?

Tatiana se retourna. Dans un même coup d'œil, elle vit le dos raide de Petr Petrov et le regard furibond de son père.

— Tatiana Georgievna ! Tu te dépêches, oui ou non !

Tout comme Irina Fedorovna, il ne l'appelait par son prénom entier que pour lui signifier qu'il ne plaisantait pas. Alors elle pressa le pas, tout en se demandant pourquoi son frère ne pouvait pas ouvrir la porte et descendre seul ses bagages.

Volodya Iglenko avait l'âge de Pasha, comme lui il se rendait au camp de Tolmachevo, mais lui portait sa valise et n'avait pas besoin qu'on lui tienne la porte. Il faut dire que Volodya appartenait à une fratrie de quatre garçons. Il n'avait pas de sœur pour le servir...

Une fois sur le trottoir, Georgi Vassilievitch dit à Tatiana :

— Prends les cent cinquante roubles que je t'ai donnés et va acheter de quoi manger. Mais ne lambine pas comme d'habitude. Tu m'entends ?

— J'entends, Papa. J'y vais tout de suite.

— M'est avis que tu vas plutôt retourner te coucher, lui chuchota Pasha.

Elle le gratifia d'une vigoureuse bourrade, à laquelle il répondit en lui tirant les cheveux.

— Attache donc cette tignasse avant de sortir, dit-il. Sinon tu vas faire peur aux passants.

— Boucle-la, riposta Tatiana en riant. Sinon je les rase.

Elle dit au revoir à Volodya, fit un signe à sa mère et jeta un dernier regard au dos de Pasha, puis elle remonta à l'appartement et regagna leur logement au moment où ses grands-parents en sortaient, accompagnés de Dasha. Ils allaient à la banque retirer leurs économies.

Une fois seule, Tatiana poussa un soupir de soulagement et s'affala sur le lit.

Ils étaient nés trop tard. Oui, Pasha et elle étaient arrivés trop tard dans cette famille. Elle regrettait de ne pas être née en 1917, comme Dasha. Après Dasha, il y avait eu d'autres enfants : deux fils — l'un né en 1919, l'autre en 1921, tous deux morts du typhus. Ensuite, une fille, née en 1922 et morte de la scarlatine l'année suivante. Puis, en 1924, alors que Lénine venait de mourir, que la NEP, la nouvelle politique économique — ce bref retour à la libre entreprise — touchait à sa fin, que Staline consolidait son pouvoir par les purges, Pasha et Tatiana naissaient — à sept minutes d'intervalle. Irina Fedorovna avait trente-deux ans à l'époque. La famille *voulait* un fils, elle *voulait* Pasha, mais l'arrivée de Tatiana avait été accueillie avec stupéfaction. Des jumeaux ? Personne n'avait de jumeaux. À peine si l'on savait que cela existait. En outre, il n'y avait pas de place pour elle à la maison. Les trois premières années de leur vie, Pasha et Tatiana avaient partagé le même lit d'enfant. Puis la petite fille avait dormi avec Dasha.

La question restait la même : Tatiana occupait une place fort convoitée à la maison. Si Dasha ne pouvait pas se marier, c'était parce que sa cadette prenait la place de son futur mari. Elle le lui disait souvent, d'ailleurs :

— À cause de toi, je vais mourir vieille fille.

À quoi Tatiana répondait invariablement :

— Ne tarde pas. Comme ça, *moi* je pourrai me marier et dormir avec mon mari dans ton lit !

Elle avait fini le lycée le mois précédent et trouvé un travail, histoire de ne pas passer un nouvel été à Louga, à lire, canoter et jouer avec les gosses du coin dans la poussière de la route. Tatiana avait passé tous les étés de son enfance dans cette datcha de Louga, ainsi qu'à Novgorod, près du lac Ilmen, où les parents de sa cousine Marina avaient leur propre datcha.

Jadis, elle attendait avec impatience les concombres du mois de juin, les tomates de juillet et les framboises d'août, elle se réjouissait à l'idée de cueillir champignons et myrtilles, de pêcher dans la rivière. Cet été 1941 allait être différent.

Elle en avait assez d'être une enfant, mais ne savait pas trop comment devenir autre chose. Alors elle avait pris cet emploi à l'usine Kirov, la plus importante de Leningrad et sans doute aussi de toute l'Union soviétique. Tatiana avait entendu dire que, quelque part dans l'usine, des ouvriers fabriquaient des chars. Elle restait sceptique : elle n'en avait pas encore vu un seul.

Elle, elle s'occupait des couverts. Son travail consistait à ranger des couteaux, des fourchettes et des cuillères dans des boîtes. Elle était l'avant-dernière de la chaîne. La fille qui venait après elle fermait les boîtes avec du ruban adhésif. Tatiana avait pitié : le ruban adhésif, c'était très ennuyeux...

Étendue sur le lit, elle se dit que travailler à Kirov pour l'été allait certes être amusant, mais pas autant qu'une évacuation.

Elle aurait bien aimé avoir quelques heures devant elle pour lire : elle venait juste de commencer les nouvelles satiriques de Mikhaïl Zochtchenko sur la vie soviétique. Elle jeta à son livre un coup d'œil plein de convoitise. Après tout, quelle urgence y avait-il à faire les courses ? Les Allemands étaient à deux mille kilomètres. Le camarade Staline n'allait pas laisser ce traître d'Hitler pénétrer plus avant dans le pays. Et elle n'avait jamais l'occasion d'être seule à la maison.

Pourtant, les instructions de son père avaient été claires et catégoriques : par prudence, elle décida de s'y plier.

Seulement on était dimanche et, le dimanche, il fallait se mettre sur son trente et un. Elle se jucha sur les escarpins rouges à talons hauts de Dasha, ceux qui la faisaient vaciller comme un veau nouveau-né, et entreprit de brosser ses longs cheveux blonds tout en déplorant de n'avoir pas hérité des épaisses boucles noires des autres membres de la famille. Elle trouvait ses cheveux trop raides, trop fades, et les coiffait toujours avec une queue de cheval ou des tresses. Ce jour-là, elle choisit la queue de cheval.

Ces cheveux blonds et raides dans une famille brune et frisée demeuraient un mystère. Sa mère avait beau lui répéter qu'elle aussi avait des cheveux blonds et raides quand elle était petite, Tatiana n'y voyait qu'une piètre consolation.

Elle enfila sa robe des dimanches, s'assura que son

visage, ses dents et ses mains étaient d'une propreté irréprochable, puis se trouva enfin prête à sortir.

Cent cinquante roubles, c'était une somme colossale. Elle ignorait d'où son père tenait tous ces billets. L'argent semblait parfois surgir comme par magie entre ses mains. Mais elle ne posait pas de questions — ce n'était pas son rôle. Que lui avait-il dit d'acheter déjà ? Du riz ? De la vodka ? Elle avait oublié.

Irina Fedorovna l'avait pourtant prévenu :

— Ne l'envoie pas faire les commissions, Georg : elle va encore rentrer les mains vides.

Tatiana avait confirmé d'un hochement de tête :

— Maman a raison. Envoie plutôt Dasha, Papa.

Il avait crié :

— Non ! Je sais que tu peux le faire. Prends un sac, va au magasin et reviens avec...

Avec quoi ? Des pommes de terre ? De la farine ?

En passant devant la pièce des Sarkov, elle aperçut Zhanna et Zhenya Sarkova assises dans leurs fauteuils, en train de siroter un thé en lisant, l'air parfaitement détendues, comme si ce dimanche était un dimanche comme les autres. Tatiana se dit qu'elles avaient de la chance d'avoir cette grande pièce rien que pour elles. Heureusement, ce cinglé de Slavin n'était toujours pas dans le couloir. Tout allait bien.

Le communiqué du camarade Molotov semblait une anomalie dans cette journée que rien ne distinguait des autres. Tatiana en vint presque à douter de ce qu'ils avaient entendu à la radio, mais lorsqu'elle tourna au coin de Grecheski, elle vit un véritable essaim humain se précipiter vers la Perspective Nevski, la grande artère commerçante de Leningrad.

Elle ne se rappelait pas avoir jamais vu autant de monde

dans les rues. Elle fit tout de suite demi-tour et fila dans la direction opposée, vers la Perspective Suvorovski, pensant devancer la foule. S'ils fonçaient tous vers les magasins de la Perspective Nevski, elle, elle allait partir dans l'autre sens, du côté du Jardin de Tauride, où se trouvaient des épiceries peut-être moins fournies mais aussi moins fréquentées.

Elle croisa un couple qui sourit en regardant sa belle robe. Elle baissa les yeux et sourit elle aussi.

C'était sa robe blanche avec les roses rouges. Elle l'avait eue en 1938, pour ses quatorze ans. Son père l'avait achetée sur un marché dans une ville de Pologne appelée Swietokryst, où il était en déplacement pour la Compagnie des eaux de Leningrad. Ses voyages l'emmenaient à Swietokryst, à Varsovie, à Lublin aussi. Lorsqu'il rentrait, Tatiana le voyait comme un grand aventurier. De Varsovie, il avait rapporté des chocolats à Dasha, mais c'était il y a longtemps : très exactement deux ans et trois cent soixante-trois jours. Tatiana, au moins, avait toujours sa robe avec les roses rouges brodées sur un coton blanc, épais et doux. C'était la robe d'été idéale, avec de fines bretelles, sans manches. Cintrée, elle s'évasait sous la taille et virevoltait quand la jeune fille pivotait sur elle-même.

Cette robe n'avait qu'un seul problème : depuis 1938, elle était devenue trop petite. Tatiana ne pouvait plus, comme avant, nouer à bloc les lacets de satin dans le dos. Elle se sentait mal à l'aise dans ce corps qui ne s'épanouissait pas comme celui de Dasha, tout en hanches, en seins, en cuisses, en bras. Bien qu'arrondies, ses hanches à elle restaient fines, ses bras et ses jambes demeuraient minces, seule sa poitrine grossissait : *là était le problème*. Sans cette poitrine, elle n'aurait pas eu à dénouer les lacets et à exposer son dos nu, des omoplates jusqu'aux reins, sous les croisillons de satin.

Bref, elle aimait la robe mais pas le corps boudiné dedans. Elle aimait aussi la petite étiquette qui disait FABRIQUÉ EN FRANCE.

C'était une satisfaction que de posséder une chose qui n'ait pas été fabriquée en Union soviétique mais en France — par des Français. Qu'y avait-il de plus romantique que la France ? Les Français étaient les maîtres de l'amour. Chaque pays avait sa spécialité : les Russes étaient imbattables pour la souffrance, les Anglais pour le quant-à-soi, les Américains pour la joie de vivre, les Italiens pour la religion, et les Français pour l'amour. Voilà. Cette robe était une promesse d'amour.

Pourtant, ce même dimanche au soleil radieux, Hitler était entré en Union soviétique. Tatiana secoua la tête, incrédule. Son grand-père n'avait jamais eu confiance en cet Hitler. Il l'avait dit depuis le début, en 1939, lorsque le camarade Staline avait signé le pacte de non-agression. Oui, à l'époque Deda avait dit que Staline passait un pacte avec le Diable. Et maintenant le Diable trahissait Staline. Était-ce vraiment surprenant ? Demandait-on au Diable d'avoir le sens de l'honneur ?

Tatiana se dit que son grand-père était décidément un homme très intelligent. Dès l'invasion de la Pologne, en 1939, il avait prédit qu'Hitler entrerait en Union soviétique et s'était mis à rapporter des conserves à la maison. Beaucoup trop de conserves au goût de Babouchka qui ne voyait pas l'utilité de dépenser la moitié d'une paye déjà maigre *au cas où* surviendrait une improbable invasion.

— De quelle guerre parles-tu ? disait-elle, foudroyant du regard le jambon en boîte. Qui va manger une cochonnerie pareille ? Pourquoi tu n'achètes pas plutôt des champignons marinés ou des tomates ?

Deda baissait la tête, laissait passer l'orage, et, le mois suivant, revenait les bras chargés de nouvelles conserves. Il achetait aussi du sucre, du café, du tabac, de la vodka — qu'il avait plus de mal à garder intacts car, chaque anniversaire ou chaque 1er Mai, la vodka était ouverte, le tabac fumé, le café bu et le sucre converti en gâteau... Le seul article dont les réserves, loin de diminuer, augmentaient chaque mois, c'était le jambon en boîte que tout le monde détestait.

Tout à coup Tatiana s'en souvint : elle avait pour mission d'acheter tout le riz et toutes les bouteilles de vodka qui lui tomberaient sous la main, mais l'affaire se révéla beaucoup plus difficile que prévu.

Il n'y avait plus une seule bouteille de vodka sur toute la Perspective Suvorovski. En revanche, on trouvait du fromage — mais le fromage ne se gardait pas. Il y avait aussi du pain. Mais le pain ne se gardait pas non plus. Le saucisson sec avait disparu, tout comme les conserves. Et la farine.

La Perspective Suvorovski était longue d'un kilomètre : sur ce kilomètre, on ne trouvait plus une seule denrée non périssable. Et il n'était que quinze heures.

Tatiana pressa le pas. Elle passa devant deux banques et constata que toutes deux étaient fermées. Pourquoi les banques fermaient-elles si tôt ?

Elle commença à regretter d'avoir tant tardé à sortir. Si elle s'était dépêchée au lieu de traîner pour se faire belle, elle aurait pu se rendre sur la Perspective Nevski et prendre sa place dans une file d'attente, comme tout le monde.

Découragée, elle ralentit et s'abandonna à ses rêveries dans l'air chaud d'un été qui semblait porteur d'effluves inédits. Un nouvel ordre des choses se préparait — elle le sentait. Est-ce que je me rappellerai toujours cette journée? se demanda-t-elle en respirant profondément. Il m'est déjà arrivé de me dire ça : « Oh, je n'oublierai jamais cette journée ! » Mais j'ai oublié tous les jours dont je pensais me souvenir pour l'éternité. Pourtant je me rappelle celui où j'ai vu mon premier têtard. La première fois que j'ai goûté l'eau salée de la mer Noire. Et aussi la première fois que je me suis perdue dans les bois. Peut-être qu'on ne se souvient que des premières fois. Et aujourd'hui c'est la première fois que je vais connaître une vraie guerre. Oui, peut-être que je ne vais pas oublier cette journée...

Elle se dirigea vers les boutiques proches du Jardin de Tauride. Elle aimait la tranquillité de ce quartier, loin de la bousculade de la Perspective Nevski.

Après avoir jeté un œil chez trois ou quatre épiciers, elle faillit renoncer. Mais l'idée d'avouer son échec à son père ne l'enthousiasmait guère. Alors elle continua de marcher. Au coin de la Perspective Suvorovski et de la rue Saltykov-Chtchedrine, elle découvrit un magasin devant lequel s'étirait une interminable queue.

Elle prit sagement son tour derrière la dernière personne de la file et attendit, en se dandinant d'un pied sur l'autre. La queue avança d'un mètre. Dans un soupir, Tatiana demanda à la femme qui la précédait ce que tout le monde attendait comme ça.

— Quelle question ! marmonna la femme en se détournant avec un haussement d'épaules agressif.

Elle serrait son sac contre sa poitrine, comme si elle craignait qu'on ne le lui arrache.

— Fais donc la queue comme les autres, et pose pas de questions stupides.

Mortifiée, Tatiana ne répondit rien. Alors elle entendit

une autre femme prononcer le mot « banque ». Elle tendit l'oreille.

— ... plus d'argent. Tu savais ça ? Les caisses sont vides. J'espère que t'as quelques billets sous ton matelas.

— J'ai deux cents roubles, les économies de toute une vie, répondit la femme à qui elle s'adressait. C'est tout.

— Alors achète, achète tout ce que tu peux. Surtout des conserves...

— J'aime pas les conserves.

— Alors achète du caviar. J'ai entendu parler d'un gars qui en a acheté dix kilos chez Elisseïev, sur la Perspective Nevski. Qu'est-ce qu'il va faire de tout ce caviar ? Moi, je vais acheter du pétrole et des allumettes. Et peut-être aussi des saucisses, ajouta la femme après réflexion. De bonnes *kolbasas* fumées. Écoute-moi, voilà plus de vingt ans que le prolétariat a remplacé le tsar. Je connais la musique.

La grincheuse devant Tatiana émit un grognement sonore. Les deux femmes se retournèrent.

— Tu n'y connais rien du tout, camarade ! s'écria-t-elle. C'est la guerre. La guerre ! Bienvenue au pays d'Hitler ! Achète donc ton caviar et ton beurre, et mange-les ce soir. Parce que, crois-moi, dès le mois de janvier tes deux cents roubles ne suffiront plus à payer une miche de pain.

Tatiana baissa la tête. Elle n'aimait pas les éclats de voix, ni à la maison, ni dans la rue.

Deux personnes sortirent de la boutique, un gros sac en papier sous chaque bras.

— Pardon, monsieur, je peux vous demander ce que vous avez acheté ?

— Des *kolbasas* fumées, lui répondit l'homme d'un ton bourru, sans s'arrêter, comme s'il craignait qu'elle ne lui dérobe ses saucisses.

Immobile dans la queue, Tatiana haussa les épaules :

elle n'aimait pas les saucisses. Elle attendit encore une demi-heure... puis partit.

Elle ne voulait pas décevoir son père. Alors elle se précipita vers l'arrêt du 22 afin de se rendre en bus dans ce célèbre magasin d'alimentation qu'était Elisseïev : là, elle était sûre de trouver au moins du caviar.

Mais le caviar, se dit-elle, il faudra le manger dès la semaine prochaine. Il ne se gardera sûrement pas jusqu'à l'hiver. Était-ce le but, après tout ? D'avoir de la nourriture pour l'hiver ? Non, c'était impossible : l'hiver était encore loin et l'Armée rouge invincible. Le camarade Staline l'avait dit. Les soldats auraient chassé ces Allemands avant le mois de septembre.

Tatiana tourna le coin de la rue Saltykov-Chtchedrine. L'arrêt du bus se trouvait en face, sur l'autre trottoir, du côté du Jardin de Tauride. Elle devait se dépêcher. À en croire les femmes dans la queue, bientôt il n'y aurait même plus de caviar.

Mais là, juste en face d'elle, elle aperçut un homme en train de lire le journal, assis sur un pliant sous un petit parasol : il vendait des glaces.

Elle entendit le bus arriver dans son dos. En courant, elle pouvait l'attraper. Alors son regard se porta une fois encore sur le marchand de glaces... et la tentation fut la plus forte : elle laissa filer le bus. Tant pis, se dit-elle. Le suivant ne devrait pas tarder.

Elle paya sa glace et courut attendre ce nouveau bus qui l'emmènerait acheter du caviar parce que la guerre avait commencé...

Pourtant, là, tandis qu'elle savourait sa glace assise sur le banc, soudain il n'y eut plus de guerre : juste un magnifique dimanche de juin à Leningrad... et un soldat qui la dévisageait depuis l'autre côté de la rue.

Dans une ville de garnison comme Leningrad, croiser

un soldat n'avait rien d'extraordinaire. C'était comme voir des vieilles dames avec leurs cabas, des files d'attente devant les magasins, ou des bars à bière. En temps normal, Tatiana ne l'aurait même pas remarqué, sauf que ce soldat-là la fixait avec une expression qu'elle n'avait encore jamais vue : elle s'interrompit dans sa dégustation.

Un instant elle le dévisagea, elle aussi, et au moment où son regard se posait sur le visage du jeune homme, quelque chose remua en elle — ou, plus exactement, chavira.

Le bus arriva et lui cacha le soldat. Tatiana se leva d'un bond, non pour monter dans l'autobus, mais pour ne pas perdre de vue son soldat. Les portes s'ouvrirent, le conducteur la regarda, l'air interrogateur, puis l'interpella :

— Alors, tu montes? Je vais pas t'attendre toute la journée.

— Monter? Non. Non, je ne monte pas.

— Alors qu'est-ce que tu fiches à cet arrêt? brailla l'homme.

Et les portes se refermèrent dans un claquement.

La jeune fille recula d'un pas et vit alors le soldat contourner le bus au pas de course. Quand il l'aperçut, toujours debout sur le trottoir, il s'arrêta net.

Les portières du bus se rouvrirent.

— Tu prends le bus, soldat? demanda le chauffeur.

Le militaire le dévisagea un moment, comme s'il ne comprenait pas, puis il regarda Tatiana, puis à nouveau le chauffeur qui, exaspéré, fit derechef claquer ses portières et redémarra en trombe.

D'un ton qu'il voulait sans doute détaché, le soldat dit :

— Je crois que c'était mon bus.

— Oui, le mien aussi, articula Tatiana d'une voix étranglée.

— Ta glace est en train de fondre, fit gentiment le militaire.

En effet, elle fondait par le trou à la base du cône de gaufre, droit sur la belle robe blanche aux roses rouges.

— Oh non ! gémit Tatiana avec un geste pour effacer la tache qui ne fit que l'étaler davantage.

Sa main tremblait.

— Il y a longtemps que tu attends ? demanda le soldat.

Il avait une voix forte, grave, avec un accent de... d'où ? elle l'ignorait. Pas d'ici, en tout cas, se dit-elle en baissant la tête.

— Non, pas trop, répondit-elle.

Puis elle leva les yeux... interminablement, lui sembla-t-il. Il lui parut immense. Vêtu d'un uniforme beige, il portait une casquette avec une étoile rouge émaillée et de grosses épaulettes de parade fabriquées dans une sorte de dentelle métallique grise. Tatiana fut impressionnée, bien qu'elle ne sût absolument pas ce qu'elles signifiaient. Était-il simple soldat ? Il avait un fusil. Les deuxième classe avaient-ils des fusils ? Une médaille en argent bordée d'or était épinglée sur la gauche de sa poitrine.

Sous la visière de la casquette, des yeux caramel la dévisageaient, bienveillants, souriants.

Tatiana et le soldat restèrent ainsi quelques secondes, à se regarder sans rien dire, quelques secondes de trop. D'ordinaire, avec les inconnus, les regards se croisaient une fraction de seconde, comme par inadvertance, puis se détournaient rapidement. Tatiana baissa les yeux, honteuse.

— Ta glace fond toujours, répéta le militaire.

Elle rougit et se dépêcha de jeter le cône dans le caniveau, tout en regrettant de ne pas avoir de mouchoir pour essuyer sa robe.

Quel âge pouvait-il avoir ? Il lui paraissait plus vieux

qu'elle, un jeune homme mais qui l'aurait regardée avec des yeux d'homme mûr. Elle rougit à nouveau et s'absorba dans la contemplation du trottoir, fixant un point imaginaire entre ses escarpins rouges et les brodequins noirs du soldat.

Un autre bus arriva. Le soldat fit quelques pas. Même sa démarche parut irréelle à Tatiana : un pas trop assuré, une foulée trop longue — pourtant, inexplicablement, tout lui paraissait naturel, comme quand, dans un livre, elle tombait par hasard sur *la* phrase qui exprimait ses émotions.

Elle ne comprenait pas son trouble : certes, c'était un militaire, mais des militaires elle en avait déjà vu des centaines dans Leningrad. Il était beau, mais de beaux soldats, elle en avait déjà vu aussi. Aucun, pourtant, ne l'avait regardée de cette manière, aucun n'avait franchi d'un bond les dix mètres de bitume d'une rue pour venir la rejoindre.

Il sortit un paquet de cigarettes de la poche de son uniforme.

— Tu en veux une ?

— Oh non, répondit-elle. Je ne fume pas.

— Avant toi, je ne connaissais personne qui ne fume pas, dit-il d'un ton léger.

Tatiana aussi connaissait peu de non-fumeurs, en vérité juste elle et son grand-père. En Union soviétique, tout le monde fumait. Elle eut envie de dire quelque chose, mais les mots lui échappaient. Elle ne pouvait pourtant pas rester là, comme ça, sans prononcer une parole — pitoyable. Elle ouvrit la bouche, et toutes les phrases auxquelles elle avait songé lui parurent stupides. Alors elle pria en silence pour que son bus arrive. Vite.

Inutile. Le bus n'arrivait pas.

— Tu attends le 22 ? demanda le soldat.

— Oui, fit-elle d'une petite voix avant de se raviser, apercevant au loin un bus à trois chiffres : le 136. Euh, non, finalement je vais prendre celui-là, fit-elle sans réfléchir.

— Le 136? l'entendit-elle murmurer avec étonnement dans son dos.

De sa poche, elle sortit cinq kopecks, se fraya un passage jusqu'au fond du bus et s'assit. Elle vit le soldat monter à sa suite et se diriger lui aussi vers l'arrière. Il prit place un rang derrière elle, de l'autre côté de la travée.

Elle se détourna vers la vitre et essaya de ne pas penser à lui. Où allait-elle avec ce 136? Ah oui, c'était la ligne qu'elle prenait pour se rendre sur la Perspective Polyustrovski, chez sa cousine Marina. Elle descendrait là, oui, et irait sonner chez Marina.

Tout en défroissant sa robe du plat de la main, elle gardait un œil sur le soldat : et lui, où allait-il avec le 136? Le bus longea le Jardin de Tauride puis, plus loin, tourna au coin de la Perspective Liteïny. À chaque arrêt, le cœur battant, elle priait pour que le soldat ne descende pas, pas encore, pas si vite...

Non, il ne descendait pas. Les yeux fixés sur la rue, il ne manifestait aucune intention de bouger. De temps à autre, il tournait la tête : Tatiana aurait juré qu'il la regardait.

Le bus passa le pont Liteïny, l'un des nombreux ponts qui enjambaient la Neva, avant de poursuivre sa route sur l'autre rive. De ce côté-là du fleuve aussi, les quelques magasins que Tatiana entrevoyait par la vitre étaient fermés, ou assaillis par d'interminables files d'attente. Les rues se vidaient peu à peu : Leningrad était comme désertée par ses habitants.

Le bus filait vers le nord. Les arrêts se succédaient.

Soudain, elle s'aperçut qu'elle avait depuis longtemps

passé celui de Marina sur Polyustrovski. Elle ne savait plus où elle se trouvait. Si elle descendait, elle n'aurait plus qu'à traverser la rue et à prendre un autre bus en sens inverse. Jamais elle n'avait mis les pieds dans cette partie de la ville. Inquiète, elle commença à se trémousser sur son siège.

Elle ne descendit pas pour autant. Elle en était incapable. À aucun moment le soldat n'avait fait mine d'actionner la sonnerie. Qu'espérait-elle au juste ? Voir où il descendrait pour revenir un jour dans le quartier avec Marina ? Elle tressaillit à cette idée.

Revenir trouver son soldat.

Ridicule, elle était ridicule. Tout ce qu'elle pouvait espérer pour l'instant, c'était une retraite élégante et un moyen rapide et sûr de rentrer à la maison.

Peu à peu, les passagers quittaient le véhicule. Bientôt, il ne resta plus qu'eux deux : Tatiana et son soldat.

Le bus prit de la vitesse. Le soldat était toujours là. Désemparée, Tatiana se demanda : dans quoi suis-je allée me fourrer ? Alors elle se décida tout de même à sonner pour demander l'arrêt, mais le chauffeur l'interpella :

— Tu veux descendre ici, petite ? Au milieu de la zone industrielle ?

— Euh... non, bafouilla-t-elle.

— Alors attends le prochain arrêt : c'est le terminus.

Déconfite, elle se rassit sur son siège.

Enfin le bus atteignit son terminus et Tatiana se retrouva seule dans une gare routière à la chaleur étouffante, au bout d'une rue déserte. Enfin, pas vraiment seule... Sans oser se retourner, elle posa une main tremblante sur sa poitrine dans l'espoir d'apaiser les battements de son cœur et prit lentement la direction de la sortie avant de se décider enfin à regarder sur sa droite : il était là. Souriant.

Elle remarqua ses dents, des dents impeccablement rangées et très blanches — elle se dit que la chose était assez rare chez un Russe. Elle lui rendit son sourire. Soulagée. Soulagée, mais aussi anxieuse, craintive, confuse, excitée — tout cela à la fois...

Sans se départir de son sourire, le soldat dit :

— C'est bon, je me rends. *Dis-moi où tu vas.*

Que fallait-il répondre ?

Il parlait bien le russe, mais avec un léger accent. Géorgien ? Arménien ? En tout cas, c'était quelque part du côté de la mer Noire. Oui, il avait un accent d'eau salée et il était décidément très grand : même juchée sur les talons de sa sœur, Tatiana lui arrivait à peine à l'épaule. Si grand... des dents si blanches... un drôle d'accent : d'où viens-tu, camarade ?

— Je... je crois que j'ai manqué mon arrêt, marmonna-t-elle enfin. Il faut que je fasse demi-tour.

— Alors où allais-tu avant de manquer ton arrêt ?

— Où ? répéta machinalement Tatiana.

Une foule de mots se bousculaient dans sa tête, obscurcis par une seule image : celle d'une Tatiana hirsute, pas maquillée — elle ne se maquillait jamais —, regrettant amèrement de ne pas avoir un peu de rouge à lèvres, un peu de fard à joues, quelque chose, n'importe quoi qui l'aurait aidée à ne pas se sentir aussi bêtement naturelle et bredouillante.

— Ne restons pas là, dit le soldat, renonçant visiblement à obtenir une réponse.

Il la guida jusqu'à l'autre côté de la rue et lui désigna un banc, près de l'arrêt du 136. Ils s'assirent — un peu trop près l'un de l'autre.

— Je sais, c'est bizarre, commença Tatiana après s'être éclairci la voix. Mais... ma cousine Marina habite sur la Perspective Polyustrovski. C'est là que j'allais...

— Mais c'est à des kilomètres ! Une douzaine d'arrêts au moins. Bien. Ne t'inquiète pas. On va te ramener là-bas. Le bus ne va pas tarder.

— Et toi, fit Tatiana en lui lançant un rapide regard, où allais-tu ?

— Moi ? C'est mon jour de patrouille.

Quelle idiote je fais ! Il est juste en patrouille alors que moi j'étais partie pour me retrouver à Mourmansk ! Gênée, rouge de confusion, elle détourna les yeux et sentit soudain la tête lui tourner. Il la dévisagea, interrogateur :

— À part la glace, je n'ai rien mangé de la journée, dit-elle d'une voix faible.

Le bras du soldat vint immédiatement envelopper sa taille. Elle entendit sa voix ferme et chaude lui murmurer :

— Ne t'évanouis pas. Je suis là.

Et elle ne s'évanouit pas. L'étourdissement ne dura qu'un instant.

Désorientée, elle respirait l'odeur du soldat penché vers elle avec sollicitude. Une odeur agréable et masculine, mais qui, exceptionnellement, ne sentait ni l'alcool ni la sueur. Une odeur qu'elle ne connaissait pas. Savon ? Eau de Cologne ? Pourtant, en Union soviétique, les hommes ne portaient pas d'eau de Cologne.

Le bus arrivait.

— Tu vas voir, ça ira mieux quand on roulera, dit-il. Viens.

Il lâcha sa taille et, à l'endroit où sa main s'était posée, ne resta plus qu'une petite zone de chaleur vide.

Cette fois, ils s'assirent l'un près de l'autre sur la banquette, Tatiana côté fenêtre, le soldat près d'elle, un bras passé sur le dossier de bois.

Oser le regarder alors qu'il était si près était impossible.

Tout comme il était impossible d'échapper à son regard à lui. Et pourtant, c'étaient les yeux de ce soldat que, plus que tout, Tatiana désirait voir.

— Je n'ai pas l'habitude de tomber dans les pommes, dit-elle, le visage toujours tourné vers la vitre.

— Comment t'appelles-tu ?

Elle se décida enfin à le regarder : il lui souriait. Un sourire irrésistible. Elle vit les ombres noires d'une barbe légère sur ses joues, le dessin élégant de son nez, ses sourcils bruns et une petite cicatrice grise sur son front.

— Tatiana, répondit-elle.

Il répéta d'une voix grave :

— Tatiana. Tatiana. Tania ? Tanechka ?

— Tania, fit-elle en lui tendant la main.

Il la prit dans la sienne et la petite main blanche de Tatiana disparut dans une grande main chaude et hâlée. Elle se dit qu'il devait sûrement sentir son cœur palpiter dans ses doigts, son poignet, toutes les veines sous sa peau.

— Moi, c'est Alexandre, fit-il sans lâcher sa main, avant d'ajouter : Tatiana, c'est un prénom très *russe*.

— Alexandre aussi, lui fit-elle observer.

Et, à regret, elle dégagea sa main. Celles du soldat étaient larges, propres, avec des doigts à la fois longs et forts, des ongles soignés. Encore une chose étrange...

Elle porta à nouveau son regard vers la rue. Les vitres du bus étaient sales. Elle se surprit à se demander qui les nettoyait et quand, prête à se poser n'importe quelle question pour ne pas réfléchir. Puis la voix grave dit :

— Tes lacets sont dénoués.

— Mes lacets ? Quels lacets ? fit-elle, interloquée.

— Les lacets de ta robe. Dans ton dos. Tourne-toi, je vais les refaire. Je serre ?

— Oui, bien sûr, répondit Tatiana d'une voix rauque, sans respirer.

Pour rien au monde elle n'aurait voulu avouer que cette robe était trop petite désormais et qu'il était en train de l'étouffer en comprimant sa poitrine. Soudain, elle songea qu'il devait regarder son dos nu sous les croisillons de satin, et son visage s'empourpra.

Lorsqu'elle se retourna vers lui, elle constata qu'il n'était pas moins rouge. Il toussota puis lui demanda :

— Tu descends toujours au prochain arrêt, sur Polyustrovski, pour voir ta cousine ? Ou tu préfères que je te raccompagne chez toi ?

— Polyustrovski ? répéta Tatiana, comme si elle entendait le mot pour la première fois de sa vie. Ah oui ! Euh, non... Enfin... tu ne vas pas me croire, mais je ne peux pas rentrer chez moi : je vais avoir des tas d'ennuis.

— Pourquoi ? Je peux faire quelque chose pour t'aider ?

Il avait l'air sincère. Alors elle lui raconta les roubles dans sa poche, l'impossibilité de trouver à acheter de quoi manger, et l'accueil qu'allait lui réserver sa famille.

— Ne t'inquiète pas, Tatiana, lui dit alors Alexandre. Tu vas voir, on va te trouver plein de choses à acheter.

Et il lui proposa de l'emmener dans un de ces magasins réservés aux seuls officiers de l'Armée rouge, les *Voentorgs* : là, elle trouverait tout ce dont elle avait besoin.

— Mais je ne suis pas officier !

— Toi, peut-être pas. Moi oui. Tu as devant toi le lieutenant Alexandre Belov. Alors, impressionnée ?

— Sceptique, répondit Tatiana.

Alexandre éclata de rire. Elle n'avait aucune envie qu'il soit assez vieux pour être lieutenant.

— Et la médaille, qu'est-ce que c'est ? demanda-t-elle en désignant l'objet du doigt.

— Valeur militaire, fit-il en haussant les épaules avec désinvolture.

— Oh ! s'exclama Tatiana avec un sourire à la fois timide et admiratif. Qu'as-tu fait de si courageux ?

— Rien de particulier, répondit Alexandre avant d'ajouter aussitôt : Où habites-tu, Tania ?

— Au coin de la Perspective Grecheski. Tu connais ?

— Oui. Je patrouille partout, tu sais. Tu vis avec tes parents ?

— Bien sûr. Avec mes parents, mes grands-parents, ma sœur et mon frère jumeau.

— Tous dans une seule pièce ? demanda Alexandre, comme si la chose allait de soi.

— Non, dans deux pièces ! répliqua gaiement Tatiana. Et mes grands-parents sont inscrits sur une liste d'attente pour avoir un autre logement.

— Il y a longtemps qu'ils sont sur cette liste ?

— Depuis 1924...

Ils partirent du même éclat de rire.

— Je n'ai jamais rencontré de jumeaux, dit Alexandre alors qu'ils descendaient du bus. Vous êtes très proches l'un de l'autre ?

— Oui, mais Pasha peut vraiment être exaspérant. Sous prétexte qu'il est un garçon, il veut toujours avoir raison, dit Tatiana en tentant d'éviter le regard amusé d'Alexandre. Et toi, poursuivit-elle, tu as des frères et sœurs ?

— Non. J'étais le seul enfant de mes parents.

Elle le dévisagea : à cet instant, il serrait les dents, ses traits semblaient figés. Il avait dit : *J'étais* le seul enfant de mes parents.

Elle hasarda prudemment :

— D'où viens-tu, Alexandre ? On dirait que tu as un léger... accent.

— Je n'ai pas d'accent, répondit-il, catégorique, avant d'enchaîner en baissant les yeux : Tu arrives à marcher avec ces chaussures ?

— Oui, bien sûr, fit-elle, piquée au vif.

La bretelle de sa robe avait glissé sur son épaule. Alexandre tendit la main et, du bout de l'index, la remit en place dans une douce caresse. Tatiana rougit, furieuse contre elle-même : qu'avait-elle donc à rougir sans cesse à tout propos comme une petite fille ?

Mais elle ne fut pas longue à constater que son trouble était partagé : il y avait quelque chose d'étrange dans le regard d'Alexandre, un peu comme un éblouissement.

— Tania..., commença-t-il.

— Viens, on y va, l'interrompit-elle immédiatement, gênée.

Ces sentiments soudains qui lui collaient à la peau comme des vêtements mouillés lui donnaient presque la nausée. Et puis les escarpins lui blessaient les pieds. Mais, pour rien au monde, elle ne l'aurait reconnu.

— Il est loin ce *Voentorg* ? demanda-t-elle.

— Non, mais il faut qu'on s'arrête un instant à la caserne. Je dois signer le registre.

— Dis-moi, Alexandre, toi qui es militaire, que penses-tu de ce que fait Hitler ?

— Tu tiens vraiment à parler de la guerre ?

— Bien sûr. C'est un sujet sérieux.

— La guerre, c'est la guerre. Celle-ci était inévitable. Et prévisible. Viens, c'est par là.

Ils passèrent devant le palais Mikhaïlovski, parfois appelé Maison des Ingénieurs, et franchirent le petit pont sur le canal de la Fontanka, à l'endroit où celui-ci rejoint la Moïka. Tatiana aimait l'arche formée par ce pont de granit. Il lui arrivait de grimper sur le parapet de pierre et de traverser ainsi, en équilibre au-dessus de l'eau. Ce jour-là, naturellement, elle s'abstint de pareils enfantillages...

Ils longèrent le côté ouest de Letny Sad, les Jardins d'Été chers à Pouchkine, et débouchèrent sur l'esplanade couverte d'herbe de *Marsovo Póle*, le Champ-de-Mars.

— Soit on laisse le pays à Hitler, poursuivit Alexandre, plongé dans ses pensées, soit on se bat pour la Sainte Russie, notre patrie. Mais si on se bat, ce sera une lutte à mort. Viens, ajouta-t-il en désignant du doigt un ensemble de bâtiments, la caserne se trouve juste de l'autre côté.

— Une lutte à mort? Vraiment? répéta Tatiana, dissimulant mal son excitation. Tu vas partir pour le front?

— J'irai là où on m'enverra, répondit-il en ralentissant le pas. Tania, pourquoi n'enlèves-tu pas ces escarpins? Tu serais plus à l'aise.

— Je suis très bien comme ça.

Comment savait-il que ces chaussures lui brisaient les pieds? C'était donc si évident?

— Allez, insista-t-il doucement. Ce sera plus agréable pour marcher sur l'herbe.

Il avait raison. Elle se baissa et, avec un soupir de soulagement, ôta la bride de ses souliers. Lorsqu'elle se redressa, il lui dit :

— Maintenant, tu es vraiment toute petite.

— Je ne suis pas petite, riposta illico Tatiana. C'est toi qui es anormalement grand.

Elle baissa les yeux, écarlate.

— Quel âge as-tu, Tania? demanda-t-il gravement.

— Plus que celui que tu me donnes, fit-elle d'une voix qu'elle espérait ferme et pleine de maturité.

La brise chaude de l'été faisait voleter sur son visage des cheveux blonds échappés de sa queue de cheval. Ses chaussures dans une main, de l'autre elle tentait de mettre de l'ordre dans sa coiffure. D'un doigt, Alexandre écarta les mèches. Son regard ne cessait d'aller et venir de ses yeux à sa bouche — où ils s'arrêtèrent.

Que se passe-t-il ? Pourquoi me regarde-t-il comme ça ? J'ai de la glace autour des lèvres ? Oui, c'est sûrement ça. Mortifiée, Tatiana passa la langue sur ses lèvres.

— Dis-moi ton âge, répéta Alexandre.

— J'ai dix-sept ans demain.

— Dans ce cas, tu ne les as pas encore, rétorqua-t-il avec malice.

— Et toi, quel âge as-tu ?

— Vingt-deux ans.

— Ah, fit-elle, dissimulant mal son désappointement.

— Tu me trouves très vieux, c'est ça ?

— Antique, répondit-elle avec un sourire.

Ils traversèrent lentement la pelouse du Champ-de-Mars. Les escarpins de Tatiana balançaient dans sa main. Elle ne les renfila qu'une fois sur le trottoir. Alexandre s'arrêta devant un bâtiment à quatre étages qui n'avait de remarquable que l'absence de porte d'entrée. S'y substituait un couloir sombre conduisant manifestement à l'intérieur de la caserne.

— Bienvenue à la caserne du régiment Pavlovski.

— C'est donc ça la fameuse caserne Pavlov ? fit Tatiana en levant un regard déçu vers cet immeuble insignifiant. Je n'arrive pas à le croire.

— Qu'est-ce que tu t'imaginais ? Qu'on nous logeait dans un palais ? fit Alexandre avant de poursuivre, sans attendre la réponse : Tu veux bien patienter, le temps que je dépose mon arme et que je signe le registre ?

— Bien sûr.

Ensemble ils empruntèrent le long corridor noir qui aboutissait à une grille de fer gardée par une sentinelle. L'homme salua Alexandre en disant :

— Allez-y, mon lieutenant.

— Sergent Petrenko, cette jeune personne va m'attendre ici.

— Bien, mon lieutenant, répondit le factionnaire en jetant un furtif coup d'œil à Tatiana.

Elle suivit Alexandre du regard : il passa la grille, puis traversa une cour où il salua un officier, avant de s'arrêter pour échanger quelques mots avec un groupe de soldats, tous en train de fumer. Elle le vit s'esclaffer et repartir aussitôt à grandes enjambées. Rien ne le distinguait des autres militaires, hormis sa taille : il était plus grand, avec des cheveux plus noirs et des dents plus blanches, des épaules plus larges et une foulée plus longue. Rien, sinon que tout chez lui était plus net, plus éclatant que chez les autres.

Petrenko proposa un siège à Tatiana. Elle déclina d'un mouvement de tête. Alexandre lui avait dit d'attendre là, pile là : elle n'aurait pas bougé pour un empire.

— Les civils sont admis à l'intérieur ? demanda-t-elle au sergent, qui lui répondit avec un clin d'œil :

— Tout dépend de ce qu'on donne au garde...

— Ça suffira, sergent, fit Alexandre, surgissant à côté de lui. Viens, Tania.

Il n'avait plus son arme.

Comme ils s'engageaient à nouveau dans le couloir qui ouvrait sur la rue, un soldat bondit d'une porte dérobée. Tatiana poussa un cri et sentit la main rassurante d'Alexandre se poser dans son dos.

— Qu'est-ce qui te prend, Dimitri ? dit-il au soldat.

— Alors, Alex, tu ne me présentes pas ta nouvelle amie ?

— Si, bien sûr. Dimitri, voici Tatiana.

Dimitri saisit la main que lui tendait Tatiana et la tint un peu trop longtemps dans la sienne, comme s'il ne devait plus jamais la lâcher.

Il paraissait petit à côté d'Alexandre. Il avait un visage typiquement russe : large, avec des traits comme délavés, passés, un nez épais et des lèvres extrêmement minces. Il s'était coupé en plusieurs endroits en se rasant et, sous son œil gauche, Tatiana aperçut une petite tache de naissance noire. Lui n'avait pas d'étoile rouge sur sa casquette, et pas non plus d'épaulettes en métal. Les siennes étaient rouges, ornées d'une fine rayure bleue. Sa vareuse ne portait aucune médaille.

Lorsque Alexandre lui eut raconté qu'il emmenait Tatiana au *Voentorg*, il proposa de les accompagner afin de les aider à porter leurs achats.

— On va y arriver, Dima, s'empressa de répondre le lieutenant. Ne te donne pas cette peine.

— Mais c'est un plaisir, repartit Dimitri en lançant un regard appuyé à Tatiana.

Les yeux de la jeune fille croisèrent un instant ceux d'Alexandre, puis ils se mirent en route sans un mot. Le *Voentorg* se trouvait au coin de la rue. Tatiana fut stupéfaite de découvrir autant d'articles derrière une simple porte vitrée sur laquelle on avait inscrit RÉSERVÉ AUX OFFICIERS. Aucune file d'attente ne s'étirait sur le trottoir et, dans le magasin, des odeurs de jambon fumé et de poisson se mêlaient à celles de la cigarette et du café.

Alexandre lui demanda de combien de roubles elle disposait. Elle s'attendait à susciter l'étonnement à l'annonce de la somme. Pas du tout. Le lieutenant eut à peine un haussement d'épaules. Il dit :

— Bien. Prends tout ce que tu pourras, comme si tu ne devais plus jamais revoir aucun de ces produits.

Elle lui confia son argent et il acheta quatre kilos de sucre, quatre kilos de farine, cinq kilos d'orge, trois kilos de café, dix boîtes de champignons marinés et cinq de tomates. Elle insista pour prendre un kilo de caviar, acheta deux conserves de jambon avec les quelques roubles restants afin de faire plaisir à son grand-père et, pour son plaisir à elle, une petite tablette de chocolat.

Il eut un sourire amusé et lui offrit cinq tablettes de chocolat supplémentaires.

Il lui suggéra aussi d'acheter des allumettes. À quoi Tatiana répliqua que les allumettes n'étaient pas comestibles. Quand il lui conseilla d'acheter de l'huile de moteur, elle objecta qu'elle n'avait pas de voiture. Il insista. Elle refusa : elle n'allait pas dépenser l'argent de son père pour des articles aussi stupides que des allumettes ou de l'huile de moteur.

— Réfléchis, Tania, avec quoi vas-tu cuire ton pain si tu n'as pas d'allumettes pour allumer le feu ?

Elle ne céda qu'après avoir constaté que les allumettes ne coûtaient que quelques kopecks. Encore n'en acheta-t-elle qu'une petite boîte de deux cents.

— N'oublie pas l'huile de moteur, Tania.

— J'achèterai de l'huile de moteur quand j'aurai une voiture.

— Et s'il n'y a plus de pétrole cet hiver ?

— Cet hiver ? On aura toujours l'électricité, et puis on est en juin. Cette guerre ne durera pas jusqu'à l'hiver.

— Va dire ça aux Anglais, aux Français, aux Belges, aux Hollandais... Ils n'ont toujours pas fini de se battre... Achète cette huile, Tania. Je te jure que tu ne le regretteras pas.

Elle aurait aimé l'écouter mais, dans sa tête, elle entendait son père lui reprocher de jeter l'argent par les fenêtres. La voix dans sa tête fut la plus forte : elle n'acheta pas l'huile.

Pendant qu'Alexandre payait, Dimitri entreprit d'empiler les provisions dans des cartons vides.

— Ne t'inquiète pas pour le transport, dit-il à Tatiana, je suis venu pour ça. Dimitri-bête-de-somme, à votre service, conclut il avec un sourire satisfait et paradoxal.

Tatiana le remarqua, tout comme en pénétrant dans le *Voentorg* elle avait remarqué son ébahissement : Dimitri n'avait visiblement pas l'habitude de se retrouver là.

— Vous avez le même grade, Alexandre et toi? lui demanda-t-elle.

— Oh non. Alexandre est officier, moi je ne suis que deuxième classe. C'est ce qui lui permet de m'envoyer sur le front en Finlande, ajouta-t-il, toujours avec cet étrange sourire.

— Pas en Finlande, rectifia Alexandre. Ni non plus sur le front. Je t'envoie juste en reconnaissance à Lisiy Nos. De quoi te plains-tu?

— Je ne me plains pas. Je loue ton discernement...

Tatiana coula un œil en direction d'Alexandre, ne sachant comment interpréter le sourire ironique qui s'étirait sur les deux minces élastiques que formaient les lèvres de Dimitri.

— Où est Lisiy Nos? demanda-t-elle.

— Dans l'isthme de Carélie, répondit Alexandre. Tu crois que tu vas pouvoir marcher jusque chez toi?

— Bien sûr! s'exclama Tatiana.

La seule idée de la tête que ferait sa sœur en la voyant rentrer escortée par deux soldats lui donnait des ailes. Elle s'empara du carton le plus léger, celui qui contenait le caviar et le café.

— Laisse, fit Alexandre, attrapant d'autorité le carton pour le poser sur celui qu'il portait déjà.

— Tania, tu crois que quelqu'un nous offrira une petite vodka chez toi pour nous récompenser de notre peine? demanda Dimitri en portant le troisième carton.

— Oui, mon père ne vous refusera pas une vodka, c'est certain.

— Dis-nous, Tania, reprit Dimitri, tu sors beaucoup ?

Sortir ? Drôle de question.

— Non, pas beaucoup, répondit-elle, hésitante.

— Tu n'es jamais allée dans une boîte appelée *Sadko* — tu sais, comme le barde de Novgorod ?

— Celui qui est descendu au fond de la mer pour calmer une tempête ? Non. Mais je sais que ma sœur y va souvent. Il paraît que c'est un endroit sympa.

Tout en marchant, Dimitri se pencha un peu vers elle.

— Tu ne voudrais pas nous y accompagner samedi prochain ?

— Euh... non, merci, fit Tatiana en baissant les yeux.

— Allez, insista Dimitri, viens avec nous. On va bien se marrer, n'est-ce pas, Alexandre ?

Alexandre ne disait rien.

Ils marchaient tous trois de front sur le trottoir, Alexandre à la droite de Tatiana, Dimitri à sa gauche. Lorsqu'ils croisaient quelqu'un, c'était Dimitri qui devait s'effacer pour céder le passage. Tatiana nota qu'il le faisait de mauvaise grâce, au dernier instant, quand la collision devenait inévitable, comme s'il se trouvait sur un champ de bataille, contraint de céder du terrain à l'ennemi. Au début, elle crut que les passants étaient les ennemis, avant de comprendre que non, l'ennemi, c'était Alexandre. En effet, d'instinct, Tatiana et lui ne s'effaçaient jamais et continuaient de marcher côte à côte, épaule contre épaule, quoi qu'il arrive.

— Alors, Tania, dit encore Dimitri, une fois revenu à leur niveau, où vas-tu quand tu veux prendre un peu de bon temps ?

— Prendre du bon temps ? répéta-t-elle, médusée. Je ne sais pas, moi. Je vais au parc. Et puis il y a notre datcha de

Louga, répondit-elle avant de se tourner aussitôt vers Alexandre : Vas-tu me dire d'où tu es maintenant, ou faut il que je devine ?

— Je crois que tu vas devoir deviner, Tania.

— Il ne t'a rien dit ? s'étonna Dimitri.

— Bien, obtempéra Alexandre en lui lançant un regard sombre. Je suis de Krasnodar, dans le Caucase, sur la mer Noire.

— Oui, Krasnodar, répéta Dimitri sans se départir de son étrange sourire. Tu y es déjà allée, Tatiana ?

— Non. Je ne vais jamais nulle part.

Dimitri lança un bref regard à Alexandre, qui accéléra le pas.

Ils longèrent une église, puis traversèrent la Perspective Grecheski. Tatiana était tellement occupée à se demander comment s'y prendre pour revoir son lieutenant qu'elle manqua la porte de l'immeuble et ne s'en aperçut que plusieurs dizaines de mètres plus loin.

— Oh, on a manqué l'entrée de mon immeuble ! s'écria-t-elle soudain, confuse.

— Manqué ! s'exclama Dimitri. Ça c'est pas croyable !

Alexandre baissa la tête en souriant. Lentement, ils rebroussèrent chemin, passèrent la porte d'entrée et, sans un mot, les deux garçons suivirent Tatiana dans l'escalier jusqu'au troisième étage.

En ouvrant la porte de l'appartement, elle pria pour que ce cinglé de Slavin ne soit pas encore couché par terre au milieu du couloir. Cette fois, ses espoirs furent déçus : il était bien là, le buste dans le couloir, les jambes dans la chambre, un homme-serpent, maigre, négligé, puant, avec une tignasse graisseuse qui lui masquait la moitié du visage.

— Slavin a encore perdu son peigne, chuchota Tatiana à Alexandre.

— À mon avis, ce n'est pas le pire de ses problèmes...

Avec un grognement, Slavin laissa Tatiana l'enjamber, mais lorsque vint le tour d'Alexandre il l'attrapa par la botte et partit d'un rire hystérique.

— Camarade, fit Dimitri en écrasant de son brodequin le poignet de Slavin, lâche tout de suite le lieutenant.

— Laisse, Dimitri. Je peux me débrouiller.

Slavin poussa un cri ravi et empoigna à deux mains la cheville d'Alexandre.

— Comme ça notre Tanechka ramène un beau soldat à la maison. Pardon... *Deux* beaux soldats! Qu'est-ce qu'il va dire ton père, Tanechka? Tu crois qu'il va être d'accord? Moi, je pense pas! Il aime pas que tu ramènes des garçons. Il va dire que deux, c'est trop pour toi, Tanechka. Files-en un à ta sœur. Oui, c'est ça, files-en un à ta sœur, ma chérie.

Jubilant, Slavin explosa de rire. D'une rapide secousse Alexandre dégagea sa jambe. Slavin tendit la main pour attraper le pied de Dimitri, puis, au dernier moment, leva les yeux. Ce qu'il lut sur le visage du soldat l'en dissuada. Sa main retomba sans même l'avoir effleuré.

Ils l'entendirent hurler dans leur dos :

— Oui, Tanechka, ramène-les à la maison, les soldats. Ramène-les tous... parce que d'ici trois jours y seront tous morts. Morts, t'entends? Crevés par le camarade Hitler, le *bon copain* du camarade Staline!

— Il a déjà vécu une guerre, fit Tatiana en guise d'explication. Quand je suis seule, il m'ignore.

— J'en doute fort, marmonna Alexandre.

Tatiana rougit et dit :

— C'est vrai, je te jure. Ce qui l'embête avec nous, c'est qu'on ne fait pas attention à lui.

Alexandre se pencha vers elle pour lui chuchoter :

— Tu ne trouves pas formidable la vie en collectivité?

— Formidable ou pas, je n'en connais pas d'autre.

— C'est grâce à elle que nous réformerons nos âmes égoïstes et bourgeoises.

— C'est aussi ce que dit le camarade Staline, fit Tatiana.

— Je sais, répondit Alexandre sans se départir de son sérieux. Je le cite.

Essayant de ne pas rire, la jeune fille ouvrit la porte du logement. Ses parents se trouvaient dans la pièce de Deda et de Babouchka, autour de la table.

— Je suis là ! cria-t-elle depuis l'entrée.

Sans même lever les yeux, sa mère lui demanda d'un air absent :

— Où étais-tu passée ?

— Maman, Papa, regardez tout ce que j'ai trouvé !

Son père arracha un instant son regard à son verre de vodka.

— C'est bien, ma fille, dit-il.

Elle aurait aussi bien pu rentrer les mains vides... Avec un soupir, elle lança un coup d'œil à Alexandre. Que lisait-elle sur son visage ? De la pitié ? De la commisération ? Non, c'était autre chose, quelque chose de plus *chaleureux*. Elle lui chuchota :

— Pose ces cartons et suis-moi.

— Maman, Papa, Babouchka, Deda, fit Tatiana en pénétrant dans la pièce, je vous présente Alexandre et...

— Et Dimitri, compléta lui-même celui-ci, comme s'il craignait d'être oublié.

— Et Dimitri, répéta Tatiana.

Il y eut un échange de poignées de main. Les parents de Tatiana restèrent assis à table, de chaque côté de la bouteille de vodka. Laissant leur place aux soldats, Deda et Babouchka allèrent s'installer sur le divan. Tatiana trouva que ses parents avaient un air triste. Sans doute pensaient-ils à la guerre, à la guerre et à Pasha...

— Tu t'en es bien tirée, Tania, dit enfin son père. Je suis fier de toi, ajouta-t-il en faisant signe à Alexandre et à Dimitri : Vous boirez bien une petite vodka, camarades ?

Alexandre déclina poliment.

— Non merci. Je prends ma garde tout à l'heure.

— Parle pour toi, fit Dimitri en s'avançant résolument vers la table.

Georgi Vassilievitch le servit, non sans couler un regard noir en direction d'Alexandre : quel genre de soldat pouvait-il être pour refuser une vodka ? Tatiana sentit tout de suite que son père allait lui préférer Dimitri : refuser une vodka, c'était refuser l'hospitalité. Un détail, mais qui pouvait se révéler lourd de conséquences.

— De quelle région êtes-vous ? demanda Georgi Vassilievitch à Alexandre.

— De Krasnodar.

— J'ai habité Krasnodar dans ma jeunesse, fit le père de Tatiana en secouant la tête. On n'y a pas du tout cet accent-là...

Alexandre s'apprêtait à répondre lorsque Dasha fit irruption dans la pièce. En voyant les deux militaires, elle se figea et les dévisagea longuement en silence, ébahie, avant de s'exclamer, visiblement ravie :

— Alexandre ! Qu'est-ce que tu fais là ?

Sur le moment, Tatiana ne comprit pas. Elle faillit demander : « Vous vous connaissez ? » Son regard hésitait, ne sachant s'il devait se porter sur Dasha ou sur Alexandre. Puis tout fut clair : bien sûr, c'était *lui*. Elle sentit son visage se vider de son sang. *Oh non*, se dit-elle, *non, c'est pas vrai...*

Impassible en apparence, Alexandre sourit à Dasha — sans regarder Tatiana :

— J'ai rencontré ta sœur dans l'autobus, dit-il.

Les yeux de Tatiana balayèrent la pièce, comme pour s'assurer que tout était bien réel : Dimitri grignotait un cornichon, Deda lisait le journal, son père se servait une nouvelle vodka, sa mère ouvrait une boîte de biscuits et Babouchka somnolait. Oui, tout était réel.

— Tu as rencontré ma petite sœur dans l'autobus ! s'exclama Dasha. Incroyable ! Ça c'est le destin !

— Finalement, je crois que je vais prendre un verre, dit Alexandre d'une voix un peu rauque.

Les deux sœurs se trouvaient côte à côte près de la porte. Dasha se pencha vers Tatiana pour lui murmurer à l'oreille :

— C'est lui dont je t'ai parlé ce matin. C'est *lui* !

— Ah bon, répondit sa cadette d'une voix morne.

Sur le moment, elle s'interdit d'éprouver aucune émotion, rien qui pût trahir sa déception. Elle n'avait qu'une seule image dans la tête : l'instant où elle avait rencontré Alexandre à l'arrêt du bus. Et, tandis que Dasha allait s'asseoir près de lui, elle courut se réfugier dans la cuisine sous prétexte d'y ranger les commissions.

— Tanechka ! lui cria sa mère, range les choses à leur place. Ne fais pas comme d'habitude...

Puis elle entendit la voix de Dimitri :

— Tu ne viens pas trinquer avec nous, Tatiana ?

Mais avant qu'elle eût pu répondre, Georgi Vassilievitch déclara que Tania était trop jeune pour boire de l'alcool, et Dasha s'empressa d'ajouter qu'elle allait trinquer à sa place. La tablée s'esclaffa et Tatiana eut envie de voir la terre s'ouvrir sous ses pieds.

En allant chercher un à un les cartons dans l'entrée, elle entendait des bribes de conversation :

— Envoyer des troupes sur toutes nos frontières...

— Aéroports... canons... défense contre avions... vite...

Un peu plus tard, elle entendit son père qui déclarait fièrement :

— Notre Tania travaille à l'usine Kirov. Elle vient juste de finir l'école — avec un an d'avance, vous vous rendez compte ! Elle ira à l'université l'année prochaine, quand elle aura dix-huit ans. On ne le croirait pas quand on la voit comme ça, mais elle a un an d'avance. Je vous l'ai peut-être déjà dit ?

— Je ne sais pas pourquoi elle a tenu à travailler dans cette usine, disait sa mère. Kirov est si loin, presque hors de la ville. Et Tatiana est incapable de se débrouiller seule.

— Comment veux-tu qu'elle se débrouille seule puisque tu fais toujours tout à sa place ? ripostait Georgi Vassilievitch.

Rouge de honte, Tatiana continuait de ranger les provisions. Chaque fois qu'elle allait chercher un carton dans l'entrée, elle jetait un œil en direction d'Alexandre. Il lui tournait le dos. La Carélie, la frontière avec la Finlande, les chars, la supériorité militaire, les marécages où il était si difficile de conquérir du terrain, le traité de Moscou qui avait donné à l'URSS la Carélie ainsi qu'une partie de la Laponie...

Tatiana n'avait toujours pas quitté la cuisine lorsque les deux soldats prirent congé. Comme gêné par la présence de Dasha, Alexandre ne lui jeta pas même un regard.

— Tania, viens dire au revoir, lui dit sa sœur.

Tatiana se demanda ce dont elle avait le plus envie : l'étrangler ou disparaître ?

— Au revoir, fit-elle de loin, tout en essuyant machinalement ses mains sur sa robe blanche. Merci encore pour votre aide.

— Je vous raccompagne en bas, fit Dasha, pendue au bras d'Alexandre.

Dimitri avança dans la cuisine et demanda à Tatiana s'il

pourrait revenir lui rendre visite. Elle hocha la tête sans réfléchir. Ses oreilles bourdonnaient. Les yeux braqués sur Alexandre, elle entendait à peine Dimitri.

Les deux militaires sortirent, accompagnés de Dasha, et Tatiana resta seule, debout dans la cuisine, désemparée. Sa mère surgit alors en criant :

— Le jeune officier a oublié sa casquette !

Sans un mot, Tatiana la lui arracha des mains et se précipita dans le couloir. Mais avant qu'elle ait pu faire un pas, elle tomba nez à nez avec Alexandre :

— Je crois que j'ai oublié ma casquette, dit-il.

Elle la lui tendit sans une parole, sans un regard, les yeux baissés vers ces escarpins ridicules qui torturaient ses pieds.

Les doigts d'Alexandre se tendirent vers la casquette et effleurèrent les siens. Alors Tatiana leva les yeux et le dévisagea tristement. Que faisait-on, dans ces cas-là, quand on était une adulte et non une gamine de dix-sept ans ? Tatiana l'ignorait. Tout ce qu'elle savait, c'était qu'elle, elle avait envie de pleurer. Alors elle ravala la boule douloureuse qui lui étreignait la gorge — oui, c'était sans doute ce que faisaient les adultes...

— Pardon, chuchota Alexandre, mais si bas qu'elle crut avoir mal entendu.

Puis il fit volte-face et partit.

Tatiana eut besoin de se réfugier dans un endroit à elle, rien qu'à elle : un endroit qui n'aurait été ni la cuisine, ni l'entrée, ni la pièce commune. Un endroit à elle où elle aurait pu noter des choses dans un journal. Mais, n'ayant pas d'endroit à elle, elle n'avait pas non plus de journal. Dans un journal intime — elle l'avait lu dans un livre — on notait des secrets. Or, dans le monde de Tatiana, les secrets n'existaient pas. Ou alors on les gardait dans sa tête. C'était la première fois qu'elle se retrouvait avec un secret. Tolstoï, un de ses écrivains préférés, tenait un journal quand il était petit, puis adolescent, puis jeune homme. Un journal fait pour être lu par des milliers et des milliers de personnes. Tatiana ne voulait pas d'un journal comme celui-là. Non, elle, elle voulait pouvoir écrire le nom d'Alexandre une fois, deux fois, mille fois, sans que personne le lise jamais. Elle voulait un journal qui aurait été son coin à elle, une cachette où elle aurait pu prononcer tout haut ce prénom sans que personne l'entende.

Alexandre.

Au lieu de quoi, elle retourna s'asseoir à côté de sa mère. Dasha n'avait pas pu sortir l'argent de la banque, racontaient ses parents, elle était déjà fermée. Georgi Vassilievitch dit que Dimitri était un garçon charmant. Puis Dasha revint et fit signe à Tatiana de la suivre dans la chambre. La jeune fille obtempéra sans broncher.

— Alors qu'est-ce que tu en penses ? Oui, qu'est-ce que tu en penses ? demanda Dasha en pirouettant sur elle-même.

— Qu'est-ce que je pense de quoi ? fit Tatiana de mauvaise grâce.

— Mais de lui, bien sûr ! De lui !

— Sympa, répondit-elle, laconique.

— Sympa ? Allez, avoue ! Je te l'avais dit : c'est le plus beau garçon que t'as jamais vu, non ?

Tatiana parvint à s'arracher un petit sourire.

— J'avais pas raison ? Dis, j'avais pas raison ? insista Dasha dans un éclat de rire.

— Oui, tu avais raison.

Tatiana se sentait totalement vide, n'attendant que le moment de pouvoir quitter la pièce si Dasha consentait à sortir du passage. Dasha qui avait sept ans de plus qu'elle, et qui était toujours tellement plus forte, plus intelligente, plus drôle, plus séduisante. Dasha qui gagnait toujours.

— Et Dimitri ? lui demanda celle-ci. Il te plaît ?

— Peut-être, je ne sais pas. Écoute, Dasha, ne t'inquiète pas pour moi.

— M'inquiéter ? s'exclama son aînée en lui ébouriffant les cheveux. Crois-moi, Tania, donne une chance à Dima. Moi je pense que tu lui plais.

Elle avait prononcé ces mots presque avec étonnement.

— Ce doit être à cause de ta robe, ajouta-t-elle après réflexion.

— Oui, Dasha, c'est sûrement la robe, répéta Tatiana d'une voix lasse. Écoute, je suis un peu fatiguée...

Dasha posa un bras sur ses épaules :

— Tu sais, j'aime beaucoup Alexandre, lui dit-elle. Je l'aime tellement que je ne trouve même pas les mots pour expliquer.

Tatiana sentit un frisson la parcourir. À présent qu'elle connaissait Alexandre, elle comprenait Dasha : cette histoire n'était pas une passade, elle n'allait pas s'achever comme les autres sur les marches de Peterhof ou dans les jardins de l'Amirauté. Cette fois, Tatiana ne doutait pas des sentiments de sa sœur.

— Tu verras, lui dit celle-ci, un jour, quand tu seras grande, tu comprendras.

Tatiana lui jeta un regard oblique. Elle avait envie de lui dire : « Dasha, c'est *pour moi* qu'Alexandre a traversé la rue. *Pour moi* qu'il est monté dans ce bus, c'est *moi* qu'il a suivie. » Elle avait envie de lui dire : « Toi tu as déjà eu plein de garçons. Tu peux en trouver un autre quand tu veux. Tu es charmante, brillante, belle, tout le monde t'aime. Celui-là, laisse-le-moi. Il est à moi toute seule. » Elle avait envie de lui dire : « *Et si c'était moi qu'il préférait ?* »

Bien sûr elle n'en fit rien. Bien sûr elle ne dit rien. Elle n'était pas certaine que ce fût vrai : comment Alexandre aurait-il pu la préférer? Dasha avait sa splendide chevelure, ses formes magnifiques, si féminines. Peut-être avait-il aussi traversé la rue pour Dasha. Peut-être avait-il aussi parcouru pour elle toute la ville et franchi la Neva à trois heures du matin quand les ponts sont levés. Non, décidément Tatiana n'avait rien à dire. Tout cela n'avait été qu'une plaisanterie.

Dasha l'examina avec une attention inaccoutumée :

— Tania, commença-t-elle, Dimitri est un militaire... Je ne sais pas si tu es vraiment prête pour un militaire.

— Que veux-tu dire?

— Rien, rien... Mais il faudrait tout de même qu'on t'arrange un peu.

— Qu'on m'*arrange*?

— Oui, tu vois, qu'on te mette un peu de rouge, des choses comme ça. Et qu'on parle un peu aussi...

— On verra, répondit Tatiana. Une autre fois.

Et, dans sa jolie robe blanche à roses rouges, elle se pelotonna sur le lit, tournée vers le mur.

3

Alexandre marchait d'un bon pas sur la Perspective Ligovski. Pendant quelques minutes, les deux hommes n'échangèrent pas un mot, puis, essoufflé, Dimitri lui dit :

— Sympathique cette famille.

— Très sympathique, répondit Alexandre.

Il n'avait aucune envie de parler des Metanov avec Dimitri.

— Je me souviens de Dasha, poursuivit celui-ci, tentant péniblement de ne pas se laisser distancer. Je l'ai déjà vue avec toi chez *Sadko*.

— ...

Sa sœur, c'est un drôle de bout de femme, tu trouves pas ?

— ...

— Georgi Vassilievitch dit qu'elle va avoir dix-sept ans. Dix-sept ans ! répéta Dimitri. Tu te souviens comment on était, nous, à dix-sept ans ?

— Je ne m'en souviens que trop bien, répondit enfin Alexandre avant d'ajouter : Elle est trop jeune pour toi, Dima.

— Peut-être, mais qu'est-ce qu'elle est jolie.

— Trop jeune pour toi, répéta encore Alexandre.

— Qu'est-ce que ça peut te faire ? Tu as l'aînée, moi

j'aurai la cadette, gloussa Dimitri. Deux copains, deux sœurs... Ça c'est de la symétrie.

— Et l'Elena d'hier soir ? Elle m'a dit que tu lui plaisais. Tu pourrais la revoir le week-end prochain...

Dimitri balaya l'idée d'un geste de la main.

— Je peux en avoir des dizaines comme cette Elena. Cela dit, rien n'empêche d'avoir Elena *aussi*. Mais Tania n'est pas comme les autres, conclut-il en se frottant les mains avec ce sourire suffisant qu'avait observé Tatiana.

Alexandre gardait un visage impassible. Il n'eut pas un cillement, pas un pincement de lèvres, pas un froncement de sourcils. Rien qui trahît ses pensées. Mais il pressa encore le pas. Dimitri dut se mettre à trotter derrière lui.

— Attends-moi. À propos de Tania... je voudrais juste en avoir le cœur net... Ça ne te dérange pas, n'est-ce pas ?

— Bien sûr que non. En quoi voudrais-tu que ça me dérange ?

— En rien, justement ! s'esclaffa Dimitri, gratifiant Alexandre d'une claque dans le dos. Toi t'es un pote. Dis-moi, tu veux que j'organise quelque chose pour ce soir ?

— Non !

— Mais tu vas être de garde toute la nuit. Allez, on va bien se marrer... comme d'habitude !

— Non, pas ce soir. Je suis en retard, conclut Alexandre. Je file. On se retrouve à la caserne.

Des eaux inconnues

1

Quand Tatiana se réveilla, le lendemain matin, la première image qui surgit dans sa tête fut le visage d'Alexandre. Elle ne dit pas un mot à Dasha, en vérité elle essaya même de ne pas la regarder. Avant de partir, celle-ci lui lança :

— Joyeux anniversaire !

— Oui, Tanechka, joyeux anniversaire, renchérit leur mère en se précipitant dehors à son tour. N'oublie pas de fermer à clef.

Son père déposa un baiser sur son front :

— Ton frère aussi a dix-sept ans aujourd'hui, tu sais.

— Oui, je sais, Papa.

Georgi Vassilievitch travaillait à la compagnie des eaux. Irina Fedorovna faisait de la couture dans un atelier sur la Perspective Nevski. Quant à Dasha, elle était assistante chez un dentiste. Ils avaient eu une liaison, mais elle n'avait pas quitté son travail lorsqu'ils avaient rompu : c'était un emploi bien payé et peu contraignant.

Ce matin-là, à l'usine Kirov, Tatiana et ses collègues passèrent la matinée à écouter des discours patriotiques. Le chef de leur service, Sergueï Krasenko, demandait des volontaires pour aller creuser des tranchées dans le sud du pays. Il fallait aussi armer les fortifications au nord de

Leningrad, le long de l'ancienne frontière avec la Finlande. En effet, l'Armée rouge soupçonnait les Finlandais de vouloir reconquérir la Carélie. Tatiana tendit l'oreille : la Carélie, la Finlande. Alexandre en avait parlé la veille. Alexandre... Elle replongea dans ses pensées.

Les femmes écoutèrent attentivement Krasenko, mais personne ne bondit pour se porter volontaire. Personne sauf Tamara, la fille qui venait après Tatiana sur la chaîne et fermait les boîtes de couverts avec du ruban adhésif.

— Qu'est-ce que j'ai à perdre? murmura-t-elle en se levant de sa chaise.

Ce même jour, avant le déjeuner, on donna à Tatiana des lunettes de protection, un bonnet pour ses cheveux et une blouse marron. L'après-midi, ce n'étaient plus des cuillères et des fourchettes qu'elle emballait, mais des balles cylindriques qui tombaient par paquets de douze dans de petits cartons. Son travail consistait à ranger les cartons dans de grandes caisses de bois.

À cinq heures, elle ôta la blouse, le bonnet et les lunettes, s'aspergea de l'eau sur le visage, rectifia sa queue de cheval et quitta le bâtiment. Elle longea le fameux mur de l'usine, une muraille de béton haute de sept mètres, se dirigea vers l'arrêt de bus et... aperçut Alexandre. Il tenait sa casquette d'officier à la main.

Elle rougit et se figea un instant, une main posée sur la poitrine. Il lui sourit. Toujours écarlate, tentant vainement de déglutir un je-ne-sais-quoi qui lui nouait la gorge, elle marcha vers lui. Il y avait tant de mots dans sa tête qu'elle se savait incapable de dire quoi que ce soit d'intelligent. Elle n'eut pas besoin de chercher. Ce fut lui qui parla :

— C'est la guerre. Je n'ai plus de temps à perdre avec des faux-semblants.

Là, il fallait dire quelque chose, n'importe quoi, ne pas

laisser les mots tomber dans le silence. Mais elle ne trouva rien. Alors elle dit :

— Ah bon.

— Joyeux anniversaire.

— Merci.

— Tu fais quelque chose ce soir ?

— Je ne sais pas. On est lundi, tout le monde sera fatigué. On va dîner.

Elle poussa un soupir. Dans un autre monde, elle aurait peut-être pu l'inviter à la maison pour son anniversaire. Mais dans son monde à elle, c'était impossible...

— Comment savais-tu que je serais là ? lui demanda-t-elle.

— Hier ton père a dit que tu travaillais à l'usine Kirov. J'ai pensé que tu devais prendre ton bus à cet arrêt. Jusqu'ici c'est un moyen de transport qui nous a plutôt porté chance...

Il sourit.

Le visage de Tatiana s'empourpra à nouveau. L'arrivée du bus vint providentiellement la tirer d'embarras. Dedans, il restait de la place pour cinq ou six personnes — et trois douzaines d'ouvriers de l'usine s'y entassèrent. Alexandre déclara :

— Je vais te raccompagner chez toi à pied, Tatiana. J'aimerais te parler de quelque chose.

— Mais... ça fait huit kilomètres !

— D'accord, je vais te faire une proposition. On marche jusqu'à la rue Govorova et on prend le tram n° 1. Après, soit tu changes à la gare de Varsovie et tu prends le 16 qui t'emmène au coin de Grecheski, soit tu restes avec moi et tu prends le 2 qui me dépose près de la caserne et toi au Musée russe.

Tatiana ne répondit rien ; bien sûr, elle choisirait la deuxième solution.

Ils marchèrent jusqu'à la rue Govorova et, comme le tramway n'arrivait pas, continuèrent en flânant par la rue Skapina jusqu'au canal Obvodny. En vérité, elle n'avait aucune envie de prendre le tram. Tout ce qu'elle voulait, c'était se promener avec Alexandre sur les quais du canal aux eaux bleutées et... trouver enfin quelque chose à dire. À force de chercher les mots justes, de peser mentalement le pour et le contre de chaque phrase, elle gardait un mutisme qui pouvait passer au mieux pour de la timidité, au pire pour de la bouderie. Une fois encore, elle regretta de ne pas ressembler à Dasha. Sa sœur, elle, ne se posait jamais de questions : elle disait ce qui lui passait par la tête, un point c'est tout. Et si Tatiana s'était contentée de dire ce qui la tracassait, c'est bien sur Dasha qu'elle aurait interrogé Alexandre.

— Tania...

— Oui ?

— Tu... tu vas peut-être trouver que je me mêle de ce qui ne me regarde pas, mais... il faut que tu dises à ton père de faire rentrer ton frère de Tolmachevo.

Sur le coup, elle ne comprit pas. Elle s'attendait si peu à entendre Alexandre parler de Pasha et de Tolmachevo. Il ne connaissait pas Pasha. Il ne l'avait jamais rencontré.

— Pourquoi ?

— Parce que Tolmachevo risque de tomber aux mains des Allemands.

— Qu'est-ce que tu racontes ?

Elle avait été si heureuse de le voir à la sortie de l'usine. Et voilà que maintenant il lui parlait de Pasha, de Tolmachevo, des Allemands... Avait-il fait tout ce chemin rien que pour l'inquiéter ?

— Crois-moi, Tania, il faut absolument convaincre ton père de faire revenir Pasha. Pourquoi l'a-t-il envoyé à Tolmachevo ? Pour le mettre à l'abri peut-être ?

Il eut un haussement d'épaules, une ombre passa sur ses traits. Tatiana le dévisagea sans ciller, attendant qu'il en dise plus, qu'il s'explique. Mais il se tut. Alors elle s'éclaircit la voix et répondit :

— Il l'a envoyé dans un camp d'adolescents.

— Oui, je sais. Beaucoup de parents de Leningrad ont envoyé leurs fils là-bas.

Il était pâle.

— Les Allemands sont en Crimée, reprit Tatiana. Le camarade Molotov l'a dit. Tu n'as pas entendu son communiqué ?

— Ils sont en Crimée, mais nous avons avec l'Europe une frontière de deux mille kilomètres et les troupes d'Hitler occupent chaque kilomètre de cette frontière. Pour le moment, conclut Alexandre après un silence, c'est Leningrad l'endroit le plus sûr pour Pasha. Vraiment.

La jeune fille restait sceptique.

— Comment en es-tu si sûr? La radio n'arrête pas de dire que l'Armée rouge est la plus puissante du monde : on a les chars, les avions, l'artillerie... La radio ne dit pas comme toi !

Elle avait prononcé ces derniers mots sur un ton de reproche.

Alexandre secoua la tête :

— On a vécu si longtemps avec une frontière hostile avec la Finlande, à vingt kilomètres au nord de Leningrad, qu'on en a oublié de protéger le Sud. C'est de là que va venir le danger.

— Si le danger doit venir du Sud, pourquoi envoyer Dimitri en Finlande?

Il ne répondit pas tout de suite. Un instant, la question parut le désarçonner.

— Simple mission de reconnaissance, dit-il enfin.

Tatiana eut l'impression qu'il mentait.

— Toutes nos défenses sont concentrées au nord, poursuivit-il. Au sud et au sud-ouest, Leningrad n'a pas une seule division. Tu comprends? Dis à ton père de faire revenir Pasha.

La lumière était douce, les feuilles des arbres immobiles. Tout venait contredire ses mises en garde.

— Écoute, reprit-il après un long silence, pour hier... je suis désolé. Ta sœur... Bref, je ne savais pas que c'était ta sœur. On s'est rencontrés chez *Sadko*...

— Je sais, l'interrompit Tatiana. Tu n'es pas obligé d'expliquer.

Il en avait parlé, seul, sans qu'elle eût à l'interroger. C'était déjà beaucoup.

— Je tiens à m'expliquer. Pardonne-moi si je t'ai... blessée.

— Non. Non... tout va bien. Elle m'a parlé de toi et...

Elle aurait voulu ajouter que ça ne la dérangeait pas, qu'elle était heureuse pour eux, mais ces mots-là refusaient de passer ses lèvres. Alors elle changea de sujet :

— Quel genre de garçon est Dimitri? demanda-t-elle soudain. Quand rentre-t-il de Carélie?

— Je ne sais pas au juste. Quand il aura terminé sa mission. Dans quelques jours.

— Je suis fatiguée. On pourrait prendre un tramway?

— Bien sûr.

Ils n'échangèrent plus un mot jusqu'à ce qu'ils soient assis côte à côte sur la banquette du tram. Là, Alexandre murmura :

— Tatiana, entre ta sœur et moi... ce n'est pas sérieux. Je vais lui parler...

— Non! Ne fais pas ça!

Elle avait presque crié. Deux hommes assis sur la banquette devant eux se retournèrent dans un sursaut.

— Non, répéta-t-elle plus doucement, mais avec la

même conviction. C'est impossible. Dasha est mon aînée, tu comprends ? Elle est aussi ma seule sœur et, pour elle, *tu es une histoire sérieuse*.

Avait-elle besoin d'en dire davantage ? À en juger par l'expression qu'elle lisait sur le visage d'Alexandre, oui, sans doute :

— Des garçons, il y en a toujours d'autres, conclut-elle bravement, mais on n'a qu'une sœur.

— Qu'est-ce qui te fait croire qu'il y a toujours d'autres garçons ? lança-t-il d'un air de défi.

Abasourdie par la question, Tatiana resta un instant sans voix, puis elle répondit :

— Le fait que vous représentiez la moitié de la population sur cette terre. Mais je n'ai qu'une sœur. Tu aimes bien Dasha, n'est-ce pas ? ajouta-t-elle après un silence.

— Bien sûr que je l'aime bien, mais...

— Alors le débat est clos.

Le ton était sans appel. Ces mots-là étaient pourtant les derniers qu'elle aurait souhaité prononcer. Elle poussa un profond soupir et tourna la tête vers la vitre.

Chaque fois qu'elle s'efforçait d'imaginer la femme qu'elle serait plus tard, Tatiana songeait à son grand père, à la dignité avec laquelle il menait sa si simple existence. Chaque fois qu'on lui demandait quelle adulte elle voudrait être, elle répondait invariablement : « Je voudrais être comme mon grand-père. » Deda enseignait les mathématiques. Était-ce cette discipline qui lui avait donné cette assurance, cette certitude dans tous les sujets ? Tatiana l'ignorait, mais elle admirait cette faculté. Et là, elle savait ce que Deda aurait pensé : ne jamais marcher sur les plates-bandes de sa sœur.

Le tram tourna dans la Perspective Grecheski, et Alexandre proposa de descendre avant son arrêt, à côté de l'hôpital de briques rouges. Il marchait près d'elle, l'air préoccupé, puis finit par lui demander :

— Dis-moi, Tania, est-ce que Dimitri te plaît ?

Elle hésita un long moment avant de répondre. Posait-il la question pour Dimitri ou pour lui ? S'il se faisait le messager de son ami, elle ne pouvait pas répondre non : elle ne voulait pas blesser Dimitri. Mais s'il posait la question pour lui-même et qu'elle répondait oui, c'était lui, Alexandre, qu'elle blessait. Que faisaient les filles dans ces cas-là ? Elles rusaient ? Elles faisaient semblant ?

Tatiana décida qu'elle était incapable de ruser : elle lui devait la franchise. Alors elle répondit la vérité : non, Dimitri ne lui plaisait pas — c'était la bonne réponse, elle le lut sur son visage.

— Mais Dasha prétend que je devrais lui donner une chance, ajouta-t-elle. Qu'en penses-tu ?

— J'en pense que non, répliqua-t-il sans l'ombre d'une hésitation.

Ils s'étaient arrêtés à quelques dizaines de mètres de l'église qui faisait face à l'immeuble de Tatiana. Les yeux fixés sur les ors scintillants du dôme, elle songea que l'idée de laisser partir Alexandre lui était intolérable. Il était venu l'attendre, lui avait posé cette question qu'elle croyait impossible, elle avait répondu par la négative et maintenant elle craignait de ne plus jamais le revoir. En tout cas plus comme avant : plus jamais seul.

— Dis-moi, fit-elle, cherchant un prétexte pour prolonger cet instant, tes parents habitent toujours Krasnodar ?

— Non.

Il y eut un long silence avant qu'Alexandre ne poursuive :

— Mes parents sont morts. Ma mère en 1936, mon père l'année suivante. *Exécutés*, ajouta-t-il, articulant lentement le mot tout en baissant la voix. Par le NKVD, cette police pas si secrète. Maintenant je dois partir. On se reverra, d'accord ?

Elle mourait d'envie de lui demander « Quand ? », mais ne put répondre que :

— D'accord.

Et elle se retrouva seule. Alexandre s'était quasiment dématérialisé. Elle demeura un long moment immobile sur le trottoir. Elle était amoureuse du petit ami de sa sœur. Il était officier dans l'armée rouge. Ses parents avaient été exécutés par la police secrète. Pasha devait rentrer de Tolmachevo. Tout se bousculait dans sa tête. Elle avait besoin de calme, de silence, et non pas de la promiscuité bruyante et étouffante de l'appartement où les corps s'entassaient, se heurtaient, s'exaspéraient.

Pourtant, elle poussa la porte et, le cœur lourd, gravit marche après marche les trois étages.

2

Ils étaient en train de parler de la guerre. De la guerre et de Pasha. Aucun repas d'anniversaire en vue. Beaucoup d'alcool, en revanche. Et de disputes.

Quand Tatiana pénétra dans leur logement, son père et son grand-père étaient en train de se quereller sur les intentions d'Hitler. Ils y mettaient beaucoup de certitude, comme s'ils le connaissaient personnellement l'un et l'autre. Quant à Irina Fedorovna, une seule chose semblait la préoccuper : pourquoi le camarade Staline ne s'était-il toujours pas adressé au peuple ? Dasha, elle, se demandait si elle devait continuer d'aller travailler chez son dentiste.

— Et pourquoi pas ? riposta sèchement son père. Regarde Tania. Elle n'a pas dix-sept ans et elle ne se demande pas si elle doit aller au boulot.

Tous les regards se tournèrent vers la jeune fille.

— Si, Papa, j'ai dix-sept ans. *Aujourd'hui*, fit-elle d'un ton qu'elle espérait léger.

— Ah ! Bien sûr ! s'exclama Georgi Vassilievitch. Buvons à l'anniversaire de Pasha ! (Il s'interrompit.) Et à celui de Tania.

Paradoxalement, l'absence de Pasha semblait rendre la pièce plus étroite encore : il est des absences encombrantes... Sans un mot, Tatiana s'adossa contre le mur tout en se demandant quel serait le moment propice pour évoquer Pasha et son retour de Tolmachevo. Sa mère reprit la conversation à l'endroit où, manifestement, Tatiana l'avait interrompue :

— Cette guerre ne durera pas jusqu'à l'hiver, Georgi Vassilievitch, ne t'inquiète pas.

La jeune fille ouvrit la bouche, tentant de saisir l'occasion, mais elle se ravisa : d'où était-elle censée tenir ces informations sur l'avancée des troupes allemandes ?

— On pourrait partir pour Louga, poursuivit Irina Fedorovna. Quitter la ville, aller vivre dans notre datcha.

— Peut-être..., toussota Tatiana. Peut-être qu'avant on pourrait faire revenir Pasha...

Son père, sa mère, ses grands-parents, sa sœur, tous tournèrent vers elle un regard à la fois surpris et navré. Surpris qu'elle ait quelque chose à dire, navré qu'une enfant dût se mêler de sujets d'une telle gravité.

Irina Fedorovna se mit à pleurer :

— Pauvre Pasha. Se retrouver seul, sans sa famille, le jour de son anniversaire.

C'est mon anniversaire à moi aussi, songea Tatiana et, n'y tenant plus, elle déclara :

— Je vais me coucher.

Personne ne la retint.

Quelques minutes plus tard, depuis leur lit, elle vit Dasha sortir. Elle ne lui demanda pas où elle allait : elle le savait. Sa sœur partait retrouver Alexandre. Elle essaya de ne pas penser, de ne pas s'apitoyer sur son sort, de ne pas souffrir, et se plongea dans des nouvelles de Tchekhov. Mais, incapable de se concentrer, elle prêta bientôt l'oreille aux conversations qui se poursuivaient dans la pièce contiguë à la chambre.

Deda et son père continuaient de se disputer sur la guerre. Deda disait que, si la guerre était horrible, celle-ci, au moins, apporterait peut-être au peuple la liberté... Oui, peut-être cette guerre allait-elle débarrasser la Russie du joug bolchévique et lui offrir enfin une vie nouvelle, normale, humaine ?

Tatiana entendit son père répliquer d'une voix empâtée par l'alcool :

— *Rien* ne débarrassera jamais la Russie du bolchévisme. Nous n'aurons *jamais* une vie normale.

La jeune fille finit par s'endormir.

À deux heures du matin, elle fut réveillée en sursaut par un sifflement strident qu'elle n'avait encore jamais entendu. Elle poussa un cri. Son père vint la rassurer : c'était une alerte aérienne. Tatiana lui demanda s'il fallait se lever, si les Allemands bombardaient la ville.

— Rendors-toi, Tanechka, lui répondit Georgi Vassilievitch d'un ton apaisant. Il n'y a rien à craindre.

Mais comment se rendormir avec cette sirène qui hurlait et Dasha qui n'était pas rentrée ?

La sirène se tut quelques minutes plus tard, mais Dasha n'était toujours pas là.

3

Le lendemain matin, à l'usine Kirov, Tatiana apprit qu'afin de soutenir l'effort de guerre la durée de la journée de travail était prolongée jusqu'à dix-neuf heures — et ce jusqu'à nouvel ordre, c'est-à-dire sans doute jusqu'à la fin de la guerre. Krasenko informa les ouvriers que le secrétaire du Parti, à Moscou, avait décidé d'augmenter la production des KV-1 — des chars lourds, avec un blindage de 75 mm et un canon de 76,2 mm.

Il dit aussi que c'étaient ces chars, les munitions et l'artillerie lourde fabriqués par les usines Kirov qui assureraient la défense de la ville : Staline ne ferait pas revenir les troupes déployées dans le sud du pays pour la protéger. Ce que Leningrad pourrait produire pour sa défense et sa subsistance — tant en armement qu'en nourriture — devrait lui suffire.

À la fin du discours de Krasenko, il y eut tant de volontaires pour le front que Tatiana crut que l'usine allait fermer. Mais non : elle n'eut pas cette chance. Avec Zina, une femme d'un certain âge aux traits usés par la fatigue, elle regagna la chaîne et sa mitraille cylindrique.

Plus tard, la cloueuse tomba en panne. La jeune fille dut clouer les caisses avec un marteau. Quand sept heures sonnèrent, elle avait les reins et le bras douloureux, comme si on l'avait battue.

Elle se dirigeait vers l'arrêt de bus quand elle aperçut la tête brune d'Alexandre dominant la foule.

— Qu'est-ce que tu fais là ? lui demanda-t-elle d'une voix harassée.

Elle était trop épuisée pour feindre quoi que ce soit.

— Je suis venu te chercher.

— Il y a longtemps que tu attends ?

— Deux heures.

Soudain, Tatiana se sentit moins fatiguée : il l'avait attendue pendant deux heures !

— La journée de travail a été prolongée jusqu'à sept heures, dit-elle. Je suis désolée que tu aies attendu si longtemps.

— Ça ne fait rien. Ton anniversaire s'est bien passé hier soir ? Tu as parlé à tes parents pour Pasha ?

Tatiana préféra n'évoquer ni l'anniversaire ni la soirée sinistre qu'elle avait passée.

— Non, je n'ai rien pu dire, répondit-elle. Ce serait peut-être à Dasha de le faire. Elle est beaucoup plus courageuse que moi.

— Je ne crois pas, répliqua Alexandre. J'ai essayé de lui parler de Pasha, mais à l'évidence elle ne voit pas où est le problème. J'aurai fait mon possible, conclut-il dans un soupir tandis que, comme la veille, ils renonçaient à l'autobus et prenaient la direction de la rue Govorova.

— Tu es armé aujourd'hui ? fit la jeune fille en désignant son fusil. Tu es en patrouille ?

— Non, mais j'ai reçu l'ordre de ne plus quitter mon arme.

— Les... les Allemands ne sont pas là, tout de même ?

— Non, pas encore.

Il avait répondu avec une assurance et un laconisme qui faisaient froid dans le dos.

Un tram bondé arriva à cet instant. Ils s'y glissèrent avec difficulté, pressés par la foule des autres passagers. À chaque embardée, leurs corps se choquaient. Chaque fois Tatiana s'excusait. Chaque fois le corps d'Alexandre lui semblait aussi monolithique que le mur d'enceinte de l'usine Kirov.

Elle avait envie de se retrouver seule avec lui quelque part, de le questionner sur ce qui était arrivé à ses parents. Était-ce une bonne idée ? Si elle en apprenait davantage sur sa vie, elle allait se sentir plus proche de lui — et c'était exactement ce qu'il fallait éviter. Elle garda le silence jusqu'à ce que le tram emprunte la Perspective Vosnesenski, où ils prirent la ligne 2 en direction du Musée russe.

Une fois arrivés, ils se retrouvèrent tous deux debout sur le trottoir à regarder le tramway s'éloigner.

— Bon... je... je vais y aller maintenant, bredouilla enfin Tatiana.

— Tu ne veux pas t'asseoir un moment dans les Jardins italiens ?

Elle accepta de bonne grâce.

Ils trouvèrent un banc un peu à l'écart des allées les plus fréquentées. Alexandre se taisait. Il paraissait avoir envie de dire quelque chose sans toutefois pouvoir s'y résoudre. Cette fois, Tatiana espérait de tout son cœur qu'il n'allait pas parler de Dasha.

— Ton père a raison, murmura-t-il enfin. Je ne suis pas de Krasnodar, mais de Barrington, dans le Massachusetts.

Elle crut avoir mal entendu. Les yeux écarquillés, elle répéta :

— Le Massachusetts ? Le Massachusetts... comme... comme en Amérique ?

— Oui. Le Massachusetts en Amérique.

Un long moment, Tatiana ne put prononcer une parole. La tête lui tournait, ses oreilles bourdonnaient, elle sentait sa mâchoire trembloter.

— Je ne te crois pas, dit-elle enfin dans un souffle. Tu me fais marcher.

— Je ne te fais pas marcher. Mais je sais pourquoi tu ne me crois pas : pour toi, il est impossible qu'un Américain vienne vivre *de son plein gré* dans ce pays.

— C'est vrai.

— On a été déçus, tu sais. On a débarqué pleins d'espoir, de belles idées sur le partage, la collectivité — mon père, surtout. Et on a découvert qu'on ne pourrait même pas prendre une douche... Oui, où était l'eau chaude ? ajouta-t-il devant la mine médusée de Tatiana. On n'a même pas pu prendre un bain à l'hôtel à notre arrivée. Vous avez de l'eau chaude, vous ?

— Bien sûr que non. On fait bouillir de l'eau sur le poêle et on l'ajoute à l'eau froide du bain. Et le samedi, on va aux bains publics, comme tout le monde à Leningrad.

— C'est ça, confirma Alexandre en hochant la tête. Comme tout le monde à Leningrad, mais aussi à Moscou, à Kiev, dans toute l'Union soviétique.

— On a de la chance, Alexandre. Dans les grandes villes, au moins, on a l'eau courante. En province, ils n'ont même pas ça...

— C'est vrai. Mais, même à Moscou, les chasses d'eau fonctionnent une fois sur deux, les mauvaises odeurs s'accumulent dans les salles de bains. On s'en est accommodés, je ne sais comment, mes parents et moi. On faisait la cuisine sur un feu de bois. On se prenait pour la famille Ingalls.

— La quoi ?

— La famille Ingalls. Des pionniers qui habitaient dans

l'Ouest américain au XIXe siècle. Laura Ingalls Wilder a raconté leur vie dans ses livres. Nous, c'était l'utopie socialiste que nous vivions au quotidien. Un jour que je me plaignais à mon père, il m'a répondu qu'on ne construisait pas le socialisme sans lutter, qu'il fallait se battre pour accéder à ce bonheur. Il le croyait vraiment.

— Quand êtes-vous arrivés ?

— En 1930. Tout de suite après le krach boursier de 1929.

Tatiana le dévisagea sans comprendre. Alexandre poussa un soupir et poursuivit :

— Peu importe. J'avais onze ans à l'époque. Comme tu peux l'imaginer, ce n'est pas moi qui ai demandé à quitter Barrington. Ni à vivre dans le noir, sans eau chaude, dans la crasse et la puanteur : cette vie-là nous a abîmés d'une manière qu'on n'aurait jamais soupçonnée. Ma mère s'est mise à boire. Après tout, pourquoi pas ? Tout le monde boit ici.

— Je sais, souffla Tatiana.

Son père aussi buvait.

— Quand elle buvait et que les toilettes étaient occupées dans notre somptueux hôtel pour étrangers de Moscou, elle se rendait au parc du coin et se soulageait dans les toilettes publiques : un trou dans la terre ! Un trou dans la terre pour ma mère, Tatiana...

La voix d'Alexandre s'étrangla. Elle le sentit frissonner — de détresse, d'humiliation, de regrets. Doucement, elle posa une main sur son bras. Il ne s'écarta pas. Alors, parce qu'ils étaient à l'abri sous les arbres, parce que personne ne pouvait les voir, elle s'enhardit et ses doigts pressèrent l'étoffe de l'uniforme.

— Le samedi, poursuivit-il, comme vous, mon père et moi nous allions aux bains publics. On faisait deux heures de queue avant de pouvoir entrer. Ma mère y allait seule, le vendredi. Je crois que, dans ces moments-là, elle regrettait de ne pas avoir une fille : elle n'aurait pas été seule, elle n'aurait pas souffert comme je l'ai fait souffrir.

— Tu l'as fait souffrir?

— Terriblement. Au début, tout allait à peu près. Mais, avec les années, je me suis mis à leur reprocher la vie qu'ils me faisaient mener. À l'époque, nous habitions Moscou : soixante-dix idéalistes avec enfants, qui vivaient comme vous vivez, sur un même étage avec trois toilettes et trois petites cuisines. Dis-moi, Tania, ajouta gravement Alexandre, tu aimes la vie que tu as?

La jeune fille réfléchit un moment avant de répondre :

— Nous ne sommes que vingt-cinq dans l'appartement, mais... je préfère notre datcha de Louga. L'air sent le propre le matin, tu sais. Et puis je n'aime pas vivre entassée avec les autres. Je préférerais avoir un peu... un peu de solitude, tu comprends?

Alexandre la dévisagea :

— Si tu savais comme je comprends...

— Tu crois, reprit-elle après un silence, qu'on devrait se réjouir de cette attaque allemande?

— Non, c'est tomber de Charybde en Scylla.

— Fais attention. Il ne faut pas dire ces choses-là. Je croirais entendre mon grand-père : pour lui, Staline et Hitler, c'est du pareil au même. À eux deux, ils sont le diable.

— Ne te fais pas d'illusions, Tania. Certaines personnes, surtout en Ukraine, voient Hitler comme un libérateur. Elles croient qu'il va les délivrer de Staline, mais elles se trompent, elles vont vite déchanter. Il suffit de voir ce qui est arrivé à l'Autriche, à la Tchécoslovaquie, à la Pologne. Quelle que soit l'issue de cette guerre, l'Union soviétique ne changera pas. Mes parents sont morts écrasés par ses idéaux, conclut Alexandre en tirant une cigarette de son paquet.

— La vie en Amérique ne devait pas être si agréable puisqu'ils l'ont abandonnée pour venir ici, répliqua Tatiana d'une voix hésitante.

Il fuma sa cigarette presque jusqu'au bout avant de répondre.

— D'accord. Pour que tu comprennes, je vais te raconter ce qu'était le communisme en Amérique dans les années 1920 : une idée plutôt à la mode chez les nantis...

Le père d'Alexandre, Harold Barrington, avait voulu faire entrer son fils, alors âgé de dix ans, dans un mouvement de jeunesses communistes : les Jeunes Pionniers. C'était le début de l'âge d'or du communisme aux États-Unis, mais le Parti manquait encore de recrues et, pour vaincre le capitalisme, il fallait du sang neuf. Le petit Alexandre avait refusé : il était déjà chez les scouts.

Barrington était une bourgade de l'est du Massachusetts. La famille d'Alexandre, qui y vivait depuis l'époque de Benjamin Franklin, avait donné à la ville son patronyme... et quatre maires.

Harold Barrington voulait, lui aussi, laisser une trace dans la lignée. Gina, sa femme, une immigrée italienne, était arrivée en Amérique à dix-huit ans. Un an plus tard, elle changeait de prénom, se faisait appeler Jane et épousait Harold.

Au début, Jane et Harold avaient été radicaux. Puis ils étaient devenus démocrates socialistes et, enfin, communistes. Femme moderne et progressiste, Jane Barrington avait résolu de ne pas avoir d'enfants : d'après Margaret Sanger, pionnière américaine du mouvement pour le contrôle des naissances, ce n'était pas une obligation...

Onze ans plus tard, Jane avait finalement décidé que si,

elle voulait des enfants. Après cinq fausses couches, en 1919 elle avait eu Alexandre. Elle avait trente-cinq ans. Harold trente-sept.

Dès sa plus tendre enfance, Alexandre avait été bercé par la doctrine communiste. Dans sa confortable maison américaine, près du feu, douillettement emmitouflé dans des couvertures, il avait entendu prononcer les mots « prolétariat », « manifeste programme », « léninisme », avant même d'en comprendre le sens.

Quand il avait atteint ses onze ans, ses parents avaient décidé de vivre enfin cette expérience dont ils rêvaient tant. Harold Barrington était sans cesse interpellé par la police lors de manifestations à Boston. Il avait fini par solliciter le concours de l'Union pour les libertés civiles américaines afin d'obtenir l'asile politique en URSS : il était prêt à renoncer à la citoyenneté américaine et à partir vivre dans un pays où il ne ferait plus qu'un avec le peuple. Là, il n'y aurait plus de classes sociales. Plus de chômage. Plus de préjugés. Plus de religion. La partie antireligieuse de l'affaire n'était pas ce que les Barrington admiraient le plus, mais ils formaient un couple progressiste, intellectuel, capable de sacrifier Dieu à un monde meilleur.

Harold et Jane Barrington avaient rendu leurs passeports américains et débarqué à Moscou, où on leur avait réservé un accueil princier. Alexandre avait l'impression d'être seul à remarquer l'odeur dans les salles de bains, l'absence de savon, et ces malheureux vêtus de loques qui s'agglutinaient aux fenêtres du restaurant de l'hôtel, attendant qu'on remporte les assiettes sales en cuisine pour se précipiter dans les poubelles et manger les restes. Plus tard, la misère avinée des bars l'avait vite dissuadé d'y accompagner son père.

À l'hôtel pour étrangers où ils avaient leur chambre, ils

bénéficiaient d'un traitement particulier, tout comme d'autres expatriés venus d'Italie, d'Angleterre, de Belgique...

Harold et Jane avaient obtenu leurs nouveaux passeports soviétiques, rompant définitivement tout lien avec l'Amérique. Mineur, Alexandre devait attendre d'avoir seize ans pour obtenir le sien et se faire inscrire sur les listes pour le service militaire obligatoire.

Il allait à l'école, apprenait le russe, se faisait de nombreux amis. Il commençait à s'habituer à sa nouvelle vie quand, en 1935, on avait annoncé aux Barrington qu'ils devaient quitter leur logement gratuit et se débrouiller par leurs propres moyens. Mais il n'y avait pas un seul logement libre dans tout Moscou. Pas même une pièce unique dans un appartement collectif. Alors ils étaient partis pour Leningrad où ils avaient fini par dénicher deux pièces dans un taudis sur la rive sud de la Neva. Harold s'était fait embaucher dans une usine. Jane s'était mise à boire de plus en plus. Alexandre baissait la tête et se concentrait sur son travail scolaire.

Tout s'était terminé au mois de mai 1936. Alexandre allait avoir dix-sept ans.

Jane et Harold Barrington furent arrêtés de la façon la plus inattendue et, en même temps, la plus banale : un jour, Jane ne rentra pas du marché. Harold voulut contacter Alexandre mais ils avaient eu des mots, et il n'avait pas revu son fils depuis quarante-huit heures. Quatre jours après la disparition de Jane, à trois heures du matin, on frappa doucement à la porte. Harold l'ignorait, mais des représentants du commissariat aux Affaires intérieures étaient déjà venus pour Alexandre.

Ce fut un nommé Leonid Slonko qui se chargea de l'interrogatoire de Jane.

— J'en ai rencontré des milliers comme toi, camarade Barrington, lui déclara-t-il.

Des milliers, vraiment? songea Jane. Est-on des milliers à quitter les États-Unis pour venir vivre ici?

— J'ai bien dit des milliers, répéta Slonko, comme s'il lisait dans ses pensées. Ils viennent ici pour avoir une vie meilleure, une vie où le capitalisme n'a pas sa place. Le communisme exige des sacrifices, tu le sais. Le sacrifice de l'esthétique bourgeoise, notamment. Tu dois nous voir avec les yeux d'une Soviétique et non plus ceux d'une Américaine.

— J'ai sacrifié mon esthétique bourgeoise, répondit Jane. J'ai abandonné ma maison, mon travail, mes amis, toute ma vie. Et je suis venue ici pour repartir de zéro, parce que j'y croyais. Je vous demandais juste de ne pas me trahir.

— Nous t'avons nourrie, habillée, nous t'avons donné un emploi, un logement. C'est toi qui nous as trahis, camarade Barrington, alors que nous nous efforçons de réformer la race humaine pour le bien de l'humanité et d'éradiquer de ce monde la pauvreté et la misère. Laisse-moi te poser une question, camarade Barrington, ajouta Slonko après quelques instants. Quand tu as fait appel à l'ambassade américaine il y a quelques semaines, as-tu oublié que tu avais renoncé aux États-Unis en prônant le renversement de la démocratie? En entretenant des relations avec le Front populaire? En abandonnant la citoyenneté américaine? Tu n'es plus une citoyenne américaine, camarade Barrington. L'Amérique se fiche de ton sort, conclut Slonko dans un bref éclat de rire. Sois sûre, camarade, que pour l'État américain tu ne vaux plus rien. Il t'a oubliée. Le dossier de ta famille porte le sceau du minis-

tère de la Justice américain : il est ici, dans un coffre. Tu le vois, maintenant tu es à nous.

Tout était vrai. Deux semaines auparavant, Jane avait pris le train avec Alexandre pour se rendre à Moscou, à l'ambassade des États-Unis. Là, l'accueil avait été glacial : les Américains ne les aideraient pas — ni elle ni son fils.

— Ai-je été suivie ? demanda-t-elle à Slonko.

— Qu'est-ce que tu crois ? En rompant avec ton pays, tu nous as montré ta déloyauté. Nous avons eu raison de te faire suivre, de ne pas te faire confiance. La preuve, aujourd'hui tu craches sur le pays qui vous a accueillis et nourris, toi et ta famille. Vous n'étiez pas si mal en Amérique, vous les Barrington du Massachusetts : vous avez voulu venir ici. Nous nous doutions que vous étiez des espions. Par précaution, nous vous avons fait surveiller. Le camarade Staline ne vous demandait qu'une infaillible loyauté. Et voilà que tu te rends à l'ambassade, que tu changes d'avis sur nous comme tu as jadis changé d'avis sur l'Amérique. Tu es décidément très versatile, camarade Barrington. L'ambassade te répond : On ne vous connaît pas. Nous, on te dit : Désolés, on ne veut pas de toi. Tu n'es pas fiable. Maintenant tu vas être jugée pour trahison conformément à l'article 58 de la Constitution soviétique. Tu le sais. Tu sais ce qui t'attend.

— Oui, je le sais. Je regrette juste que ce ne soit pas arrivé plus tôt. Mais, par pitié, épargne mon fils, camarade. Ce n'était qu'un enfant quand nous sommes arrivés. Lui n'a pas renoncé à la citoyenneté américaine.

— Il y a renoncé en devenant citoyen soviétique et en s'enrôlant dans l'armée rouge, rétorqua Slonko.

— Mais le ministère des Affaires étrangères américain n'a aucun dossier sur lui. Ce n'est pas un subversif.

Il n'a jamais fait partie d'aucun mouvement communiste là-bas. Je t'en prie...

— C'est bien pour ça, l'interrompit Slonko, qu'il est le plus dangereux d'entre vous.

Jane ne revit son mari qu'une fois avant de comparaître devant un tribunal présidé par Slonko. Au terme d'un rapide procès, elle fut exécutée.

Avant son arrestation, Harold Barrington était plus ému de voir s'écrouler son château de rêves que soucieux de la disparition de son fils.

La prison, il connaissait; elle ne lui faisait pas peur. Être incarcéré pour ses idées était un honneur qu'il avait autrefois porté avec fierté en Amérique.

— J'ai connu certaines des meilleures cellules du Massachusetts, avait-il coutume de dire.

L'Union soviétique se révélait une cruelle désillusion. Mais, si le communisme ne marchait pas aussi bien qu'il l'avait espéré en Russie, c'était précisément parce que *c'était la Russie. En Amérique, le communisme ferait des miracles, se disait Harold. En Amérique, il pourrait s'épanouir, réaliser toutes ses promesses. Harold Barrington voulait ramener le communisme chez lui.*

Chez lui...

Comment pouvait-il encore dire de l'Amérique qu'elle était son pays, son « chez-lui »? Et pourtant... En Union soviétique il n'était pas chez lui, et les communistes le savaient. Harold avait longtemps refusé de le croire, désormais il devait se rendre à l'évidence : ils avaient cessé de le protéger. Il était devenu un ennemi du peuple.

Il méprisait l'Amérique, si superficielle, abhorrait l'individualisme qui lui tenait lieu de morale; selon lui, seuls les imbéciles pouvaient se satisfaire de l'idéal démocratique. Pourtant, à présent, enfermé dans sa geôle de béton, Harold voulait que son fils regagne cette Amérique, à n'importe quel prix.

L'Union soviétique ne pourrait rien pour Alexandre. Seule l'Amérique pouvait le sauver.

Qu'est-ce que j'ai fait à mon fils ? se disait-il, revoyant le petit visage admiratif d'Alexandre, un samedi après-midi de 1927 où, seul à la tribune, son père invectivait les capitalistes, à Greenwich, dans le Connecticut.

Pendant une interminable année jalonnée d'interrogatoires, d'accusations, de dénis, Harold ne demanda qu'une chose : voir Alexandre avant de mourir. Il fit appel à l'humanité de Slonko.

— N'essaie pas de jouer sur la corde sensible, lui répondit celui-ci. Je n'ai aucune « corde sensible ». La sensibilité n'a rien à faire avec le communisme : la création d'un nouvel ordre social requiert de la discipline, de la persévérance et un certain détachement.

— Je n'appellerais pas cela du détachement, répliqua Harold. Mais de la cruauté.

— Ton fils ne te rendra pas visite, reprit Slonko comme si de rien n'était. Ton fils est mort.

Tatiana resta sans voix. Seules ses mains parlaient, qui caressaient doucement le bras d'Alexandre.

— Je suis... je suis désolée, balbutia-t-elle enfin.

— Ne t'inquiète pas, Tania, fit-il en se levant. Mes parents ne sont plus là, mais moi oui.

— Attends, ne pars pas ! Dis-moi comment tu as changé de nom : comment es-tu passé de Barrington à Belov ? Et qu'est-il arrivé à ton père ? Tu l'as revu finalement ?

Alexandre jeta un coup d'œil à sa montre.

— Tania, avec toi je ne vois pas le temps passer. Il faut que je file. Je te raconterai la suite un autre jour.

Un autre jour... Tatiana sentit son cœur se gonfler : ainsi il y aurait un autre jour... Ils quittèrent lentement le parc, côte à côte.

— Tu as raconté ça à Dasha ? murmura Tatiana.

— Non.

Alexandre détourna le regard, puis il se pencha vers elle, sourit et déposa un baiser sur sa joue. Il avait les lèvres chaudes, sa peau piquait un peu.

— Fais attention en rentrant, chuchota-t-il avant de s'éloigner.

Elle resta figée sur le trottoir, pétrifiée, incapable de détacher ses yeux de la silhouette qui diminuait peu à peu. Et s'il se retournait ? Elle aurait l'air idiote à rester plantée là, le regard fixé sur lui. À cet instant, effectivement il se retourna. Il fit un petit signe de la main. Elle rougit — puis répondit à son signe.

4

Une fois rentrée, Tatiana alla retrouver Dasha sur le toit. Dans tous les immeubles, on s'était organisé : ceux qui avaient été désignés pour la défense passive prenaient des tours de garde sur le toit afin de guetter les avions allemands.

Assise sur le sol, Dasha fumait une cigarette en discutant avec Anton et Kirill, les deux plus jeunes fils Iglenko. À côté d'eux, des seaux remplis d'eau et de gros sacs de sable.

Elle laissa sa place à sa sœur en lui recommandant de ne pas rester trop longtemps :

— Tu dois être fatiguée. Tu rentres si tard. Kirov est trop loin de la maison. Pourquoi tu n'irais pas travailler avec Papa ? Tu serais ici en un quart d'heure.

— T'inquiète pas, Dash, répondit seulement Tatiana. Tout va bien.

Elle parvint à s'arracher un sourire pour le lui confirmer.

Une fois Dasha partie, le blond et maigre Anton s'efforça de la tirer de sa morosité. Mais la jeune fille n'avait aucune envie de bavarder. Elle voulait être seule et réfléchir — une minute, une heure, une année —, réfléchir à ce qu'elle venait d'apprendre, à ce qu'elle éprouvait. Impossible. Deux mots ne cessaient de tourner dans sa tête : Alexandre, Amérique, Alexandre, Amérique...

Anton lui dit :

— Ne fais pas cette mine sinistre. C'est plutôt excitant tout ça, non ?

— Tu trouves ?

— Ouais. Dans deux ans, je pourrai m'enrôler. Comme Petka. Il est parti hier.

— Parti où ?

— Sur le front, pardi ! On est en guerre, Tania, au cas où tu ne l'aurais pas remarqué...

— Si, si, j'ai remarqué.

Elle sentit un frisson inhabituel lui parcourir la nuque. Elle se leva :

— J'y vais. Dis à ta mère que j'ai du chocolat pour elle. Elle peut passer ce soir si elle veut.

Sur ces mots, elle regagna le logement familial. Assis sur le canapé, ses grands-parents lisaient. La petite lampe était allumée. Tatiana se fit une minuscule place entre eux, presque sur leurs genoux.

— Que se passe-t-il, ma chérie ? lui demanda son grand-père. On dirait que tu as peur.

— Je n'ai pas peur, Deda. Mais... tout est très embrouillé dans ma tête. Tu m'as toujours dit : « Tania, sois patiente avec la vie. Elle prendra le temps de t'apporter tout ce qu'elle doit t'apporter. » Tu le penses toujours ?

Curieusement, son grand-père ne répondit pas tout de suite. Il garda le silence un long moment, et Tatiana comprit que ce silence était déjà une réponse. Puis il passa un bras sur ses épaules :

— Ma petite fille, les choses ont bien changé depuis hier. Je ne suis plus si sûr qu'il faille savoir attendre désormais...

— C'est bien ce que je pensais...

— Mais, attention, Tania, pas au prix de la droiture et de la morale, ajouta Deda en balançant son épaisse chevelure grise. N'oublie jamais ça.

Une fois allongée sur son lit, Tatiana put à loisir songer à Alexandre. Il ne lui avait pas seulement raconté sa vie, il l'y avait emportée, presque noyée — tout comme il s'y était noyé lui-même. Elle l'avait écouté, les lèvres entrouvertes, comme pour remplir ses poumons du chagrin qui lestait chacune de ses paroles. Il avait besoin de quelqu'un pour l'aider à porter ce fardeau.

Elle serait ce quelqu'un.

Il avait besoin d'*elle*.

Elle ne pensa pas à Dasha.

5

Le mercredi matin, sur le chemin de l'usine, elle vit des pompiers installer des dispositifs qui ressemblaient à des bouches d'incendie. La ville allait-elle s'embraser? Les bombes allemandes allaient-elles la faire partir en fumée? Tatiana n'arrivait pas à y croire. Pour elle, cette idée était aussi saugrenue que celle de l'Amérique.

Au loin, le monastère et l'institut Smolny devenaient peu à peu méconnaissables. On les avait drapés dans des filets de camouflage que des ouvriers arrosaient de peinture verte, marron et grise. Qu'allait-on faire avec les flèches dorées de la basilique Saint-Pierre-et-Saint-Paul et de l'Amirauté? Elles allaient être plus difficiles à cacher, mais aussi plus difficiles à atteindre depuis les airs. En attendant, elles demeuraient nues, dans leur éblouissante perfection architecturale.

Ce soir-là, avant de quitter l'usine, Tatiana se lava longuement les mains et la figure, puis se planta devant le miroir près de son casier, et se brossa les cheveux. Elle décida de ne pas les attacher et de laisser leurs vagues blondes flotter dans son dos et sur ses épaules. Elle portait une jupe portefeuille à motifs fleuris et un chemisier bleu à manches courtes et boutons blancs. Elle jeta encore un œil dans la glace et, à son grand désespoir, se donna douze ans, treize tout au plus : tout à fait l'allure d'une « petite sœur ». La petite sœur de Dasha...

Elle ne laissa pas cette pensée l'assombrir, se précipita dehors et courut vers l'arrêt de bus. Alexandre était là. Il l'attendait.

— J'aime quand tu laisses tes cheveux libres, Tania, fit-il avec un sourire.

— Merci, marmonna-t-elle en baissant les yeux, rouge de confusion. Si seulement je ne sentais pas le pétrole et la graisse.

— Ne me dis pas que vous avez encore fabriqué des bombes ! s'exclama l'officier en roulant des yeux faussement étonnés.

La jeune fille éclata de rire :

— Au moins, on a du travail, nous. J'ai lu dans la *Pravda* que, dans ton Amérique, tout ne va pas si bien côté chômage. Alors qu'ici, en Union soviétique, c'est le plein emploi.

— Oui, répliqua Alexandre. Il n'y a pas plus de chômage en Union soviétique que dans une prison — et pour les mêmes raisons.

Un instant, Tatiana eut envie de le traiter de subversif. Mais, même pour plaisanter, elle ne s'y risqua pas.

Tandis qu'ils attendaient toujours près de l'arrêt de bus, il lui tendit un paquet emballé dans du papier kraft.

— Je sais que c'était lundi, ton anniversaire.

— Qu'est-ce que c'est ? fit Tatiana d'une voix étranglée.

Elle n'osait pas lui prendre le paquet des mains.

Alexandre baissa la voix :

— Tu sais, on a une coutume en Amérique quand on reçoit un cadeau : on l'ouvre et on remercie.

— Merci, murmura-t-elle.

— Non. Ouvre-le d'abord, tu me remercieras après.

Tatiana n'avait pas l'habitude des cadeaux, encore moins des cadeaux emballés dans du papier, fût-ce du papier kraft.

— Qu'est-ce que je fais maintenant? demanda-t-elle avec un sourire. J'enlève le papier?

— Oui, tu le *déchires* même.

— Et puis?

— Et puis tu le jettes.

— Je le jette? répéta-t-elle, éberluée. Il est si beau, je ne vais pas le jeter!

— Tania, ce n'est qu'un bout de papier.

— Si ce n'est qu'un bout de papier, pourquoi y as-tu emballé mon cadeau?

Sur cette espièglerie, elle se dépêcha de déchirer le papier et découvrit trois livres : le premier était une belle édition du *Cavalier de bronze*, de Pouchkine; le deuxième était d'un certain John Stuart Mill — Tatiana ne connaissait pas cet auteur —, c'était un livre anglais intitulé *La Liberté*; le troisième était un dictionnaire anglais-russe.

— Celui-là me sera moins utile que tu ne penses, fit-elle en levant des yeux rieurs vers Alexandre. Je ne parle pas un mot d'anglais. C'était ton dictionnaire quand tu es arrivé ici, n'est-ce pas?

— Oui. Il te sera très utile pour lire John Stuart Mill, l'un des plus grands philosophes anglais. Quant au *Cavalier de bronze*, il appartenait à ma mère. Elle me l'avait donné quelques semaines avant son arrestation.

Au bord des larmes, Tatiana ne sut quoi répondre.

— J'adore Pouchkine, fit-elle enfin, lentement, avant de citer : « Or il advint des jours terribles / dont le souvenir reste vif... / C'est pour vous, mes amis, que je veux les conter. / Triste en sera l'histoire, que voici[1]. »

— Tania, tu cites Pouchkine comme une vraie Russe ! s'exclama Alexandre.

— Sans doute parce que je *suis* une vraie Russe, rétorqua la jeune fille en grimpant dans l'autobus qui venait de piler devant l'arrêt.

Une fois au Musée russe, Alexandre lui proposa de marcher un peu. Ils descendirent et prirent la direction du Champ-de-Mars.

— Tu travailles de temps en temps ? lui demanda-t-elle avec un clin d'œil malicieux. Dimitri est parti en Carélie. Et toi...

— Moi j'apprends aux soldats à jouer au poker — un jeu de cartes américain, s'empressa-t-il d'ajouter devant la mine étonnée de Tatiana. De sept à dix-huit heures, je remplace l'officier en charge du recrutement et de l'entraînement de l'Armée du peuple et, un soir sur deux, je suis de faction de vingt-deux heures à minuit.

Cela, Tatiana le savait : ces horaires correspondaient à ceux où Dasha sortait. Alexandre parut éprouver la même gêne à cette évocation car il se dépêcha de poursuivre :

— J'ai mes week-ends libres. Je ne sais pas pour combien de temps. Pas longtemps, j'imagine. Je suis en garnison à Leningrad pour protéger la ville. Quand le front manquera d'hommes, on m'y enverra.

Et alors c'est à moi que tu manqueras, songea Tatiana.

— Où allons-nous ? demanda-t-elle.

— Que dirais-tu des Jardins d'Été ? Je vais aller cher-

1. Les citations du « Cavalier d'airain », d'Alexandre Pouchkine, sont toutes reprises de la traduction de Louis Martinez, in *Poésies*, « Poésie Gallimard », Gallimard, Paris, 1994 *(N.d.T.)*.

cher de quoi y pique-niquer. On va faire un dîner d'anniversaire. Je vais sûrement trouver du caviar au *Voentorg*.

— Et des allumettes aussi ! fit Tatiana, lui rappelant ironiquement l'insistance avec laquelle il lui avait conseillé d'en acheter.

— Inutile, lui répondit-il. Quand on a quelque chose à allumer, on se sert de la flamme du monument aux morts de la Révolution. Il arrive qu'on y fasse des grillades le soir.

— Alexandre ! C'est un sacrilège !

— Un sacrilège, vraiment ? N'oublie pas qu'ici Dieu n'existe pas. Or il n'est de sacrilège que divin.

Tatiana baissa les yeux :

— Tu as raison : Dieu n'existe pas.

— Bien sûr. Dans la Russie communiste, nous sommes tous athées. Maintenant, attends-moi ici, je reviens.

Et il disparut en direction du *Voentorg*.

La jeune fille s'assit sur un banc, glissa machinalement une main dans son sac, y palpa les trois livres que lui avait donnés Alexandre et... Que faisait-elle ici, à attendre le petit ami de sa sœur ? Ce n'était pas sa place, mais celle de Dasha. La preuve : si celle-ci lui demandait où elle avait été et ce qu'elle avait fait, jamais elle ne pourrait lui répondre. Elle se leva d'un bond. Alors qu'elle s'éloignait d'un pas vif, elle entendit une voix dans son dos :

— Tania ! Tania, reviens !

En quelques foulées, Alexandre fut à ses côtés, un sachet en papier dans chaque main.

— Où allais-tu comme ça ? lui demanda-t-il, un peu essoufflé.

Elle n'eut pas besoin de répondre : son visage parlait pour elle.

— Tania, lui dit-il, ne t'inquiète pas : ce n'est qu'un pique-nique d'anniversaire. Après tu rentres chez toi.

Et il lui prit le bras, l'entraînant doucement vers les Jardins d'Été. Le seul banc inoccupé se trouvait près d'une statue de Saturne. Ils s'y installèrent, bien que la compagnie de Saturne occupé à dévorer l'un de ses enfants, la bouche grande ouverte, manquât de romantisme.

Alexandre ouvrit les sacs en papier : ils contenaient une petite bouteille de vodka, du jambon fumé, du pain blanc, une boîte de caviar et une tablette de chocolat. Il tendit la bouteille à Tatiana. Elle n'osa pas lui avouer qu'elle n'avait jamais bu au goulot — surtout pas de la vodka — et faillit s'étouffer.

Il s'esclaffa :

— Désolé, j'ai oublié les verres !

Elle s'empourpra, gênée : elle avait l'impression qu'il tenait toute la place sur le banc ; il était assis trop près d'elle, si elle respirait un peu trop fort leurs corps allaient se toucher...

— Tout va bien, Tania ?

— Oui... oui, bredouilla-t-elle en mordant dans un sandwich. C'est délicieux. Dis-moi, ajouta-t-elle afin de masquer son trouble, tu parles toujours anglais ?

— Oui, mais je ne le pratique plus beaucoup depuis que mes parents sont...

Il s'interrompit.

— Je suis désolée, dit Tatiana. Je ne voulais pas te faire de peine. Je voulais juste savoir si tu pourrais m'apprendre quelques mots d'anglais.

Le regard d'Alexandre se mit à briller d'un éclat si vif qu'elle frissonna.

— Quels mots veux-tu apprendre ? lui demanda-t-il.

— Je... je ne sais pas. « Vodka », par exemple.

— Celui-là est facile. « Vodka » se dit... « vodka » !

Il éclata de rire. Elle aimait ce rire, un rire sincère, profond, masculin, qui partait de la large poitrine de l'officier pour venir mourir dans sa poitrine à elle. Alexandre avait une aisance naturelle qui la déconcertait. Il était assis sur ce banc comme s'il lui appartenait, alors qu'elle, elle faisait des efforts désespérés pour qu'aucune partie de son corps n'effleure le sien. Il avait l'attitude confiante de qui connaît sa place dans le monde, totalement inconscient de l'effet que cette assurance pouvait produire sur une timide jeune fille de dix-sept ans. Tout son corps semblait dire : Tout cela m'a été offert, simplement offert ; mon visage, ma taille, ma force, ma santé. Je ne les ai pas demandés, je n'ai rien fait pour ça, je n'ai pas dû lutter pour les avoir. Je les ai reçus en cadeau, je vis avec chaque jour sans y penser. Je n'en suis pas fier, mais n'ai aucune fausse modestie non plus. Bref, de tout son corps, Alexandre ne disait qu'une chose : *Je sais ce que je suis*.

— Viens, partons, fit brusquement Tatiana.

Il obtempéra sans broncher. Ils quittèrent les Jardins d'Été pour se diriger vers les rives de la Neva.

— J'adore regarder ce fleuve, dit le jeune homme après un long silence. Surtout pendant les nuits blanches. On n'a pas ça en Amérique, tu sais.

— En Alaska peut-être ?

— Oui, sans doute, mais le scintillement de la rivière, la ville qui se presse sur ses berges, le soleil qui se couche derrière l'université pour se lever derrière la basilique Saint-Pierre-et-Saint-Paul... Que dit Pouchkine dans *Le Cavalier de bronze* ? « Sans laisser l'ombre nocturne / s'attarder sur les cieux dorés... » Je ne me rappelle plus la suite.

Tatiana connaissait le poème par cœur, elle poursuivit :

— « Un crépuscule chasse l'autre / laissant moins d'une heure à la nuit. »

— Tania, demanda-t-il doucement lorsqu'elle eut terminé, d'où tiens-tu ces taches de rousseur ?

— Le soleil, sans doute, répondit-elle, sentant ses joues s'empourprer encore une fois.

Je t'en prie, ne me regarde pas comme ça, se dit-elle, apeurée par le regard qu'il posait sur elle comme par les battements de son propre cœur.

— Et ces cheveux blonds, poursuivit-il tout aussi doucement. Toujours le soleil ?

Elle eut soudain conscience du bras d'Alexandre, posé derrière elle sur le dossier du banc. S'il le désirait, sa main n'avait que quelques centimètres à parcourir pour venir caresser les boucles blondes. Mais la main demeura immobile.

— Les nuits blanches sont splendides, tu ne trouves pas ? ajouta-t-il sans la quitter des yeux.

— Elles compensent les rigueurs de l'hiver à Leningrad, marmonna Tatiana. La neige, la Neva gelée. Heureusement, parfois, on peut faire de la luge...

— Qui ça « on » ?

— Pasha, moi, des copains. Dasha aussi, ajouta-t-elle après un bref silence. Mais elle est plus vieille que moi. Je... je ne sors pas beaucoup avec elle.

Pourquoi avait-elle dit cela ? Pourquoi insister sur leur différence d'âge ? Par méchanceté ? Tais-toi tout de suite, se dit-elle.

— Tu aimes sûrement beaucoup Dasha ? reprit Alexandre.

Où voulait-il en venir ? Pourquoi posait-il cette question ? Non, finalement, mieux valait ne pas savoir. Comme elle ne répondait pas, il poursuivit :

— Es-tu aussi proche d'elle que de Pasha ?

— Non, ce n'est pas la même chose. Avec Pasha, tu comprends, on est jumeaux. Avec Dasha, on partage le même lit. Elle dit que je ne pourrai jamais me marier parce qu'elle ne veut pas que mon mari dorme dans notre lit.

Son regard croisa celui d'Alexandre et ne le quitta plus. Elle était incapable de détourner les yeux.

— Tu es trop jeune pour te marier.

— Je sais, répliqua-t-elle, un peu sur la défensive, comme chaque fois qu'il était question de son âge. Je suis jeune, c'est vrai, mais pas *trop* jeune.

— Pas trop jeune pour quoi? repartit gravement Alexandre.

Pas trop jeune pour la Neva, pas trop jeune pour les Jardins d'Été, pas trop jeune pour...

Que répondre? Dasha, elle, aurait su. C'était une question d'adulte — qui méritait une réponse d'adulte. Bon sang, comment les adultes s'y prenaient-ils pour répondre à ce genre de questions?

— Pas trop jeune..., réfléchit-elle, tentant de masquer son embarras, pour m'engager dans l'Armée du peuple. Je pourrais m'enrôler. Tu m'entraînerais?

Elle sourit.

Alexandre, lui, ne sourit pas. Une grimace fugitive passa sur ses traits.

— Tu es trop jeune *aussi* pour l'Armée volontaire. Ils ne t'incorporeront pas avant...

Il n'acheva pas sa phrase. Tatiana ne comprit ni cette hésitation, ni le tremblement qui palpitait sur ses lèvres. Soudain, elle ne put fixer cette bouche une seconde de plus et, d'un bond, se leva du banc.

— Je ferais bien de rentrer. Il est tard.

Il la suivit sans un mot, et ils se mirent en route le long du fleuve.

— Dis-moi, fit-elle au bout de quelques minutes, est-ce que l'Amérique te manque?

— Oui.

— Tu y retournerais si tu le pouvais ?

— Sans doute, mais c'est impossible. Je n'ai plus aucun droit là-bas.

Elle eut envie de lui prendre la main, de la caresser, d'adoucir tous les chagrins qu'elle sentait en lui.

— Parle-moi de l'Amérique. Tu as déjà vu un océan ?

— Oui, l'Atlantique : une immense étendue d'eau froide, avec des méduses et des voiliers.

— J'ai vu une méduse un jour. De quelle couleur est l'Atlantique ?

— Vert.

— Vert comme les arbres ?

Le regard d'Alexandre balaya la Neva et les arbres pour finir par se poser sur le visage de Tatiana.

— Non, vert comme tes yeux.

Cette fois, elle en était sûre, plus jamais elle ne pourrait respirer, plus jamais ses joues ne retrouveraient une couleur normale. Un peu chancelante, les yeux baissés, elle continua néanmoins d'avancer, tentant de dissimuler son trouble. Alexandre s'efforçait de ne pas marcher trop vite — elle le sentait. La nuit était chaude. À deux reprises, la toile rêche de la vareuse militaire effleura le bras nu de la jeune fille.

— Nous vivons un moment unique, Tania. Peut-être qu'on n'en connaîtra plus jamais de pareil : si simple, sans complications...

— Tu appelles ça un moment simple et sans complications !

— Bien sûr. Nous sommes des amis qui se promènent dans les nuits blanches de Leningrad, répondit Alexandre en s'arrêtant près d'un pont. Je dois être à la caserne à dix heures. Je ne vais pas pouvoir te raccompagner chez toi.

— Ne t'inquiète pas. Je saurai trouver mon chemin. Merci... merci pour le dîner d'anniversaire.

Les mots s'étaient bousculés dans sa bouche et elle avait débité sa phrase sans oser le regarder en face. Une chose la sauvait : la taille d'Alexandre. Elle fixait les boutons de son uniforme ; eux ne l'effrayaient pas.

Il s'éclaircit la voix :

— Hmm. Dis-moi, comment t'appelle-t-on quand ce n'est ni Tania ni Tatiana ?

Elle sentit son cœur bondir dans sa poitrine.

— Qui ça « on » ?

Il ne répondit pas. Elle recula, s'éloigna et, lorsqu'elle fut à cinq mètres, osa enfin le regarder dans les yeux :

— On m'appelle Tatia.

Il sourit. Sans rien dire.

Pour Tatiana, ces silences étaient un supplice. Que faisait-on pendant les silences ? Quelle contenance adoptaient donc les adultes dans ces cas-là ?

— Tu es très belle, Tatia.

Terrifiée, Tatiana recula encore, s'enfuyant presque. Il lui cria :

— Si tu veux, tu peux m'appeler Shura.

Shura ! Il était magnifique, ce surnom !

— Qui t'appelle Shura ? lui lança-t-elle de loin.

— Personne jusqu'à aujourd'hui.

Sur ces mots, il lui fit un petit signe de la main.

Tatiana ne marcha pas jusque chez elle : elle vola, avec les ailes qui paraissaient avoir soudain poussé sur son cœur. Une fois en vue de son immeuble, elle ralentit, les ailes s'évanouirent, et l'ivresse le céda à la culpabilité. Elle noua ses cheveux avec un élastique et s'assura que les livres offerts par Alexandre se trouvaient bien au fond de son sac — invisibles...

Dasha était assise à la table avec... Dimitri.

— Ça fait trois heures qu'on t'attend, lui dit-elle avec mauvaise humeur. Où étais-tu passée ?

Un instant, Tatiana se demanda s'ils pouvaient sentir qu'Alexandre s'était promené à ses côtés. Dasha allait-elle sentir le parfum du jasmin, le soleil sur les bras nus de sa petite sœur, la vodka, le caviar, le chocolat ?

— Désolée de vous avoir fait attendre. Je travaille tard en ce moment.

— Tu dois mourir de faim, fit Dasha. Babouchka a préparé des côtelettes et de la purée de pommes de terre.

— Non, je n'ai pas faim. Je suis juste fatiguée. Je vais aller me rafraîchir un peu.

Dimitri resta encore deux heures. Babouchka et Deda voulurent récupérer leur pièce à onze heures, alors Dimitri, Dasha et Tatiana montèrent sur le toit et y restèrent jusqu'à la tombée du jour, après minuit. Tatiana parlait peu. Dimitri, lui, se montrait cordial et bavard. Il fit voir aux filles les ampoules que les manches de pelle et de pioche avaient laissées sur ses mains : il avait creusé des tranchées pendant deux jours. Tatiana sentait sur elle son regard qui ne la quittait pas, ses yeux qui cherchaient à croiser les siens.

— Dima, es-tu très proche d'Alexandre ? demanda Dasha.

— Oui. Alexandre et moi, on est comme des frères.

Tatiana fit des efforts surhumains pour écouter Dimitri, pour se concentrer sur ses paroles. En vain. Plus tard, dans le lit qu'elle partageait avec sa sœur, elle se tourna du côté du mur, ramenant sur elle le drap et la mince couverture brune. *Mon Dieu*, se dit-elle, *Mon Dieu si tu existes quelque part, je t'en prie, apprends-moi à cacher ce que je n'ai jamais appris à montrer*.

6

Toute la journée du jeudi, en travaillant sur des lance-flammes, Tatiana ne cessa de penser à Alexandre. À la sortie de l'usine, elle le vit qui l'attendait. Cette fois, elle ne lui demanda pas la raison de sa présence. Il ne s'en expliqua pas non plus. Il était là, tout simplement. Sans cadeau, sans prétexte. Ils échangèrent à peine quelques mots, laissant parler leurs corps, leurs bras qui se frôlaient, la main d'Alexandre sur la taille de la jeune fille comme elle trébuchait sur un trottoir...

— Dasha m'a proposé de passer chez vous ce soir, dit-il enfin.

Sa voix était calme, naturelle.

— Oh... bien. Mes parents seront ravis de te revoir. Ils étaient de bonne humeur ce matin. Hier, Maman a eu Pasha au téléphone. Apparemment, tout se passe bien à Tolmachevo et...

Soudain, elle s'interrompit, trop triste pour pouvoir continuer.

Ils se séparèrent devant l'hôpital Grecheski.

— À plus tard, lieutenant.

Elle aurait voulu l'appeler *Shura* mais en fut incapable.

— À plus tard, Tatia, répondit Alexandre.

Ce soir-là, Tatiana, Dimitri, Dasha et Alexandre sortirent ensemble pour la première fois. Ils achetèrent des glaces et déambulèrent dans les rues. Dasha s'accrochait au bras de son lieutenant comme une bernacle à son rocher. Tatiana s'appliquait à ne pas les regarder, tout en tenant Dimitri à distance respectueuse, surprise de constater à quel point il lui était déplaisant de voir sa sœur main dans la main avec Alexandre. La veille encore, leurs rencontres lui semblaient irréelles, comme si elles se produisaient dans le brouillard d'une ville imaginaire. Tandis que là, elle les avait sous les yeux — tout prenait une réalité insupportable.

Quant à lui, il avait cet air décontracté et satisfait qu'aurait adopté n'importe quel soldat avec une fille comme Dasha à son bras. À peine s'il jetait de temps à autre un coup d'œil à Tatiana. Celle-ci se demanda si sa sœur et lui formaient ce qu'on appelle un « beau couple ». Et elle, formait-elle un beau couple avec Alexandre lorsqu'il venait la chercher à la sortie de l'usine et qu'ils se promenaient ensemble ?

— Tania !

Dimitri avait haussé le ton, cherchant à attirer son attention.

— Pardon, Dima, j'étais ailleurs.

— Je répète : tu ne trouves pas qu'Alexandre devrait demander mon transfert dans une division blindée ?

— Je ne sais pas. Tu crois que c'est possible ? Il ne faut pas savoir conduire un char pour entrer dans les blindés ?

Alexandre sourit. Dimitri ne dit rien.

— Tania ! s'écria Dasha. Tu n'as aucune idée de ce qu'il faut savoir faire ou pas pour entrer dans les blindés. Alors tais-toi. Dis-moi, Alex, tu vas traverser des rivières démontées et charger l'ennemi avec ton char ? ajouta-t-elle en gloussant.

Ce fut Dimitri qui répondit :

— Penses-tu ! Il va commencer par m'envoyer en reconnaissance, histoire d'être sûr qu'il n'y a pas de danger. Il ne viendra qu'après. Et il grimpera encore en grade... Pas vrai, Alex ?

— Tu as raison, c'est un peu ça, Dima. Mais il arrive aussi qu'on parte tous les deux, avoue-le.

Tatiana parvenait à peine à suivre la conversation. Pourquoi sa sœur était-elle collée à ce point à Alexandre ? Elle ne tenait plus debout toute seule ?

Une fois à la maison, elle fila se coucher sans attendre, enfouit sa tête sous la couverture et fit semblant de dormir lorsque Dasha vint doucement la secouer en chuchotant :

— Tania, tu dors ? Dis, tu dors, Tania ?

La dernière chose dont Tatiana se sentait capable, c'était de recueillir ses confidences. Un seul mot criait dans sa tête : *Shura !*

7

Le vendredi, à l'usine, elle remarqua que seuls restaient les ouvriers très jeunes, comme elle, ou très vieux. Les rares hommes valides qui travaillaient encore avaient tous passé la soixantaine et appartenaient le plus souvent à la direction.

Bizarrement, les cinq premiers jours de la guerre, il y eut peu de nouvelles du front. La radio célébrait les victoires remportées par l'armée soviétique sans dire un mot de la puissance des troupes allemandes, de leur avancée, des menaces pesant sur Leningrad, et sans parler non plus d'évacuation. À l'usine, les communiqués radiophoniques étaient diffusés toute la journée aux ouvriers. Tatiana les écoutait en remplissant les lance-flammes d'essence et de nitrocellulose tandis que des projectiles de tous calibres tournaient sur le tapis de la chaîne.

Elle ne pensait qu'à une chose : sept heures du soir, la sortie, Alexandre...

Pendant la pause-déjeuner, un nouveau communiqué annonça le début du rationnement pour la semaine suivante. Ce fut aussi pendant le déjeuner que Krasenko informa ses effectifs décroissants que, dès le lundi suivant, ils allaient devoir suivre un entraînement militaire :

par conséquent, la journée de travail serait prolongée jusqu'à vingt heures.

Avant de quitter l'usine, la jeune fille passa dix bonnes minutes à se laver les mains, tentant de les débarrasser d'une odeur d'essence opiniâtre. Quand elle aperçut Alexandre qui l'attendait, sa casquette d'officier à la main, elle faillit se mettre à courir, mais elle se ravisa et parvint à marcher jusqu'à lui sans trop presser le pas. Ils se dévisagèrent un instant, n'échangèrent pas une parole et, toujours silencieux, se dirigèrent vers la rue Govorova, flânant lentement, anonymes, dans des rues quasi désertes. Sur leur droite il y avait des champs, le long ruban de la voie de chemin de fer ; sur leur gauche les bâtiments de l'usine. Aucune alerte aérienne, aucun avion ne venaient troubler la quiétude de ce début de soirée sous la pâle lueur du soleil.

— Alexandre, dit soudain Tatiana, pourquoi Dima n'est-il pas officier comme toi ?

Le lieutenant ne répondit pas tout de suite. Il parut hésiter.

— Il voulait le devenir, tu sais, fit-il enfin. On a fait l'école d'officiers ensemble. Hélas, il n'a pas pu.

— Que s'est-il passé ?

— Rien de spécial. Seulement, il ne pouvait pas rester en apnée sans paniquer, s'affolait pendant les exercices de tir, ne courait pas assez vite. Il ne pouvait pas faire cinquante pompes d'affilée. C'était au-dessus de ses forces, tout simplement. Dima est un bon, un très bon soldat. Il n'était pas fait pour être officier, c'est tout.

Alors qu'il prononçait ces mots, le tram s'arrêta à leur niveau ; ils se dépêchèrent d'y grimper. Cette fois, Tatiana ne cherchait plus à éviter le contact avec le corps d'Alexandre quand les cahots les projetaient l'un contre l'autre. Au contraire. Elle attendait ces secousses, les espérait même, et, se tenant à peine à la poignée, épousait chaque mouvement qui la portait vers lui. Lui qui ne bougeait pas, qu'aucune trépidation ne semblait jamais devoir ébranler, lui, solide comme une pyramide. D'un bras, il la retenait par la taille — elle en avait la chair de poule.

— Je crois que Dima trouve que les choses m'arrivent trop facilement, dit-il.

— Quelles choses ? parvint-elle à murmurer malgré son trouble.

— Je ne sais pas. Tout. L'armée, le fait d'être bon tireur, l'école, les...

Il s'arrêta.

Elle le dévisageait, attendant la suite. Oui, quoi d'autre ?

— Écoute, Tania, reprit-il, Dimitri et moi, on a une longue histoire ensemble. Comme je le connais, il ne va pas tarder à te raconter sur moi des histoires qui te paraîtront incroyables. Je m'étonne d'ailleurs qu'il ne l'ait pas déjà fait.

— Ces histoires incroyables, elles sont vraies ou ce sont des mensonges ?

— Je ne peux pas répondre à cette question. Certaines sont vraies, d'autres sont de purs mensonges. Dimitri a l'art de mêler le vrai et le faux.

— Alors, comment est-ce que je saurai ?

— Tu n'auras qu'à me demander.

— Si je te pose une question, tu me diras la vérité ?

Elle levait vers lui des yeux si clairs, si confiants. Il répondit oui en plongeant son regard dans le sien.

— Tu sais, Tania, lui chuchota-t-il à l'oreille après un long silence, il ne faut faire confiance à personne. Et... personne n'est à l'abri du danger.

— Même pas toi ?

— Surtout pas moi.

— Mais tu es officier dans l'Armée rouge !

— Et alors ? Ceux qui étaient officiers dans l'Armée rouge en 1937 et 1938 ont tous été exécutés.

— Et moi, tu crois que je suis en sécurité ?

— Tatia, répondit-il, baissant encore la voix, nous sommes suivis — toujours, partout. Un jour on t'arrêtera dans la rue pour te conduire dans un bureau et te demander de quoi Alexandre Belov te parlait quand il te raccompagnait chez toi.

— Tu m'en as trop dit alors ! fit-elle en s'écartant brusquement. Pourquoi as-tu fait ça si tu savais que ça pouvait m'attirer des ennuis ?

— J'avais besoin de faire confiance à quelqu'un.

— Dans ce cas, pourquoi ne pas avoir parlé à Dasha et risqué sa vie à *elle* ?

— Parce que c'est en *toi* que je veux avoir confiance.

— Tu as raison d'avoir confiance en moi, Alexandre. Mais... je t'en prie, ne me raconte plus rien, d'accord ?

— Trop tard...

Le tram les déposa à trois rues de l'immeuble de Tatiana.

— Je passerai tout à l'heure avec Dimitri, dit Alexandre.

Elle ne répondit rien. Ils demeurèrent ainsi un long moment, face à face, silencieux. Alexandre se tenait si près qu'elle pouvait presque respirer l'odeur de sa peau, ce parfum de savon qui lui paraissait tellement singulier.

Elle eut l'impression qu'il allait lui dire quelque chose : il ouvrait la bouche et penchait la tête vers elle, les sourcils froncés. Elle attendit, tendue, puis se prit à espérer un baiser : elle le désirait tant, ce baiser, elle le redoutait tant aussi. Tout se bousculait dans sa tête : si seulement elle ne portait pas ces horribles souliers marron, mais les belles sandales rouges de Dasha... La pensée de sa sœur la fit immédiatement reculer d'un pas.

Alors lui aussi recula.

— Vas-y, lui dit-il. On se revoit ce soir.

Elle s'éloigna lentement, sentant ses yeux dans son dos. Quand elle osa enfin se retourner, elle le vit qui la regardait de loin.

8

Alexandre et Dimitri passèrent vers onze heures. Il faisait encore jour. Dasha n'était pas rentrée. Son patron lui imposait des heures supplémentaires : les gens venaient faire arracher leurs dents en or afin de récupérer le précieux métal. En temps de crise, on préfère avoir de l'or plutôt que des billets... Dasha travaillait de plus en plus tard, elle détestait cela et regrettait que cet été à Leningrad ne fût pas comme tous les autres : lent, chaud, plein de poussière et de jeunes amoureux.

Debout dans la cuisine, Tatiana, Dimitri et Alexandre, mal à l'aise, écoutaient dans le silence une goutte d'eau obsédante qui frappait avec régularité la fonte de l'évier.

— Qu'est-ce qui vous arrive ? dit enfin Dimitri. Vous en faites une tête tous les deux !

— Je... je suis fatiguée, répondit Tatiana.

Elle ne mentait qu'à moitié.

— Et moi j'ai faim, fit Alexandre en lui lançant un rapide coup d'œil.

— Viens, Tania, on va se promener, enchaîna immédiatement Dimitri. Laissons Alexandre attendre Dasha : ces deux-là apprécieraient sûrement de se retrouver seuls un moment, ajouta-t-il avec ce sourire étrange dont il ne se départait pas.

— C'est pas le meilleur endroit pour ça, grommela Tatiana dans un murmure imperceptible. Dieu merci...

En dépit de ses réticences, Dimitri l'entraîna par le bras.

— Si tu as faim, cria-t-elle à Alexandre depuis le couloir, demande du borchtch à Babouchka. Elle en a cuisiné un tout à l'heure !

D'une main ferme, le soldat la poussa dans le couloir, où ils enjambèrent une fois encore Slavin, toujours étendu en travers. Celui-ci attrapa Tatiana par la cheville. Le brodequin de Dimitri vint lui écraser le poignet. Slavin poussa un hurlement. Il lâcha prise et leva vers la jeune fille un regard implorant :

— Reste à la maison, Tanechka, il est trop tard pour sortir ! Reste à la maison !

Tatiana frissonna. Une fois dehors avec Dimitri, elle s'efforça de ne plus penser à ces mots qui résonnaient comme un avertissement. En vain.

— À quoi penses-tu, Tania ?

— Euh... à la guerre. Et toi ?

— Moi, je pense à toi. Je n'ai jamais rencontré quelqu'un comme toi, tu sais ? Tu es très différente du genre de filles que je fréquente d'habitude.

Elle s'empressa de marmonner un merci presque inaudible avant d'enchaîner :

— J'espère qu'Alexandre aura mangé : Dasha risque de rentrer très tard.

— Tania, c'est de lui dont tu veux parler ?

Le ton s'était fait plus froid.

— Non, bien sûr, répondit-elle, confuse. Tiens, raconte-moi ta journée, Dima.

— J'ai encore creusé une tranchée. La ligne de front au nord est presque prête, fit-il avec le même sourire satisfait qu'à l'ordinaire. Maintenant, j'aimerais que tu me dises une chose, Tania : tu ne m'as pas demandé pour quelle raison je ne suis que deuxième classe et pas officier, comme Alexandre pourquoi?

Tatiana ne répondit pas.

— Tu lui as posé la question, c'est ça?

— Non.

Elle avait horreur de mentir. Se taire, omettre, garder un visage de marbre, ne pas ciller, c'était déjà assez difficile. Quant à mentir sciemment, c'était presque au-dessus de ses forces.

— Alex et moi, reprit Dimitri, on voulait devenir officiers ensemble. Ça faisait partie de notre plan.

— Quel plan?

Silence. Aucune réponse. La question de Tatiana resta un long moment en suspens, comme flottant dans l'air, puis elle vint se loger quelque part dans sa tête : elle n'en sortirait pas avant longtemps, très longtemps...

Ses mains se mirent à trembler.

Elle n'avait pas envie de se retrouver seule le soir avec Dimitri. Elle ne se sentait pas en sécurité avec lui.

Ils tournèrent le coin de la Perspective Suvorovski, vers le Jardin de Tauride.

— Tu veux bien te promener dans le jardin? lui demanda Dimitri.

— Non. Il faut que je rentre. Mes parents n'ont pas l'habitude de me savoir dehors si tard : ils vont s'inquiéter.

— Penses-tu! Ils ne vont pas s'inquiéter. Ils m'aiment bien. (Dimitri s'approchait.) Oui, ton père m'aime beaucoup, Tania. Et puis, ajouta-t-il après un silence, tes parents sont trop occupés à penser à Pasha pour se soucier de toi...

Elle s'arrêta net sur le trottoir et fit volte-face.

— Je rentre, déclara-t-elle.

Il la saisit par le bras :

— Non. Viens t'asseoir avec moi sous les arbres.

— Pas question. Je n'irai nulle part. Lâche-moi.

Mais, loin de se relâcher, la poigne de Dimitri se resserrait sur son bras, ses doigts imprimaient leur marque sur sa peau, il lui faisait mal.

— Et si je refuse, Tanechka ?

Il passa son bras libre autour de la taille de la jeune fille, tentant de l'attirer contre lui. Tatiana détourna la tête avec un cri.

— Non ! Non !

Soudain, elle se retrouva libre.

— Je suis désolé, pardonne-moi, bredouilla Dimitri d'une voix tremblotante. Je... je ne voulais pas t'effrayer.

— N'en parlons plus, répondit-elle sans le regarder. Simplement, je ne suis pas le genre de filles qu'on entraîne sous les arbres.

Elle sourit intérieurement en songeant aux Jardins d'Été et à Alexandre.

— C'est vrai, admit Dimitri. Je crois que c'est pour ça que tu me plais, d'ailleurs. Mais... parfois, je ne sais pas comment m'y prendre avec toi, Tania.

— Un peu de respect et de patience feraient l'affaire, tu ne crois pas ?

— D'accord, je serai patient. Crois-moi, je n'ai pas du tout l'intention d'abandonner la partie...

Tatiana frémit. Elle pressa le pas.

— J'espère que Dasha aime Alexandre, fit soudain la voix de Dimitri près de son épaule. Parce que lui, il en est fou...

— Ah oui ? Qu'est-ce qui te fait dire ça ?

— Il a cessé de voir ses autres conquêtes. Mais ne le dis pas à Dasha : elle risquerait d'être choquée.

Tatiana faillit l'interroger sur ces conquêtes, puis elle se ravisa, redoutant d'en apprendre plus qu'elle ne le souhaitait réellement.

À la maison, ils trouvèrent Dasha et Alexandre assis sur le petit divan de l'entrée. Serrés l'un contre l'autre, ils lisaient en riant les nouvelles de Mikhaïl Zochtchenko.

Tatiana ne put articuler qu'un maussade et ridicule :

— Je vous signale que c'est *mon* livre.

Dasha s'esclaffa, Alexandre sourit. En passant devant lui pour se rendre dans la cuisine, la jeune fille trébucha. Il se leva d'un bond pour la retenir. Une fraction de seconde, elle fut dans ses bras. Une fraction de seconde seulement.

— Qu'est-ce que c'est que ces marques ? fit-il en posant les yeux sur son bras.

— Ça ? Oh, rien. J'ai dû me cogner quelque part. Maintenant, excusez-moi, je suis vraiment fatiguée. Je vais me coucher.

Et elle disparut.

Plus tard cette nuit-là elle entendit Dasha lui chuchoter à l'oreille :

— Tania, on ne se parle plus. Notre Pasha est parti, et nous on ne s'adresse quasiment plus la parole. Il te manque trop, c'est ça ? Ne t'inquiète pas, petite sœur, il reviendra bientôt.

— Il me manque. Toi, tu es très occupée. Et on parlera demain, Dashenka.

— Tania, je suis tellement amoureuse !

— J'en suis ravie pour toi.

Tatiana se tourna vers le mur.

— Je n'arrive pas à penser à autre chose, poursuivit Dasha. Il me rend folle. Il est à la fois si chaleureux et... si froid. Ce soir, il était drôle, détendu, mais ces derniers temps ce n'était pas toujours le cas. J'ai du mal à le comprendre. Je sais qu'il ne faut pas trop en demander. C'est déjà beau qu'il vienne à la maison. C'est presque un miracle. Je n'étais jamais arrivée à le convaincre de passer avant dimanche dernier, quand il est arrivé avec Dima et toi.

Un instant, Tatiana eut envie d'expliquer à sa sœur ce qui avait amené Alexandre chez elles, ce fameux dimanche. Naturellement, elle n'en fit rien.

— Je crois qu'il aime bien notre famille, reprit Dasha. Tu sais qu'il est de Krasnodar. Il n'y est pas retourné depuis qu'il est dans l'armée. Il n'a ni frères ni sœurs. Il ne parle jamais de ses parents. Il est si... si discret. Il n'aime pas trop parler de lui. En revanche, il me pose des questions sur moi...

— Ah bon ?

Seules ces deux syllabes parvinrent à passer les lèvres de Tatiana.

— Il me dit qu'il regrette qu'il y ait la guerre.

— Tout le monde regrette qu'il y ait la guerre, Dasha.

— Oui, mais lui dit ça comme une promesse, comme si la guerre était la seule chose qui nous séparait. Comme si après la guerre...

Elle n'acheva pas sa phrase.

— Dimitri te plaît, Tania ?

Tatiana se força à répondre :

— Il n'est pas antipathique.

— Lui t'aime beaucoup. Tu sais, fit Dasha après un silence, tu peux me parler ou me poser certaines questions si tu veux. Tu as dix-sept ans maintenant, l'âge de t'ouvrir un peu aux choses de la vie, petite sœur, conclut-elle en riant.

— Non !

Tatiana avait presque crié. Elle se reprit et baissa la voix :

— Avec Dimitri, jamais, siffla-t-elle. N'y compte pas.

9

Le dimanche, Alexandre vint coller des bandes de papier sur les vitres de leur logement afin d'empêcher le verre de voler en éclats, le jour où Leningrad serait bombardée. Si Leningrad était bombardée un jour...

— Tout le monde doit le faire, expliqua-t-il. Bientôt, des soldats patrouilleront dans toute la ville pour vérifier. Si les Allemands bombardent Leningrad, on ne trouvera plus un seul carreau à des kilomètres.

Les Metanov l'observaient avec grand intérêt. Irina Fedorovna ne se lassait pas de commenter sa dextérité, sa taille, la tranquille assurance avec laquelle il se tenait sur un rebord de fenêtre. Lorsqu'il eut terminé, elle lui demanda :

— Que représente cette chose que tu as dessinée sur nos fenêtres, camarade ?

En effet, au lieu de simples croisillons blancs, comme ils en avaient vu des centaines sur d'autres carreaux dans la ville, c'étaient des arbres qui poussaient sur leurs vitres : de gros troncs un peu penchés d'où jaillissaient de longues feuilles larges à la base et effilées au bout.

— Qu'est-ce que c'est que ça, jeune homme ? fit Babouchka sur un ton impérieux.

— Des palmiers, Anna Lvovna. Des arbres qui poussent en Amérique et dans le Pacifique Sud.

— Hum, grogna Irina Fedorovna. Drôle d'idée.

— C'est toujours mieux que les croisillons, murmura Tatiana.

Alexandre lui sourit. Elle lui rendit son sourire.

— Eh bien, jeune homme, reprit Babouchka, la mine renfrognée, quand tu feras nos fenêtres à *nous*, je te demanderai de ne pas y dessiner n'importe quoi. Les croisillons suffiront. On n'a pas besoin de palmiers.

Plus tard, Alexandre et Dasha sortirent, abandonnant Tatiana aux humeurs de sa famille. Alors elle sortit à son tour pour se rendre à la bibliothèque. Là, elle passa des heures à articuler silencieusement des sons anglais qu'elle parvenait à peine à déchiffrer, sa scolarité ne lui ayant fourni que des rudiments d'alphabet latin. L'anglais lui parut une langue très difficile — à lire, à écrire, à prononcer. La prochaine fois qu'elle verrait Alexandre seul, elle lui demanderait de lui dire quelques mots, juste pour l'entendre les prononcer.

La prochaine fois qu'elle verrait Alexandre seul...

Cette prochaine fois, elle y pensait comme à une certitude, une évidence. Alors elle se promit de lui dire de ne plus l'attendre à la sortie de l'usine. Le soir, elle se reformula cette promesse dans le lit qu'elle partageait avec Dasha. Du bout des doigts, elle effleura le vieux papier peint sur le mur en murmurant :

— Je le jure, je le jure, je le jure.

Puis elle glissa la main sous le sommier pour attraper le volume de Pouchkine. Peut-être le lui dirait-elle un autre jour, finalement, quand il lui aurait appris quelques mots d'anglais, oui, après...

Il y eut une nouvelle alerte aérienne. Cette nuit-là, Dasha rentra très tard.

10

Le lundi matin, Krasenko convoqua Tatiana dans son bureau pour lui annoncer que, bien que satisfait de son travail sur les lance-flammes, il la transférait dans la partie de l'usine où l'on fabriquait les chars. Moscou avait donné des ordres : quelles que soient ses capacités en main-d'œuvre, l'usine devait produire cent quatre-vingts chars par mois.

— Camarade, tu crois que je pourrais m'engager dans l'Armée du peuple ?

Ce fut la seule question qui vint à l'esprit de Tatiana.

— Pas question ! s'exclama tout de suite Krasenko.

— Mais... j'ai entendu dire que quinze mille ouvriers de Kirov se sont déjà portés volontaires pour la ligne de front de Louga. C'est vrai ?

— Ce qui est vrai, c'est que toi tu ne t'engageras pas.

— Est-ce que Louga est menacée ?

Pasha se trouvait près de Louga.

— Non, répondit Krasenko. Les Allemands sont encore loin, c'est juste une précaution. Maintenant, file rejoindre ton nouveau poste.

Dans l'unité de production des chars, un immense hangar gris et sombre, il y avait beaucoup plus de monde que dans celle des lance-flammes ; la chaîne était aussi infiniment plus complexe. Mais Tatiana avait moins de travail : elle devait juste placer les pistons dans les cylindres qui se logeaient sous les chambres de combustion des moteurs V-12.

Pourtant, à la fin de la journée, le moteur était peut-être en place et le char monté, mais il était vide : pas de canon, même pas de tourelle, rien en fait qui pût le différencier d'un blindé comme un autre.

Néanmoins, avoir contribué à monter la moitié d'un char remplit Tatiana d'une satisfaction qu'elle n'avait jamais éprouvée auparavant. Comme si elle avait fabriqué toute seule le KV-1. D'autant que, dans l'après-midi, Krasenko lui avait dit qu'aucun char allemand n'était comparable au KV-1, pas même le Panzer IV. Il avait ajouté :

— Tu as fait du bon boulot sur ce moteur, Tania. Peut-être que tu pourrais devenir mécanicienne plus tard.

À huit heures, elle se précipita hors de l'usine. Elle venait de travailler onze heures sur la chaîne et elle courait... Elle craignait tellement qu'Alexandre ne l'ait pas attendue.

Il l'avait attendue. Il était là. Mais ne souriait pas.

À bout de souffle, elle tenta de recouvrer une contenance. C'était la première fois qu'elle se retrouvait seule avec lui depuis le vendredi précédent. Où était donc passée cette phrase vingt fois méditée dans son lit : *Ne viens plus m'attendre* ?

Une voix cria son prénom dans la foule. À contrecœur, elle se retourna. C'était Ilya, un garçon de seize ans qui travaillait avec elle sur la chaîne.

— Tu prends le bus ? lui demanda-t-il en jetant un œil en direction d'Alexandre.

— Non, Ilya. À demain. Bonne soirée.

Et elle entraîna Alexandre de l'autre côté de la rue.

— Qui est-ce ? lui demanda-t-il, l'air maussade. Il t'embête ?

— Lui ? s'écria Tatiana, étonnée. Non, pas du tout. C'est juste un garçon avec qui je travaille.

En vérité, Ilya l'embêtait bien un peu, mais elle jugea préférable de ne pas l'avouer à Alexandre.

— On m'a mise sur une nouvelle chaîne aujourd'hui, poursuivit-elle fièrement. Maintenant je fabrique des chars qui seront envoyés à Louga.

— Vous en montez combien par jour ?

— On en monte un tous les deux jours. C'est bien, non ?

— Il faudrait en fabriquer dix par jour pour que ça serve à quelque chose...

— Alexandre, que se passe-t-il ?

Pour toute réponse, il lui saisit l'avant-bras et retroussa sa manche, révélant les marques bleuâtres qu'avaient laissées sur sa peau les doigts de Dimitri.

— Je sais que c'est Dimitri qui t'a fait ça ! Je t'avais pourtant prévenue.

— Prévenue ? répéta Tatiana sans comprendre. Ce n'est rien : il voulait juste que je m'assoie près de lui.

— Promets-moi de venir me trouver s'il recommence, fit Alexandre sans lâcher son bras.

Mais ces doigts-là, s'ils maintenaient leur pression, restaient doux, caressants — elle ne voulait pas qu'ils la lâchent.

— Je suis sûre que Dima est un brave garçon, reprit-elle. Il a juste l'habitude d'un... d'un autre genre de filles. Ça ne se reproduira pas. J'y penserai.

— Comme tu as pensé à parler de Pasha à ta famille ?

Tatiana demeura un instant sans voix, ébahie.

— Je t'avais dit que ce serait difficile, fit-elle enfin. Tu ne comptes pas sur ma sœur de vingt-quatre ans pour le faire, comment veux-tu que j'y arrive ? Pourquoi tu n'essaies pas, *toi* ? Passe à la maison, prends une vodka avec Papa et aborde le sujet : tu verras bien comment ils le prennent. Moi je ne peux pas.

— Tu es incapable de parler à ta famille d'un problème qui touche ton frère et tu voudrais me faire croire que tu sauras résister à Dimitri ?

— Parfaitement, riposta Tatiana, haussant un peu le ton.

C'était leur première dispute. Leur dernière aussi peut-être, songea-t-elle avec tristesse.

Le tram arriva à cet instant. Ils y trouvèrent deux places côte à côte. Au lieu d'étendre son bras sur le dossier, comme à l'accoutumée, Alexandre garda les mains croisées sur ses genoux. Silencieux, visage de marbre, il ne la regardait pas.

— Où se trouve le front maintenant ? demanda-t-elle simplement pour dire quelque chose et tenter d'alléger la tension qui pesait entre eux.

— Quelle importance ? répondit Alexandre avec un mauvais rire. Malgré toutes nos fanfaronnades militaires, nos manœuvres sont désordonnées, nos avions sont cloués au sol, nos chars sont pathétiques. On n'a pas compris à qui on avait affaire.

— Est-ce pour ça que Dimitri semble si peu pressé de se battre, de chasser les Allemands du pays ?

— Dimitri se fiche pas mal des Allemands. Pour lui, seuls comptent son confort et sa survie. Il ne marche qu'à l'instinct de conservation.

Soudain, le tram pila devant la gare de Varsovie, tant la foule était dense. Des femmes, des enfants qui pleuraient, des vieillards, le baluchon à la main ou à l'épaule, se pressaient vers les voies.

— Qu'est-ce qu'ils font tous là ? demanda Tatiana.

— Ce qu'on fait dans une gare : ils vont prendre un train et quitter la ville. Ils ont raison. Crois-moi, Tania, vous feriez bien de suivre leur exemple et de partir.

— Partir ? Pour aller où ?

— N'importe où — loin d'ici.

La perspective d'une évacuation, qui quelques jours auparavant lui paraissait si excitante, résonna soudain en elle comme une sentence de mort. Ce n'était pas une évacuation : c'était l'exode.

— Écoute-moi, reprit Alexandre. Les Allemands vont nous écraser. Nous ne sommes ni préparés ni équipés. Nous n'avons pas assez de chars, pas assez de pièces d'artillerie. Hormis les hommes, des millions d'hommes à envoyer à la boucherie, nous n'avons rien, quoi qu'en dise la radio. Crois-moi, les Allemands vont marcher sur Leningrad. Il faut partir.

— Ma famille refusera.

— Alors pars sans eux.

— Tu ne parles pas sérieusement ! C'est à peine si on me laisse faire les courses toute seule et tu voudrais que je prenne ma valise et que je quitte la ville ! Pour aller où ? Seule dans l'Oural ou dans un de ces camps où on évacue les populations ? C'est là que tu veux que j'aille ? Ou en Amérique peut-être ? conclut-elle en riant.

Alexandre ne riait pas.

— Au moins, tu y serais en sécurité, répondit-il gravement.

En rentrant à la maison, Tatiana décida d'affronter son père et de lui parler à la fois de l'évacuation et de Pasha.

Georgi Vassilievitch l'écouta le temps de tirer trois bouffées sur sa cigarette — elle les compta. Puis il écrasa son mégot dans le cendrier et dit :

— Ma fille, je me demande qui t'a mis des idées

pareilles dans la tête. Jamais les Allemands ne marcheront sur Leningrad. Et je ne partirai pas d'ici. Quant à Pasha, il est en sécurité à Tolmachevo. Je le sais. Mais si ça peut te rassurer, ta mère l'appellera demain pour vérifier que tout va bien là-bas.

Deda et Babouchka assistaient à la scène. Après un long silence, Deda annonça qu'il avait demandé à être évacué à Molotov, dans l'Oural, sur la rivière Kama.

— J'ai un cousin là-bas, expliqua-t-il.

— Voyons, Vassili, rétorqua Babouchka en secouant la tête, il est mort depuis dix ans, ton cousin. Pendant la famine de 1931.

— Sa femme habite toujours là-bas.

— Non, elle est morte de dysenterie en 1928.

— Tu parles de sa seconde femme. La première, Naira Mikhaïlovna, vit toujours.

— Peut-être, mais pas à Molotov même et...

— Femme ! s'écria Deda, exaspéré. Veux-tu venir avec moi, oui ou non ?

— Bien sûr, rétorqua Babouchka. Mais ne me raconte pas que nous avons de la famille à Molotov. On pourrait aussi bien aller à Tchoukotka, en Sibérie.

Tatiana tendit l'oreille.

— Tchoukotka, c'est près du détroit de Béring, dans l'Arctique, non ? demanda-t-elle.

— Exact, répondit Deda.

— Alors ce serait peut-être une bonne idée d'y aller...

— Enfin, ma petite-fille, que veux-tu que j'aille faire là-bas ? Tu crois que je vais trouver un poste de prof de maths au fin fond de la Sibérie ?

Tatiana se tut. Naturellement, Deda devait continuer à travailler. Elle n'avait pas pensé à cela. Non, elle n'avait suivi qu'une idée, une idée idiote, si saugrenue qu'elle en aurait ri si elle n'avait senti peser sur elle le regard lourd de réprobation de son père et de ses grands-parents.

— Pourquoi penses-tu au détroit de Béring ? reprit Deda.

— C'est bien l'Alaska qui se trouve de l'autre côté ?

— Oui, et alors ?

— Alors rien.

Le lendemain soir, Georgi Vassilievitch rentra avec des cartes de rationnement pour toute la famille.

— Je n'arrive pas à croire qu'on soit déjà rationnés, dit-il. Peu importe. On s'en sortira : les rations sont bonnes.

Les actifs avaient droit à huit cents grammes de pain par jour, à un kilo de viande par semaine et à une livre de céréales.

— Maman, fit Tatiana, tu as essayé d'appeler Pasha ?

— Oui, lui répondit sa mère. Je suis même allée à la poste de la rue Zhelyabova. Mais je n'ai pas pu avoir la communication. Je réessaierai demain.

Les nouvelles du front étaient inquiétantes. Selon la radio, l'armée rouge allait gagner mais les troupes allemandes progressaient. Quant aux bulletins affichés partout sur des tableaux de bois dans la ville, ils ne livraient que de très vagues informations.

Tatiana se demanda comment l'armée rouge pouvait gagner si les Allemands progressaient...

Quelques jours plus tard, Deda confirma ses chances d'obtenir un poste à Molotov. Il suggéra à toute la famille de commencer à faire ses bagages.

— Je ne partirai pas sans Pasha, répliqua froidement Irina Fedorovna. Et puis mon atelier a été réquisitionné pour l'effort de guerre : on fabrique des uniformes pour l'Armée rouge maintenant. De toute façon, cette guerre sera bientôt finie. Ils le disent à la radio. L'Armée rouge va gagner et repousser l'ennemi.

Deda secoua ses cheveux gris :

— Ne crois pas ça. Cet ennemi-là est le plus puissant du monde, le mieux armé, le mieux entraîné. L'Angleterre s'est battue pendant dix-huit mois. Et, même avec sa RAF, elle n'est pas venue à bout des Allemands.

— Peut-être, repartit Georgi Vassilievitch, mais c'était une guerre aérienne. Maintenant les nazis sont engagés dans une *vraie* guerre, au sol. Le front russe est solide. Ces boches vont passer un mauvais quart d'heure avec nous.

— Je préfère ne pas voir combien de temps va vraiment durer ce quart d'heure, marmonna Deda.

— En tout cas, moi je ne pars pas, répéta Irina Fedorovna.

— Moi non plus, fit Dasha qui venait de pénétrer dans la pièce.

Ça, je l'aurais parié, commenta mentalement Tatiana.

Puis ce fut le silence : Georgi Vassilievitch et Irina Fedorovna allumèrent une cigarette, Deda et Babouchka échangèrent un regard en secouant tristement la tête, Dasha se mit à coudre. Tatiana se dit : Visiblement, moi non plus je ne pars pas... Mais elle ne prononça plus une parole.

Désormais, elle avait l'impression de vivre en elle-même comme dans un camp retranché : un fossé s'était creusé autour d'elle, un fossé infranchissable baptisé Alexandre. Elle ne vivait plus que pour le moment où il venait la chercher à la sortie de l'usine, un moment qui la projetait dans le souci de l'avenir et dans des sentiments douloureusement contradictoires qu'elle ne parvenait ni à exprimer ni même à comprendre. *Des amis qui se promènent dans les nuits blanches de Leningrad.* C'était tout ce qu'elle pouvait attendre : une heure d'« amitié » au bout d'une interminable journée de travail, une heure où son cœur vibrait, où son souffle se faisait court — une heure de bonheur.

À la maison, elle vivait en retrait de sa famille. Elle les observait comme à présent, avec un mélange de tendresse et d'incrédulité.

— Maman, tu as appelé Pasha ?

— Oui, j'ai eu la ligne, mais il n'y avait personne au camp. Alors j'ai appelé la mairie du village, mais pas de réponse non plus. Il y a tellement de gens qui essaient d'appeler. Ils doivent être débordés...

Irina Fedorovna renouvela ses tentatives à plusieurs reprises. Sans succès. Aucune nouvelle de Pasha, de mauvaises nouvelles du front, et pas d'évacuation.

Dasha travaillait tard. Dimitri était en Carélie. Alexandre ne passait plus le soir.

Pourtant, chaque jour, il venait attendre Tatiana à la sortie de l'usine. Ensuite, tous deux déambulaient longuement dans les rues avant de se quitter à regret sur la Perspective Grecheski, à trois rues de l'immeuble des Metanov. Alexandre parlait peu. Elle mourait d'envie de lui demander ce qui lui avait valu sa médaille, quand il avait revu son père pour la dernière fois, comment il était devenu Alexandre *Belov*... Mais elle réprimait sa curiosité, prenant ce qu'il désirait lui donner et attendant le reste.

Avec impatience.

11

— Ces journées à l'usine n'en finissent pas, lui dit-elle un vendredi soir avec un sourire abattu. Tu te rends compte, on nous a promis deux ou trois roubles supplémentaires si on augmentait notre rendement ! Il faut attendre une guerre pour que l'idée de profit apparaisse dans ce pays — ce qui va à l'encontre de tout ce qu'on nous apprend depuis l'enfance. En attendant, la pression qu'on nous impose a presque tué ma copine Zina. Elle parle de s'enrôler dans l'Armée du peuple. Elle dit que ce ne sera pas pire.

— Zina a raison, répondit Alexandre. Vous n'avez pas le droit à l'erreur. Tu connais l'histoire de Karl Ots ?

— Non, qui est-ce ?

— Il dirigeait l'usine Kirov, du temps où elle s'appelait encore Ateliers Putilov. Après l'assassinat de Kirov, en 1934, Karl Ots a voulu protéger ses ouvriers. Un jour, lors de l'inspection d'un char, on a constaté qu'il manquait un boulon. Le char était sur le point d'être livré à l'armée. Il y a eu un scandale, on a demandé aux « saboteurs » de se dénoncer. Ots savait qu'il s'agissait d'une simple négligence, d'un oubli. Il a refusé de se livrer à cette chasse aux sorcières — ce qui a coûté la vie à une centaine de personnes, à commencer par lui. Son adjoint, les chefs du département comptable, les ouvriers qui travaillaient sur les chars, le service du personnel, tous ont été éliminés, sans parler des anciens ouvriers des Ateliers Putilov dont certains étaient devenus des membres importants de l'appareil d'État, comme le secrétaire du Parti de Novossibirsk, en Sibérie occidentale, ou le maire de Leningrad. Oui, lui aussi a disparu.

Tatiana s'immobilisa sur le trottoir, horrifiée.

— Tu... tu es en train de me dire de faire très attention à chaque boulon, n'est-ce pas ?

— Oui, c'est exactement ce que je suis en train de te dire. Un boulon peut coûter cher, très cher.

— Zina a raison. On n'a pas besoin d'une pression pareille. Elle est épuisée et ne demande qu'une chose, partir pour Minsk rejoindre sa sœur.

— Dis-lui d'oublier Minsk, fit lentement Alexandre.

— Pourquoi ?

— Minsk est aux mains de l'ennemi depuis treize jours.

— *Treize jours !* C'est impossible ! Minsk n'est qu'à quelques kilomètres de Tol... (Tatiana ne put achever.) Pourquoi tu ne me l'as pas dit ?

— Tania, ces renseignements-là sont classés « secret défense ». Je te dis ce que je peux. J'espère toujours qu'un jour ou l'autre tu entendras à la radio une information qui se rapproche de la vérité. En vain. Minsk est tombée six jours seulement après le début de la guerre. Même le camarade Staline a été surpris.

— Il a parlé au peuple la semaine dernière. Pourquoi n'a-t-il rien dit ?

— Voyons, Tania, il vous appelle ses frères et sœurs. Il veut vous remplir de colère, d'envie de vous battre. En quoi aurait-il intérêt à vous parler de la progression des armées allemandes ?

— Où sont les armées allemandes, Alexandre? demanda Tatiana d'une voix grave.

Comme il ne répondait rien, elle chuchota :

— Et... et Pasha?

— Tania! Depuis le début je te dis de convaincre tes parents de le faire revenir!

La jeune fille se détourna, les larmes aux yeux.

— Les Allemands ne sont pas encore à Louga, reprit plus doucement Alexandre. Ils n'ont pas atteint Tolmachevo. Tâche de ne pas t'inquiéter. Mais il faut que tu saches que, dès le premier jour de cette guerre, nous avons perdu mille deux cents avions. Il faut quitter Leningrad, Tania. Il le faut absolument.

— Ma famille refuse de partir sans Pasha, tu le sais.

Ils s'étaient remis à marcher et approchaient du musée de l'Ermitage. Là, ils virent quatre camions rangés le long du trottoir. Des hommes y chargeaient des dizaines et des dizaines de caisses en bois.

— Qu'est-ce qu'ils embarquent comme ça? demanda Tatiana. Des tableaux?

Alexandre confirma d'un hochement de tête.

— Quatre camions de tableaux?

— Non, il va sûrement y en avoir beaucoup plus.

— Pourquoi déplacer ces tableaux?

— À cause de la guerre, Tania. Pour les mettre à l'abri.

— On met les œuvres d'art à l'abri, mais pas la population, c'est ça?

— Voyons, qui défendra la ville contre les nazis si tout le monde part? Les œuvres d'art ne peuvent pas prendre les armes : elles ne sont d'aucune utilité ici.

— Nous non plus. On est des civils, on ne sait pas se battre.

— Vous, non. Mais nous, les militaires, oui. Il y a des

milliers de soldats dans notre garnison. Ils dresseront des barricades et on se battra, d'abord les *frontovik*...

— Comme Dimitri.

— Oui, comme Dimitri. Ceux-là se battront dans les rues, l'arme au poing. Quand ils seront morts, on enverra les officiers, comme moi, dans des chars pareils à ceux que tu montes à l'usine. Quand on sera morts, quand toutes les barricades seront tombées, quand toutes les armes et les chars auront disparu, c'est vous, les civils, qui vous battrez — mais avec des pierres...

— Et quand on sera morts ?

— Vous êtes la dernière ligne de défense. Quand vous serez morts, Hitler prendra Leningrad comme il a pris Paris.

— C'est injuste. Les Français ne se sont pas battus.

— Peut-être qu'ils ne se sont pas battus, Tania, mais vous, vous vous battrez. Pour chaque rue. Pour chaque immeuble. Et quand vous aurez perdu la bataille...

— L'art sera sauvé.

— Oui, l'art sera sauvé. Un artiste réalisera un tableau magnifique qui te représentera, une pierre serrée dans ton petit poing, face à un Panzer allemand prêt à t'écraser sous ses chenilles, avec dans le fond la statue de Pierre le Grand sur son cheval de bronze. Et on accrochera cette toile au musée de l'Ermitage jusqu'à la prochaine guerre, jusqu'à la prochaine évacuation de tableaux...

Tatiana regarda les déménageurs qui continuaient de transporter des caisses, interminablement, comme si le musée tout entier devait être vidé de ses œuvres.

— À t'entendre, murmura-t-elle, on croirait presque que ça vaut la peine de mourir pour Leningrad...

— Parce que, selon toi, ça n'en vaut pas la peine ?

— Tu sais, finalement ce n'est peut-être pas si terrible de devenir allemande. Saluer un Führer ou saluer Staline, au fond quelle différence ? De toute façon, on ne sera jamais libres, on sera toujours des esclaves. Au moins on aura à manger. Bien sûr, je préférerais une vie libre, mais la vie — libre ou pas —, c'est toujours mieux que pas de vie du tout, non ?

Alexandre ne répondit rien, mais posa tendrement la main sur le triangle de peau nue, juste à la base du cou de Tatiana, près de son cœur. Elle leva vers lui un regard désespéré et, comme dans un rêve, le vit se pencher vers sa bouche. À cet instant précis, un garde en uniforme leur cria depuis l'autre côté de la rue :

— Fichez le camp de là, tous les deux ! Vous en avez assez vu !

Alexandre retira sa main et fit volte-face. Le garde recula en grommelant que la règle était la même pour tout le monde, officier de l'Armée rouge ou pas.

Quelques minutes plus tard, Alexandre et Tatiana se séparaient sans oser se regarder.

Elle dîna rapidement de quelques pommes de terre froides, puis monta prendre son quart sur le toit. Mais les avions ennemis auraient pu raser la ville, c'est à peine si elle s'en serait aperçue. Elle ne voyait qu'une chose dans le ciel étoilé : l'amour lu dans les yeux d'Alexandre ; elle ne sentait qu'une chose : sa main posée sur son cœur...

En quelques semaines, Tatiana avait perdu son innocence, l'innocence de la sincérité et de la franchise : elle vivait dans le mensonge, chaque jour, chaque soir quand elle sentait le pied de Dasha effleurer sa jambe dans leur lit.

La seule chose qui ne mentait pas, c'était son amour pour Alexandre — et son amour pour Alexandre restait inaccessible au remords.

12

Deux jours plus tard, le deuxième dimanche de juillet, Alexandre et Dimitri, habillés en civils, passèrent prendre Tatiana et Dasha. Alexandre portait un pantalon de lin noir et une chemise de coton blanche à manches courtes. Elle ne l'avait encore jamais vu sans son uniforme. De sa peau, elle ne connaissait que celle de son visage et de ses mains. Maintenant, elle voyait ses avant-bras musclés, hâlés par le soleil. Pour la première fois aussi, elle le voyait rasé de frais. Lorsqu'il venait la chercher le soir, à la sortie de l'usine, sa barbe avait eu le temps de pousser et de former des ombres sur ses joues.

Ils décidèrent de se rendre à Peterhof, l'ancienne résidence d'été de Pierre le Grand, à une heure de Leningrad.

Une fois dans le train, Dimitri murmura à Tatiana :

— Tu m'as manqué, tu sais.

Elle vit qu'Alexandre avait entendu car il détourna les yeux et se plongea dans la contemplation du paysage.

Dimitri poursuivit :

— Dis-moi, Tania, fit-il en effleurant la queue de cheval de la jeune fille, pourquoi ne libères-tu jamais ces magnifiques cheveux blonds ?

Dasha se mit de la partie :

— Bon courage, Dima. À la maison, on n'arrête pas de

lui répéter de libérer ses cheveux, mais elle est têtue comme une mule. À quoi bon avoir une chevelure pareille si on ne la montre pas, je te le demande ?

Le visage de Tatiana s'empourpra. Elle aussi se tourna vers la vitre, rêvant d'être ailleurs, n'importe où plutôt que dans ce train, à écouter des commentaires sur sa chevelure avec Alexandre face à elle et Dasha collée contre lui...

— Allez, libère tes cheveux ! répétèrent plusieurs fois celle-ci et Dimitri.

Elle finit par obéir avec un geste las et fit lentement glisser l'élastique qui retenait sa queue de cheval, obtempérant pour avoir la paix, puis se retourna vers la vitre et n'ouvrit plus la bouche jusqu'à Peterhof.

Une fois arrivés, ils se mirent en quête d'un endroit où pique-niquer et choisirent un coin de pelouse un peu en retrait, à proximité de la Grande Cascade, la plus impressionnante des cent quarante fontaines que comptait le parc. Là, ils déplièrent une vieille couverture et déjeunèrent de quelques œufs durs et de tartines de fromage. Dasha avait apporté de la vodka. Dimitri, Alexandre et elle en burent quelques gorgées à la bouteille. Tatiana refusa.

Dimitri lança la conversation sur l'amour :

— Dites-moi, les filles, c'est quoi pour vous l'amour ?

Le visage de Dasha s'illumina. Elle se tourna vers Alexandre, le dévorant des yeux :

— L'amour, c'est quand il vient comme il l'avait promis, quand il arrive en retard mais demande pardon, quand il ne regarde aucune autre fille... Que penses-tu de ma définition, Alex ?

— Excellente, Dasha, excellente.

Tatiana toussota. Dasha se tourna brusquement vers elle.

— Que se passe-t-il, sœurette ? On dirait que tu n'es pas d'accord, ajouta-t-elle en riant.

— Si, mais... (Elle hésita un instant.) Tu décris ce que c'est qu'*être aimé*. L'amour, c'est ce qu'on donne, pas seulement ce qu'on reçoit, non ?

— Qu'est-ce que tu connais à l'amour, toi ? rétorqua son aînée avec un grand sourire.

— Rien, c'est vrai, répondit Tatiana en baissant les yeux.

— Mais si, Tanechka, tu sais ce qu'est l'amour, reprit Dimitri. Allez, donne-nous ta définition.

— Oui, vas-y, ma chérie, renchérit Dasha, encourageante.

Puis, comme Tatiana gardait le silence, elle poursuivit sur un ton affectueux :

— Je vais vous la dire, moi, sa conception de l'amour. Pour Tania, l'amour, c'est tout un été seule, à lire tranquillement. L'amour, c'est faire la grasse matinée. L'amour, c'est les glaces et les crèmes brûlées. Allez, avoue, Tania : si on te promettait un été de lecture solitaire, avec des glaces tous les jours et des grasses matinées, ce ne serait pas le paradis ? Ah ! j'allais oublier l'essentiel : pour Tania, l'amour c'est Deda, son grand-père, et Pasha, son jumeau.

— Maintenant j'aimerais entendre la réponse de Tatiana, intervint Alexandre, sortant soudain de son mutisme.

Cela, naturellement, acheva de décider la jeune fille. Elle se lança, non sans se demander quelle part de mensonge sa réponse allait comporter :

— L'amour, commença-t-elle d'une voix lente, regardant seulement sa sœur, c'est de savoir d'un seul coup d'œil de quoi l'autre a besoin.

— Intéressant ! s'esclaffa Dimitri. Ça concerne *tous* les besoins, j'espère !

— Boucle-la ! lui ordonna immédiatement Alexandre.

— Décidément, Dima, tu n'as aucune classe, renchérit Dasha en riant. À toi de répondre à la question, fit-elle en se tournant vers Alexandre.

Assise en tailleur sur un coin de couverture, Tatiana se perdit dans la contemplation du Grand Palais, s'efforçant de se concentrer sur les rêveries qu'elle y avait faites enfant — pour ne pas écouter. Pourtant, elle entendit derrière elle la voix chaude d'Alexandre murmurer :

— L'amour, c'est aimer et être aimé — tout simplement.

Dasha se pencha vers lui dans un élan de tendresse :

— Merci, mon chéri.

Ce ne fut qu'une fois dans le train du retour que Tatiana en prit conscience : personne n'avait demandé à Dimitri quelle était sa définition de l'amour...

Ce soir-là, face au mur dans le grand lit, elle laissa les remords qui la rongeaient l'envahir. Tourner ainsi le dos à sa sœur, c'était admettre l'inadmissible, accepter l'inacceptable, se pardonner l'impardonnable. C'était faire du mensonge une seconde peau.

Comment continuer de trahir Dasha ? Dasha, qui, plus jeune, partait cueillir des champignons sans couteau, sans sac en papier, avec juste un petit panier « pour que les champignons n'aient pas peur ». Dasha qui lui avait appris à lacer ses souliers, à faire du vélo, qui avait veillé sur elle, avait couvert toutes ses bêtises, Dasha qui l'avait nourrie, coiffée, baignée...

Tatiana ne continuerait pas un jour de plus.

Dès le lendemain, elle allait demander à Alexandre de ne plus l'attendre à la sortie de l'usine.

Elle abandonna le mur pour se tourner vers sa sœur, tendit la main et caressa ses cheveux en chuchotant :

— Je t'aime, Dasha, tu sais.

— Moi aussi, je t'aime, petite sœur. Dors maintenant.

Mais Tatiana ne dormit pas cette nuit-là.

13

Le lundi, tout sourire, Alexandre l'attendait près de l'arrêt de bus. Elle se dirigea vers lui, un masque glacé sur le visage, et, sans même lui dire bonjour, déclara :

— Alexandre, il ne faut plus venir me chercher.

Le sourire du lieutenant s'effaça instantanément sur ses lèvres.

— Viens, marchons, répondit-il simplement.

Ils prirent la direction de la rue Govorova.

— Que se passe-t-il ? demanda-t-il en fixant le sol.

— Il se passe que je n'en peux plus, fit Tatiana, heureuse de marcher plutôt que de devoir lui parler immobile, les yeux dans les yeux. Je n'y arrive plus. C'est trop dur.

— C'est à cause de Dasha, n'est-ce pas ? marmonna-t-il d'une voix morne.

Tatiana ne répondit pas.

— Bien, je vais lui parler.

— Comment ?

N'en croyant pas ses oreilles, elle se figea sur le trottoir.

— Oui, je vais lui parler, répéta Alexandre. Elle saura la vérité et on assumera les conséquences. C'est honnête. Elle mérite cette honnêteté. Je vais rompre avec elle et...

— Je t'interdis de faire une chose pareille ! l'interrompit Tatiana. Elle serait anéantie. Alexandre, je t'en prie, ajouta-t-elle en lui prenant la main, il n'y a rien d'honnête à faire de la peine aux autres.

— Et nous? Tu penses à nous?

Il serrait sa main dans les siennes.

— Dasha ne s'en remettrait pas. Elle pense que tu es l'homme de sa vie.

— Elle se trompe et elle s'en remettra.

— Et Dimitri?

— Laisse-moi m'occuper de Dimitri, veux-tu? riposta froidement Alexandre. Quant à Dasha, elle me connaît peu, elle ne sait pratiquement rien de moi.

Tatiana ne voulait pas en entendre davantage. Elle retira sa main.

— Tais-toi, dit-elle. Tais-toi! Dasha est ma sœur. Je refuse de lui briser le cœur.

— Je sais, tu me l'as déjà dit : « Des garçons, il y en a toujours d'autres, mais on n'a qu'une sœur. » Maintenant, je dois rentrer à la caserne, conclut-il en tournant le dos.

— Alexandre, attends! Comprends-moi : si on arrête maintenant, on n'aura rien à se reprocher vis-à-vis de ceux qui nous sont proches, qui nous aiment, nous font confiance...

— Comment peux-tu dire une chose pareille? l'interrompit-il en faisant brusquement volte-face. Tu t'imagines peut-être qu'on ne les a pas trahis sous prétexte qu'on n'a rien dit! À chaque minute que nous avons passée ensemble, Tania, tu as menti à ta sœur, à Dimitri, à tes parents... et à toi-même.

— Tu as raison, sauf sur un point : je ne me suis pas menti à moi-même. C'est pour ça que je ne peux pas continuer. Je t'en prie, poursuivit-elle à bout de souffle, je ne veux pas me disputer avec toi. Et je n'ai pas le courage de faire de la peine à Dasha.

— Le courage ou l'envie, Tania?

— Le courage. Tu ne peux pas savoir ce que ça me coûte, chaque jour, de lui cacher ce qui se passe. Je regarde dans le vide, je serre les dents, je fais semblant...

— Dans ce cas, je vais mettre un terme à cette mascarade et parler à ta sœur.

— Tu vas lui parler, explosa Tatiana, et que crois-tu qu'il se passera après? Que tu pourras venir me chercher à la maison pour dîner? Et moi, qu'est-ce que je deviens dans ton plan? Je dors avec Dasha, je vis avec Dasha. Où pourrai-je habiter si tu lui parles, si tu détruis notre famille? Dans ta caserne peut-être? Écoute-moi bien, conclut-elle, romps avec elle si vraiment tu y tiens, mais sache que tu ne me reverras jamais!

— Ne me menace pas, siffla Alexandre entre ses dents.

Debout l'un face à l'autre sur un trottoir de la rue Govorova, ils heurtaient leurs cœurs déchirés.

— Continue avec Dasha, reprit Tatiana sur un ton implorant. Elle est la femme qu'il te faut. D'abord parce que c'est une vraie femme, elle, tandis que moi je suis...

— Aveugle! coupa-t-il. Voilà ce que tu es : aveugle!

— Oh! Alexandre, mais que veux-tu de moi?

— Tout!

Il tendit la main pour caresser ses cheveux, mais elle secoua violemment la tête, les poings serrés.

— Tatia, je te le demande pour la dernière fois...

— Et pour la dernière fois, je te réponds non. Shura... la vie de ma sœur n'est pas ma propriété. Je ne peux pas décider de la sacrifier juste pour satisfaire notre bon plaisir.

— À ta guise. Je vois que je me suis trompé sur ton compte. Cesse de me voir si tu veux, mais moi je vais rompre avec Dasha.

— Ne fais pas ça, je t'en prie!

— Maintenant fiche le camp, Tatiana. Disparais de ma vue. Va retrouver ta maison. Ta famille. Ta Dasha.

— Shura...

— Je t'interdis de m'appeler comme ça. Fiche le camp, je t'ai dit.

Tatiana vacilla. Elle ne pouvait pas y croire : ils n'allaient plus se revoir. Jamais. Sentant ses jambes se dérober sous elle, elle prit une ample respiration et se dit : Je peux y arriver, oui, je peux le faire. J'ai passé dix-sept ans avec Dasha et trois semaines avec Alexandre. Je peux y arriver.

Alors elle fit demi-tour et partit.

14

Alexandre tint parole : il vint chercher Dasha, lui proposa une promenade sur la Perspective Nevski et, là, lui annonça qu'il avait besoin de prendre du recul, de réfléchir. Elle se mit à pleurer, chose dont il avait horreur. Elle le supplia, il fut exaspéré. Il ne céda pas. Il ne pouvait pas lui dire qu'il était fou de rage à cause de sa petite sœur, un petit bout de fille timide mais qui ne cédait pas un pouce de terrain lorsqu'elle avait décidé quelque chose, pas même pour lui.

Quelques jours plus tard, il se sentit presque heureux, soulagé de ne plus revoir Tatiana. Il apprit que les Allemands n'étaient plus qu'à dix-huit kilomètres de la ligne de front de Louga, elle-même à dix-huit kilomètres au sud de Tolmachevo. En outre, il avait suffi de quelques heures aux troupes ennemies pour balayer la ville de Novgorod.

Bien que forte de dizaines de milliers d'hommes et de femmes, l'Armée du peuple venait à peine de commencer à creuser des tranchées sur la ligne de Louga.

Par crainte d'une attaque côté finlandais, l'essentiel des forces soviétiques avait été concentré au nord de Leningrad. Ainsi, le front finno-soviétique dans le sud de la Carélie était-il le mieux défendu du pays — et aussi le plus paisible. Dimitri doit être content, songea Alexandre avec un pincement d'amertume. La progression fulgurante des troupes hitlériennes vers le sud de Leningrad avait pris l'Armée rouge par surprise. En urgence, on fortifiait une ligne de défense qui courait tout le long des cent vingt-cinq kilomètres de la rivière Louga, depuis le lac Ilmen jusqu'à Narva. On se dépêchait de creuser des retranchements, des fossés antichars, mais c'était insuffisant. Alors l'état-major de Leningrad décida de faire transporter par camion les barrières antichars de la Carélie jusqu'à Louga.

Pendant ce temps, l'Armée rouge continuait de perdre du terrain. Pire qu'une retraite, ce furent cinq cents kilomètres que les Soviétiques cédèrent quotidiennement aux Allemands au cours des trois premières semaines de la guerre. L'aviation était anéantie, les divisions blindées bien insuffisantes. À la mi-juillet, l'Armée rouge et sa puissance se résumaient à des régiments qu'on expédiait à la boucherie, face aux Panzers, à l'artillerie, à l'aviation et à l'infanterie de la Wehrmacht.

Désormais, le seul espoir de sauver le front de Louga reposait sur l'Armée du peuple, une foule d'hommes et de femmes qui n'avaient reçu aucun entraînement et, surtout, aucune arme. Seul se dressait contre Hitler un mur de vieillards et de jeunes femmes. Les fusils qu'ils trouvaient, ils les prenaient à des cadavres de soldats de l'Armée rouge. Certains s'équipaient de pelles, de pioches, de haches, mais beaucoup n'avaient même pas ces outils.

Alexandre ne voulait pas penser à ce que ces armes-là pesaient face aux chars allemands. Il le savait.

DÉVASTATIONS

1

Le monde de Tatiana changea quand Alexandre cessa de l'attendre à la sortie de l'usine. Désormais elle restait parmi les dernières, passait lentement les grilles et ne pouvait s'empêcher de jeter un regard vers l'arrêt de bus, espérant apercevoir sa tête au-dessus des autres.

En fait, elle le voyait partout, à chaque coin de rue, chaque porte cochère. Elle rentrait à la maison vers onze heures du soir, parfois plus tard. Sa famille avait déjà dîné. Le repas qui l'attendait était froid, bien sûr. Tendus, tous écoutaient les nouvelles à la radio, mais personne ne prononçait le nom qui leur brûlait les lèvres et le cœur : Pasha.

Un soir, Dasha rentra en larmes et se confia à sa cadette : Alexandre s'éloignait, il avait besoin de réfléchir, disait-il. Elle pleura six ou sept minutes pendant lesquelles Tatiana tenta quelques gestes de réconfort. Puis elle essuya ses larmes et déclara :

— Crois-moi, Tania, je ne vais pas laisser tomber. Il compte trop pour moi. Il m'aime, je le sais, mais il a peur de s'engager — les militaires sont comme ça. Mais je vais m'accrocher. Il a dit qu'il avait besoin d'un peu de temps pour réfléchir. Ça ne veut pas dire que tout est fini, n'est-ce pas ?

— Je ne sais pas, Dashenka.

Et Tatiana détourna les yeux.

Un jour, Dimitri vint lui rendre visite. Ils passèrent une heure ensemble, en présence de toute la famille Metanov. Elle était un peu étonnée qu'il ne soit pas venu plus souvent. Il formula d'un air absent quelques excuses qui lui parurent bancales. Il ignorait tout de l'avancée des troupes allemandes. Lorsqu'il prit congé, le baiser qu'il déposa sur sa joue lui parut aussi froid et lointain que la Finlande.

La nuit, dans le lit qu'elle partageait avec Dasha, elle continuait de se tourner vers le mur, même quand sa sœur n'était pas là.

Puis vint ce soir terrible où la radio annonça que, en dépit des efforts héroïques des soldats soviétiques, l'ennemi était presque à Louga. Louga, à quelques kilomètres à peine de Tolmachevo...

Ce soir-là, toujours tournée vers le mur, Tatiana faisait semblant de dormir, la main posée sur *le Cavalier de bronze* que lui avait offert Alexandre. Elle écoutait les murmures noyés de larmes de ses parents.

— Georg, gémissait sa mère. On ne peut pas perdre notre Pasha, notre seul fils, c'est impossible !

— Moins fort, Irina. Tu vas réveiller les filles.

— Que veux-tu que ça me fasse ? s'écria presque Irina Fedorovna, exaspérée. J'aurais préféré que Dieu prenne une de nos filles plutôt que Pasha.

— Tu sais bien que Dieu n'existe pas. Et tu ne penses pas ce que tu dis.

— Sois honnête, Georg, je sais que tu penses comme moi. Tu ne donnerais pas Tania contre notre fils ? Elle est si timide, craintive, si faible : elle ne sera jamais bonne à rien.

Tatiana tira le drap sur ses oreilles pour ne pas en entendre davantage. Dasha dormait. Bientôt, Irina Fedorovna et son mari allèrent eux aussi se coucher. Mais elle, elle resta éveillée, avec ces mots qui lui martelaient le crâne : *J'aurais préféré que Dieu prenne une de nos filles plutôt que Pasha. Tu ne donnerais pas Tania contre notre fils? Elle ne sera jamais bonne à rien.*

2

Le lendemain, après son travail, pleine d'appréhension, Tatiana se rendit à la caserne Pavlov et demanda à voir le lieutenant Alexandre Belov. Elle attendit quelques minutes, adossée contre un mur : ses jambes ne la portaient plus.

Alexandre apparut. Une fraction de seconde, une expression de joie légère éclaira ses traits crispés, ses yeux cernés — une fraction de seconde seulement.

— Bonjour, Tatiana, lui dit-il assez froidement. Qu'est-ce qui me vaut l'honneur de cette visite?

Elle demeura quelques instants silencieuse, incapable d'articuler une parole, à la fois heureuse et désespérée de le revoir. Elle brûlait d'envie de l'approcher, de toucher son visage. Non, il ne fallait pas. Jamais.

— Je... je suis venue te demander... y a-t-il un moyen de savoir ce qui est arrivé à Pasha?

— À quoi bon, Tania?

Cette fois, il la dévisageait avec compassion.

— Mes parents... il faut qu'ils sachent... et moi aussi.

— Tu crois vraiment que ce serait plus facile?

— Oui, la vérité est toujours plus facile que l'incertitude. Ne pas savoir ce qui lui est arrivé, voilà ce qui les ronge. Quand ils sauront, quand ils seront sûrs, ils accepteront de partir pour Molotov avec Deda et Babouchka.

Sans la quitter des yeux, Alexandre alluma une cigarette. Elle esquissa un sourire qu'elle voulait convaincant.

— Si je me renseigne, vous partirez pour Molotov, c'est sûr ? demanda-t-il enfin.

— Oui.

— Bien. Je vais essayer de savoir ce qui est arrivé à ton frère. Crois-moi, Tania, il faut que vous partiez. Ton grand-père a eu de la chance d'obtenir un poste là-bas. La plupart des habitants de Leningrad ne seront pas...

— Tania ! Qu'est-ce que tu fais ici ?

Surgi de nulle part, Dimitri se dressait soudain entre eux, comme la première fois.

— Euh... je passais dans le coin, répondit-elle, refusant de lui avouer le véritable motif de sa visite. Alors je suis venue te voir...

— Et moi j'étais sorti fumer une cigarette, fit Alexandre.

— Génial ! Je te raccompagne, Tania.

Et Dimitri passa un bras sur ses épaules. Prête à fondre en larmes, elle le laissa l'entraîner.

Le lendemain matin, Alexandre alla trouver le colonel Mikhaïl Stepanov. Il le connaissait bien : il avait servi sous ses ordres dans la guerre contre la Finlande pendant l'hiver 1940. À l'époque, le colonel n'était encore que capitaine et Alexandre sous-lieutenant.

— Bonjour, mon colonel, fit-il en claquant des talons.

— Bonjour, lieutenant, répondit Stepanov en se levant de son bureau. Repos. Qu'est-ce qui vous amène ?

Alexandre s'éclaircit la voix, conscient de ce que sa requête pouvait avoir d'inhabituel pour un si haut gradé. Mais Stepanov avait pour lui une sympathie que motivaient à la fois la personnalité du lieutenant et un événement particulier de leur histoire commune...

— Mon colonel, je... je cherche un garçon de dix-sept ans que sa famille a envoyé dans un camp d'adolescents à Dohotino, près de Tolmachevo. Les responsables du camp sont injoignables depuis plusieurs jours. La famille du garçon est désemparée. Il s'appelle... Pavel Metanov.

Le colonel Stepanov fixa un moment Alexandre, l'air intrigué, avant de répondre :

— Regagnez vos quartiers, lieutenant. Je vais voir ce que je peux apprendre, mais je ne vous promets rien.

Alexandre salua, pivota sur ses talons et sortit.

Le soir du même jour, Dimitri se rendit dans les quartiers qu'Alexandre partageait avec trois autres officiers. Tous quatre étaient en train de jouer aux cartes. Ce fut à peine si le lieutenant tourna la tête en entendant entrer Dimitri. Celui-ci s'accroupit près de sa chaise.

— Soldat Chernenko, tu oublies de saluer, fit le sous-lieutenant Anatoly Marazov, sans lever les yeux de ses cartes.

Dimitri se redressa et salua Marazov.

— Repos, soldat.

— Que se passe-t-il, Dima? demanda Alexandre.

— Eh bien, marmonna celui-ci en s'accroupissant à nouveau près de lui. Paraît qu'on va pas se tirer d'ici...

Ce fut Marazov qui répondit :

— Bien sûr que non, soldat. La garnison reste pour défendre la ville.

— Si les Finlandais font alliance avec les Allemands, on est cuits, grogna Dimitri. Autant ficher le camp.

— Belov, c'est toi qui m'as donné un soldat pareil? demanda Marazov avec l'expression du plus profond mépris.

— Le sous-lieutenant a raison, Dima. Ton attitude me surprend. Franchement, ça ne te ressemble pas.

Dimitri eut un sourire entendu :

— Rappelle-toi, Alex, cette guerre, c'était pas vraiment ce qu'on espérait quand on s'est engagés.

— La guerre n'est jamais une chose qu'on espère, répliqua Alexandre après quelques instants de lourd silence.

— Sans doute. Moi, j'ai pas eu le choix tandis que toi...

— Ah bon ? Tu as eu le choix de ne pas faire la guerre, Belov ? fit Marazov avec un étonnement feint.

Alexandre posa ses cartes sur la table, écrasa sa cigarette dans le cendrier et se leva.

— Je reviens tout de suite, dit-il aux autres officiers.

Il quitta la pièce à grands pas, Dimitri sur les talons.

Une fois dans la cour, à bonne distance d'un groupe de soldats occupé à fumer, il l'interpella :

— Arrête ces bêtises, Dima. Je n'ai pas eu le choix.

— Si, tu l'as eu. À l'heure qu'il est, on pourrait être ailleurs.

Alexandre ne répondit pas. Oui, si seulement il avait pu être ailleurs — ailleurs que debout face à Dimitri qui poursuivait, imperturbable :

— La Finlande, c'est devenu trop dangereux.

— Je sais.

Alexandre ne voulait pas parler de la Finlande. Il ralluma une cigarette et tira une bouffée pendant que Dimitri reprenait :

— Les hommes du NKVD sont partout. Lisiy Nos n'est plus qu'un champ de mines. Qu'est-ce qu'on va faire ? Tu es sûr que les Finlandais vont descendre sur Lisiy Nos ?

— Oui. Ils voudront reconquérir les territoires perdus dans la dernière guerre.

— Dans ce cas, on n'a plus qu'à attendre le bon moment. Mais je ne sais pas s'il se représentera jamais...

— Moi non plus, je ne sais pas. On ne peut rien faire qu'attendre.

Dimitri poussa un soupir.

— Tu pourrais peut-être demander mon transfert dans une autre unité.

— Dima ! s'indigna Alexandre. Tu viens de changer de bataillon !

— Je sais, mais je me retrouve à nouveau trop près d'un assaut possible : le bataillon de Marazov est en deuxième ligne. Je préférerais être au ravitaillement ou un truc dans ce goût-là.

— Tu voudrais ravitailler les troupes du front en munitions ?

Alexandre n'en croyait pas ses oreilles.

— Non, quand je parlais de ravitaillement, je pensais plutôt aux clopes et au courrier — sur l'arrière, répondit Dimitri. Allons, ne me regarde pas comme ça, ajouta-t-il en considérant la mine sombre du lieutenant. Tu fais une tête d'enterrement depuis quelques jours. Qu'est-ce qui t'arrive ? Les Allemands ne sont pas encore là, c'est l'été et... (Il s'interrompit un instant avant de reprendre :) Alex, je voulais te dire... Tania est une chic fille, une très chic fille. J'aimerais qu'elle le reste. Elle ne devrait pas venir à la caserne et, surtout, pas te parler à *toi*.

— J'en conviens, répondit sobrement Alexandre.

— Je sais qu'on est tous copains et qu'elle est la petite sœur de ta poule mais, franchement, je ne voudrais pas que *ta* réputation déteigne sur *ma* chic fille. Après tout, elle n'est pas comme ces garces que tu...

Alexandre fit un pas vers lui, le dissuadant de poursuivre.

— Voyons, je plaisantais ! s'exclama Dimitri. Prends

pas la mouche. Comme Tania a des horaires dingues, je ne suis plus si souvent là le soir et je ne croise plus Dasha. Tu la vois toujours ?

— Oui.

En effet, chaque soir sans exception, Dasha se rendait à la caserne, tentant par tous les moyens de reconquérir Alexandre.

— À plus forte raison, renchérit Dimitri. Tania ne doit pas venir ici. Ça inquiéterait inutilement Dasha si elle l'apprenait, n'est-ce pas ?

— Sans doute, répondit Alexandre en fixant longuement Dimitri. Tu as une cigarette ?

— Génial ! s'exclama le soldat en portant la main à la poche de son treillis. Un lieutenant qui tape une sèche à un simple troufion ! Tu sais que j'adore te rendre service...

Alexandre prit la cigarette sans relever. Dimitri se racla la gorge puis reprit, après quelques secondes d'hésitation :

— Si je ne savais pas ce qu'il en est, je croirais que tu es amoureux de ma petite Tanechka. À voir la façon dont tu la couves des yeux...

— Mais tu sais ce qu'il en est et tu ne le crois pas.

— Non, bien sûr. Tu comprends, cette fille, j'en suis dingue...

La cigarette se consumait entre les doigts d'Alexandre. Il ne songeait même pas à la porter à ses lèvres.

— Vraiment ? fit-il.

— Oui. C'est si surprenant ? rétorqua Dimitri avec un rire qui sonnait faux. Tu ne me crois pas digne d'une fille comme elle, c'est ça ?

— Non, ce n'est pas ça. Mais, à ma connaissance, chez *Sadko*, tu continues à...

— Oui, et alors ? Quel rapport ? fit Dimitri avec un

haussement d'épaules, avant d'ajouter dans le souffle de la confidence : Tania est jeune, elle m'a demandé de ne pas la brusquer. Alors je la joue patient et respectueux. Mais, crois-moi, c'est pour bientôt et...

— Bien. Cette conversation est terminée.

Dans un geste rageur, Alexandre jeta son mégot sur le pavé de la cour et fit demi-tour pour regagner ses quartiers, tournant vivement le dos à Dimitri. Celui-ci le rattrapa, l'agrippa par le bras. D'un geste, le lieutenant se dégagea.

— Ne me touche pas. Je ne suis pas Tatiana.

— Tu as l'humeur changeante, fit Dimitri en opérant une retraite prudente. Tu devrais faire attention, Alexander *Barrington*.

Il avait appuyé chaque syllabe d'un nom qu'il avait craché plus qu'il ne l'avait prononcé.

Puis il partit à reculons, souriant toujours, l'air mauvais. Ses dents paraissaient plus jaunes, ses cheveux plus gras, la fente de ses yeux plus laide, dans la tombée du soir.

3

Le lendemain Tatiana courut plus qu'elle ne marcha jusqu'à l'usine, transportée par l'espoir d'avoir bientôt des nouvelles de Pasha. Les jours passant, elle avait appris à ne plus prendre garde aux uniformes bleus de l'omniprésente milice du NKVD, dont les hommes patrouillaient à proximité des portes de Kirov.

Afin d'éviter que la répétitivité de leur tâche n'amène les ouvriers à commettre quelque négligence, toutes les deux heures on les faisait changer de place sur la chaîne. Tatiana passait donc du moteur à la peinture de l'étoile rouge sur le char : elle devait peindre non seulement l'étoile, mais aussi les mots POUR STALINE ! — en blanc, pour qu'ils ressortent bien sur le fond verdâtre de l'engin.

Ilya, le garçon si maigre qui l'avait interpellée un soir à l'arrêt de bus, ne la quittait plus d'une semelle depuis qu'il avait constaté qu'Alexandre ne venait plus la chercher. Il ne cessait de lui poser toutes sortes de questions et se débrouillait toujours pour se trouver à côté d'elle, quel que soit l'endroit où on l'envoyait sur la chaîne.

Ce jour-là, elle eut pitié de lui et le laissa s'asseoir entre elle et Zina à la cantine. Elle pouvait se permettre un peu de compassion puisqu'elle allait voir Alexandre : oui, il allait sûrement venir l'attendre, comme avant, et lui donner des nouvelles de Pasha. Le matin, elle avait mis sa plus jolie jupe et un chemisier aux couleurs tendres. En sortant de l'usine, elle se précipita vers l'arrêt de bus.

Alexandre n'y était pas.

Vingt heures. Elle s'assit sur un banc à proximité, les mains sagement croisées sur les genoux, et n'en bougea pas jusqu'à vingt et une heures. Personne. Elle rentra à la maison retrouver ses parents qui pleuraient toujours et ses grands-parents qui préparaient leurs bagages pour Molotov. Dasha n'était pas là.

Alors elle grimpa sur le toit pour observer les grosses baleines blanches des dirigeables qui traversaient le ciel vers le nord. Elle écouta Anton et Kirill : ils se lisaient *Guerre et Paix*. Ensuite, elle les entendit parler de Volodya, leur frère disparu à Tolmachevo. Et elle, elle pensait à Pasha, son frère disparu à Tolmachevo...

Si Alexandre n'était pas venu, c'était soit qu'il n'avait pu obtenir aucune nouvelle, soit qu'elles étaient trop mauvaises. Mais non, se dit-elle, en réalité s'il n'était pas venu, c'était qu'il en avait assez d'elle et de ses gamineries. Alexandre était un homme, et elle n'était qu'une petite fille. Il l'avait oubliée.

Finalement, il avait bien fait de ne pas venir. Elle n'allait pas pleurer, non, elle n'allait pas pleurer...

Pourtant, affronter chaque jour l'usine, sans lui et sans Pasha, affronter chaque soirée sans lui et sans Pasha, affronter cette guerre sans lui et sans Pasha, c'était un vide envahissant.

Désormais, Tatiana ne demandait qu'une chose : retrouver Pasha, son jumeau. Pendant dix-sept ans, ils avaient partagé la même vie, la même école, le même banc de la même classe, la même chambre.

Elle savait qu'il était vivant, elle le sentait. Il n'était pas blessé. Il attendait qu'elle vienne le chercher, elle en était certaine. Son instinct ne pouvait pas la tromper. Elle n'allait pas le laisser tomber et rester tout bonnement assise à geindre et se lamenter, comme le reste de sa famille. Tatiana le savait : cinq minutes avec Pasha lui feraient oublier le mois qui venait de s'écouler, cinq minutes avec Pasha lui feraient oublier Alexandre. Et elle avait désespérément besoin d'oublier Alexandre.

Elle attendit que tout le monde soit couché pour descendre du toit, prit une paire de ciseaux de cuisine, se rendit dans la salle de bains collective et coupa ses magnifiques mèches blondes — impitoyablement. Elles tombaient une à une dans le lavabo au-dessus duquel un petit miroir crasseux lui renvoyait l'image d'une lippe boudeuse et de deux yeux tristes et cernés qui, toutefois, semblaient plus verts à présent. Ses taches de rousseur aussi, on les voyait davantage. Ressemblait-elle à un garçon ? Avait-elle l'air plus jeune ? Plus fragile ? Et Alexandre, que penserait-il quand il la verrait sans cheveux ? Rien, sans doute, puisqu'ils ne se verraient plus...

Au lever du jour, elle enfila un pantalon beige, prit un petit flacon de bicarbonate de soude, sa brosse à dents, un vieux sac de couchage appartenant à Pasha et laissa à sa famille un message composé d'une seule phrase. Puis elle se mit en route pour l'usine, passa prendre Zina, déjà à son poste sur la chaîne de montage, et l'entraîna vers le bureau de Krasenko, à qui elle annonça leur décision de rejoindre l'Armée du peuple.

— Voyons, Tania, pourquoi voulez-vous faire une chose pareille ? Surtout toi ! Tu es trop jeune. Louga n'est pas un endroit pour toi.

Tatiana savait qu'il l'aimait bien, et elle avait besoin de lui : sans sa signature, elle ne pourrait pas mettre son projet à exécution. Alors elle usa de toute sa persuasion pour lui démontrer que des travailleurs plus jeunes creusaient des tranchées à Louga, que Zina et elle souhaitaient faire tout ce qui était en leur pouvoir pour aider les soldats de l'Armée rouge. De toute façon, elles étaient décidées à partir : Krasenko voulait-il priver la patrie de deux jeunes femmes prêtes à se sacrifier en son nom ?

Debout, bien raide à côté d'elle, Zina opinait avec énergie.

Krasenko poussa un profond soupir et entreprit de rédiger les autorisations nécessaires. Avant de prendre congé, Tatiana faillit lui avouer qu'elle partait à la recherche de son frère mais elle se ravisa, craignant qu'il ne cherche à l'en dissuader, et se contenta d'un bref remerciement.

Zina et elle furent dirigées vers un hangar grand comme un gymnase, où elles passèrent une visite médicale. On les équipa chacune d'une pelle et d'une pioche avant de les envoyer à la gare de Varsovie, d'où partaient les convois pour Louga.

Tatiana se demanda si les camions seraient blindés, comme ceux qu'elle avait vus devant le musée de l'Ermitage ou comme ceux qu'Alexandre lui avait dit conduire.

Non. Ces camions-là n'étaient pas blindés, simplement bâchés d'une toile couleur kaki. Elles grimpèrent dans l'un d'eux, avec une quarantaine de personnes. Des soldats continuaient d'empiler des caisses dans les camions. Il fallait s'asseoir dessus.

— Qu'est-ce qu'il y a dans ces caisses ? demanda-t-elle à l'un des militaires.

— Des grenades, répondit-il avec un grand sourire.

Elle frissonna et dut se retenir pour ne pas sauter du véhicule.

Le convoi était formé de sept camions. Il prit la grande route vers le sud. À Gatchina, on fit descendre tout le monde : les volontaires couvriraient en train le reste du trajet jusqu'à Louga.

— C'est bien d'être dans un train, dit alors Tatiana à son amie. Ce sera plus facile pour descendre à Tolmachevo.

— Tu es folle ou quoi? Pas question que je descende de ce train avant Louga!

— Zina, je t'en prie, je dois absolument aller à Tolmachevo. Il faut que je retrouve mon frère.

Zina la dévisageait avec une expression incrédule.

— Tania, quand tu m'as dit que Minsk était tombée, est-ce que je t'ai demandé de m'y accompagner pour retrouver ma sœur?

— Non, c'est vrai, répondit Tatiana après un instant de réflexion. La différence, c'est que Tolmachevo n'est pas encore tombée. J'ai encore de l'espoir.

— Peu importe, moi je ne descendrai pas à Tolmachevo, insista Zina. J'irai à Louga, comme tout le monde. Je n'ai pas envie de me faire fusiller par le NKVD parce que j'ai déserté.

— Zina! Tu ne peux pas déserter puisque tu es *volontaire*! Allons, viens avec moi, s'il te plaît.

— Non, répondit Zina, catégorique.

Et, pour bien convaincre Tatiana que sa décision était irrévocable, elle tourna la tête vers la vitre.

— D'accord. Dans ce cas, j'irai seule.

4

Un caporal passa la tête dans les quartiers d'Alexandre en braillant que le colonel Stepanov demandait à le voir.

Lorsqu'il se présenta dans son bureau, le lieutenant découvrit un Stepanov qui semblait avoir pris dix ans dans les trois jours écoulés depuis leur dernière entrevue.

Il salua. Le colonel leva lentement la tête de son journal :

— Désolé de n'avoir pu vous répondre plus tôt, lieutenant, dit-il d'un ton las. Je crains de n'avoir pas de très bonnes nouvelles. La situation à Novgorod était désespérée. L'Armée rouge a dû recruter les jeunes des camps qui se trouvaient près de Louga et de Tolmachevo pour creuser des tranchées. Je ne sais rien sur votre Pavel Metanov en particulier, mais... dites-moi, lieutenant, c'est un jeune homme que vous connaissez bien ?

— Je connais bien sa... famille, répondit Alexandre avec un petit tressaillement.

Le colonel Stepanov baissa les yeux et parla sans les relever :

— J'aurais préféré vous annoncer d'autres nouvelles, lieutenant. Les Allemands ont rasé Novgorod. Ils ont tué civils et militaires, sans distinction, ont pillé tout ce qu'ils ont pu piller et incendié la ville.

Alexandre cherchait les yeux du colonel. Il articula lentement :

— Je ne suis pas sûr d'avoir bien compris, mon colonel. L'Armée rouge a envoyé des mineurs au combat ? Elle a livré ces gamins en pâture aux nazis ?

Comme mû par un ressort, Stepanov se leva de son siège, rigide derrière son bureau :

— Lieutenant, ce n'est pas vous qui allez nous apprendre à conduire cette guerre ! Dites à cette famille que leur fils est mort pour sauver la patrie, ajouta-t-il d'une voix tremblante. Qu'il est mort pour notre père à tous, le camarade Staline.

Plus tard dans la matinée, Alexandre fut appelé à la porte de la caserne. C'était sûrement Tatiana qui venait réclamer des nouvelles de Pasha. Il ne se sentait pas le courage de l'affronter maintenant, de lui avouer la vérité. Il aurait préféré aller l'attendre, le soir, à la sortie de l'usine.

À sa grande surprise, ce n'était pas Tatiana qui se tenait à côté de la sentinelle, mais Dasha — qui lui fourra tout de suite un bout de papier entre les mains.

— Tiens, lis ça. Regarde ce qu'elle a fait, ma folle de petite sœur !

Il ouvrit le billet. C'était la première fois qu'il voyait l'écriture de Tatiana, une petite écriture ronde, propre et nette.

Chers Papa et Maman,

Je pars rejoindre l'Armée du peuple pour retrouver Pasha et vous le ramener.

Tania.

S'efforçant de ne rien laisser paraître de son trouble, il rendit le billet à Dasha.

— Quand est-elle partie ? demanda-t-il seulement.

— Hier matin.

— Et c'est maintenant que tu viens me trouver?

— Enfin, Alex, on a pensé qu'elle plaisantait! On ne l'a pas prise au sérieux. Elle n'arrive déjà pas à faire correctement les courses toute seule, comment pouvait-on imaginer qu'elle partirait sur le front? Oh, mon chéri, je suis si malheureuse, conclut Dasha en se pendant à son cou. Je t'en prie, aide-nous. Aide-nous à retrouver Tania. Fais-le pour moi.

Mais son regard humide ne rencontra qu'une expression glacée. Il dénoua les bras de la jeune femme, recula et dit :

— Rentre chez toi. Je vais voir ce que je peux faire.

Sans en référer à son commandant, il se précipita à nouveau chez Stepanov. En quelques minutes, il obtint un camion blindé rempli de munitions, une vingtaine de volontaires et deux sergents.

— Tâchez de ramener vos hommes, lieutenant, lui dit Stepanov. Comme d'habitude.

— Je ferai de mon mieux, mon colonel, répondit Alexandre, tout en songeant que, jusqu'alors, il n'avait vu que peu de volontaires regagner la caserne.

Il passa chercher Dimitri. Mais celui-ci refusa de se joindre à l'expédition.

— Dima, insista-t-il, je te jure que tu devrais venir.

— J'irai où on m'enverra, mais je refuse de me porter volontaire pour aller me faire trouer la peau. Tu sais comment ça s'est passé à Novgorod, j'imagine?

Alexandre prit donc lui-même le volant du blindé contenant les vingt volontaires, trente fusils, deux mitraillettes, deux caisses de grenades, trois caisses de mines, sept de munitions, plus quelques obus.

Dès Gatchina, ils entendirent le rugissement des combats. Les obus de mortier explosaient au loin comme des feux d'artifice. Mais, à Louga, les tirs d'artillerie ne paraissaient plus si lointains. Ils éclataient de toutes parts, coups de tonnerre rageurs, et une fumée âcre et noire bouchait l'horizon.

Près de la rivière, des enfants qui devaient avoir une dizaine d'années glanaient les épis oubliés pendant que soldats et civils, hommes et femmes, creusaient des tranchées. On allait miner les champs.

Alexandre alla trouver le colonel Pyadyshev, responsable des opérations sur une vingtaine de kilomètres le long de la rivière Louga. Heureux de ce renfort inattendu, Pyadyshev envoya quelques-uns de ses hommes décharger le camion, tandis qu'Alexandre commandait aux siens d'aider à creuser sous le commandement des deux sergents Kashnikov et Shapkov. Après quoi, il se mit en quête du groupe de volontaires arrivé de Leningrad deux ou trois jours auparavant. Assez vite, il trouva Zina, occupée à déterrer des pommes de terre. Il l'avait aperçue à la sortie de l'usine et la reconnut sans peine.

— Je cherche ton amie, lui dit-il. La jeune Tatiana. Elle est ici ?

Zina leva les yeux vers lui, un éclair de terreur vacilla dans son regard. À l'évidence, elle ne le reconnaissait pas. L'étoile rouge et le fusil la terrifiaient.

— Elle doit être par là, répondit-elle avec un geste vague de la main.

Pourquoi a-t-elle l'air terrorisé ? se demanda Alexandre.

— Où ça par là ? insista-t-il.

— Sais pas. On a été sé... séparées à la descente du... du train, bredouilla Zina tout en se remettant fébrilement à arracher ses pommes de terre.

— Tu ne te souviens pas de moi, n'est-ce pas ?

Elle ne leva pas les yeux.

— Je suis le lieutenant Alexandre Belov. Je venais chercher Tatiana à la sortie de l'usine. Sa famille est morte d'inquiétude.

Il lut enfin une expression d'intense soulagement sur le petit visage hostile de Zina.

— Elle a sauté du train à Tolmachevo, marmonna-t-elle. Elle voulait que je saute avec elle, mais j'ai refusé. Je voulais pas déserter.

Alexandre blêmit.

— Elle a... sauté du train ?

— Oui, à un moment où il ralentissait, elle a descendu les trois marches et elle a sauté. Je l'ai vue rouler en bas du talus.

— Comment as-tu pu la laisser faire une chose pareille ?

— Qu'est-ce que tu voulais que je fasse, camarade ? aboya Zina. Je lui ai dit de pas le faire. Elle a pas écouté. Elle voulait retrouver son frère. Moi, j'ai pas de frère à retrouver. Pourquoi je serais allée me casser le cou ? Moi, je suis venue rejoindre l'Armée du peuple pour notre mère patrie. Je suis pas un déserteur. C'est pour ça que j'ai pas sauté.

— Puisque tu es volontaire, répliqua Alexandre, excédé, on n'aurait pas pu t'accuser de désertion. Et si notre mère patrie t'avait demandé de sauter, tu l'aurais fait, camarade ?

Zina ne répondit pas. Elle continua de déterrer ses pommes de terre en grommelant :

— J'allais pas sauter du train. Je suis pas un déserteur.

Alexandre prit avec lui le sergent Kashnikov ainsi que cinq volontaires et conduisit le camion, désormais vide de munitions, à dix-huit kilomètres au nord, à Tolmachevo. La ville était abandonnée. À force de rouler dans les rues désertes, ils finirent par croiser une femme qui leur indiqua la direction de Dohotino — à trois kilomètres à l'ouest.

— Vous trouverez rien là-bas, ajouta-t-elle. Il n'y a plus personne. Plus personne.

La femme avait raison. Le village bombardé avait presque totalement brûlé. Pourtant, Alexandre arrêta le camion, descendit et se mit à appeler Tatiana. Ses hommes l'imitèrent sans poser aucune question. Plutôt chercher une femme dans un village en ruine que creuser des trous dans un champ pour le miner.

— Tatiana ! Tania ! Tatiana !

Alexandre trouvait presque étrange ce prénom prononcé par des lèvres étrangères. Le village désert renvoyait l'écho sinistre de leurs voix. Ils découvrirent une petite pancarte, miraculeusement encore debout, avec une flèche indiquant le CAMP DE GARÇONS DE DOHOTINO : 2 KM. Les sept hommes empruntèrent à pied le sentier qui courait à travers bois et débouchèrent dans une petite clairière où dix tentes abandonnées encerclaient un petit étang.

En fouillant les tentes, Alexandre aperçut des traces de piquets dans la boue. On avait dû en dresser une onzième : elle avait disparu. L'idée l'inspira et il ordonna à ses hommes d'emporter les dix tentes. Elles pourraient leur être utiles.

Il inspecta chaque centimètre du camp sans découvrir aucun indice d'une présence récente : le feu allumé par les jeunes campeurs était visiblement éteint depuis des semaines.

La soirée était fort avancée lorsqu'ils reprirent la route de Louga. Ils y plantèrent les tentes en bordure de la forêt. Cette nuit-là, Alexandre mit longtemps à s'endormir : si Tatiana ne s'était pas tuée en sautant du train, elle avait dû, elle aussi, trouver le camp vide de Dohotino.

Peut-être même était-ce elle qui avait pris la onzième tente? Et ensuite, qu'avait-elle fait? Était-elle rentrée à Leningrad? Non, elle n'aurait pas renoncé si facilement...

Louga, oui elle avait dû se rendre à Louga, se dire que Pasha ne pouvait être que là, en train de creuser des tranchées près de la ligne de front.

Alexandre s'endormit sur cette idée qui le rassurait.

Au lever du soleil, il fut réveillé par le vrombissement d'une escadrille. Contre tout espoir, ce n'étaient pas des avions soviétiques. Le svastika noir était clairement visible, même à trois cents mètres au-dessus de leurs têtes. Seize avions survolèrent la zone. Alexandre entendit des cris de panique. Quelques instants plus tard, des carrés de papier blancs et bruns voletèrent dans les airs, pareils à de minuscules parachutes. L'un d'eux, un blanc, atterrit devant sa tente :

Soviétiques, la fin est proche! Gagnez le camp des vainqueurs et vivez! Rendez-vous et vivez! Le nazisme est supérieur au communisme. Vous aurez à manger, vous aurez du travail, vous aurez la liberté! Maintenant!

Quant aux papiers bruns, c'étaient des laissez-passer pour traverser le front.

Sur le coup de neuf heures, d'autres avions arrivèrent, volant à une centaine de mètres du sol cette fois. Les lourdes mitraillettes dont ils étaient armés se mirent à tirer sur les hommes et les femmes qui travaillaient dans les champs.

Tous partirent se mettre à couvert sous les arbres. Ils ne vont pas gaspiller leurs bombes, se dit Alexandre en sautant dans une tranchée, son casque sur la tête. Il n'avait pas pensé aux bombes à fragmentation. Elles explosèrent bientôt dans un sifflement auquel succédèrent des hurlements déchirants.

Du regard, il chercha ses hommes. Il n'en vit aucun. Le bombardement dura une trentaine de minutes, puis les avions disparurent, non sans avoir lâché de nouveaux feuillets : *Rendez-vous ou crevez !*

Une épaisse fumée noire, des feux disséminés, des corps méconnaissables qui gémissaient, des cadavres qui flottaient dans la rivière — tel fut le spectacle d'apocalypse qu'Alexandre découvrit en sortant de la tranchée. Il trouva Kashnikov, vivant mais avec une oreille à demi arrachée. Sa blessure saignait abondamment sur son uniforme. Le sergent Shapkov, lui, était indemne. Alexandre passa le reste de la matinée à aider au transport des blessés dans les tentes et l'après-midi à creuser non pas des tranchées, mais des fosses où enterrer les morts. Lui-même et seize de ses hommes firent un énorme trou dans la forêt et y déposèrent vingt-trois dépouilles. Onze femmes, neuf hommes, un vieillard et deux enfants qui ne devaient pas avoir plus de dix ans. Parmi eux, aucun soldat.

Alexandre observa le visage de chacune des onze femmes, chaque fois il crut que son cœur allait s'arrêter. Non, Tatiana n'était pas parmi elles. Alors il la chercha parmi les blessées. Elle n'y était pas. Il ne vit pas non plus Zina.

Il alla trouver le colonel Pyadyshev et s'étonna de la violence du bombardement et du peu d'entraînement des troupes soviétiques.

— Qu'est-ce que vous croyez, lieutenant ? Que les Allemands sont ici en villégiature ? lui répondit le colonel. Depuis dix jours, ils bombardent le front chaque matin. Vous aviez disparu je ne sais où hier matin, vous n'avez donc pas pu vous en rendre compte. Chaque jour ils nous envoient les mêmes bulletins lâchés par les mêmes avions et chaque jour nous recevons les mêmes bombes.

Ensuite, on passe le reste de la journée à enterrer les morts et, le lendemain, on recommence. Leurs unités avancent sur nous à une vitesse moyenne de quinze kilomètres par jour. Ils nous ont laminés à Minsk, à Brest-Litovsk, à Novgorod. On est les prochains sur la liste. Alors ne venez pas me dire qu'on est mal préparés : on fait ce qu'on peut, et on meurt tout de même, voilà tout.

Sur ces mots, Pyadyshev alluma une cigarette d'une main tremblante, puis s'accouda à la petite table qui lui servait de bureau de campagne.

— Une question, mon colonel, dit encore Alexandre. Des volontaires des usines Kirov ont dû arriver ici il y a cinq jours environ. Savez-vous où ils ont été envoyés ?

— Lieutenant, je commande les opérations sur douze kilomètres. J'ignore tout de ce qui se passe ailleurs. Tout ce que je sais, c'est que ces douze kilomètres sont le dernier obstacle entre les boches et Leningrad. Quand ils seront tombés, il faudra se rendre.

— Plutôt mourir que se rendre, riposta fermement Alexandre.

— Rentrez à Leningrad, lieutenant, répondit le colonel d'une voix épuisée. Rentrez tant que vous le pouvez encore. Ramenez vos volontaires. *Sauvez-les.*

Le lendemain matin, quand il se dirigea vers la tente de Pyadyshev, Alexandre découvrit qu'elle avait été démontée dans la nuit. D'autres soldats étaient arrivés. Le front avait été divisé en trois secteurs, chacun avec son propre commandement. La tente du nouveau colonel était plantée à cinquante mètres de l'endroit où celle de Pyadyshev se dressait la veille encore. Non seulement le nouveau colonel ignorait où se trouvait Pyadyshev, mais il ne savait pas non plus *qui* il était. On était le 23 juillet.

Alexandre n'eut pas le temps de s'émerveiller de l'efficacité du NKVD, car à neuf heures les bombardements reprirent. Cette fois ils se poursuivirent jusqu'à midi. Les Allemands s'efforçaient d'éliminer les soldats qui se trouvaient en première ligne avant l'assaut terrestre. Ils attendaient leur heure, mais n'auraient plus longtemps à patienter. Ce n'était qu'une question de jours. Alexandre devait très vite trouver Tatiana, sinon c'étaient les Panzers qu'il trouverait sur son chemin.

5

Sauter du train et rouler au bas du talus fut moins pénible que découvrir le camp vide de Dohotino. Tatiana passa une journée sous l'une des tentes abandonnées, elle ne savait plus quoi faire. Elle se nourrit de quelques myrtilles afin d'économiser ses biscuits. Les souvenirs affluaient : elle se revoyait faisant la course avec Pasha pour traverser la rivière. Certes, un peu plus grand qu'elle, il gagnait souvent. Mais elle avait une chose que lui n'avait pas : l'endurance. Elle sourit en se rappelant l'expression furibonde de son jumeau quand elle gagnait.

Elle n'allait pas si facilement l'abandonner. Lui et ses camarades du camp avaient dû être enrôlés comme volontaires et envoyés quelque part du côté de Louga. Elle décida de s'y rendre. Là-bas, peut-être trouverait-elle aussi Zina et parviendrait-elle à la convaincre de regagner Leningrad.

Le lendemain matin, alors qu'elle errait seule dans le village déserté de Dohotino, son sac sur le dos, sa tente sous le bras, les bombes se mirent à pleuvoir. Elle se précipita dans une maison, mais une petite bombe incendiaire perça le toit. Le mur face à elle prit feu. Elle s'enfuit, oubliant tout — le sac, les biscuits, la tente.

Quelques secondes plus tard, le pâté de maisons tout entier brûlait.

Elle courut vers les bois, se jeta sur le sol et rampa dans les orties jusque sous un chêne abattu. Le bombardement dura une heure — touchant non seulement le village mais aussi Tolmachevo. Les orties s'enflammaient, des branches transformées en torches tombaient en pluie autour d'elle.

Je vais mourir, pensa-t-elle. Je vais mourir seule dans ce village, sous un vieux chêne. Personne ne retrouvera jamais mon corps. Là-bas, à la maison, ils videront une bouteille de vodka et grignoteront quelques cornichons pour oublier leur « petite Tania », un point c'est tout.

Les bombes cessèrent de tomber, mais Tatiana resta encore une bonne heure sous son chêne — au cas où. Ses joues et ses bras la dévoraient, à cause des orties. Mais c'était toujours mieux que les bombes. Elle se félicita d'avoir gardé sur elle le laissez-passer portant le tampon de Krasenko. Sans ce document, elle ne serait pas allée bien loin.

Sur la route de Tolmachevo, elle croisa un camion militaire, montra son laissez-passer et demanda si on pouvait la déposer à Louga. Le camion la laissa à l'extrémité est de la ligne de défense, la plus proche de Novgorod.

Le premier jour, comme tout le monde, elle déterra des pommes de terre et creusa des tranchées. Elle interrogea aussi un sergent sur un groupe de garçons, en camp de vacances dans la région, et qui aurait été recruté parmi les volontaires. Le sergent marmonna quelque chose à propos de Novgorod.

— C'est là qu'on les a envoyés, les gamins, grommela-t-il avant de disparaître.

Novgorod ? Le lac Ilmen ? C'était donc là qu'on avait envoyé Pasha ? Mais comment s'y rendre ?

Ce soir-là, épuisée, Tatiana s'endormit sur l'herbe, sous un arbre.

Le lendemain matin, l'aviation allemande lâcha un nouveau tapis de bombes. Les bombes à fragmentation étaient trop terrifiantes pour qu'elle ose seulement les regarder. Elle comprit qu'il fallait à tout prix quitter Louga. Alors qu'elle errait dans une épaisse fumée âcre, essayant de trouver son chemin, elle fut arrêtée par trois soldats qui lui demandèrent si elle était blessée. Comme elle répondait non, ils lui ordonnèrent de les suivre jusqu'à l'hôpital de campagne. Elle obtempéra de mauvaise grâce et fut plus réticente encore lorsqu'elle comprit ce qu'on attendait d'elle : s'occuper des mourants. Et des mourants, il y en avait énormément. Des soldats, des femmes, des enfants du village, des vieillards — tous entassés à la hâte sous la tente-hôpital, tous à l'agonie.

Tatiana n'avait encore jamais vu la mort de près. Elle ferma les yeux, priant pour qu'un coup de baguette magique la ramène à la maison, à Leningrad. Mais il était trop tard : plus moyen de revenir en arrière. Les miliciens du NKVD se tenaient devant l'entrée de la tente, histoire de dissuader les volontaires de l'être moins...

Alors elle serra les dents et apprit à panser les blessures. Les pansements étaient faits, mais les blessés mouraient. On ne pouvait pas les transfuser parce qu'il n'y avait pas de sang, on ne pouvait ni enrayer les infections, ni apaiser les souffrances. La morphine était réservée aux blessés susceptibles de regagner le front — pas aux mourants.

Beaucoup auraient pu être sauvés si l'hôpital de campagne avait disposé d'un peu de sang ou de ce nouveau médicament, la pénicilline. Tatiana se sentait impuissante, révoltée.

Le lendemain matin, elle entendit une radio bourdonner près des tentes des officiers : des voix avec un fort accent allemand enjoignaient aux troupes frontalières de rejoindre le camp de l'Allemagne. Ensuite, on n'entendit plus parler des Allemands jusqu'au soir, quand les bombardements reprirent. Entre deux attaques, Tatiana lavait les mourants et pansait leurs plaies.

L'après-midi, elle fit un kilomètre à travers champs avant de dénicher une pomme de terre à manger. Elle entendit vrombir les avions avant de les voir et se précipita sous un taillis. Un quart d'heure plus tard, les avions avaient disparu. La jeune fille courut jusqu'à l'hôpital. Il n'y avait plus d'hôpital. La tente qui en tenait lieu s'était transformée en une énorme flambée d'où tentaient de s'extraire des corps à demi carbonisés.

Des centaines de volontaires survivants s'emparèrent de tout ce qui pouvait servir de récipient — des casques, des seaux, des bols — et coururent chercher de l'eau à la rivière pour éteindre l'incendie. Il leur fallut trois heures avant d'y parvenir avec des moyens aussi dérisoires. Puis ce fut le soir, puis un nouveau bombardement, puis la nuit. Il n'y avait plus de tente où abriter les blessés. Ils gisaient à même la terre, au mieux sur des couvertures, ou sur l'herbe, exhalant leur dernier souffle dans l'air chaud de l'été. Tatiana ne pouvait plus leur être d'aucun secours. Assise sur le sol, elle pensait : ça va être mon tour. Je le sens. Ça va être mon tour.

Mais le sommeil l'emporta et elle s'endormit, un casque sur la tête. À son réveil, le lendemain matin, elle vit tout de suite les tourelles et les canons des chars allemands de l'autre côté de la rivière. Un caporal rassembla la poignée de volontaires qui se trouvait à proximité et leur ordonna de partir sur-le-champ pour Louga, d'où ils prendraient un train pour Leningrad.

Tatiana l'attira à l'écart et lui demanda calmement si elle ne pourrait pas plutôt se rendre à Novgorod. L'homme la repoussa du bout de son fusil en hurlant :

— Espèce de folle ! Il n'y a plus de Novgorod. Novgorod est rasée !

— Mais... et nos volontaires qui sont là-bas ?

— Quels volontaires ? brailla le caporal, hors de lui. Il n'y a plus un seul Soviétique dans la ville. Et bientôt il n'y en aura plus non plus à Louga. Alors file tant qu'il est encore temps.

Elle n'avait pas le choix. Elle se retrouva au milieu d'un groupe de neuf personnes. Elle était la plus petite, la plus jeune aussi. Ils parcoururent à pied, à travers champs et bois, les douze kilomètres qui les séparaient de Louga. Tatiana ne put s'empêcher de songer qu'ils allaient y arriver juste à temps pour le bombardement du soir.

À dix-huit heures trente, le petit groupe pénétra dans la gare de Louga. Il n'y avait pas de train.

À dix-neuf heures, l'aviation allemande commença de pilonner les environs. Affolée, une femme sortit de la gare en hurlant. Elle fut fauchée par un tir de mitrailleuse sous les regards horrifiés de ses compagnons. Pourquoi les Allemands attaquaient-ils si près de cette petite gare perdue en rase campagne ? Bientôt, ils comprirent : c'était cette gare que l'ennemi voulait toucher, la voie ferrée qu'il voulait détruire, et il ne renoncerait pas tant qu'un seul de ses murs serait encore debout. Tatiana se recroquevilla sur le sol, le casque enfoncé sur la tête, les genoux ramenés sur la poitrine et, quand la gare s'écroula dans un horrible fracas, elle rampa sous les poutres enflammées, tâtonnant à l'aveuglette dans la fumée. Ses mains ne rencontrèrent qu'un liquide chaud et poisseux qui s'échappait d'un corps sans vie. Ensuite, tous les bruits s'assourdirent doucement, lentement, et elle n'eut plus peur. Sa dernière pensée fut un regret. Le regret d'Alexandre.

6

Il commençait à perdre espoir. De l'autre côté de la frontière naturelle que formait la rivière, il voyait se masser des troupes, des chars, des bataillons de soldats parfaitement entraînés que rien n'arrêterait — en tout cas pas quelques centaines de volontaires armés de pelles.

Sur cette portion de la rivière, les Soviétiques n'avaient que deux chars pour résister à la trentaine de Panzers qui leur faisaient face. Initialement composé de vingt hommes, le peloton d'Alexandre n'en comptait plus que douze. Entre eux et Leningrad, des champs de mines... Trois de ses soldats étaient morts en posant une mine : ils étaient artilleurs, pas mineurs.

Tard dans la soirée, le nouveau colonel le fit appeler et lui demanda de combien d'hommes il disposait encore :

— Douze, mon colonel, répondit Alexandre au garde-à-vous.

— C'est amplement suffisant.

— Suffisant pour quoi, mon colonel ?

— Pour aller déblayer la voie ferrée devant la gare de Louga. Elle a été bombardée. Les trains qui doivent nous apporter des renforts de Leningrad sont bloqués. Allez dégager cette voie ferrée, lieutenant. Ensuite nos ingénieurs la répareront afin que le trafic puisse reprendre dès demain matin.

— Mais... la nuit tombe, mon colonel.

— Je sais, lieutenant. Il n'est pas en mon pouvoir de vous donner la lumière du jour. Depuis le 16 juillet, les nuits blanches sont finies, hélas. Mais il faut impérativement dégager cette voie ferrée. Exécution !

Alexandre et ses hommes durent se munir de lampes à pétrole pour inspecter les décombres de la gare de Louga. Le bâtiment n'était plus qu'un monceau de briques entassées pêle-mêle et la voie ferrée était endommagée sur une cinquantaine de mètres.

Ils se mirent à l'œuvre. Soudain, en soulevant une poutre, de la poussière et des débris de verre plein les mains, Alexandre crut entendre un gémissement. Il appela son sergent :

— Kashnikov ! Par ici ! Vite !

Ils déblayèrent briques et charpente calcinées, et découvrirent un corps. Puis un autre. Puis encore un autre. Tous morts. Alexandre tendit l'oreille. Quelqu'un gémissait toujours sous les cadavres. Avec l'aide du sergent, il dégagea les trois corps qui avaient protégé le blessé.

La blessée...

— Tatia ? fit-il dans un murmure incrédule.

Oui, c'était elle. Il écarta les cheveux de son visage. À la lueur blême de la lampe, elle lui apparut, couverte des pieds à la tête d'un magma de poussière et de sang. À genoux, il lui caressa la joue. Elle était chaude.

— C'est... c'est *la* Tatiana qu'on recherche, mon lieutenant ? demanda le sergent.

Alexandre ne répondit pas. Il devait la prendre dans ses

bras, mais comment ? Elle avait du sang partout. Comment savoir où elle était blessée ?

— Kashnikov, tu restes ici pour dégager les voies avec les hommes pendant que je m'occupe de la faire soigner. Après, vous rentrez à Leningrad. Compris ?

— Compris, mon lieutenant ! Mais, hasarda-t-il, elle va mourir, non ?

— Non ! (Alexandre avait presque crié.) Elle ne mourra pas ! Elle ne mourra pas, j'en réponds.

Il était onze heures du soir lorsqu'il parvint au camp près de la rivière qu'il avait quitté quelques heures plus tôt. Il avait laissé le camion à ses hommes et, pendant trois kilomètres, avait porté Tatiana dans ses bras. Une fois arrivé, il se mit en quête du médecin. Ne le trouvant pas, il alla réveiller son assistant.

— Mark, où est le toubib ?

Le jeune homme s'éveilla en sursaut :

— Il... il est mort ce matin. Coupé en deux par un shrapnel.

Alexandre grimaça.

— Tu te sens de taille à le remplacer, camarade ?

— Faut bien, répondit sans conviction le jeune infirmier. Posez-la ici, ajouta-t-il en désignant une table du menton.

Avec d'infinies précautions, Alexandre y déposa le corps inerte de Tatiana. Elle était sans connaissance. Mark examina sa tête, son visage, ses dents, palpa son cou, souleva ses bras. Lorsqu'il voulut soulever sa jambe droite, la jeune fille poussa un gémissement.

— Vous avez un couteau, lieutenant ? On manque de tout ici.

Sans un mot, Alexandre lui tendit son couteau et, d'un geste sûr, le jeune infirmier trancha l'étoffe du pantalon.

La cheville et le tibia, tuméfiés, avaient une couleur violacée.

— Une fracture, diagnostiqua Mark. En fait, plusieurs fractures... Voyons le reste.

Il déboutonna la chemise de Tatiana et examina sa poitrine, ses côtes, son ventre. Embarrassé, Alexandre aurait voulu détourner les yeux. Il en fut incapable.

— Trois côtes cassées, c'est tout, conclut l'infirmier après un silence qui parut interminable. Où l'avez-vous trouvée ?

— Dans les décombres de la gare de Louga, répondit Alexandre dans un soupir de soulagement. Sous un tas de briques et de cadavres.

— Ces cadavres lui ont sans doute sauvé la vie. Elle a eu beaucoup de chance, vraiment beaucoup de chance. Maintenant il faudrait la plâtrer de toute urgence, mais je n'ai pas de plâtre, vous vous en doutez.

Alexandre secoua la tête : pas de train, pas de camion, aucun moyen de regagner Leningrad pour la faire soigner.

— Tu as de la morphine ?

Mark partit d'un surprenant éclat de rire :

— C'est une blague, lieutenant ! Je garde la morphine pour ceux qui ont des éclats d'obus dans la tête ou dans le ventre, pas pour une jambe cassée. Il faudra qu'elle endure sa douleur.

Alexandre se raidit :

— Dans ce cas, donne-moi au moins un drap, des serviettes, de quoi faire des pansements, camarade. Je m'occupe du reste.

L'infirmier s'exécuta et, reprenant doucement la jeune fille dans ses bras, Alexandre la porta jusqu'à sa tente. Il la déposa par terre, sur le drap que lui avait donné Mark, puis alla chercher de l'eau à la rivière. Lorsqu'il revint il déchira une serviette, en plongea un lambeau dans l'eau fraîche et entreprit de nettoyer le visage et les cheveux de Tatiana, où le sang s'était coagulé. Quand la serviette passa sur son front, elle ouvrit les yeux. Sans un mot, elle plongea son regard dans celui d'Alexandre.

— Je suis... je suis...

— Non, tu n'es pas morte. Mais il s'en est fallu de peu. Tu es sous ma tente, sur la ligne de front de Louga.

— Qu'est-ce... qu'est-ce que tu fais là, Alexandre ?

Il aurait pu mentir. Au début, c'était ce qu'il avait pensé faire, d'ailleurs, tant il s'était senti blessé, trahi par la façon dont elle l'avait brusquement écarté de sa vie. Mais il n'en eut pas le cœur. Elle était si fragile, si minuscule, si pitoyable — si courageuse en même temps : elle ne méritait pas le mensonge.

— Je suis venu te chercher.

— Me chercher... moi ?

Il confirma d'un hochement de tête. Non, décidément, il ne pouvait plus faire « comme si », comme si la ramener vivante, ensanglantée, blessée, ne signifiait rien, comme si l'avoir extirpée des gravats et des cadavres jonchant la gare dévastée ne signifiait rien, comme si *elle* ne signifiait rien...

— J'ai mal, articula-t-elle péniblement.

— Tu as la jambe cassée... et quelques côtes aussi.

— J'ai mal au dos.

— Tu crois que tu peux t'asseoir ?

Elle fit un mouvement pour essayer, mais retomba aussitôt.

— Non, impossible, murmura-t-elle en ramenant sur sa poitrine les pans de sa chemise.

Ce geste de pudeur dérisoire bouleversa Alexandre. Puis il se ressaisit et, lentement, avec une infinie douceur, tourna Tatiana sur le côté et retroussa la chemise afin d'examiner son dos : il était constellé de petites coupures, mais rien de grave. C'étaient sans doute ses côtes cassées qui la faisaient souffrir.

Il plongea dans le seau un nouveau bout de serviette, l'essora et nettoya délicatement les omoplates, le dos, les reins. Quand il eut terminé, il voulut la retourner à nouveau en disant :

— Maintenant, l'autre côté.

— Non, chuchota-t-elle, les poings serrés sur ses deux pans de chemise. Non, je vais le faire moi-même.

— Tania, tu ne tiens même pas assise. Que veux-tu faire toi-même ?

La question demeura sans réponse.

Alors, avec des gestes lents et calmes, il coupa la chemise avec son couteau, afin de lui épargner tout mouvement, lui lava les bras qu'elle tenait pressés sur ses seins, le ventre... Elle gémit quand il effleura ses côtes.

— Tania, murmura-t-il, un jour il faudra que tu me racontes ce que tu fabriquais dans cette gare sous les bombes... Maintenant laisse-moi te laver les jambes.

Le pantalon subit le même sort que la chemise.

— Tu souffres beaucoup ?

— Pire que ça. Tu as quelque chose contre la douleur ?

— De la vodka, c'est tout.

Tatiana grimaça, les yeux fermés, et comme il séchait son ventre avec la douceur d'une caresse, il vit perler des larmes sous ses paupières :

— Je t'en prie... je t'en prie, ne me regarde pas, dit-elle.

Sa voix se brisa dans un sanglot. Alors il se pencha pour déposer un baiser à la naissance des seins, ce minuscule carré de peau que ses petites mains ne pouvaient pas couvrir.

— Maintenant je vais faire les pansements.

Elle le laissa faire — sans pour autant renoncer à dissimuler sa poitrine. Comme il put, il lui banda les côtes et fabriqua avec un bout de bois une attelle pour sa jambe. Puis il posa doucement sur elle sa capote militaire, la tira jusqu'à son menton et, accroupi tout près, lui demanda :

— Comment te sens-tu maintenant ?

— J'ai froid. Tu crois que je vais mourir ?

— Sûrement pas. Tu verras, demain ça ira déjà mieux. Seulement, il faut qu'on trouve un moyen de te ramener à Leningrad.

— Impossible. Je ne peux pas marcher.

— Ne t'inquiète pas. Tant que tu es avec moi, ne t'inquiète de rien. Demain, la voie ferrée sera peut-être réparée... Il faudra partir à l'aube. Les Allemands vont bientôt franchir la rivière. Dis-moi, ajouta Alexandre après un silence, qu'as-tu fait à tes cheveux ?

— Tu trouves ça horrible, n'est-ce pas ?

Elle avait planté dans le sien un regard si vulnérable et désarmé qu'il en eut le souffle coupé.

— Non, Tania, pas horrible du tout, répondit-il enfin d'une voix rauque.

À cet instant-là, il lui fallut une volonté surhumaine pour ne pas l'embrasser...

— Pourquoi avoir commis cette folie ? reprit-il

— Je voulais retrouver mon frère.

— Il fallait venir me voir à la caserne et me poser la question, Tatia.

— Je me suis dit que, si tu n'étais pas venu m'attendre à la sortie de l'usine, c'était que...

Elle s'interrompit, incapable de poursuivre.

— Tania, je suis désolé, mais... Pasha a été envoyé à Novgorod.

— À... à Novgorod. Oh, n'en dis pas plus, je t'en prie...

Elle hoquetait, le corps secoué de tremblements.

Alexandre se redressa.

— Où vas-tu ? lui demanda-t-elle d'une voix faible.

— Nulle part. Je vais dormir ici, et demain on rentre à la maison.

— Tu vas mourir de froid sur l'herbe, sans ton manteau. Viens près de moi.

Il répondit non d'un mouvement de tête.

— Shura, je t'en prie.

Et elle tendit la main vers lui.

L'eût-il voulu, il n'aurait pu refuser. Il éteignit la lampe à pétrole, ôta ses bottes et son uniforme couverts de sang et de boue, fouilla dans son sac à la recherche d'un maillot de corps propre et vint se blottir près d'elle, sous la capote. Elle posa délicatement la tête sur son épaule. Il sentait son souffle léger sur sa peau, son corps frêle et nu près du sien.

— Tania, chuchota-t-il, raconte-moi comment tu as atterri dans cette gare.

Alors, dans un murmure, elle lui raconta tout — tout ce qu'elle avait fait pour retrouver Pasha.

— Tu sais, poursuivit-elle d'une petite voix entrecoupée de sanglots, quand on était petits, Pasha et moi on faisait de la barque sur le lac Ilmen. Quand on était en vacances chez ma cousine Marina...

— Ah oui. La fameuse cousine Marina. Celle à qui tu allais rendre visite quand on s'est rencontrés dans l'autobus.

Dans la pénombre de la tente, elle sentit, plus qu'elle ne le vit, son sourire.

— Oui, la fameuse cousine Marina. Ses parents avaient une datcha au bord du lac. Un jour, Pasha et moi on s'est disputés dans la barque. Il refusait de me laisser ramer. J'ai insisté. Il s'est mis à crier et puis il a dit : « Tu la veux, cette rame ? Eh bien, prends-la ! » Et il l'a balancée vers moi, si fort qu'il m'a fait tomber à l'eau.

Alexandre frémit.

— Je n'avais rien, mais j'ai voulu lui faire croire le contraire et j'ai plongé sous la barque. Je l'ai entendu qui m'appelait, plusieurs fois, de plus en plus paniqué. Et puis il s'est jeté à l'eau pour me sauver. J'en ai profité pour remonter dans la barque, j'ai attrapé la rame et, quand il a sorti la tête de l'eau pour respirer, je lui en ai donné un coup. Crois-moi, Shura, ajouta-t-elle dans un reniflement, je ne voulais pas lui faire mal. Mais il a perdu connaissance. Par chance, il portait un gilet de sauvetage. Il est resté comme ça, flottant dans son gilet, la tête dans l'eau. J'ai cru qu'il me faisait marcher et j'ai attendu pour voir combien de temps il allait tenir. J'ai attendu une minute, deux minutes, le cœur battant. Et puis j'ai pris peur, et je l'ai hissé dans la barque. Je ne sais pas comment j'ai réussi. Il gémissait que je l'avais frappé trop fort. J'ai ramé jusqu'au rivage. Inutile de te dire la correction que j'ai reçue quand mes parents ont vu le bleu sur le front de Pasha. Après, il est allé raconter à tout le monde qu'il avait joué la comédie et que, pas un instant, il n'avait perdu connaissance. Eh bien, tu vois, conclut-elle d'une voix tremblante, en ce moment, j'attends tout le temps que Pasha sorte la tête de l'eau en riant pour me dire que c'est une blague...

— Cette fois, Tatiasha, répondit Alexandre en lui caressant les cheveux, ces salauds de boches ont tapé trop fort sur sa tête.

— Je sais. Et on n'était pas là. On n'était pas avec lui.

Tatiana se tut. Il entendit son souffle s'apaiser, puis se suspendre un instant, comme si elle s'apprêtait à dire quelque chose.

— Shura..., commença-t-elle.

— Oui, Tania.

— Tu m'as manqué.

— Toi aussi, tu m'as manqué.

Il lui prit la main et la posa sur sa poitrine. Quelques minutes s'écoulèrent.

Puis quelques heures.

Tatiana gémissait.

Un filet de lumière gris-bleu filtra par l'entrée de la tente. Alexandre ouvrit un œil. Tatiana dormait. Il se leva doucement, s'habilla sans bruit et alla trouver l'infirmier afin de lui demander s'il aurait des vêtements pour elle — et des médicaments. Des médicaments, Mark n'en avait pas. Mais, dans un coin, restait une robe ayant appartenu à l'une de ses collègues, morte quelques jours auparavant. Alexandre la prit et dit dans un souffle :

— Elle a souffert toute la nuit. Donne-moi un peu de morphine.

— Je n'en ai pas, répliqua sèchement l'infirmier. Et si vous en volez vous serez passé par les armes. Qui doit avoir la morphine, elle ou un capitaine de l'Armée rouge ?

Le lieutenant tourna les talons sans répondre et regagna sa tente. Pendant son absence, Tatiana s'était réveillée. Il l'aida à passer la robe et lui fit part de ses plans : il allait la porter sur son dos jusqu'à la gare détruite de Louga, pour voir si la voie avait été réparée et s'ils pouvaient prendre un train pour Leningrad. Il tiendrait son fusil dans ses mains, le sac à dos contenant la tente et son manteau sur son ventre.

— Tu n'y arriveras pas, dit la jeune fille. Laisse-moi ici.

— Tu crois que j'ai fait tout ça pour t'abandonner dans un camp que les Allemands vont envahir d'une minute à l'autre ? Allons, sois raisonnable, répondit Alexandre tout en démontant la tente.

Lorsqu'il eut fini d'emballer leurs quelques affaires, il l'obligea à boire quelques gorgées de vodka afin d'assourdir la douleur qu'il lisait sur ses traits. Ensuite, il fixa le sac sur son ventre, prit son fusil et s'accroupit, le dos tourné vers elle :

— Allez, grimpe !

Elle obéit, nouant les bras autour de son cou, si fort qu'elle manqua l'étrangler.

— Tu souffres, n'est-ce pas ?

Elle ne répondit pas.

Et il parcourut en sens inverse les trois kilomètres qui les séparaient de la gare de Louga.

La voie n'était pas réparée.

— Qu'est-ce qu'on fait maintenant ? interrogea Tatiana, anxieuse, tandis qu'il la déposait sur le sol.

— On marche jusqu'à la prochaine gare, répondit-il comme s'il n'y avait rien de plus naturel.

— Qui se trouve à... ?

— Six kilomètres.

— Tu ne peux pas continuer à me porter pendant six kilomètres.

— Tu as une autre solution ? Non. Alors grimpe.

Ils avançaient sur un petit sentier forestier lorsqu'ils entendirent les premiers avions vrombir au-dessus des arbres. Seul, Alexandre aurait continué sa marche. Mais, sur son dos, Tatiana était extrêmement vulnérable. Alors il s'écarta du sentier, s'enfonça dans les sous-bois et la coucha sur un tapis de mousse, près d'un arbre mort.

— Allonge-toi sur le ventre, lui dit-il. Les mains sur la tête.

Elle ne bougea pas. Étendue sur le dos, elle le regardait fixement.

— N'aie pas peur, Tania.

— Comment pourrais-je avoir peur puisque tu es là ? Shura...

Il n'y tint plus — il y avait tant de confiance et d'amour dans ce regard... Alors il se pencha vers elle et l'embrassa longuement, tendrement. Elle avait les lèvres aussi douces et fraîches qu'il les avait imaginées, et elle lui rendit son baiser avec tant de passion qu'il ne put réprimer un gémissement.

Puis ce fut l'explosion. Elle les arracha l'un à l'autre. À quelques mètres de leur couche improvisée, la cime d'un pin s'enflamma, des branches incandescentes voltigèrent dans les airs. Alexandre couvrit Tatiana de son corps.

— Ne crains rien, lui chuchotait-il à l'oreille. Ne crains rien, je suis là.

L'escadrille disparut aussi soudainement qu'elle était venue. Ils se dépêchèrent de reprendre leur chemin, craignant un nouveau bombardement. Sous un ciel noir de fumée, dans une forêt en flammes, Alexandre porta Tatiana sur les quatre kilomètres qui restaient encore à parcourir. Une fois à la gare, il la déposa doucement sur le sol et se laissa tomber à ses côtés, épuisé. La gare était bondée — une foule hagarde de vieillards, de femmes, d'enfants qui se bousculaient, se pressaient, tous sales, hébétés, tous attendant un improbable train.

— J'imagine que tu n'as rien mangé depuis un bon moment, dit Alexandre.

— Si, une pomme de terre et des myrtilles. Mais toi, tu as dû manger encore moins que ça...

C'était vrai. Elle posa la tête sur son épaule. Il embrassa son front.

— Tout va s'arranger, je te le promets. Encore un peu de patience, ma Tatia.

Enfin un train entra lentement en gare — des wagons à bestiaux : impossible de s'asseoir. Alexandre proposa à Tatiana d'en attendre un autre.

— Non, répondit-elle d'une voix faible. Je ne me sens

pas très bien. Je préfère prendre celui-là et arriver plus vite à Leningrad. Je me tiendrai sur une jambe.

Il l'aida à se hisser dans l'un des wagons avant d'y grimper lui-même. Tassés au milieu de centaines d'autres exilés du désespoir, pressés l'un contre l'autre, ils firent ce voyage qui les ramenait à Leningrad — à « la vie d'avant », songea la jeune fille. Alors une question lui vint tout à coup. Comment avait-elle pu ne pas y penser? Alexandre était venu à Louga pour la chercher, il le lui avait dit. Mais... comment avait-il su?

Ils arrivèrent à la gare de Varsovie en début de soirée. Là, ils s'assirent sur un banc. Tatiana demeurait étrangement silencieuse. Au bout d'un long moment, elle se décida à poser cette question qui l'avait torturée autant que sa jambe brisée pendant tout le trajet.

— Comment as-tu su que j'avais quitté Leningrad?

Alexandre mit quelques instants à répondre :

— C'est Dasha qui me l'a dit. C'est elle qui m'a demandé de te retrouver.

Le visage de la jeune fille se décomposa. Elle s'écarta sur le banc jusqu'à ce que plus un seul centimètre de son corps n'effleure l'uniforme du lieutenant.

— Tatia, voyons...

— Conduis-moi à l'hôpital, s'il te plaît.

Il voulut l'aider à se relever. Elle refusa avec brusquerie. Il ne fallait plus qu'il la touche. La même scène se reproduisit au moment de monter dans le tram qui devait les conduire à l'hôpital Grecheski.

— Tania, arrête de sautiller sur une jambe. Laisse-moi t'aider.

— Je n'ai pas besoin d'aide. J'y arrive très bien toute seule.

Lorsqu'ils furent assis dans le tram, il passa un bras sur ses épaules. Elle détourna la tête.

— Tania, que se passe-t-il ? Pourquoi es-tu fâchée ?

— Je ne suis pas fâchée.

Un quart d'heure de lourd silence plus tard, ils étaient à l'hôpital. En quelques minutes, Tatiana obtint un lit, une chemise propre et, surtout, de la morphine.

— Tu vas tout de suite te sentir mieux, tu vas voir, lui dit Alexandre. On va te plâtrer. Je vais passer rassurer ta famille. Ensuite j'irai retrouver mes hommes, ajouta-t-il dans un soupir. Je suis sûr qu'ils sont toujours bloqués à Louga.

Adossée contre ses oreillers, Tatiana répondit froidement :

— Merci de m'avoir aidée.

Il s'assit au bord du lit. À nouveau elle détourna la tête. Alors il glissa deux doigts sous son menton et l'obligea à lui faire face. Elle avait des larmes plein les yeux.

— Tania, je ne comprends pas. Si Dasha n'était pas venue me dire que tu avais commis cette folie, comment l'aurais-je appris ? Maintenant tu es sauvée, c'est l'essentiel, conclut-il en lui caressant la joue.

— Tu l'as fait pour Dasha. Elle t'en sera sûrement reconnaissante.

Alexandre s'esclaffa — un éclat de rire bref, incrédule.

— Et si je t'ai embrassée, c'était aussi pour Dasha peut-être ?

Le visage de la jeune fille s'empourpra.

— Tania, on ne peut pas parler de ça maintenant. Pas après ce qu'on vient de traverser.

— Tu as raison. On ne peut pas parler de ça. Ni de rien. Maintenant va. Va dire à ma sœur que tu m'as sauvée pour elle.

— Je ne t'ai pas sauvée *pour elle*. Je t'ai sauvée pour toi, pour moi — pour nous. Tu es injuste.

— Je sais, répliqua Tatiana en fixant d'un regard vide la couverture sur son lit. Il n'y a *rien* de juste dans tout ça.

Dévoré par l'envie de l'embrasser encore, Alexandre se contenta pourtant de lui prendre la main et de déposer un baiser au creux de son poignet.

Puis il partit.

DÉCHIRURES

1

Une fois Alexandre parti, elle eut envie de fondre en sanglots, mais ses côtes la faisaient trop souffrir. Véra, son infirmière, pénétra dans la chambre et dit :

— Allons, ma petite, ne te frappe pas, tu vas guérir. Et puis ta famille ne va pas tarder. Pourquoi n'essaierais-tu pas de dormir ? Je vais te donner quelque chose...

— Tu as de la morphine, camarade ?

— Je t'en ai déjà donné deux grammes ! Combien t'en faut-il donc ?

— Un kilo, répondit Tatiana.

Et elle s'endormit en gémissant.

Lorsqu'elle rouvrit les yeux, sa famille était assise autour du lit. Tous avaient des mines à la fois attendries et épouvantées. Dasha lui tenait la main. Irina Fedorovna séchait ses yeux en reniflant. Babouchka tapotait le bras de Deda. Quant à Georgi Vassilievitch, il fixait sur sa cadette un regard lourd de reproches.

— Je voulais... je voulais ramener Pasha, murmura-t-elle en réponse à leurs questions muettes. Pardonnez-moi, je n'y suis pas arrivée...

— Tania, c'était de la folie, fit son père en se dirigeant brusquement vers la fenêtre de la chambre. Tu n'as donc rien appris à l'école ? On ne dirait jamais que tu as un an d'avance ! Oui, qu'est-ce qu'on t'a appris là-bas ? Sûrement pas la jugeote !

— Tanechka, tu es notre petite fille chérie, repartit Irina Fedorovna. Qu'est-ce qu'on serait devenus si on t'avait perdue, toi aussi ? conclut-elle dans un sanglot.

— Ne dis pas de bêtises, Irina ! s'exclama son mari, hors de lui. Pourquoi « toi aussi » ? Nous n'avons pas perdu Pasha ! Chaque jour des volontaires rentrent du front. Il y a encore de l'espoir.

— Va dire ça à Nina Iglenko, rétorqua Dasha. On ne peut pas faire un pas dans le couloir sans l'entendre hurler qu'elle a perdu son Volodya.

— Nina a quatre fils, lui répondit son père d'un air sombre. Si cette guerre ne cesse pas très vite, ils se retrouveront tous les quatre sur le front. Elle ferait mieux de s'habituer à l'idée de les perdre. Tandis que nous, acheva-t-il en baissant la tête, on n'a qu'un seul garçon et... et je garde espoir.

Si elle en avait eu la force, Tatiana se serait détournée pour ne pas devoir affronter leurs mines désespérées. Elle ne pouvait plus les regarder dans les yeux maintenant qu'elle savait, maintenant qu'elle avait vu Louga, ces corps à l'agonie qu'elle avait pansés, ceux qu'elle avait vus mourir, ces membres calcinés, écartelés, broyés, ces enfants... Même si elle leur avait parlé, ils ne l'auraient pas crue — elle avait tant de mal à y croire elle-même...

— Tu es vraiment folle, Tania, fit Dasha sur un ton réprobateur. Tu nous as fait vivre un enfer et tu as risqué la vie de mon pauvre Alexandre. Je l'ai supplié de partir à ta recherche, tu sais. Il ne voulait pas. Il a dû s'adresser directement à son colonel pour pouvoir partir.

— Tania, renchérit Deda, ce garçon t'a sauvé la vie.

— Vraiment ? répondit faiblement Tatiana.

— Pauvre chou, reprit sa mère en lui caressant la main.

Elle ne se souvient de rien. Georg, tu te rends compte ? Elle ne se rappelle pas ! Dieu sait ce que tu as dû traverser, ma petite.

— Maman, tu le sais ce qu'elle a traversé, riposta Dasha. La gare lui est tombée dessus et c'est Alexandre qui l'a sortie des décombres !

— Ce lieutenant, ma Dasha, où l'as-tu trouvé ? C'est de l'or, ce garçon, de l'or pur. Surtout ne le lâche pas !

— J'y compte bien.

À cet instant précis, l'homme en or pur pénétra dans la chambre, accompagné de Dimitri. La famille tout entière fondit sur lui : Georgi Vassilievitch et Deda lui saisirent chacun une main qu'ils secouèrent avec vigueur, Irina Fedorovna et Babouchka le serrèrent dans leurs bras. Quant à Dasha, elle l'attira contre elle et lui donna un long baiser.

Sur la bouche.

Un baiser interminable.

— Voyons, ma fille, fit Georgi Vassilievitch. Laisse donc ce malheureux respirer.

Dimitri s'assit sur le lit et passa un bras sur les épaules de Tatiana, le regard à la fois inquiet et amusé.

— Eh bien, Tanechka, fit il en lui embrassant le front, on dirait que tu as eu de la chance. Notre lieutenant va sûrement recevoir encore une médaille. D'autant qu'après t'avoir déposée ici, il est retourné chercher ses hommes et en a ramené onze sur les vingt qu'il avait emmenés à Louga. Mieux qu'en Finlande, pas vrai, Alex ?

Dimitri avait ajouté cette phrase avec son étrange sourire. Alexandre fit mine de ne pas entendre. Il s'approcha du lit :

— Comment te sens-tu, Tania ?

— Attends un peu. (Dasha s'interposa.) Qu'est-ce qui s'est passé en Finlande ? Je veux savoir !

Elle le tirait par la manche.

— Je préfère ne pas en parler.

— Dans ce cas, moi je vais leur dire, fit Dimitri, radieux derrière son mauvais sourire. En Finlande, Alexandre n'a ramené que quatre hommes sur trente. Pourtant, il a réussi à faire de cette débâcle une brillante victoire : il a été décoré et promu, pas vrai, Alex?

Une fois encore, celui-ci omit de répondre, préférant se tourner vers Tatiana :

— Comment va ta jambe?

— Bien, mais je dois garder le plâtre jusqu'en septembre.

— Georg, fit soudain Irina Fedorovna entre deux reniflements, tu te rends compte qu'il a porté notre Tania sur son dos. Sur son dos, Georg!

— Tatiana, commanda Georgi Vassilievitch sur un ton impérieux, je ne suis pas sûr que tu aies correctement remercié l'homme qui t'a sauvé la vie.

Alors, une main emprisonnée dans celle de Dimitri, Tatiana parvint à lever la tête, à regarder Alexandre dans les yeux et à articuler :

— Merci, lieutenant.

Avant qu'il ait pu répondre quoi que ce soit, Dasha se pressait à nouveau contre lui :

— Mon chéri, tu vois ce que tu as fait pour notre famille? Comment pourrai-je jamais te remercier?

Elle se frottait contre lui. Tatiana était au supplice. Par bonheur, une infirmière vint annoncer la fin des visites, mettant un terme à sa torture.

Dimitri posa une joue piquante près de sa bouche.

— Bonne nuit, ma chérie, dit-il. Je reviendrai te voir demain.

Elle eut envie de crier.

Dasha resta la dernière afin de retaper les couvertures

et de glisser un oreiller sous la jambe blessée de sa petite sœur. Elle paraissait agitée, nerveuse.

— Tania, lui souffla-t-elle, si Dieu existait, je le remercierais de t'avoir créée : je viens d'avoir une longue conversation avec Alexandre — tu comprends, je lui étais tellement reconnaissante de t'avoir ramenée. Je suis arrivée à le convaincre de nous donner une seconde chance. Je lui ai dit : « Alexandre, avec cette guerre aux portes de la ville, qu'est-ce qu'on a à perdre ? Regarde ce que tu as fait pour moi. Tu n'aurais pas pris tant de risques si je t'étais indifférente. » Et il m'a répondu : « Dasha, je n'ai jamais dit que tu m'étais indifférente. »

Sur ces mots, elle déposa un baiser sur le front de Tatiana en ajoutant :

— Merci, mon bébé. Merci d'être restée en vie assez longtemps pour qu'il te retrouve.

— De rien, ce fut un plaisir...

— Tania, reprit Dasha, tu crois que Pasha est vivant quelque part ?

En un éclair Tatiana revit les bulletins de la propagande nazie flotter dans le ciel comme des confettis, les bombes explosant dans une pluie de fer, les canons pointés sur elle, sur Alexandre, sur Pasha...

— Non, je ne crois pas, répondit-elle dans un souffle.

Et elle ferma les yeux.

Elle ne les rouvrit qu'une heure plus tard en entendant grincer la porte de la chambre. Alexandre se tenait près du lit.

— Qu'est-ce que tu fais ici ? lui demanda-t-elle.

— Je voulais m'assurer que tu allais bien. Et... et je voulais te parler de Dasha...

— Elle m'a dit que vous vous étiez remis ensemble, l'interrompit tout de suite Tatiana sur un ton faussement léger. Pourquoi pas, après tout ? Avec cette guerre aux portes de la ville, qu'est-ce que vous avez à perdre ?

— Tatia...

— Ne m'appelle pas Tatia, le coupa-t-elle encore, cinglante.

— Que veux-tu que je fasse ?

— Que tu me laisses tranquille.

— Mais comment ?

— Je ne sais pas, mais tu ferais bien de trouver un moyen. Regarde la sollicitude de Dimitri. Cette histoire semble avoir révélé en lui certaines qualités. Je ne savais pas qu'il pouvait se montrer aussi gentil.

— C'est vrai, il t'embrasse très gentiment, confirma Alexandre, le regard sombre. Et tu le laisses faire. Tania, je ne comprends pas ce que tu veux. Depuis le début, je t'ai dit qu'il ne fallait pas jouer à ce jeu-là. Maintenant il est trop tard, poursuivit-il après un silence. Maintenant, c'est encore plus difficile.

Il leva la main pour lui caresser la joue.

Elle tourna la tête.

Le médecin annonça à Tatiana qu'elle ne quitterait pas l'hôpital avant la mi-août, le temps que ses côtes soient assez solides pour lui permettre de marcher avec des béquilles. Sa jambe était plâtrée du genou jusqu'aux orteils.

Sa famille lui apportait à manger : pirojkis, poulet, tarte... Au début, ils venaient tous les jours — puis, très vite, tous les deux jours. Dasha faisait irruption dans la chambre, rayonnante, bras dessus, bras dessous avec son lieutenant. Elle embrassait le front de sa petite sœur et disait qu'elle était désolée : elle ne pouvait vraiment pas rester. Dimitri aussi passait : il s'asseyait sur le lit, passait un bras sur les épaules de Tatiana, puis repartait avec les autres.

Un soir où, pour tuer le temps, ils avaient tous quatre entamé une partie de cartes, Dasha dit à sa cadette que son dentiste avait été évacué; désormais elle travaillait avec leur mère et fabriquait des uniformes.

— Maintenant, je ne peux plus être évacuée, conclut-elle fièrement. Je suis devenue indispensable puisque je contribue à l'effort de guerre.

Et elle gratifia Alexandre d'un large sourire tout en sortant de sa poche une poignée de dents en or.

— D'où tu tiens ça? fit Tatiana, ahurie.

Dasha répondit que son dentiste les lui avait données en guise de rémunération : dans le mois qui venait de s'écouler de plus en plus de gens s'étaient fait arracher leurs dents en or.

— Et tu as accepté?

— Toute peine mérite salaire, sœurette. Ces dents sont mon salaire. Tout le monde ne peut pas être aussi pur que toi.

Tatiana renonça à discuter. Après tout, elle était mal placée pour donner des leçons de morale à Dasha. Alors elle changea de sujet et parla de la guerre. La guerre, c'était comme la météo : il y avait toujours quelque chose à en dire. Alexandre annonça que le front de Louga allait tomber d'un jour à l'autre. Tatiana écoutait d'une oreille distraite. Entre ses quatre murs gris d'hôpital, tout lui paraissait presque aussi irréel que dans le village désert de Dohotino. Elle n'apprenait que les choses sur lesquelles elle posait des questions. Peut-être que si elle ne posait plus de questions sur la guerre, la guerre disparaîtrait...

Et alors? se demanda-t-elle.

Alors rien. Rien — sinon la vie d'avant. Je retournerai travailler. L'année prochaine j'irai peut-être à la fac, comme prévu. Oui, j'irai à la fac, j'étudierai l'anglais et je rencontrerai quelqu'un. Un gentil Russe qui fera des études d'ingénieur. On se mariera, on ira vivre avec sa mère et sa grand-mère et on aura un enfant.

Non. Décidément, cette vie-là, en dépit de tous ses efforts, elle ne parvenait pas à se l'imaginer. L'image d'Alexandre s'y superposait sans cesse. Elle n'avait qu'un seul désir : qu'il vienne lui rendre visite — seul. Elle lui dirait qu'elle regrettait, qu'elle n'avait pas voulu lui faire de peine, qu'elle s'était montrée injuste — qu'elle avait besoin de lui...

Elle reprit la lecture des nouvelles de Zochtchenko, mais les réalités de la vie soviétique ne l'amusaient plus. Les journées passaient, interminables. La nuit, elle n'arrivait pas à dormir. Les larmes qu'elle voyait briller dans les yeux de sa mère lui rongeaient le cœur, les silences de son père étaient une torture. Pasha lui manquait. Elle avait échoué, elle ne l'avait pas ramené. Et Alexandre n'était pas là.

Au début, elle fut en colère, puis en colère d'être en colère, puis peinée. Puis, un jour, elle commença à se résigner.

Ce fut ce jour-là qu'il surgit — au beau milieu de l'après-midi. Elle ne l'attendait plus.

Il lui apportait une glace.

Elle le remercia. Il s'assit sur le lit et, sans un mot, la regarda déguster sa glace. Puis il dit, sur le ton léger de la conversation :

— On m'a donné un groupe de sept volontaires qui n'ont jamais vu un fusil de leur vie. Ce matin, je leur ai fait creuser des fossés antichars sur la Perspective Moscou. Les trams ne passent plus maintenant... Tu m'écoutes ?

— Pardon?

Tatiana s'arracha au bourdonnement assourdissant qui roulait dans sa tête.

— Bien. Il faut que j'y aille, fit Alexandre en se levant.

— Non! Attends...

Il se rassit.

— Pour l'autre jour..., commença-t-elle. Je voulais te dire... excuse-moi.

Il secoua la tête :

— Ce n'est pas grave. Oublie ça.

— Pourquoi as-tu mis si longtemps à venir?

— Que veux-tu dire? Je viens tous les jours.

Elle baissa la tête et ne répondit rien. Lorsqu'elle se décida à relever les yeux, son regard rencontra celui d'Alexandre : il avait parfaitement compris.

— Je sais, dit-il. J'aurais pu venir seul. Mais j'ai pensé que ça ne serait bon ni pour toi ni pour moi...

Des images surgirent devant les yeux de Tatiana : il se penchait vers elle — doucement, très doucement — et lavait son corps ensanglanté; elle dormait près de lui, dans ses bras, les lèvres pressées contre sa peau.

— Tu as raison, souffla-t-elle.

Elle le vit se lever et se diriger vers la porte. Là, elle n'y tint plus :

— Alexandre!

Il se retourna.

— Tu reviendras, dis? Même quelques minutes?

Sa casquette de l'Armée rouge dans les mains, il bredouilla :

— Tania... avec toutes ces infirmières... Enfin... tu comprends : si quelqu'un mentionne ma visite devant ta famille...

— Je comprends...

Oui, elle ne comprenait que trop bien.

Une fois la porte refermée sur le lieutenant Belov, elle s'accabla de reproches : je suis la pire des sœurs. J'ai toujours cru être une sœur aimante et loyale et, à la première occasion, voilà comment je me comporte. Je me dégoûte !

2

Une semaine plus tard, en pleine nuit, elle sentit une caresse sur sa joue. Elle eut envie d'ouvrir les yeux, mais ce rêve était si doux qu'elle ne voulait pas le briser. Un homme aux larges et douces mains et au souffle parfumé de vodka lui caressait le visage. Elle ne connaissait qu'un seul homme avec des mains pareilles. Alors elle ouvrit les yeux.

C'était lui.

— Alexandre, mais... quelle heure est-il?

— Trois heures du matin. J'ai été très discret. Je voulais juste voir si tu allais bien. Je pensais à toi, toute seule dans cette chambre. Tu es triste? Tu t'ennuies?

— Oh que oui! chuchota-t-elle. Dis-moi... tu as bu?

— Un peu, avoua-t-il, l'œil vague. Je n'étais pas de garde ce soir. On a fait la tournée des bars avec Marazov. Tatia, je n'arrive pas à trouver les bons mots. Alors je me suis dit qu'après quelques verres...

— Shura, tous les mots que tu prononces *sont les bons mots*.

Il lui prit les mains et les pressa contre sa poitrine, tête basse. Mais, là, à côté de son visage, Tatiana crut voir celui de Dasha — décidément, sa conscience refusait de lui laisser un seul instant de bonheur. Puis les traits de

Dasha s'évanouirent comme par enchantement. Elle approcha sa tête de celle d'Alexandre et lui embrassa doucement les cheveux, le front, les yeux. Leurs bouches se rencontrèrent, les emportant dans un long et profond baiser, tandis que les larges mains qui l'avaient réveillée dénouaient les lacets qui fermaient sa chemise de nuit, révélant un corps nu et frissonnant. Leurs lèvres se séparèrent. Celles d'Alexandre vinrent délicatement se poser sur les seins de la jeune fille. Elles en mordillaient les pointes saillantes, les pinçaient avec une ardeur telle que Tatiana ne put réprimer un gémissement.

— Chut, ma chérie, on va nous entendre.

Sur ces mots, Alexandre se leva pour aller verrouiller la porte de la chambre. Il n'y avait pas de verrou. Alors il bloqua son fusil sous la poignée et revint vers le lit couvrir de baisers chaque centimètre du corps de Tatiana.

— Tania, fit-il enfin dans un souffle, est-ce que... est-ce que tu as déjà...

Elle le regarda droit dans les yeux. Fallait-il avouer la vérité et rougir de son innocence ? Valait-il mieux mentir ? Non, elle ne voulait pas lui mentir. Alors elle répondit :

— Non. Jamais.

Elle lut alors dans son regard un étrange mélange d'étonnement, de chagrin et de désir. Il baissa la tête, presque penaud :

— Tania, qu'est-ce qu'on va faire ?

— Shura... Shura, je t'en prie, continue, fit-elle en attirant son visage contre ses seins.

— Non, Tania, on ne peut pas faire ça ici.

— Alors où ?

Il ne répondit rien, ne leva même pas la tête.

— Je ferai tout ce que tu voudras, dit-elle. Tout ce que tu me demanderas.

Et elle posa en haut de la cuisse d'Alexandre une main tremblante. Cette fois, ce fut lui qui gémit.

— Tania, attends... Je...

Soudain, un rai de lumière crue filtra dans la pénombre de la chambre. Quelqu'un tentait d'ouvrir la porte.

— Tatiana ? Tout va bien ? cria une voix. Mais que se passe-t-il avec cette porte ?

Elle tira prestement sur elle sa chemise de nuit, tandis qu'Alexandre tournait l'interrupteur et saisissait son fusil pour débloquer la porte. Celle-ci s'ouvrit à la volée, laissant apparaître une infirmière furibonde.

— Tout va bien, lui dit le lieutenant. J'étais juste venu souhaiter bonne nuit à Tatiana.

— Bonne nuit ! s'exclama la femme. Vous me prenez pour une idiote ou quoi ? Il est quatre heures du matin. Il n'y a pas de visites à quatre heures du matin !

— Justement, j'allais partir. Bonne nuit, Tatiana, ajouta Alexandre en lançant à la jeune fille un regard lourd de désir. J'espère que votre jambe va se rétablir.

— Bonne nuit, lieutenant. Revenez vite.

— Mais pas à quatre heures du matin, grommela l'infirmière.

Cette nuit-là, Tatiana ne se rendormit pas. Elle s'attendait à être assaillie de remords, incapable de se regarder en face, d'affronter ses pensées. Mais ce n'était pas le cas : un instant, un seul, ne cessait de revivre dans sa tête, celui où Alexandre avait posé ses lèvres sur sa bouche, sur ses seins... Rien, dans sa vie d'avant, ne l'avait préparée au désir, à ce besoin brûlant qu'il laissait en elle.

Le lendemain, juste avant l'heure des visites, elle demanda à Véra de lui prêter du rouge à lèvres. Et lorsque sa sœur et les deux militaires pénétrèrent dans la chambre, elle les attendait, souriante, les lèvres brillantes de rouge.

— Tania, c'est la première fois que je te vois avec du rouge ! s'écria Dasha comme si elle venait de s'apercevoir que sa cadette avait effectivement des lèvres.

Dimitri vint s'asseoir sur le lit, se contentant, pour tout commentaire, d'arborer ce sourire suffisant qui était sa marque. Alexandre n'ouvrit pas la bouche. Tatiana ne put lire sur son visage s'il était ou non heureux de ce qu'il voyait car elle fut incapable de lever les yeux vers lui. Elle comprit que, dorénavant, plus jamais elle n'oserait le regarder devant les autres.

Très vite, il dit qu'il avait à faire à la caserne et prit congé. Dimitri et Dasha lui emboîtèrent le pas. Tatiana les vit disparaître, accablée par ce qu'elle prit pour un échec. Quelques instants plus tard, on frappa à la porte et, tout de suite, Alexandre entra dans la chambre, avança vers le lit à grands pas résolus, tira un mouchoir de sa poche et, avec un geste à la fois doux et possessif, effaça soigneusement toute trace de rouge sur les lèvres de la jeune fille.

— Mais..., fit-elle quand elle put à nouveau parler, toutes les autres en portent. Y compris Dasha.

— Je ne veux voir aucune trace d'artifice sur cette jolie frimousse, répondit-il en lui caressant la joue. Elle n'en a pas besoin.

— D'accord, murmura-t-elle en lui tendant ses lèvres.

Mais il ne l'embrassa pas.

— Tania, fit-il alors dans un soupir, pour cette nuit, je voulais te dire... C'était une erreur. Je n'aurais pas dû...

Muette, Tatiana secouait la tête.

— Cette histoire est impossible, poursuivit-il d'une voix étranglée. Où pourrions-nous...

— Ici, l'interrompit-elle sans hésiter.

— Ici ? Avec les infirmières dans le couloir ? En un quart d'heure ! Vite fait ! C'est ce que tu souhaites pour ta première fois ?

— Je ne sais pas, dit-elle après un silence. Comment font les autres ?

— Les autres, ils font ça dans des ruelles obscures ou sous des portes cochères ! Sur les bancs des jardins publics, à la caserne, dans les appartements collectifs, avec leurs parents à côté sur le canapé ! Les autres, ils n'ont pas Dasha dans leur lit. Ils n'ont pas Dimitri. Les autres, conclut-il, ils ne t'ont pas *toi*, Tania ! Tu mérites mieux que ça.

Elle se détourna, elle ne voulait pas lui montrer ses larmes.

— Je suis venu te présenter mes excuses et t'assurer que ça ne se reproduira plus, reprit-il.

Elle ferma les yeux, mais les larmes qui perlaient sous ses paupières roulèrent malgré elle sur ses joues.

— Ne pleure pas. Cette nuit, j'étais prêt à tout sacrifier, y compris *toi*, au désir qui me poursuit depuis notre rencontre. Mais tu dois avoir un ange gardien qui veille sur toi, Tania : il nous a arrêtés avant qu'il soit trop tard. Il m'a arrêté, moi...

— Tu aurais dû réfléchir à tout ça *avant* d'entrer dans ma chambre, marmonna Tatiana entre deux sanglots.

— Non, j'avais bu. Maintenant je suis à jeun. À jeun et désolé.

Étouffée de larmes, elle ne répondit rien. Et Alexandre quitta la pièce sans même lui avoir effleuré la main.

3

Louga était partie en fumée. Tolmachevo était tombée. Sous le commandement du général von Leeb, les troupes allemandes de l'armée du Nord avaient coupé la voie ferrée qui reliait Kingisepp à Gatchina. En dépit des efforts des volontaires qui, par centaines de milliers, creusaient des tranchées sous les tirs de mortier, aucune des lignes de front n'avait tenu.

Tatiana gisait toujours sur son lit d'hôpital. Elle ne pouvait ni marcher, ni tenir sur ses béquilles, ni poser par terre sa jambe blessée et, lorsqu'elle fermait les yeux, seul le visage d'Alexandre lui apparaissait. Impossible d'oublier, de s'arracher cette douleur, ce désir qui s'était emparé d'elle et ne la lâchait plus.

Vers la mi-août, quelques jours avant son retour à la maison, ses grands-parents vinrent lui annoncer qu'ils quittaient Leningrad.

Babouchka dit :

— Tanechka chérie, on est trop vieux pour rester dans une ville en guerre et supporter des bombardements, des combats, un siège. Ton père veut que nous partions, il a raison. On sera mieux à Molotov. Ton grand-père a obtenu un bon poste de professeur et, pendant l'été, on...

— Que fait Dasha ? l'interrompit Tatiana. Elle part aussi, n'est-ce pas ?

— Non, pour rien au monde Dasha ne voudrait partir sans toi, répondit Deda.

Ce n'est pas sans *moi* qu'elle ne veut pas partir, songea la jeune fille avec amertume.

Son grand-père lui dit alors que, lorsqu'elle serait libérée de son plâtre, elle viendrait les rejoindre à Molotov, avec Dasha et leur cousine Marina.

— Il serait trop difficile de t'évacuer avec une jambe cassée, conclut-il.

— Alors Marina aussi reste à Leningrad ?

— Oui. Ta tante Rita est très malade. Quant à l'oncle Boris, il travaille à l'usine d'armement Izhorsk. On a proposé à Marina de nous accompagner, mais elle a répondu qu'elle ne pouvait pas laisser sa mère à l'hôpital, ni abandonner son père pendant qu'il contribue à l'effort de guerre.

Boris Razin, le père de Marina, était ingénieur dans cette usine où, comme chez Kirov, les ouvriers fabriquaient chars, obus de mortier et lance-roquettes.

— Ce sont toujours les liens de l'amour et de la famille qui empêchent les êtres de se sauver eux-mêmes, poursuivit doctement Deda. Nous allons tous vivre des jours difficiles, ma petite fille. Surtout vous — je veux dire toi et Dasha. Maintenant que Pasha n'est plus là, vos parents auront plus que jamais besoin de vous. Votre courage sera mis à l'épreuve. Il n'y aura plus qu'une seule règle, une seule loi : survivre, survivre à tout prix... Tania, ce sera à toi de décider quel est le prix à payer pour cette survie. Garde la tête haute et si tu dois tomber, que ce soit sans avoir vendu ton âme.

Babouchka gratifia le vieil homme d'une vigoureuse bourrade :

— Assez radoté. Tania, fais ce qu'il faut pour survivre et ne t'occupe pas de ton âme. On vous attend à Molotov le mois prochain.

Plus tard dans l'après-midi, Tatiana dit à sa sœur que leurs grands-parents les attendaient à Molotov en septembre. Immédiatement, Alexandre répondit :

— Impossible. Il n'y aura plus de trains en septembre.

— Comment ça, plus de trains ? fit Dasha.

— Il y en avait en juin, vous auriez pu partir à ce moment-là. Il y en avait en juillet, mais Tatiana s'est cassé la jambe. En septembre, son tibia sera peut-être guéri, mais plus un seul train ne partira de Leningrad, à moins d'un miracle.

— Quel genre de miracle ?

— La reddition sans condition de l'Allemagne ferait un excellent miracle, rétorqua ironiquement le lieutenant. Quand on a perdu Louga, notre sort a été scellé. On va tout de même essayer d'arrêter les Allemands à Mga, le nœud ferroviaire central du pays. On nous a interdit de céder Mga aux nazis, quelles que soient les circonstances, ajouta-t-il avec un petit rire de dérision. Mais ce ne sera pas possible et, en septembre, plus aucun de nos trains ne circulera.

Tatiana entendit un autre message dans la voix d'Alexandre, c'était un reproche : *Je t'ai dit et redit de quitter cette fichue ville. Tu n'as pas voulu m'écouter et te voilà bloquée ici avec une jambe dans le plâtre. Maintenant, tu ne peux plus aller nulle part...*

4

À côté de la vie à la maison, finalement la vie à l'hôpital était presque une sinécure. En effet, lorsque Tatiana rentra, enfin capable de tenir plus ou moins habilement sur ses béquilles, elle trouva Dasha en train de préparer le dîner pour Alexandre, lequel bavardait gaiement avec Irina Fedorovna, discutait politique avec Georgi Vassilievitch, fumait, buvait, mangeait, et ne se décidait pas à partir.

Elle prit place à table, la mine morose, et grignota sans conviction son repas.

Il ne partirait donc jamais ? Il se faisait tard. Il n'était pas de garde ce soir ?

— Tania, tu m'écoutes ? lui demanda sa sœur sur un ton impérieux, l'arrachant à ses pensées. Maintenant que Deda et Babouchka sont partis, Papa et Maman vont dormir dans leur chambre. Par conséquent, on va avoir notre chambre rien qu'à nous. Tu ne trouves pas ça génial ?

Tatiana s'abstint de répondre. Il y avait dans la voix de Dasha une intonation qui ne présageait rien d'agréable.

Au moment d'aller se coucher, Irina Fedorovna se pencha vers son aînée et lui souffla :

— Il est hors de question qu'il passe la nuit ici, tu

m'entends ? Ton père en ferait une maladie. Il nous tuerait toutes les deux.

— D'accord, Maman, d'accord, murmura Dasha. Il va bientôt partir. Promis.

Une fois leurs parents retirés dans leur chambre, elle attira Tatiana à l'écart pour lui glisser :

— Dis, tu ne voudrais pas monter un moment sur le toit pour jouer avec Anton ? S'il te plaît. J'aimerais passer une heure seule avec Alexandre. Je veux dire seule *dans une chambre*, tu piges ?

Et, laissant Dasha seule avec Alexandre, dans *sa* chambre, dans *son* lit, Tatiana se rua dans la cuisine et vomit dans l'évier. Puis elle grimpa sur le toit, mais ses nausées ne la quittaient pas. Anton était censé surveiller les avions — il dormait. Par chance, le ciel était calme. Aucun bruit, même lointain, ne laissait penser que la guerre faisait rage quelque part. Ce fut donc sous un ciel sans lune et sans avions que Tatiana laissa libre cours à ses larmes.

C'est *moi* qui ai fait ça. Moi et personne d'autre. *Je me suis fait ça*. Je n'ai à m'en prendre qu'à moi-même.

Si elle n'était pas partie seule à la recherche de Pasha, si elle n'avait pas rejoint l'Armée du peuple, si elle ne s'était pas retrouvée sous ces bombes dans la gare de Louga, Dasha et elle auraient quitté Leningrad avec leurs grands-parents. Et l'impensable ne serait pas en train de se produire dans son lit...

Elle ne bougea pas du toit jusqu'à ce que sa sœur vienne lui faire signe : elle pouvait enfin aller se coucher.

Le lendemain soir, sa mère décréta que, puisque sa cadette n'avait rien à faire de toute la journée avec sa patte folle, elle devrait désormais préparer les repas pour toute la famille. Or, de sa vie Tatiana n'avait touché une casserole, sinon pour la vaisselle.

Après tout, pourquoi pas? se dit-elle néanmoins. Elle avait besoin de s'occuper : elle n'allait pas pouvoir passer ses journées à lire, lire encore et... penser à Alexandre.

Ses béquilles lui blessaient les côtes. Alors elle les relégua dans un coin et décida de se rendre à cloche-pied jusqu'à l'épicerie. Elle allait faire une tourte aux choux. C'était l'idée d'Alexandre...

La confection de la pâte — qui refusait obstinément de monter, levure ou pas — demanda cinq heures et trois essais ratés. Tatiana s'attela aussi à un bouillon de poule pour accompagner la tourte.

Lorsque le lieutenant arriva avec l'inévitable Dimitri, elle leur suggéra tout de suite de rentrer dîner à la caserne, très nerveuse à la pensée qu'Alexandre serve de cobaye à sa première expérience culinaire.

— Pas question! Pour rien au monde je ne voudrais manquer ta célèbre tourte aux choux, répondit-il en riant.

Dimitri sourit.

Tout le monde passa à table. Ils mangèrent, burent, parlèrent de la guerre, de l'évacuation, de l'espoir de retrouver Pasha. Puis Georgi Vassilievitch dit :

— Tania, elle est un peu salée cette tourte.

À quoi Irina Fedorovna ajouta :

— Tu n'as pas assez laissé monter la pâte. Et puis il y a trop d'oignons. Tu devrais peut-être essayer autre chose que les tourtes?

À son tour, Dasha se mit de la partie :

— La prochaine fois, Tania, ajoute une feuille de laurier au bouillon. Tu as oublié, on dirait...

Puis ce fut Dimitri, avec son sourire suffisant, condescendant :

— Pour un coup d'essai, c'est pas si mal, Tania.

Alexandre, lui, se contenta de tendre son assiette :

— Délicieux. J'en reprendrais bien un peu.

Après le dîner, une fois leurs parents couchés, Dasha souffla encore une fois à sa cadette :

— Ma petite sœur chérie, tu ne voudrais pas emmener Dimitri sur le toit ? Ce ne sera pas long. Alexandre est de garde ce soir.

Par bonheur pour Tatiana, sur le toit il y avait toujours d'autres jeunes de l'immeuble. Elle ne serait donc pas contrainte d'y rester seule avec Dimitri.

Mais Dasha et Alexandre, eux, étaient seuls...

Les jours passaient et Tatiana s'apercevait de plus en plus qu'en dépit de tous ses efforts pour dissimuler ses sentiments, ses regards risquaient de la trahir et de trahir son cœur. Dimitri allait s'apercevoir de quelque chose, c'était sûr, et se demander pourquoi elle fixait Alexandre avec ces yeux-là.

Poser les yeux sur lui la dénonçait, les détourner et feindre de ne pas le voir la trahissait tout autant — peut-être même davantage.

Et Dimitri semblait toujours à l'affût, guettant chaque cillement, chaque coup d'œil, chaque rougeur sur son front.

Alexandre avait de la chance : plus âgé qu'elle, il avait plus de facilité à faire semblant — c'était du moins ce qu'elle se disait. Le plus souvent, il adoptait avec elle une attitude parfaitement naturelle, désinvolte, comme si elle n'était rien pour lui. Comme si lui n'était rien pour elle.

Comment faisait-il ?

Comment faisait-il pour cacher leurs souvenirs de la sortie de l'usine, leurs promenades dans Leningrad, leurs bras qui s'effleuraient, leurs caresses cette fameuse nuit à l'hôpital, leurs baisers, leurs mots ? Comment faisait-il pour cacher Louga? Le corps en sang de Tatiana? Sa peau nue contre la sienne? Comment faisait-il pour camoufler ses regards alors que, quand ils se retrouvaient seuls quelques instants, il la contemplait comme si elle seule existait au monde.

Quand mentait-il?

Peut-être que c'est ça être adulte, se disait Tatiana. Un adulte t'embrasse les seins et, après, il fait comme si ça ne comptait pas, il fait *semblant*. Et s'il fait bien semblant, c'est qu'il est vraiment adulte. Ou alors, il t'embrasse les seins — et ça ne compte vraiment pas...

Est-il possible de toucher un corps, de le caresser, et que ça ne compte pas?

Tatiana ne cessait de retourner la question dans sa tête — sans trouver de réponse. Elle n'était sûre que d'une chose : elle se sentait humiliée.

Elle restait souvent tête basse, pour ne plus voir personne. Pourtant, parfois, alors qu'Alexandre était assis à table et que tout le monde parlait, elle croisait son regard et, alors, elle voyait ses vrais yeux.

Il n'y avait plus entre eux que des gestes anodins : il s'effaçait devant elle, effleurait ses doigts en saisissant une tasse de thé, et le simple frottement de leurs vêtements, le seul frôlement de leurs peaux venait nourrir les rêveries de Tatiana pour le reste de la journée. Jusqu'au lendemain...

La seule chose dont elle bénissait le ciel, c'était que sa jambe cassée empêchât toute promenade avec Dimitri. Pourtant, un soir où Irina Fedorovna et Georgi Vassilievitch sortirent, profitant d'une des dernières belles soirées du mois d'août, ils laissèrent les deux couples seuls dans le logement et la jeune fille interpréta sans difficulté le sourire plein de sous-entendus de Dimitri. Alexandre aussi.

— Il faut qu'on rentre à la caserne, dit-il au soldat. On a à faire.

À quoi Dimitri répondit sans quitter Tatiana des yeux que lui n'avait rien de spécial à faire.

— Si. Le lieutenant Marazov a demandé à te voir ce soir. Allons-y.

Tatiana fut reconnaissante à Alexandre de son intervention, mais cette gratitude n'était pas sans mélange. Les Allemands faisaient de même, disait-on : ils vous coupaient une jambe et il fallait les remercier de vous avoir laissé en vie...

Dans la journée, elle faisait de longues et lentes promenades autour du pâté de maisons, histoire de voir ce que proposaient encore les épiceries alentour. Le bœuf et le porc se faisaient rares. Impossible de trouver les deux cent cinquante grammes de viande hebdomadaires auquel le rationnement donnait droit. De temps en temps, pourtant, Tatiana parvenait encore à dénicher un poulet.

Des choux, des patates, des oignons, des carottes, des pommes, il y en avait toujours — mais le beurre manquait. Ses tourtes n'étaient plus si bonnes — et Alexandre continuait de leur faire honneur. Ne pouvant ni acheter ni porter grand-chose, la jeune fille se procurait juste de la farine, des œufs et du lait. L'après-midi, elle dormait, apprenait son vocabulaire anglais et écoutait la radio.

La radio, c'était pour son père. En effet, sa seconde question à peine rentré à la maison, c'était : « Quelles nouvelles du front ? », la première étant : « Des nouvelles de Pasha ? » Tatiana se sentait donc obligée de lui fournir des informations sur les positions de l'Armée rouge ou l'avancée des troupes de von Leeb. Le bulletin radiophonique ne durait que quelques secondes et commençait immanquablement par le front finno-soviétique.

« L'armée finlandaise est en train de reconquérir les territoires qu'elle avait perdus dans la guerre de 1940. »

« Les Finlandais approchent de Leningrad. »

« Les Finlandais sont à Lisiy Nos, à vingt kilomètres de la ville. »

Suivaient quelques phrases sur la progression des troupes allemandes. Le présentateur lisait toujours avec une extrême lenteur des communiqués vides de toute information véritable, sans doute pour donner du sens à des mots qui n'en avaient pas. Un jour, il énuméra les villes au sud de Leningrad déjà passées sous contrôle des armées nazies.

Cherchant à les repérer sur une carte, Tatiana découvrit que Tsarskoïe Selo, le « bourg du tsar », était tombé aux mains de l'ennemi. Comme Peterhof, Tsarskoïe Selo était une ancienne résidence impériale, survivance de la Russie tsariste. C'était là que Pouchkine venait écrire l'été. Mais, surtout, Tsarskoïe Selo se trouvait à une dizaine de kilomètres à peine au sud-est des usines Kirov, c'est-à-dire tout près de Leningrad.

— Les Allemands sont à dix kilomètres de Leningrad ? demanda-t-elle à Alexandre le soir même.

— Oui, confirma-t-il. Ils sont très près maintenant...

Un soir, Dimitri l'entraîna sur le toit, sous le prétexte de laisser Dasha et Alexandre seuls. Il passa un bras sur ses épaules et lui dit :

— S'il te plaît, Tania, je suis si triste. Combien de temps vas-tu me faire attendre ? Donne-m'en un peu plus ce soir.

Sur ces paroles, il la serra violemment dans ses bras, s'efforçant d'attirer sa bouche contre la sienne. Ces mains sur son corps, ces lèvres sur sa peau avaient quelque chose d'obscène. Elle se dégagea comme elle put, aidée en cela par Anton qui se dépêcha de venir jacasser et sautiller près d'eux, si bien que Dimitri, excédé, ne tarda pas à s'éclipser.

— Merci, Anton, souffla Tatiana.

— À ton service, répondit le jeune garçon. Mais... pourquoi tu lui dis pas tout simplement de te laisser tranquille ?

— Plus je lui dis, plus il insiste.

— Les mecs sont toujours comme ça, Tania, rétorqua Anton avec la mine sentencieuse de l'homme d'expérience. Si tu veux avoir la paix, cède-lui. Après il te laissera tomber comme une vieille chaussette et tu seras tranquille.

Ils partirent du même éclat de rire. Puis Tatiana reprit, songeuse :

— Je crois que tu as raison, Anton : les garçons sont toujours comme ça. Quand on cède, ils laissent tomber...

Pour échapper aux avances de Dimitri, elle se mit alors à l'occuper avec des parties de cartes, des conversations sur les livres ou quelques verres de vodka. La vodka surtout était efficace — elle avait le mérite d'endormir assez rapidement l'ennemi et, pendant qu'il ronflait sur le divan de l'entrée, Tatiana montait sur le toit rejoindre Anton et penser en toute quiétude à Pasha. Et à Alexandre.

Elle pensait à la guerre aussi : Et si l'aviation allemande bombardait notre immeuble ? Et si je mourais en sauvant tout le monde ? Est-ce qu'ils seraient tristes ? Est-ce qu'ils pleureraient ? Est-ce qu'Alexandre regretterait ?

Regretterait qui ? Regretterait quoi ?

Ces rêveries étaient absurdes — autant de coups de marteau qu'elle se donnait sur la tête, comme si elle avait besoin de se faire mal. Pourtant, tout ce que je veux, c'est la paix, ne plus souffrir, songeait-elle. Est-ce trop demander ?

Mais rien ne lui apportait la paix. Ni la réserve d'Alexandre, ni les mouvements d'humeur qu'il avait parfois envers Dasha, ni sa morosité — rien ne venait atténuer les sentiments qu'elle lui portait. Désormais le lieutenant n'avait plus beaucoup de soirs de liberté, juste un ou deux par semaine — pour Tatiana, c'étaient un ou deux de trop.

Ce soir-là encore, elle entendit cette phrase qui chaque fois la déchirait : *S'il te plaît, Tania, sors que je puisse rester seule avec lui.*

Cette fois, elle ne grimpa pas sur le toit, mais alla se préparer une tasse de thé dans la cuisine. Fatiguée, elle s'assit sur le rebord de la fenêtre, réchauffant ses mains à la chaleur de la tasse. Passant devant la porte ouverte, Alexandre s'immobilisa. Un long moment, il resta muet, puis demanda enfin :

— Qu'est-ce que tu fais ?

— J'attends que tu partes pour pouvoir aller me coucher.

Le ton était glacial.

Il pénétra d'un pas hésitant dans la cuisine. Tatiana le foudroya du regard. Il baissa la tête :

— Tania, je sais que c'est dur pour toi. Je suis désolé. C'est ma faute. Je te l'ai dit : je n'aurais jamais dû venir dans ta chambre à l'hôpital cette nuit-là.

— Alors qu'avant il ne s'était rien passé peut-être ?

— Si, mais c'était moins grave.

— Tu as raison, rétorqua-t-elle en venant se pla devant lui pour le fixer droit dans les yeux. Mainte dis-moi une chose : est-ce toi qui t'arranges pou Dima soit à Leningrad tous les soirs ? Parce que fois qu'il vient, il essaie de prendre des libertés av

Un éclair de fureur passa dans le regard d'Alexandre. Pourtant sa voix était calme et posée lorsqu'il répondit :

— En effet, il m'a dit en avoir pris certaines.

— Vraiment ? Que t'a-t-il raconté ?

Était-ce pour cette raison qu'Alexandre se montrait si froid, si distant ?

— Peu importe, répondit-il avec une expression douloureuse.

Il fit un pas vers elle. Elle sentit son odeur, ce parfum de savon qu'elle aimait tant. Elle eut un sourire las.

— Alexandre, fais-moi plaisir : ne t'approche plus de moi.

— Je fais de mon mieux.

Il recula d'un pas.

— Non, je veux dire... ne viens plus chez nous. Laisse Dasha, comme tu l'avais fait après Kirov. Et pars. Pars faire ta guerre. Emmène Dimitri. Je n'en peux plus. Un de ces jours, je n'aurai plus la force de lui résister...

— Tais-toi. Tu choisis mal tes mots, Tania. Tu sais bien que je ne peux pas partir maintenant. Les Allemands sont trop près. Ta famille va avoir besoin de moi. *Toi*, tu vas avoir besoin de moi.

— Je n'aurai pas besoin de toi. Tout ce dont j'ai besoin, c'est que tu disparaisses. Tu ne comprends donc pas ? Dis-nous adieu, à Dasha et à moi, et emmène ton Dimitri avec toi. Je t'en prie, va-t'en.

— Tania, murmura-t-il alors d'une voix presque inaudible, comment pourrais-je ne plus te voir ?

Elle tressaillit.

— Et qui me ferait à manger ? ajouta-t-il avec un sourire.

— J'ai compris ! Je te ferai à dîner et je m'enverrai en l'air avec ton meilleur copain pendant que tu sautes ma sœur, c'est ça le programme ? Ai-je bien choisi les mots, cette fois ?

Alexandre tourna les talons et sortit.

Le lendemain matin, Tatiana alla trouver Véra, son infirmière à l'hôpital Grecheski. Pendant que celle-ci examinait ses côtes cassées, elle lui demanda :

— Véra, crois-tu que je pourrais me rendre utile à quelque chose dans cet hôpital ?

La femme releva la tête, intriguée :

— Que se passe-t-il, Tatiana ? Un coup de cafard ? Ou bien c'est cette jambe qui te fait souffrir ?

— Non... tout va bien. C'est juste que... je m'ennuie. J'aimerais avoir un travail.

Véra réfléchit un moment avant de répondre :

— Bien sûr, l'ouvrage ne manque pas ici. Tu pourrais faire du secrétariat, servir à la cafétéria, ou aider à panser les blessés...

Le visage de Tatiana s'illumina :

— Merci, Véra ! Mais (Soudain sa mine s'assombrit :) que se passera-t-il quand on m'enlèvera mon plâtre et que je devrai retourner fabriquer des chars chez Kirov ?

— Voyons, Tatiana ! Tu ne retourneras jamais chez Kirov. Kirov, c'est la ligne de front maintenant. Tu es partie juste à temps, tu sais. Sans quoi on t'aurait collé un fusil dans les mains, à l'heure qu'il est. On a besoin de gens comme toi ici.

Le soir, au dîner, elle ne put cacher sa joie en annonçant la nouvelle à sa famille.

— Bonne idée ! fit son père. Va donc travailler. Ça fera au moins un repas que tu ne prendras pas ici.

Alexandre intervint :

— Georgi Vassilievitch, Tatiana ne peut pas aller

travailler. Sa jambe n'est pas guérie. Si elle force, elle boitera toute sa vie.

— Elle ne peut pas non plus rester ici à ne rien faire. C'est une bouche inutile ! On dit que les rations vont encore diminuer. Ça va être de plus en plus difficile. De toute façon, tout ça, c'est ta faute, Tania ! poursuivit Georgi Vassilievitch. Tu aurais dû partir à Molotov avec tes grands-parents ! On serait moins juste en nourriture et tu ne te mettrais pas en danger en restant à Leningrad.

— Qu'est-ce que tu racontes ? s'exclama la jeune fille avec une indignation dont elle n'avait jamais osé faire montre jusqu'alors. Tu sais bien que, si je n'ai pas pu partir avec Deda et Babouchka, c'était à cause de ma jambe.

Irina Fedorovna jeta vivement sa fourchette en travers de la table :

— Tania ! Si tu n'avais pas fait cette bêtise à Louga, tu ne te serais pas cassé la jambe et, à l'heure qu'il est, tu serais à Molotov !

— Si tu n'avais pas dit que tu aurais préféré me voir mourir *moi* plutôt que Pasha, je ne serais pas partie le chercher !

Cette fois, Tatiana criait, les yeux pleins de larmes.

Ses parents la dévisagèrent un moment sans un mot, médusés. Puis sa mère éclata en sanglots :

— Je n'ai jamais dit ça ! Jamais.

Elle se leva de table, repoussant brusquement sa chaise.

— C'est faux ! Je t'ai entendue. Tu as dit : *Tu ne donnerais pas Tania contre notre fils ? Elle ne sera jamais bonne à rien.* Tu te souviens, Maman ? Tu te souviens, Papa ?

— Allons, Tanechka, fit Dasha en posant une main qu'elle voulait apaisante sur le bras de sa petite sœur. Ils ne pensaient pas ce qu'ils disaient.

— Tatiana! hurla son père. Je t'interdis de nous parler sur ce ton alors que tout ce qui est arrivé est ta faute!

La jeune fille voulut prendre une ample respiration, mais sans succès : impossible de se calmer. Elle arracha son bras à la main de Dasha et cria à son tour :

— Ma faute? Non, c'est ta faute à *toi*! C'est *toi* qui as envoyé Pasha à la mort, *toi* qui n'as pas voulu entendre qu'il était en danger. Tu es resté assis là, tu n'as rien fait pour le sauver...

Georgi Vassilievitch bondit. En une enjambée, il fut près d'elle et abattit son poing sur le visage de sa fille. Tatiana vacilla et tomba de sa chaise. Alexandre était déjà debout. Il avait attrapé l'homme par le col de sa chemise :

— Je t'interdis de lever la main sur elle, camarade.

— Mêle-toi de ce qui te regarde, soldat! Ne viens pas mettre ton nez dans nos affaires de famille.

Georgi Vassilievitch continuait de hurler en gesticulant, tandis qu'Alexandre aidait la jeune fille à se relever. Elle avait le nez en sang. Dasha secouait la tête, l'air à la fois navré et furieux. Elle n'avait pas bougé. Dimitri non plus.

— Tu peux frapper tant que tu veux, Papa! cria Tatiana. Tu peux me tuer même si ça te chante — ça ne ramènera pas Pasha!

À nouveau, son père chargea, brandissant le poing, mais Alexandre s'interposa :

— Non, Georgi Vassilievitch! fit-il d'un ton qui n'admettait pas de réplique.

— Mais..., commença Dasha en se levant lentement de table. Tu... tu prends sa défense contre mon père!

Alexandre ne se donna pas la peine de lui répondre et s'adressa directement à celui-ci :

— Tatiana n'a rien fait de mal. Rien de tout cela ne serait arrivé si vous l'aviez écoutée, en juin, quand elle vous a dit de faire revenir Pasha de Tolmachevo. Maintenant c'est trop tard.

Rouge de colère, Georgi Vassilievitch brisa son verre de vodka, lança quelques jurons à la cantonade et partit en titubant dans l'autre pièce, Irina Fedorovna, en larmes, sur les talons.

Dimitri fixait son assiette, l'œil vide. Toujours plantée face à Alexandre, Dasha le foudroyait du regard :

— Je n'arrive pas à y croire ! Tu te ranges de son côté à *elle* contre moi ! Regarde ce que tu as fait, sale petite garce ! hurla-t-elle en se tournant vers sa sœur. Tu es contente de toi, j'espère ?

Elle voulut bousculer Alexandre pour frapper Tatiana. Il arrêta son bras.

— Tania, dit-il, laisse-nous seuls un instant, ta sœur et moi, veux-tu ?

Sans un mot, la jeune fille se réfugia dans la cuisine où Dimitri ne tarda pas à la rejoindre. Elle pressait une serviette sur son nez en sang. Ils restèrent un long moment face à face, muets. Puis, avec un haussement d'épaules, le soldat soupira :

— Vaudrait mieux qu'il vous laisse régler vos affaires en famille et qu'il s'occupe de ce qui le regarde. Mais il est comme ça. Faut toujours qu'il s'emporte...

Tatiana faillit lui répondre que jamais auparavant elle n'avait vu Alexandre perdre son sang-froid et que lui, au moins, avait le courage de prendre sa défense — mais elle préféra garder le silence et prêter l'oreille à ce qui se disait dans le salon.

— Comment pourrais-je être de ton côté quand tu veux frapper ta petite sœur ?

Dasha marmonna quelques paroles inintelligibles.

— Ne me sers pas ce genre d'excuses stupides, Dasha. Je n'en ai pas besoin. Pas plus que je n'ai besoin de toi.

Il y eut quelques hoquets hystériques de l'autre côté de la porte. Puis un cri :

— Alex, mon amour, je t'en prie ! Pardonne-moi ! Tu as raison, oui, mon amour, entièrement raison. Je ferai tout ce que tu voudras !

— Ce que je veux, c'est que plus jamais tu ne lèves la main sur ta sœur. Compris ?

— Compris, promit Dasha.

Puis le silence tomba sur la pièce.

Tatiana était abasourdie.

Un coup frappé à la porte la tira de son engourdissement. C'étaient les Sarkov qui venaient voir si tout allait bien. Une dispute dans un appartement collectif, c'était une aubaine, une distraction. Tout le monde était tout de suite au courant. Tout le monde entendait tout. Absolument tout.

— Ne vous inquiétez pas, dit Tatiana en s'épongeant le nez. C'est juste un petit différend. Rien de grave. Tout va bien.

Au moment où elle refermait la porte, celle du salon s'ouvrait sur une Dasha aux yeux gonflés qui vint maugréer quelques excuses avant de vite rejoindre Alexandre. Tatiana demanda à Dimitri de partir. Cette fois, il ne se fit pas prier. Puis elle grimpa sur le toit. Anton somnolait dans un coin. Elle s'assit par terre et pria pour qu'une bombe tombe enfin sur ce maudit immeuble.

Une demi-heure plus tard, la silhouette d'Alexandre se profila sur la terrasse.

— Donne-moi tes mains, Tania, fit-il doucement en s'accroupissant près d'elle.

Elle obéit à regret. Ses mains tremblaient tellement.

— Ça arrive souvent ?

— De temps en temps. Pourquoi ?

— Parce que je ne veux pas qu'on te frappe. Jamais.

— Maintenant ils m'en veulent tous. Toi tu vas partir, et moi je vais rester là, dans ce même lit, dans cette même chambre !

— Tania, je ne les laisserai pas te faire de mal, crois-moi. Je me fiche que Dasha ou Dimitri apprennent ce qu'il y a entre nous. Je me fiche que le monde entier l'apprenne. Je ne veux pas qu'on te fasse de mal, un point c'est tout. Alors si tu ne veux pas me voir saboter tes plans pour ménager ta sœur, je te conseille de faire en sorte que plus personne ne lève la main sur toi. *Jamais*.

— Je me demande parfois d'où tu sors, Alexandre, fit Tatiana, déconcertée. Les parents ne frappent donc pas leurs enfants dans ton Amérique ? Ici, en Russie, ils les frappent et les enfants acceptent. Les grandes sœurs frappent les petites sœurs et les petites sœurs acceptent. C'est comme ça, conclut-elle avant d'avouer dans un sanglot : Oh, Shura, je ne sais plus quoi faire. Je me sens complètement perdue.

Soudain, elle lui arracha ses mains, qu'il tenait encore tendrement dans les siennes, et fixa un point dans son dos : Dasha venait vers eux.

— Je venais voir ma sœur, fit celle-ci tandis que son regard ne cessait d'aller et venir de l'un à l'autre. Tu es encore là, Alex ? Je te croyais pressé.

— *Je suis* pressé, répliqua froidement le lieutenant. Je te ferai signe dans quelques jours, Dasha, ajouta-t-il en la gratifiant d'un rapide baiser sur la joue. Quant à toi, Tania, va montrer ton nez à un médecin. Il est peut-être cassé.

La jeune fille acquiesça d'un hochement de tête.

À peine eut-il tourné les talons que Dasha demanda :

— Qu'est-ce qu'il te voulait ?

— Rien. Voir comment j'allais, c'est tout.

À cet instant précis, Tatiana fut sur le point de tout avouer à sa sœur, oui tout. Et si les mots qui lui vinrent ne furent pas ceux de l'aveu, ils n'en furent pas moins inattendus :

— Écoute-moi bien, Dasha, dit-elle. Tu es ma grande sœur, je t'aime, et demain tout sera arrangé. Mais là, *maintenant*, tu es la dernière personne à qui j'ai envie de parler. Je me plie trop souvent à ton bon vouloir : je parle quand tu le demandes, t'écoute quand tu le demandes, pars quand tu le demandes... Demain, sans doute, je t'obéirai à nouveau, mais ce soir je ne veux pas te parler. Je veux juste rester ici, toute seule, et réfléchir. *Alors, s'il te plaît, Dasha, fiche le camp!*

Dasha ne bougeait pas :

— Tania, je suis désolée, vraiment, mais tu n'aurais pas dû parler à Papa et Maman comme tu l'as fait. Tu sais combien ils sont malheureux pour Pasha. Ils se font déjà assez de reproches comme ça et...

— Tu n'as pas compris, Dasha! Je ne veux pas t'entendre! Fiche le camp!

— Qu'est-ce qui t'arrive? Jamais tu n'as parlé sur ce ton-là. À personne.

— Il faut un début à tout.

Et, comme pour confirmer ses propos, Tatiana tourna le dos.

Elle resta sur le toit jusqu'au matin, les jambes et le visage transis par la fraîcheur de la nuit.

Elle se sentait si proche d'Alexandre qu'elle en était elle-même stupéfaite. Depuis des semaines, c'était à peine s'ils s'étaient adressé la parole, les derniers mots qu'ils avaient échangés avaient été lourds d'amertume. Pourtant il avait pris sa défense, alors que Dimitri, qui affichait si volontiers ses sentiments pour elle, n'avait pas fait un geste. C'était prévisible. Elle ne lui en voulait pas : il restait fidèle à lui-même.

Elle savait à présent qu'elle appartenait à Alexandre — irrévocablement. Elle avait cru pouvoir se détacher de lui, s'arracher à lui. Elle s'était menti.

5

Lorsque Alexandre emprunta le couloir menant à ses quartiers, il tomba sur Dimitri qui l'attendait, à demi couché sur le sol.

— Qu'est-ce que tu veux? lui demanda-t-il d'une voix lasse.

— Que tu cesses cette comédie avec ma petite amie, répondit le soldat en se levant d'un bond.

— Je ne comprends pas.

— Ne fais pas l'imbécile. Tu as déjà tout : tu es lieutenant, tu as des hommes sous tes ordres, tu peux avoir toutes les filles que tu veux et, non! ça ne te suffit pas! il te faut la mienne!

Alexandre dut prendre sur lui pour ne pas lui rétorquer la même phrase. Il se contenta de répondre :

— Écoute, j'ai pris sa défense, c'est tout.

Mais Dimitri insistait :

— Je ne suis qu'un troufion obligé d'obéir aux ordres de tout le monde, de me plier aux caprices de tous les gradés. Tania est la seule personne au monde qui me traite comme un être humain.

Ça, c'est vrai, songea Alexandre. Elle ne peut pas s'en empêcher : c'est plus fort qu'elle...

— Dima, fit-il doucement, toi aussi tu as la vie que tu voulais. Pense à tout ce que tu ne voulais pas faire et que *tu n'as pas fait*. Tu n'as pas été envoyé dans le Sud où les hommes tombent comme des mouches dans la broyeuse hitlérienne. J'ai fait en sorte que l'unité de Marazov reste ici, à la caserne. Maintenant le front gagne Leningrad, je n'y peux rien. J'ai fait tout ça pour toi, parce que je suis ton ami. J'ai toujours fait tout ce que j'ai pu pour t'aider et te protéger, Dima. Qu'est-il arrivé à notre amitié ?

— L'amour est arrivé, répliqua Dimitri, glacial. Maintenant, c'est Tania qui compte. Je veux réchapper de cette saloperie de guerre — pour elle.

— Qui t'en empêche ?

— Toi. Mais si elle s'entiche de toi, elle se trompe. Tôt ou tard elle saura. Elle ne te connaît pas. Elle ne sait pas qui tu es. À moins que...

Il laissa sa phrase en suspens, inachevée, comme une menace. Un instant, le cœur d'Alexandre cessa de battre. Au-dessus de leurs têtes, une ampoule usée clignotait, plongeant alternativement leurs visages dans l'ombre. À quoi Dimitri faisait-il donc allusion ? Au passé ? À l'Amérique ?

— Elle ne sait rien, répondit enfin Alexandre. Rien du tout.

— Tant mieux. Si elle apprenait quelque chose, tout deviendrait vite très dangereux, tu ne crois pas ? Je veux dire — *pour nous*.

Menaçant, le lieutenant fit un pas vers Dimitri, lequel se colla dos au mur, mains en l'air :

— Voyons, te fâche pas, Alex. Je ne veux pas faire d'embrouilles. Je veux juste avoir ma chance avec Tania.

Alexandre le dévisagea un long moment, dents serrées, mâchoires crispées, puis il pivota sur lui-même et pénétra dans ses quartiers.

Plus tard dans la nuit, incapable de trouver le sommeil, il décida de parler à Tatiana. Il le fallait.

6

Le lendemain matin, sa mère attaqua Tatiana au saut du lit, en lui demandant si elle était contente du gâchis qu'elle avait provoqué. Tatiana répondit non — non, pas spécialement.

Ils étaient tous partis travailler et elle se préparait à se rendre à l'hôpital, quand on frappa à la porte. Elle alla ouvrir et trouva Alexandre sur le seuil.

— Je ne peux pas te laisser entrer, lui souffla-t-elle en désignant du menton Zhanna Sarkova qui sortait de chez elle et, debout dans le couloir, les considérait d'un œil soupçonneux.

— Ne t'inquiète pas. J'ai une patrouille qui m'attend en bas. On va dresser des barricades dans les rues du sud de la ville. Tu sais, ajouta-t-il après un silence, le nœud ferroviaire de Mga est tombé hier.

— Ça veut dire qu'il n'y aura vraiment plus de trains ?

— Oui, mais je ne suis pas juste venu t'apporter de mauvaises nouvelles. Je voulais m'assurer que tout allait bien après hier soir. Ton nez ?

— Un peu tuméfié comme tu peux voir, mais pas cassé.

— Tant mieux. Tania, ajouta Alexandre après un bref silence, il faut que je te parle. À propos de Dimitri.

— Je t'écoute.

— Non, pas maintenant. Pas ici. Viens me retrouver ce soir près de la statue du Cavalier de bronze, vers dix heures. As-tu une amie — j'ai bien dit *une* amie — de confiance qui puisse t'aider à marcher jusque là-bas ?

— Euh... Je... je ne sais pas, bredouilla Tatiana. Je me débrouillerai. S'il le faut, j'en fabriquerai une d'ici ce soir, conclut-elle avec un sourire.

— Je t'attendrai.

Profitant d'un moment d'inattention de Zhanna Sarkova, il leva vers lui le menton de la jeune fille et lui donna un profond baiser.

Ce jour-là un miracle se produisit : le téléphone de Marina fonctionna. Tatiana la supplia de passer le soir même. Sa cousine arriva à huit heures.

— Marinka ! Tu m'as tellement manqué. Où étais-tu passée ?

— Ce serait plutôt à moi de te poser la question. J'ai entendu parler de ta petite escapade à Louga.

— J'ai une foule de choses à te raconter.

— Ça, je n'en doute pas, répondit Marina.

Elle éclata de rire en secouant ses cheveux noirs. Elle avait des hanches généreuses, un buste qui l'était tout autant et de splendides yeux noirs. À dix-neuf ans, Marina était en deuxième année à l'université de Leningrad. Elle était ce qui, pour Tatiana, se rapprochait le plus de l'idée qu'elle se faisait d'une amie, d'une confidente et aussi d'une femme...

— Marina, il faut qu'on sorte d'ici. On va se promener, d'accord ? fit la jeune fille en jetant un œil inquiet à l'horloge.

Ses parents et sa sœur écoutaient la radio dans l'autre

pièce. Depuis la veille, ils ne lui avaient plus adressé la parole.

— Tu veux sortir avec ta jambe plâtrée? s'étonna Marina. On peut aussi bien parler ici.

— Non, je préfère aller dehors, répliqua Tatiana, catégorique, en attrapant le bras de sa cousine.

Il se faisait tard. Alexandre lui avait dit de l'attendre vers dix heures, et neuf heures allaient bientôt sonner.

Enfin elle parvint à pousser Marina hors de l'appartement. Elles prirent un tram qui les conduisit au bout de la Perspective Nevski, puis descendirent près de la place des Décabristes. Bien qu'appuyée au bras de sa cousine, Tatiana avait du mal à marcher.

— Je suis désolée pour Pasha, lui dit Marina après un long silence, c'était le plus gentil des garçons.

— Si tu savais comme je regrette de ne pas l'avoir retrouvé...

— Je sais, Tania, je sais. Maintenant, raconte-moi tout.

La jeune fille aurait aimé tout lui raconter, tout ce qui pesait sur son cœur, sur sa conscience : les peurs, les doutes, les troubles, les émois, les remords. Elle ne put s'y résoudre : elle lui parla de Dasha avec Alexandre, d'elle-même avec Dimitri, de l'enfer de Louga dont le lieutenant l'avait sauvée... Ce qu'elle n'avoua pas à Marina, c'était tout simplement la vérité.

Elle redoutait tant elle-même de se trahir devant Dasha, de déraper sur l'un de ces mensonges qui désormais faisaient la trame de sa vie — comment charger sa cousine d'un tel poids? Alors elle préféra ne rien lui dire, rien de ce qui importait vraiment en tout cas.

La vérité creusait un fossé entre elle et ceux qu'elle aimait. Comment est-ce possible? se demanda-t-elle alors qu'elles approchaient de la statue de Pierre le Grand. Comment le mensonge, la trahison, le secret peuvent-ils devenir mes seuls liens avec les autres? Comment est-il possible de ne pouvoir se confier à un seul membre de sa famille?

Sa cousine l'arracha à ses pensées :

— Tania, pourquoi m'as-tu amenée ici, sous cette statue?

— Pour rien. C'est juste une promenade...

Tatiana regrettait de ne pas avoir de montre. Quelle heure pouvait-il être?

— Tu ne veux pas me le dire, c'est ça? reprit Marina. Tu ne veux pas me dire que tu as rendez-vous avec ton Dimitri et qu'il te fallait un chaperon?

— Qu'est-ce que tu vas chercher? Dima et moi, on est juste amis.

Cette fois, elle était sincère...

— Tu parles! Les soldats ne connaissent qu'une seule manière d'être amis avec une fille.

Tatiana lança un regard interrogateur à sa cousine.

— Je ne comprends pas, dit-elle.

— Tu te souviens que je sortais avec un soldat l'an dernier? Quand j'ai vu le genre de vie qu'il menait, je me suis dépêchée de le quitter. Heureusement, cette année j'ai rencontré quelqu'un de bien, un étudiant. Mais il est parti se battre à Fornosovo. (Elle s'interrompit.) Je n'en ai plus de nouvelles...

— C'est pour ça que tu ne veux plus entendre parler des militaires? À cause de la guerre?

— Non, pas à cause de la guerre. À cause des femmes.

— Des femmes? répéta Tatiana dans un murmure.

— Oui, des femmes, des filles, des grues, des putes! De toutes ces filles qui traînent dans les bars et autour des casernes pour offrir leurs services aux soldats. Bien sûr, ils ne vont pas refuser. Pour eux, c'est comme fumer une cigarette. Voilà ce qu'ils font chaque fois qu'ils ont un soir de libre ou une permission. Je ne sais pas comment tu arrives à tenir ton Dimitri à distance, ajouta Marina. Qu'elles soient faciles ou moins faciles, les filles comme toi sont toutes les mêmes pour les soldats : un trophée de plus au tableau de chasse.

— Marinka, de quoi tu parles? fit Tatiana d'une petite voix. Ce genre de choses ne se fait pas à Leningrad. Ça n'arrive qu'en... en Amérique.

Sa cousine éclata de rire.

— Tania, je t'adore, fit-elle en la serrant dans ses bras. Tu es tellement... tellement naïve!

— Alexandre n'est pas comme ça, marmonna la jeune fille contre son épaule.

— Qui ça? Ah oui! le petit ami de Dasha. Tu crois qu'il n'est pas comme les autres? Eh bien, demande à ta sœur. Comment crois-tu qu'il l'a rencontrée?

En effet, ils s'étaient connus dans ce bar, chez *Sadko*...

— Tu n'es pas en train de me dire..., commença Tatiana.

— Je te répète de poser la question à Dasha. C'est ta grande sœur. Elle pourra te répondre.

— Tu dis n'importe quoi!

— Ne te fâche pas. Je veux juste te mettre en garde avec ton Dimitri. Ces gars-là, les militaires, attendent certaines choses des filles. Et quand ils ne les obtiennent pas par la douceur, ils les prennent par la force. Tu comprends ce que j'essaie de t'expliquer?

Tatiana ne répondit rien. Comment en étaient-elles arrivées à aborder ce sujet? Elle regrettait presque d'avoir appelé sa cousine.

— Tu es toujours amie avec Anton Iglenko? lui demanda encore celle-ci. C'est un gentil garçon et il est amoureux de toi.

— Anton est un copain. Il n'est pas amoureux de moi!

Marina lui ébouriffa les cheveux en riant :

— Tania, tu es toujours aussi adorable... et innocente !

Tatiana songea qu'elle ignorait tout de cet aspect de la vie d'Alexandre ; toutefois, elle refusait de laisser le doute s'insinuer en elle. Elle secoua la tête, comme pour chasser l'idée : non, Alexandre n'avait rien de commun avec les militaires que décrivait Marina. Alors la réflexion de Dimitri sur les « conquêtes » du lieutenant lui revint : *Il a cessé de voir ses autres conquêtes. Mais ne le dis pas à Dasha : elle risquerait d'être choquée.* Elle sentit la tête lui tourner.

— Viens, on rentre, dit-elle soudain à sa cousine.

Et elle s'appuya sur son bras pour rejoindre lentement l'arrêt du tram sur la Perspective Nevski. Ce fut alors qu'elle remarqua une gêne, une réticence dans l'expression de Marina — quelque chose en tout cas que le chagrin et la colère ne lui avaient pas permis de noter plus tôt. Elle la dévisagea un moment. Marina avait l'air embarrassé. Tatiana comprit.

— Personne ne t'attend chez toi, c'est ça ?

— Oui, c'est vrai, répondit sa cousine, presque honteuse. Maman est à l'hôpital. Quant à Papa, je n'en ai pas de nouvelles depuis trois jours.

— Tu ne vas pas rester toute seule, Marinka. Tu vas venir habiter chez nous. On a une pièce libre maintenant. Deda et Babouchka sont partis. Tu dormiras avec Dasha et moi.

— Vraiment ?

La jeune fille confirma d'un hochement de tête.

— Tu en as parlé à tes parents ?

— Inutile. Ta mère est la sœur de mon père. Il ne dira pas non. Va chercher tes affaires.

— Merci, merci, Tania ! Je me sentais tellement seule chez nous...

— Je sais. Tiens, voilà ton bus ! Dépêche-toi ! On se retrouve à la maison.

Marina traversa la rue en courant pour sauter dans l'autobus d'où elle adressa un signe joyeux à Tatiana. Celle-ci s'assit sur un banc pour attendre son tramway. Elle avait mal au cœur.

Le tram arriva, ses portes s'ouvrirent dans un claquement sonore. La jeune fille demeura immobile. Le conducteur l'interrogea d'un mouvement de tête. Alors, après un instant d'hésitation, elle lui fit signe que non, elle ne monterait pas. Les portes se refermèrent. Le tram s'éloigna.

Ne pas voir Alexandre ? Ne pas lui parler ? Ne pas l'entendre ? Impossible.

Elle se leva et refit en boitillant le chemin qui la séparait de la place des Décabristes et de la statue équestre de Pierre le Grand. Catherine II avait fait élever ce monument en hommage au fondateur de Leningrad, alors appelée Saint-Pétersbourg, « la ville de Pierre » que chantait Pouchkine dans son poème. Sur le socle de granit rouge où était gravée l'inscription *À Pierre Ier, Catherine II*, on avait posé de gigantesques sacs de sable censés protéger la statue des Allemands.

Dans la nuit, Tatiana ne distinguait même plus les dirigeables blancs qui flottaient en silence dans le ciel. Soudain, elle sentit une présence près d'elle, elle sursauta. Mais, déjà, Alexandre l'enveloppait de ses bras et l'attirait contre son corps en murmurant dans son cou :

— Oh, Tatia, ma Tatia...

Elle tenta faiblement de se dégager mais il serrait trop fort.

— Tu voulais me parler, je crois, fit-elle d'une voix étranglée.

— Parler ? répéta-t-il en resserrant son étreinte.

— Oui... de... de Dimitri.

Il écarta le col de son chemisier et embrassa son épaule.

— Arrête, Shura, je t'en prie.

— Impossible, chuchota-t-il dans ses cheveux. Autant me demander d'arrêter de respirer.

Il posa les mains sur ses seins et étouffa dans un long baiser le gémissement qu'elle ne put réprimer.

Alors les paroles de sa cousine résonnèrent dans la tête de Tatiana : *un trophée de plus au tableau de chasse*. Elle s'arracha à l'étreinte d'Alexandre — brusquement.

— Que se passe-t-il ? demanda-t-il, blessé.

Elle cherchait les mots, dévorée du besoin de poser la question qui la minait mais redoutant la réponse, effrayée à l'idée de le mettre en colère ou, pire, de lui faire de la peine. Elle s'en voulait de prêter crédit aux propos cyniques de Marina. Pourtant, ses paroles restaient là, fichées dans sa poitrine, douloureuses, pesantes.

— Que se passe-t-il ? répéta Alexandre.

Elle s'écarta de lui, claudiquant sur son plâtre.

— Veux-tu..., commença-t-elle, veux-tu me parler de Dimitri ?

— Non, répondit-il en croisant les bras, la mine résolue. Pas avant que tu ne m'aies dit ce qui ne va pas.

Tatiana secoua la tête puis dit dans un soupir, les yeux baissés :

— Bien. C'est... c'est Marina, ma cousine. C'est elle qui m'a accompagnée. On a discuté et... et elle m'a parlé des soldats.

Elle leva timidement les yeux. Les traits d'Alexandre semblaient figés dans un mélange d'agacement, de colère et de honte. Elle aurait préféré lire autre chose sur son visage — sans bien savoir quoi —, mais surtout pas la honte. Elle s'arma de courage et poursuivit :

— Elle m'a raconté des choses intéressantes.

— Je n'en doute pas.

— Elle ne parlait pas de toi, elle voulait juste me mettre en garde contre Dimitri. Elle m'a dit que, pour les soldats, toutes les filles ne sont que des trophées sur un tableau de chasse.

Alexandre approcha. Il ne la toucha pas, ne l'effleura même pas.

— As-tu une question à me poser? fit-il.

Elle aurait voulu pouvoir le regarder dans les yeux, mais n'osait pas lever la tête. Et si, après tous les moments passés ensemble, après les promenades à la sortie de l'usine, après Louga, après tous ces sentiments si secrets, si profonds... si je découvrais que Marina a raison *pour lui aussi*? Tatiana n'était pas sûre de vouloir affronter la vérité.

— Pose-moi ta question, répéta Alexandre, comme s'il lisait dans ses pensées.

Il avait parlé d'une voix si douce qu'elle reprit confiance :

— Shura, c'est ça que je suis pour toi? Un trophée sur un tableau de chasse?

Enfin, elle leva vers lui un regard qui trahissait tous ses doutes, toutes ses incertitudes, toute sa vulnérabilité aussi. Alors il prit son visage entre ses mains et murmura contre ses lèvres :

— Tatiasha, tu as donc tout oublié? Réfléchis : si tu n'étais qu'un trophée sur un tableau de chasse, crois-tu que j'aurais hésité l'autre nuit à l'hôpital? Crois-tu que j'aurais fait tout ce chemin jusqu'à Louga pour te sortir des décombres de la gare?

Tatiana ferma les yeux.

— Regarde-moi, Tania. Regarde-moi.

Elle obéit.

— Maintenant écoute-moi. Je ne voulais pas te parler de ça, mais... (Il s'interrompit et respira profondément :) en entrant dans l'armée, j'ai vite compris qu'il allait être très difficile, voire impossible d'avoir des relations naturelles, sincères, avec des femmes, notamment à cause des réalités de la vie soviétique : pas de chambre, pas d'appartement à soi, pas d'hôtel où aller. Tu veux la vérité ? Je vais te la dire. Seulement je ne voudrais pas qu'elle t'effraie, ou que tu aies peur de moi quand tu la connaîtras. C'est vrai, pendant les permissions ou le soir, parfois, dans les bars il y a toutes sortes de filles prêtes à « fréquenter » des soldats... Ça m'est arrivé, comme aux autres, mais pas si souvent que tu le crois.

— Je ne crois rien, murmura Tatiana. Je te crois, toi...

— Merci. Tu sais, je n'étais pas bien vieux quand je suis entré dans l'armée. J'avais envie de m'amuser comme les autres, de ne pas être « différent » de mes camarades. Et puis je ne voulais pas de liens, pas d'attaches...

— Et Dasha ?

— Dasha ?

— Est-ce que Dasha faisait partie de...

Elle ne put poursuivre, les mots refusaient de passer ses lèvres.

— Tatia, je t'en prie. Ne pense pas à ces choses. Si tu tiens à le savoir, pose la question à Dasha. Ce n'est pas à moi d'y répondre.

— Alexandre ! Dasha *est un lien*, une attache. Dasha a un cœur.

— Non. Dasha t'a *toi*.

Tatiana soupira. C'était trop douloureux : elle préférait l'entendre évoquer cent filles plutôt qu'une seule Dasha. Elle s'assit, le dos contre le socle de granit de la statue.

— J'ai peur de me tromper sur ton compte, fit-elle dans un souffle.

— Comment pourrais-tu te tromper sur mon compte ? Tu es la personne qui me connaît le mieux sur cette terre, celle qui m'est le plus proche. Tu ne comprends donc pas que j'aime ton innocence, ta sincérité, ton authenticité ? Elles ressemblent si peu à ce que j'ai connu. Toutes ces choses qui t'inquiètent, elles sont sorties de ma vie le jour où je t'ai rencontrée. Sais-tu pourquoi ? Parce que je voulais pouvoir te regarder en face. Toujours. Tu n'as pas senti à quel point j'étais seul quand je t'ai rencontrée ?

— Si, murmura Tatiana. Je l'ai compris à travers ma propre solitude. Shura, comprends-moi, toi aussi : je vis cernée de fausses vérités qui ressemblent à des vrais mensonges. Toi et moi, on ne parle plus jamais seule à seul, on n'a plus jamais un moment de...

Elle hésita. Il n'y avait pas de mot pour ce qu'elle voulait exprimer — en tout cas, elle n'en connaissait pas.

— D'*intimité*.

Alexandre avait prononcé le mot en anglais. Devant la mine perplexe de Tatiana, il eut un sourire triste.

— Ma Tania, si nous avions cette *intimité*, plus jamais tu ne douterais de moi. L'intimité, c'est pouvoir s'isoler, se retrouver seul avec soi-même ou seul avec quelqu'un, chose impossible quand on est six dans un deux-pièces.

Le visage de la jeune fille s'éclaira — c'était ce qu'elle cherchait depuis toujours, quand elle se réfugiait dans la lecture, quand elle attendait avec impatience que ses parents ou sa sœur soient sortis : l'*intimité*.

— En russe, il n'y a pas de mot pour ça.

— Je sais, fit Alexandre en s'asseyant près d'elle contre le socle de la statue. Tania, poursuivit-il en la fixant dans la pénombre, quand aurons-nous un autre moment d'*intimité* ? Quand serons-nous à nouveau seuls ?

— Nous sommes seuls maintenant.

— Peut-être pour la dernière fois... Les Allemands

seront bientôt là. La vie que tu as connue n'existera plus. Maintenant, c'est la guerre. Leningrad va devenir un champ de bataille. Combien d'entre nous survivront? Serons-nous encore vivants dans quelques semaines?

— C'est pour ça que tu viens sans cesse à la maison, même avec Dimitri accroché à tes basques? C'est pour ça? murmura Tatiana.

Il hocha la tête en silence avant de répondre :

— Oui, je crains toujours que ce ne soit la dernière fois, de ne jamais te revoir...

Elle eut envie de se blottir dans ses bras. Mais, après, elle le savait, il ne lui dirait plus rien. Or elle voulait en apprendre davantage, comprendre, *ce soir*.

— Shura, pourquoi Dimitri est-il toujours avec toi? Parle-moi de lui. Tu as une dette envers lui, c'est ça?

Alexandre mit un long moment à lui répondre, comme s'il s'apprêtait à plonger dans un bain glacé.

— Dimitri sait qui je suis, souffla-t-il enfin. Quand ma mère a été arrêtée, le NKVD est venu me chercher, moi aussi. Je n'ai même pas pu lui dire au revoir. J'avais dix-sept ans, le même âge que toi aujourd'hui. On m'a conduit directement à Kresty, le centre de détention des droit-commun, car il n'y avait plus de place à Shpalerka, la prison des politiques. En trois heures, mon sort a été réglé : ils ne se sont même pas donné la peine de m'interroger. J'en ai pris pour dix ans à Vladivostok. Sais-tu combien nous étions dans le train pour Vladivostok? Un millier, Tania. Tu te rends compte? Dans le train, j'ai rencontré un homme qui avait passé des années au camp de Vladivostok et on l'y renvoyait. Il m'a dit que le camp comptait quatre-vingt mille prisonniers. J'allais passer dix ans de ma vie, dix années de jeunesse, dans un camp avec quatre-vingt mille détenus. Mon père et ma mère croyaient en moi. Moi aussi je croyais en moi. Je n'avais jamais volé, jamais fait de mal à personne, même jamais cassé une vitre avec un ballon. Je n'avais *jamais rien fait*, tu comprends ? ajouta Alexandre d'une voix brisée.

— Je comprends...

— Alors, quand le train a traversé la Volga près de Kazan, je me suis dit : « C'est maintenant ou jamais. » Et j'ai sauté. Il y avait un précipice de trente mètres. Je me suis jeté dans l'eau. Ils n'ont même pas arrêté le train. Ils étaient sûrs que j'étais mort. Je n'avais rien sur moi : ni papiers ni argent. C'était l'été 1936. J'ai descendu la Volga vers le sud, à pied, sur des bateaux de pêche, dans des carrioles de paysans sur les chemins de halage. J'ai été pêcheur, j'ai travaillé par-ci, par-là comme manœuvre dans des fermes. De Kazan, je suis allé à Oulianovsk, la ville natale de Lénine, puis à Saratov. Ensuite je suis remonté vers Krasnodar, près de la mer Noire. J'avais l'intention de gagner la Géorgie, puis de passer en Turquie. J'espérais franchir la frontière quelque part dans les montagnes du Caucase. En travaillant à droite et à gauche sur ma route, j'avais gagné un peu d'argent. Je pensais qu'une fois en Turquie, mon anglais m'aiderait. C'est à Krasnodar que le destin a frappé. L'hiver était rude, très rude. Je travaillais pour une famille de fermiers, les Belov...

— Les Belov ? répéta Tatiana, étonnée.

— Oui, des gens adorables. Un père, une mère, quatre fils et une fille. Cet hiver-là, tout le village a attrapé le typhus, soit trois cent soixante personnes. Les neuf dixièmes de la population sont morts, y compris la famille Belov. Les autorités locales ont incendié le village pour éviter que l'épidémie ne se répande. On a brûlé mes vêtements et on m'a mis en quarantaine : soit je mourais, soit je guérissais. J'ai guéri. Un employé municipal est venu me voir afin de m'établir de nouveaux papiers. Sans hésitation, j'ai déclaré que j'étais Alexandre Belov. Tout le village avait brûlé, il n'y avait aucun moyen de vérifier. Je devenais le plus jeune fils des Belov, unique survivant de ma famille. On m'a délivré une identité toute neuve et la carte qui allait avec. J'étais Alexandre Nikolaïevitch Belov, né à Krasnodar, orphelin à dix-sept ans.

Tatiana écoutait, stupéfaite :

— Shura, tu ne m'as jamais dit ton nom américain en entier, fit-elle timidement.

— Anthony Alexander Barrington. Anthony, c'était pour le père de ma mère. Mais on ne m'a toujours appelé qu'Alexander.

Il alluma une cigarette avant de poursuivre :

— Après, j'ai voulu revenir à Leningrad. Puisque j'étais russe et non plus américain, j'allais peut-être pouvoir apprendre ce qui était arrivé à mes parents. À Leningrad, j'ai été accueilli par une charmante tante Mira Belov qui n'avait pas vu son neveu depuis dix ans, ce qui faisait parfaitement mon affaire. Je suis retourné au lycée. C'est là que j'ai rencontré Dimitri. C'était un garçon maigrichon, impopulaire et pas très marrant. Quand on jouait à la guerre à la récréation, il s'arrangeait toujours pour être prisonnier, blessé ou mort. C'était une vocation. Un jour, j'ai appris que son père était gardien à Shpalerka.

— Tes parents étaient encore en vie ?

— Je n'en savais rien. Alors j'ai *décidé* de devenir l'ami de Dimitri, en espérant qu'il m'aiderait peut-être à revoir mon père et ma mère. Je savais que, s'ils étaient vivants, ils devaient terriblement s'inquiéter pour moi. Je voulais trouver un moyen de les rassurer — ma mère surtout —, ajouta Alexandre, tentant de maîtriser l'émotion dans sa voix.

Les yeux de Tatiana se remplirent de larmes.

— Et ton père ? demanda-t-elle.

Il répondit avec un haussement d'épaules :

— Mon père, c'était un père. À l'adolescence, j'avais eu quelques conflits avec lui. Il croyait tout savoir, je croyais tout savoir aussi.

Il tira sur sa cigarette une bouffée plus longue que les autres.

— J'ai peu à peu gagné la confiance de Dimitri, on est devenus amis. Il était fier que je l'aie choisi parmi tous les autres.

— Oh, Shura, *tu as été obligé de tout lui dire*. C'est ça, n'est-ce pas ?

— Je n'avais pas le choix : soit je rayais mes parents de ma vie, soit je lui faisais confiance et je lui disais tout.

Alexandre baissa les yeux sur ses mains, comme s'il espérait y lire le sens de son étrange destin.

— Pourtant, je n'avais aucune envie de me fier à lui. En bon communiste, mon père m'avait toujours dit et redit de ne jamais me fier à personne. J'avais retenu la leçon, mais elle était dure à appliquer. J'avais besoin de pouvoir faire confiance à quelqu'un une fois dans ma vie, rien qu'une fois. Et il me fallait l'aide de Dimitri. J'ai pensé que, si j'arrivais à revoir mes parents grâce à lui, je lui serais éternellement redevable. C'est d'ailleurs ce que je lui ai dit pour le convaincre : « Dima, je serai toujours ton ami. Toute ma vie, je ferai ce qui est en mon pouvoir pour t'aider. »

Alexandre écrasa son mégot sous sa botte et réfléchit quelques instants avant de poursuivre :

— Chernenko, le père de Dimitri, m'a appris que ma mère était morte. C'est lui qui m'a raconté sa fin. Mon père, lui, était toujours vivant — mais plus pour longtemps. Il était en prison depuis un an. Chernenko nous a fait entrer dans Shpalerka, Dimitri et moi. On nous a laissés quelques minutes avec l'espion étranger Harold

Barrington. Nous étions cinq : moi, mon père, Dimitri, son père et un autre gardien. Comme tu vois, mon père et moi n'avons pas eu droit à l'*intimité*.

— Comment ça s'est passé ? demanda Tatiana en lui prenant la main.

— Comme tu peux l'imaginer...

Dans la petite cellule de béton, Alexandre a regardé son père, Harold Barrington a regardé son fils. Il n'a pas bougé de son lit. Il n'a pas pu.

Dimitri se tenait au milieu de cette pièce minuscule, Alexandre sur le côté. Le garde et Chernenko derrière eux. Une ampoule pendait du plafond, dispensant une faible lueur.

En russe, Dimitri a dit à Harold Barrington :

— Nous n'avons pas beaucoup de temps, camarade. Compris ?

— Compris, a répondu Harold, également en russe, en réprimant ses larmes. Merci d'être venus me voir, mes garçons. Comment t'appelles-tu, camarade ?

— Dimitri Chernenko.

— Et toi? a-t-il demandé d'une voix tremblante à Alexandre.

— Alexandre Belov.

Harold a répété :

— Belov...

Le garde l'a interrompu :

— Maintenant, les gars, vous l'avez assez vu. Dehors.

Dimitri a dit :

— Un instant! On voulait juste dire au camarade que, malgré ses crimes contre le prolétariat, il ne sera pas oublié.

Alexandre ne disait rien. Il gardait les yeux fixés sur son père.

— *C'est* à cause de ses crimes *qu'il ne sera pas oublié, a dit le garde.*

Harold s'est mordu la lèvre, il a longuement dévisagé Dimitri et Alexandre, puis il a demandé au garde s'il pouvait leur serrer la main.

— D'accord, mais faites vite.

Alors son fils a enfin ouvert la bouche :

— Camarade Barrington, je n'ai jamais entendu parler anglais. Pourrais-tu nous dire quelque chose en anglais ?

Encouragé par ces paroles, Harold a trouvé la force de se lever de son grabat et s'est dirigé vers Dimitri :

— Merci, lui a-t-il dit en anglais.

Puis il s'est tourné vers Alexandre, lui a pris la main et l'a serrée entre les siennes :

— Si tu peux voir détruit l'ouvrage de ta vie
Et sans dire un seul mot te mettre à rebâtir...
Tu seras un homme, mon fils.

Ce dernier vers, il l'a prononcé dans un murmure, puis il a lâché la main d'Alexandre et a reculé d'un pas.

Le garde a crié :

— Dehors !

Alexandre lui tournait le dos. Alors, en silence, il a articulé à l'intention de son père :

— Je t'aime, Papa.

Et ils sont sortis.

Tatiana pleurait. Alexandre passa un bras sur ses épaules et sécha ses larmes :

— Tu comprends, si j'ai revu mon père une dernière fois, c'est grâce à Dimitri.

— Le reste, c'est moi qui vais te le raconter, fit-elle en lui embrassant le creux de la main. Dimitri et toi, vous êtes entrés à l'université, puis vous vous êtes engagés dans l'armée. Vous avez fait l'école d'officiers ensemble, et Dimitri a échoué. Au début tout allait bien, il acceptait la situation. Puis il s'est mis à te demander des services : il voulait changer d'unité, refusait de se battre, il t'a demandé tous les passe-droits, toutes les faveurs.

— C'est vrai, répondit Alexandre en baissant la tête.

— Et que t'a-t-il demandé d'autre?

Il ne répondit rien, si longtemps que Tatiana crut un instant qu'il avait oublié la question. Puis il dit dans un souffle :

— Il a voulu des filles aussi. Je veux dire... celles avec qui je sortais. Il me demandait de les lui laisser... et je cédais.

Tatiana fixait le vide, droit devant elle.

— Dimitri n'a toujours voulu que les filles qui te plaisaient vraiment, c'est bien ça?

— Oui.

— Et quand il m'a voulue, moi, tu as cédé...

— Non, Tania, je n'ai pas cédé. Devant lui, j'ai joué l'indifférence, j'ai fait comme si tu n'étais rien pour moi. J'espérais que, s'il croyait que tu ne comptais pas pour moi, il te laisserait tranquille. Hélas, cette fois ça n'a pas marché. Il se fiche de ce que j'éprouve ou pas pour toi. Il est tombé amoureux, il te veut, un point c'est tout.

— Tu te trompes, Shura, répondit calmement Tatiana. Dimitri n'est pas amoureux de moi.

— Qu'est-ce qui te fait dire ça?

— *Je le sais*, c'est tout. Ce n'est pas moi qu'il veut. Tout ce qu'il veut, c'est le pouvoir — c'est la seule chose qui importe vraiment pour lui. C'est ça l'amour de sa vie : le pouvoir.

— Le pouvoir sur toi?

— Non, le pouvoir sur *toi*. Je ne suis qu'un moyen d'atteindre son but.

Alexandre la dévisageait, sceptique. Elle poursuivit :

— Dimitri n'a rien. Toi, tu as tout. La seule chose qu'il possède en propre, c'est cette dette que tu as contractée envers lui, voilà son pouvoir sur toi. Il a besoin de toi. Tu le protèges, il est dépendant de toi. Plus tu es heureux, plus il te déteste. Chaque fois qu'on te donne une promotion, une médaille, chaque fois que tu rencontres une fille, il se sent diminué, amoindri. Par conséquent, plus tu seras puissant, plus il t'en demandera...

— Il finira par me demander quelque chose que je ne peux pas lui donner, conclut Alexandre, songeur. Et il m'enverra à la mort. Sous chacune de ses requêtes, il y a cette menace tacite : il suffit d'un mot au NKVD sur mon passé d'Américain, une vague allusion même, et je disparais illico.

Tatiana hocha tristement la tête :

— J'avais compris. Cela dit, il n'a pas vraiment intérêt à te faire tomber : il lui arriverait ce qui arrive à tous les parasites quand ils perdent leur hôte...

— Ne crois pas ça : il en trouverait un autre. Maintenant, laisse-moi te poser une question, Tania : à ton avis, quelle est la chose que Dimitri souhaite le plus me prendre ?

— Celle à laquelle tu tiens le plus.

— Tania, *tu es* ce à quoi je tiens le plus.

— Et Dimitri le sait, Shura. C'est pourquoi je te répète qu'il n'est pas amoureux de moi. Tout ce qu'il veut, c'est te blesser, toi. Alors continue de feindre l'indifférence ; il reculera, tu verras. Il a juste besoin de croire que tu ne t'intéresses pas à moi, après je ne l'intéresserai plus non plus. Es-tu capable de faire ce que je te demande ?

— Je vais m'y efforcer.

— Tu ne passeras plus pour un oui ou pour un non ?

— Ne me demande pas ça. Tant que je pourrai te voir,

je viendrai. J'essaierai juste de me montrer distant. Tu ne m'en voudras pas, n'est-ce pas, Tania ?

— J'essaierai, répondit la jeune fille avec un pâle sourire. On va traverser cette guerre, Shura, et voir ce qui nous attend de l'autre côté. Fais-moi confiance, Alexander Barrington. Je ne te trahirai jamais. Je suis à toi.

7

Le lendemain soir, en rentrant de l'hôpital, Tatiana trouva sa mère et sa sœur en larmes. Les Metanov venaient de recevoir un télégramme leur annonçant que, le 13 juillet 1941, les Allemands avaient bombardé le train dans lequel se trouvaient Pavel Metanov et des centaines d'autres jeunes volontaires. Il n'y avait aucun survivant.

Une semaine avant que je parte à sa recherche, songea Tatiana. Qu'est-ce que je faisais le jour où le train a sauté? J'étais au travail? Dans un tram? Ai-je seulement pensé à lui ce jour-là? J'ai pensé à lui depuis, ça oui. J'ai senti qu'il n'était plus là. Mon pauvre Pasha, on t'a perdu sans même le savoir. C'est si triste d'imaginer qu'on peut vivre pendant des jours — ne serait-ce même qu'une heure, une minute — en pensant que tout est comme avant alors que tout s'est écroulé. Au lieu de te pleurer, nous avons fait des projets, nous avons continué de travailler, de rêver, d'aimer, sans savoir que tu ne faisais déjà plus partie de notre monde.

Sans le savoir... Je ne peux pas y croire. Comment est-ce possible de *ne pas savoir*? On n'aurait pas pu voir un signe? Ta réticence à partir, par exemple? Une chose qui nous serve d'indice, qui nous permette de comprendre la prochaine fois, de savoir qu'il faut pleurer tout de suite... On aurait pu encore passer quelques soirées ensemble, quelques après-midi dans le parc, quelques dimanches. Oh, Pasha, te revoir encore une fois, rien qu'une fois...

Vautré sur le canapé, Georgi Vassilievitch était soûl. Irina Fedorovna s'efforçait de faire le ménage et pleurait dans un seau d'eau savonneuse. Tatiana lui offrit son aide. Sa mère la repoussa. Alors elle alla trouver Dasha qui préparait le dîner dans la cuisine. Là aussi, elle essuya une rebuffade :

— Il y a un mois, quand je t'ai demandé si tu pensais que Pasha était toujours vivant, tu m'as répondu non. Peut-être que ça te fait rien à toi, la mort de Pasha, mais nous, on est sous le choc !

Tatiana sortit sans un mot et monta sur le toit guetter les bombes dans la nuit fraîche qui tombait sur la ville.

L'été était fini.

Bientôt, l'hiver envelopperait Leningrad.

Deuxième partie

Les morsures de l'hiver

Le siège

1

Quel était le prix du mensonge ? Depuis l'instant où elle se réveillait jusqu'à celui où elle sombrait dans un sommeil sans rêves, Tatiana mentait : à chaque pas, chaque respiration, chaque bulletin d'information entendu à la radio...

Elle espérait qu'Alexandre ne passerait plus à la maison. *Mensonge.*

Il n'y aurait plus de discussion le soir au pied du Cavalier de bronze. Tant mieux. *Mensonge.*

Plus de tram, plus de canaux, plus de Jardins d'Été, plus de Louga, plus de lèvres, plus de mains sur son corps. Tant mieux. Tant mieux. Tant mieux. *Mensonge, mensonge, mensonge.*

Comme promis, il se montrait avec elle d'une froideur irréprochable. Il avait une étonnante capacité de faire comme si — comme s'il n'y avait rien, *vraiment rien*, derrière la neutralité de son sourire, ses mains qui ne tremblaient pas. Pas un cillement. Tant mieux. *Mensonge.*

De toute façon, rien ne semblait devoir décourager Dimitri, qui la poursuivait toujours avec assiduité.

Début septembre, le couvre-feu fut imposé et les rations à nouveau réduites. Alexandre cessa de venir tous les jours. Tant mieux. *Mensonge.*

Lorsqu'il passait, il se montrait très affectueux avec Dasha — devant Tatiana, devant Dimitri. Tant mieux. *Mensonge*.

Cramponnée à ses résolutions, elle s'efforçait de faire bonne figure et souriait à Dimitri, le cœur fermé comme un poing. Elle aussi elle savait faire semblant. *Mensonge*.

Elle n'avait qu'une envie : quitter Leningrad, échapper à ce cercle vicieux de misère, de malheur, d'amour et de mensonge qui l'assiégeait.

Elle aimait Alexandre. C'était l'unique vérité.

Depuis qu'il avait appris la mort de son fils, Georgi Vassilievitch ne travaillait plus que sporadiquement. Le plus souvent, il était trop soûl pour sortir et restait à la maison. Sa présence rendait tout plus difficile pour Tatiana : cuisiner, ranger, nettoyer, lire... Le seul endroit où elle trouvait un peu de paix, c'était le toit, et c'était une paix relative que de guetter les avions et leurs bombes. De toute façon, en elle, il n'y avait pas de paix.

Alexandre écourtait ses visites. Il se rationnait comme la municipalité de Leningrad rationnait la nourriture. Tatiana ne rêvait que d'une chose : avoir à nouveau un moment de solitude, d'*intimité* avec lui, juste pour s'assurer que l'été 1941 n'avait pas été qu'un mirage.

Elle s'inquiétait pour Marina : depuis le soir où elle l'avait vue sauter dans le bus pour aller chercher ses affaires, elle n'en avait plus eu aucune nouvelle.

Un soir, Dasha demanda à Alexandre si les Soviétiques parviendraient à chasser les troupes de von Leeb de Leningrad. Il répondit oui, et Tatiana songea : *mensonge*.

À l'hôpital comme partout en ville, on ne parlait que de la guerre. On la sentait presque approcher physiquement. La guerre n'était plus cette aberration qui se déroulait sur les rives de la Louga, qui avait englouti Pasha, cette chose qu'enduraient seuls les lointains Ukrainiens dans les ruines fumantes de leurs villages, ou les Anglais dans leur île du bout du monde. La guerre était là.

Comme Tatiana, la ville retenait son souffle.

Après la chute du nœud ferroviaire de Mga fin août, la radio annonça que la ville de Dubrovka était tombée. Dubrovka était une petite agglomération située sur l'autre rive de la Neva, aux portes de Leningrad. C'était là qu'habitait Babouchka Maya, la grand-mère maternelle de Tatiana, qui décida alors de venir vivre avec les Metanov. Son mari, le beau-père d'Irina Fedorovna, était mort de tuberculose quelques jours plus tôt. Elle se retrouvait donc seule.

Son premier mari, le père d'Irina, avait disparu pendant la guerre de 1905. Elle avait vécu trente ans avec le second, mais sans se marier. Un jour, Tatiana lui avait demandé pourquoi et Babouchka Maya avait répondu :

— Tu n'y songes pas, petite ! Et si mon pauvre Fedor revenait ? Je serais dans un beau pétrin.

Babouchka était peintre. Elle avait connu un certain succès avant la révolution mais, après 1917, elle avait dû mettre son art au service de la propagande bolchévique. Cependant, en cachette, elle peignait des fleurs et des paysages.

Maintenant les Allemands avaient brûlé son village et, avec lui, toutes ses toiles.

À son arrivée chez les Metanov, on lui donna la pièce qu'occupaient les parents de Tatiana depuis le départ de Deda et de l'autre Babouchka. Irina Fedorovna et Georgi Vassilievitch revinrent dormir dans la même pièce que leurs filles. De ce fait, Tatiana n'eut plus à endurer les « Tania, s'il te plaît, tu ne voudrais pas nous laisser seuls, Alexandre et moi » — ce qui était déjà un soulagement.

Le soir du 7 septembre, juste avant le dîner, on frappa à la porte du logement. C'était Marina. Son père avait été tué — ironie du sort — dans un char fabriqué par son usine. Toute la famille aimait beaucoup l'oncle Boris. Sa mort aurait été un véritable traumatisme s'ils n'avaient déjà été tellement ébranlés par la disparition de Pasha. Quant à la mère de Marina, elle était toujours à l'hôpital, où elle mourait lentement d'un dysfonctionnement rénal.

Quand, accompagnée de Tatiana, Marina pénétra dans la pièce, tous les regards se braquèrent sur sa valise. Georgi Vassilievitch lui demanda si elle avait l'intention de rester. Elle répondit oui. Puis, devant la mine consternée de son oncle, se tourna vers sa cousine :

— Tania, tu n'as pas dit à Oncle Georg que tu m'avais proposé de venir habiter chez vous ? Ne t'inquiète pas, Oncle Georg, s'empressa-t-elle d'ajouter, j'ai apporté ma carte de rationnement.

Georgi Vassilievitch lança un regard furieux à sa cadette. Irina Fedorovna et Dasha de même — silencieux reproches auxquels Tatiana riposta par cette phrase :

— Papa, son père est mort, ta sœur est en train de mourir ; tu ne crois pas qu'on peut l'héberger quelque temps ?

Ce soir-là, un autre incident se produisit avant le dîner. Les filles avaient laissé mijoter le repas dans la cuisine collective. Lorsqu'elles allèrent le chercher, les pommes de terre frites, les oignons et une petite tomate avaient disparu. Seule restait la poêle : vide et sale. Quelques petits morceaux de pommes de terre attachés au fond constituaient les ultimes vestiges de leur dîner.

Dasha, parce que c'était sa façon de faire, entraîna Tatiana chez tous les voisins, frappant à chaque porte pour réclamer ses patates. Zhanna Sarkova lui ouvrit, dépeignée, hagarde. Quand Dasha lui parla des pommes de terre, elle rétorqua, cinglante :

— Tes patates ! Mais qu'est-ce que j'en ai à faire de tes patates, ma pauvre fille ? Moi, c'est mon mari qui a disparu. Il est peut-être blessé quelque part. Fiche-moi la paix avec tes patates !

Et elle leur claqua la porte au nez.

Comme à l'accoutumée, Slavin était vautré en travers du couloir, marmonnant. De son minuscule logement sortaient toutes les odeurs imaginables, sauf celle des patates frites.

— De quoi se nourrit-il, le pauvre ? demanda Tatiana quand elles se furent un peu éloignées.

— Ça n'est pas notre problème, lui répondit sa sœur.

Les Iglenko n'étaient pas chez eux. Depuis la mort de Volodya, dans le même train que Pasha, Petr Iglenko, le père, passait ses nuits et ses jours à l'usine, à fondre des chutes de métal qui seraient recyclées en munitions. Ils n'avaient guère été épargnés : Petka, leur aîné, avait été tué à Pulkovo. Seuls restaient leurs deux plus jeunes fils, Anton et Kirill.

— Pauvre Nina, soupira Tatiana tandis que sa sœur et elle regagnaient leur logement.

— Comment ça, « pauvre Nina » ! s'exclama Dasha, indignée. Elle au moins il lui reste deux fils. Elle a bien de la chance ! (Et elle conclut :) De toute façon, ils mentent tous pour les patates.

— Non, Dasha, ils disent la vérité : des patates frites avec des oignons, ce n'est pas si facile à cacher.

Ce soir-là, les Metanov n'eurent que du pain beurré à manger et passèrent le dîner, ou ce qui en tenait lieu, en récriminations. Georgi Vassilievitch cria après les filles qui avaient laissé s'envoler leur repas. Tatiana ne répondit pas, se rappelant les conseils d'Alexandre.

La famille décida de ne plus courir aucun risque et de rapatrier de la cuisine collective toutes les conserves, céréales, boîtes de savon, bouteilles de vodka et autres denrées qu'elle y avait stockés. On allait les ranger dans les deux pièces du logement.

— Une chance que cette porte nous sépare de tous ces charognards, grommela Irina Fedorovna en désignant l'entrée. Sinon, ils ne nous auraient rien laissé.

Georgi Vassilievitch continua de maugréer à propos de Marina. Sa carte de rationnement d'étudiante ne lui donnait pas droit à grand-chose : ce serait une bouche de plus à nourrir.

— Elle est juste venue manger les boîtes de conserve du pauvre Deda, marmonna-t-il.

— Papa, *c'est ta nièce*, lui rappela Tatiana dans un murmure, espérant que sa cousine n'entendrait pas. *Le seul enfant de ta seule sœur*.

Et elle insista lourdement sur chaque mot.

2

Le lendemain, 8 septembre, les sirènes retentirent tôt dans la matinée, annonçant une attaque aérienne. À l'hôpital, Véra attrapa Tatiana par la manche en criant :

— Tu entends ce bruit?

Elles sortirent par l'entrée principale sur la Perspective Ligovski. Tatiana reconnut alors le martèlement sourd des tirs de mortier, souvenir de Louga. Il ne semblait pas se rapprocher, mais sa fréquence s'intensifiait. Posément, elle dit à Véra :

— Ce sont juste des tirs de mortier. Ils font ce bruit-là quand ils lâchent leurs obus.

— Des obus?

— Oui. On installe ces machins-là dans le sol, je ne sais pas bien comment ils fonctionnent. Toujours est-il qu'ils lancent des obus : des petits, des gros, des explosifs. Les shrapnels sont les pires. Ceux-là, ils sont terribles.

Véra dévisageait Tatiana. Celle-ci haussa les épaules en expliquant :

— J'ai appris ça à Louga — et je le regrette. À propos, tu ne devais pas m'enlever ce plâtre aujourd'hui?

— Si, viens.

Elles rentrèrent dans l'hôpital. Pour la première fois depuis six semaines, Tatiana revoyait sa jambe : elle lui parut blanche, maigre, sans muscles. Elle s'apprêtait à faire part de ces réflexions à Véra quand une violente explosion retentit au loin. Puis il y eut une cavalcade dans l'escalier : toutes les infirmières se précipitaient vers le toit. Les deux jeunes femmes suivirent. Tatiana grimpait les marches en claudiquant. Sa jambe lui faisait mal.

Sur le toit, elle observa deux escadrilles de huit avions chacune qui survolaient la ville. Au loin, une épaisse fumée noire s'échappait d'un pâté de maisons en feu. Ça y est, se dit-elle. Les Allemands bombardent Leningrad. Je croyais avoir laissé ça derrière moi, à Louga. Je croyais avoir vécu le pire et ne plus jamais le revoir. Au moins, Louga je pouvais en partir, revenir vers la paix. Mais maintenant... où aller ?

Une odeur âcre, inconnue celle-là, irritait ses narines. L'après-midi, elle en apprit l'origine : c'étaient les entrepôts Badaïev, où étaient stockées les denrées destinées à nourrir la population de Leningrad, qui avaient été bombardés. L'odeur, c'était celle de deux mille sept cents tonnes de sucre en train de brûler.

Une fois à la maison, Tatiana dit à son père :

— Papa, que va-t-il arriver à cette ville ?

— La même chose qui est arrivée à Pasha, lui répondit-il sèchement.

Irina Fedorovna éclata en sanglots.

Dasha, Tatiana et Marina échangèrent un regard.

Les bombardements se poursuivirent tard dans la soirée. Anton vint chercher Tatiana pour grimper sur le toit d'où ils regardèrent voleter dans le ciel des fragments impossibles à identifier.

— Tu sais, cet après-midi une bombe a failli tomber sur le toit, déclara le jeune garçon avec enthousiasme. Une incendiaire ! Pile ici ! J'ai réussi à l'écarter avec ça, ajouta-t-il en brandissant un bâton au bout duquel était attaché un demi-cercle qui ressemblait vaguement à un casque militaire

Sur ces mots, il se mit à gesticuler, le poing levé vers le ciel :

— Je suis prêt ! Tu peux revenir ! Tu vas voir ce que tu vas voir !

— Anton, fit Tatiana en riant, tu es aussi cinglé que Slavin.

— Oh, bien plus ! répliqua joyeusement Anton. Lui ne passe pas son temps sur le toit.

Soudain, Irina Fedorovna glissa la tête par la porte de la cage d'escalier, sans toutefois s'aventurer elle-même sur le toit. Elle cria :

— Tatiana Georgievna ! Tu es folle ou quoi ? Redescends tout de suite !

— Je ne peux pas, Maman : je suis en service.

— Je te dis de rentrer tout de suite, tu m'entends ?

— Tout à l'heure, Mamochka. Je redescendrai dans une heure.

Furieuse, sa mère marmonna quelques paroles inintelligibles et disparut, mais pour reparaître une dizaine de minutes plus tard accompagnée d'Alexandre et de Dimitri.

— Redescends tout de suite, Tatiana, fit Alexandre.

Il était sorti sur le toit et avançait vers elle à grands pas. Dimitri, quant à lui, restait sur le palier, à l'abri avec Irina Fedorovna.

— Enfin, Alex, je ne peux pas laisser Anton tout seul, répondit Tatiana dans un soupir.

— Tout va bien, Tania. T'inquiète ! cria le jeune garçon en agitant son bâton vers le ciel. Je les attends de pied ferme.

Alexandre lui dit :

— Dans ce cas, mets un casque sur ta tête, soldat.

Et il entraîna Tatiana avec lui.

Lorsqu'ils furent de retour dans le logement des Metanov, Dimitri souffla à la jeune fille :

— Tania chérie, vraiment, tu ne devrais pas grimper sur le toit pendant les attaques aériennes.

— Je ne vois pas bien en quelle autre occasion y grimper. Pour prendre un bain de soleil peut-être ?

— Dimitri a raison, intervint Alexandre avec colère. Ta mère aussi a raison. À quoi penses-tu ? Tu veux qu'il y ait un mort de plus dans cette famille ? Tu as donc oublié Louga ? Que crois-tu qu'il arrive quand une bombe explose ? Le souffle fait voler en éclats le verre, le bois, le plastique... À ton avis, pourquoi a-t-on collé des bandes de papier sur toutes les vitres ?

— On pourrait peut-être en coller une sur moi aussi pour que je ne bouge plus, riposta vertement Tatiana. Un petit palmier serait du meilleur effet...

— Ferme ton clapet, Tania ! lui cria sa sœur. Tu nous as déjà fait assez d'ennuis comme ça ! Je n'ai pas envie que ces courageux soldats aient encore à te tirer de sous un tas de briques, conclut-elle en se serrant contre Alexandre.

— Encore un exploit dont je ne peux pas m'attribuer le mérite, n'est-ce pas, Alex ? fit Dimitri, cinglant.

Irina Fedorovna s'interposa :

— Tania, va préparer le repas et laisse-nous discuter entre adultes. Marina va t'aider.

La jeune fille obéit à contrecœur, d'autant que, à défaut d'autre chose, elle devait désormais se rabattre sur les conserves de jambon de Deda — ce qui ne satisfaisait personne.

Lorsqu'elles furent dans la cuisine, sa cousine lui dit :

— Ces soldats se montrent plutôt protecteurs avec toi. Surtout Alexandre.

— Alexandre est protecteur avec tout le monde, répliqua Tatiana sur un ton qui n'admettait pas de réplique.

Le dîner fut sinistre : les Allemands bombardaient la ville, Alexandre et Dimitri partaient pour le front.

— Puisque vous avez la chance d'en avoir un, dès que les sirènes commencent à hurler, descendez dans l'abri qui se trouve sous l'immeuble, recommanda Alexandre aux Metanov. Vous savez, beaucoup de bâtiments de Leningrad n'en ont pas. Et toi, Dasha, promets-moi de surveiller ta sœur : qu'elle ne grimpe plus sur le toit. Tu m'écoutes, Dasha ?

— Je t'écoute, mon chéri, mais je n'arrive pas à croire que ces sales boches soient ici, dans notre ville ! Tout l'été, ils nous ont paru si loin...

— Eh bien, maintenant ils sont là. Ils ont presque fini d'encercler la ville.

— *Encercler*, releva Tatiana avec un sourire ironique. Avec toute l'eau qui entoure cette ville, les Allemands vont avoir du mal à l'*encercler*.

— D'accord, entre l'embouchure de la Neva, le golfe de Finlande, le lac Ladoga et la Finlande, le cercle autour de Leningrad est presque fermé, repartit Alexandre. Ça te va mieux comme ça ?

Tatiana sourit. Il lui rendit son sourire.

Un sourire de trop...

Dimitri rapprocha sa chaise de celle de Tatiana, passa un bras sur le dossier et commença de lui tripoter les cheveux :

— Ils commencent à repousser, Tanechka. Ne les coupe plus, s'il te plaît. Je préférais quand tu les avais longs.

Quoi que fasse Shura, songea la jeune fille, ça ne suffit pas. Quoi que nous fassions l'un et l'autre, ça ne suffit pas. Combien de temps va-t-on tenir ? Il faut qu'on arrête de se parler devant Dimitri, devant Dasha, devant le reste de la famille. Sinon, un jour ou l'autre, ça va mal tourner. Comme s'il lisait dans ses pensées, à son tour Alexandre rapprocha sa chaise de celle de Dasha.

— Maintenant que les entrepôts ont brûlé, comment va-t-on nourrir Leningrad ? lui demanda Irina Fedorovna.

— Il n'y a pas que la nourriture, renchérit Dimitri. Mais l'essence, les munitions...

Alexandre répondit :

— Le plus urgent, c'est d'empêcher les Allemands de prendre la ville. Le reste viendra après.

Dimitri éclata d'un rire mauvais :

— Ils peuvent toujours la prendre, cette ville. Toutes les administrations ont été minées. Toutes les usines, tous les musées, tous les ponts. Si Hitler entre dans Leningrad, il crèvera sous ses ruines. On n'arrêtera pas Hitler, Alex, mais on crèvera avec lui.

— Faux, Dimitri, *on arrêtera Hitler*, répliqua Alexandre. *Avant* que les Allemands entrent dans la ville.

— Alors, à Leningrad aussi c'est la politique de la terre brûlée ? Et nous, qu'est-ce qu'on va devenir ? demanda Tatiana.

Sur le coup, personne ne lui répondit.

Alexandre, enfin, rompit le silence. Il secoua la tête d'un air navré et murmura :

— Dimitri et moi, nous partons demain pour Dubrovka. On va essayer de les arrêter... si c'est encore possible.

— Pourquoi est-ce à nous de nous dresser entre les Allemands et cette ville ? s'exclama Dimitri. Pourquoi ne pas capituler ? Minsk s'est rendue. Et Kiev. Et Tallinn. La Crimée s'est rendue. L'Ukraine tout entière s'est rendue — *et de bon cœur!* —, ajouta-t-il, en proie à une terrible agitation. Pourquoi envoyer nos hommes au massacre pour empêcher Hitler d'entrer dans Leningrad ?

— Mais, mon petit Dima..., fit Irina Fedorovna d'une voix hésitante. Votre Tania vit ici. Et la Dasha d'Alexandre aussi. Il faut les protéger.

— Et moi aussi, compléta Marina. Même si je n'appartiens à personne...

— Elles ont raison, Dima, repartit Alexandre. Tu veux qu'Hitler ait la voie libre pour arriver jusqu'à ta petite amie ?

— C'est vrai, ça ! renchérit Dasha. Tu as entendu ce que ces boches font aux Ukrainiennes ?

— Moi, je n'ai rien entendu, dit Tatiana. Qu'est-ce qu'ils leur font ?

— Rien, Tania, rien, répondit doucement Alexandre.

— Mon pauvre papa n'a pas pu les arrêter, fit Marina en plongeant les yeux dans sa tasse vide. On dirait qu'ils sont invincibles...

— Elle a raison ! s'écria Dimitri. *Ils sont invincibles !* On a tout de suite trois malheureuses divisions. Elles ne suffiront jamais à arrêter Hitler, même si on se fait tous tuer jusqu'au dernier, même si on y laisse tous nos chars !

Alexandre se leva de table :

— Allons-y, soldat Chernenko. Que tu le veuilles ou non, ta vie va se dresser entre Hitler et les Metanov.

— C'est bien ce qui me fait peur, grommela Dimitri en se levant lentement à son tour.

Comme ils sortaient, Dasha s'agrippa à la manche d'Alexandre :

— Promets-moi de revenir, lui dit-elle en pleurant.

— Je ferai mon possible.

À cet instant seulement, son regard se posa sur Tatiana. Elle ne pleura pas. Et ne demanda pas non plus à Dimitri de revenir.

Lorsqu'ils furent partis, Marina lui dit :

— Il me plaît bien ton Dima. Au moins il annonce franchement la couleur. J'aime bien ça chez un soldat.

Tatiana dévisagea sa cousine avec perplexité :

— Un soldat qui refuse de se battre ? Je te le laisse volontiers, Marina.

3

Le lendemain matin, les Metanov apprirent par la radio qu'une bombe incendiaire était tombée sur un immeuble de la rue Sadovaya. Les neuf jeunes gens qui assuraient la défense passive sur le toit n'avaient pu la repousser : ils étaient tous morts — aucun n'avait plus de vingt ans.

Mon frère non plus n'avait pas vingt ans quand il est mort, songea Tatiana, le menton tremblant, en enfilant ses chaussures.

— Tu vois bien, lui dit sa mère. C'est dangereux de rester sur le toit.

— Maman, on est dans une ville assiégée, riposta la jeune fille. Le danger est *partout*.

Ce matin-là les bombardements commencèrent à huit heures précises. Toute la famille alla s'entasser dans l'abri. Tout en se rongeant les ongles d'une main, de l'autre Tatiana battait la cadence sur son genou. Elle ne supportait pas de rester assise là, sans rien faire, à écouter pleuvoir les bombes. Les Metanov restèrent une heure dans l'abri.

Une fois l'alerte passée, Georgi Vassilievitch confia à sa cadette sa carte de rationnement : elle irait lui chercher ses rations. Irina Fedorovna fit de même : elle n'avait pas le temps de sortir, elle avait encore des uniformes à coudre.

— Chaque uniforme supplémentaire, comme celui que porte notre Alexandre, c'est dix roubles de plus pour moi, ajouta-t-elle avec un grand sourire.

Tatiana demanda à Marina de l'accompagner. Celle-ci refusa : elle allait aider Babouchka Maya à s'habiller. Quant à Dasha, elle était dans la cuisine, en train de faire une lessive.

Alors Tatiana sortit seule. À l'épicerie, elle apprit que, suite à l'incendie des entrepôts Badaïev, la veille, les rations avaient encore été réduites.

Georgi Vassilievitch avait droit à une livre de pain avec sa carte d'ouvrier, les autres à trois cent cinquante grammes chacun. Marina et Babouchka à deux cent cinquante grammes seulement. Si on additionnait le tout, cela faisait deux kilos de pain pour la journée. En plus du pain, Tatiana put acheter quelques carottes, trois pommes, cent grammes de beurre et un demi-litre de lait.

En rentrant, elle annonça à sa famille que les rations étaient encore diminuées. Personne n'eut l'air particulièrement inquiet. Sa mère dit :

— Deux kilos de pain ? C'est plus que suffisant. En temps de guerre, on n'a pas besoin de s'empiffrer. On peut se serrer la ceinture. Et puis nous avons des réserves.

La jeune fille répartit la nourriture en six portions égales, sans tenir compte du nombre de grammes auquel chacun avait droit. Elle réserva pour son père le plus gros morceau de pain, pour elle le plus petit : à l'hôpital, quand elle avait fini de nettoyer les toilettes, les salles de bains et la literie souillée des blessés et des malades, elle servait les déjeuners et on lui permettait de manger un peu.

Les bombardements se poursuivirent toute la journée. À vingt et une heures, il en arriva un plus gros. Tout le monde descendit dans l'abri, une espèce de long couloir étroit, peint en gris, avec deux lampes à pétrole supposées éclairer la soixantaine de personnes venue s'y réfugier. Les gens s'asseyaient sur des bancs ou restaient debout, adossés aux murs.

Ce soir-là, Tatiana demanda à son père combien de temps allait durer la guerre.

— Comment veux-tu que je le sache ? lui répondit-il dans un souffle chargé de vodka. Elle durera tant qu'on n'y sera pas tous passés...

— Qu'est-ce qu'il a, Papa ? demanda-t-elle plus tard à sa mère.

— Tanechka, tu es aveugle ou quoi ? Tu sais bien ce qu'a ton père : il pense à Pasha.

— Je ne suis pas aveugle, marmonna Tatiana. Mais nous on est vivants, et on a besoin de lui.

Le lendemain, elle emporta *Mémoires écrits dans un souterrain*, de Dostoïevski, à lire dans la pénombre de l'abri. Le surlendemain, elle n'y tint plus. Lorsque les sirènes retentirent, elle laissa sa famille la précéder dans l'escalier, puis fit discrètement demi-tour, traversa leur logement et grimpa sur le toit. Avec un peu de chance, ils ne remarqueraient même pas son absence...

Anton et Kirill étaient là, ainsi que la petite Mariska. Elle avait sept ans et passait ses journées à guetter les bombes dans le fracas des explosions. Ses parents habitaient l'immeuble. Trop occupés à cuver leur vodka, ils ne s'occupaient pas d'elle.

Tatiana passa deux heures sur le toit. À la grande déception de tous, aucune bombe n'atterrit à proximité.

Elle avait eu raison : personne de sa famille ne remarqua son absence.

Les Metanov n'avaient plus aucune nouvelle d'Alexandre ni de Dimitri. Les filles s'exaspéraient dans l'attente. Seule Babouchka Maya, imperturbable, continuait sa peinture.

Marina passait ses journées dehors, entre l'université où elle continuait de suivre des cours et les visites à sa mère, à l'hôpital. Le soir Irina Fedorovna cousait. Georgi Vassilievitch buvait. Puis criait. Puis sombrait dans le sommeil. Dasha et Tatiana écoutaient les bulletins d'information à la radio. Ensuite seulement venait le bombardement. Tatiana se glissait sur le toit. Quand tout était fini, elle gagnait le lit qu'elle partageait avec Dasha et Marina, heureuse finalement de ne plus être seule dans ce lit avec sa sœur.

Une nuit, pourtant, Dasha passa par-dessus Marina et vint se blottir contre sa petite sœur.

— Dis, tu crois qu'ils sont morts ? lui chuchota-t-elle à l'oreille.

— Non, répondit Tatiana après une profonde inspiration. Non. Pense plutôt à toi, Dasha. Regarde comment on vit. Aujourd'hui, à l'hôpital, on m'a demandé de m'occuper des gens qui avaient été blessés dans les bombardements. J'ai vu ce qu'il restait d'eux. C'était horrible, tu sais... Quand j'ai quitté l'hôpital à six heures, j'ai vu un père aider les pompiers à tirer sa fille de dix-sept ans des décombres d'un immeuble sur la Perspective Ligovski. Quand on l'a sortie de là, elle était morte : elle avait un grand trou dans le front.

— Dix-sept ans, murmura Dasha en la serrant dans ses bras. Comme toi, Tania chérie.

— Dis-moi, Tania, fit Marina, jusque-là silencieuse, qu'est-ce que tu fichais à six heures dans la rue ? Il y a eu un bombardement à six heures. Tu n'étais pas dans un abri ?

Tatiana ne répondit rien, mais Dasha marmotta dans ses cheveux :

— Tania, si tu ne te décides pas à te rendre dans les abris, je le dirai...

4

Alexandre et Dimitri reparurent le soir du 12 septembre. Pour la première fois depuis plusieurs jours, en vingt-quatre heures il n'était tombé aucune bombe. Ils rentraient de Dubrovka — juste pour un soir : ils venaient chercher des renforts en hommes et en armement à la caserne Pavlov.

En pleurs, Dasha se pendit au cou d'Alexandre. Il sut lui rendre son étreinte — ce qui ne fut pas le cas de Tatiana avec Dimitri.

— Ça va, c'est bon, disait-elle à celui-ci, sans quitter des yeux le dos d'Alexandre.

Le voir ainsi, de loin, devait lui suffire : elle devait se passer de ses bras enlaçant son corps.

Puis Dimitri sortit se laver les mains et Dasha se rendit à la cuisine pour préparer le thé. Marina dit à Tatiana :

— Tania, tu pourrais montrer un peu plus d'intérêt pour ce garçon qui se bat pour toi sur le front.

— Ta cousine a raison, Tania, renchérit Alexandre avec un sourire complice.

Au cours du dîner, Dasha interrogea celui-ci sur le déroulement des combats.

— C'est étrange, répondit le lieutenant. Pendant deux jours, les Allemands ont attaqué. Quand ils ont vu qu'on ne reculait pas, ils ont arrêté. Alors on a envoyé des gars en reconnaissance. Ils sont revenus en nous disant que les Allemands construisaient des tranchées en béton et des bunkers, comme s'ils devaient rester là pour toujours.

— Pour toujours ? répéta Dasha. Que veux-tu dire ?

— Je veux dire, répondit lentement Alexandre, qu'ils ne vont sans doute pas envahir Leningrad.

La nouvelle enchanta la famille — à l'exception de Georgi Vassilievitch, qui somnolait sur le divan, et de Tatiana : elle lut sur le visage d'Alexandre une hésitation qui ne présageait rien de bon. Il leur cachait quelque chose.

— Et *toi*, tu trouves que c'est une bonne nouvelle ? lui demanda-t-elle.

— Oui, répondit tout de suite Dimitri, comme si la question s'adressait à lui.

— Non, repartit Alexandre. Je trouve qu'on devrait se battre. Se battre comme des hommes...

— Et crever comme des chiens, l'interrompit Dimitri.

— Non, *mourir* comme des hommes, s'il le faut.

— Parle pour toi. Moi, je préfère voir les boches passer deux ans dans leurs bunkers pour affamer Leningrad plutôt que de crever sous leurs obus.

— Dima ! s'exclama Alexandre en posant brutalement ses couverts sur la table. Tu ne trouves pas que ça n'a rien de militaire tout ça ? Que ça ressemble à de la lâcheté ?

Il lui lança un regard glacial et tendit la main pour attraper la bouteille de vodka. De l'autre côté de la table, Tatiana la poussa doucement vers lui.

— Ce n'est pas de la lâcheté, déclara Dimitri. Juste de l'intelligence et de la lucidité : attendre et voir venir. Et quand l'ennemi faiblit, on frappe. Ça s'appelle de la stratégie.

Tout en chipotant nerveusement dans son jambon en boîte, Irina Fedorovna demanda :

— Ils ne vont pas *vraiment* affamer Leningrad, n'est-ce pas, les garçons ?

Alexandre garda le silence. Tatiana le dévisagea longuement avant de reprendre sur un ton dégagé :

— Tiens, aujourd'hui Nina Iglenko est venue demander un peu de farine et du jambon. On en a plein, alors j'ai dit oui, bien sûr. Elle regrettait de n'avoir pas été aussi prévoyante que...

— Tania, l'interrompit Alexandre, ne donne plus un seul gramme de nourriture à qui que ce soit, tu m'entends ? Même si Nina Iglenko a l'air d'avoir plus faim que toi. Gardez votre nourriture comme si c'était le seul rempart qui se dressait encore entre vous et la mort.

Un silence pesant s'abattit sur le dîner. Tatiana avait eu raison : en le provoquant, elle avait obtenu la vérité.

Dasha demanda alors :

— Alex, Londres a été bombardée pendant combien de temps en 1940 ?

— Quarante jours et quarante nuits.

— Tu crois que ça durera aussi longtemps ici ?

— Plus longtemps même. Les bombardements se poursuivront jusqu'à ce que Leningrad capitule... ou jusqu'à ce qu'on arrive à repousser les Allemands.

— Eh bien, moi, s'il le faut, je combattrai les nazis l'arme au poing, dans les rues, déclara hardiment Dasha.

Tatiana trouva remarquable ce sursaut de courage chez une fille qui, à la moindre alerte, fonçait dans l'abri antiaérien.

— Tu ne les combattras pas, Dasha, répondit Alexandre en secouant la tête. Les combats de rues sont trop meurtriers. Si Staline n'attache pas grand prix à la vie de ses hommes, Hitler, lui, ne tient pas à perdre ses

Aryens. Pour lui, Leningrad ne vaut pas un tel sacrifice. En fin de compte, Dima verra ses vœux se réaliser, conclut-il avec une moue de mépris à peine dissimulée.

Tatiana jeta un œil vers Dimitri : vautré sur le canapé à côté de Georgi Vassilievitch, il sommeillait lui aussi.

— Tu crois que ça va se passer comme à Londres? demanda encore Dasha, l'œil brillant, avec un coquet mouvement de boucles brunes. Londres était sous les bombes, mais les gens continuaient de vivre leur vie : ils sortaient, ils allaient au restaurant, en boîte... On a vu des photos. Ça avait l'air si gai.

Et elle sourit à Alexandre en posant la main sur sa cuisse. Il s'écarta, furieux :

— Où habites-tu, Dasha? À Londres peut-être! Pour toi, Londres c'est la planète Mars. Il n'y a déjà pas de boîtes de nuit à Leningrad *maintenant*. Tu crois qu'on va en construire juste pour le blocus? Londres n'était pas soumise au blocus, nous oui. Tu piges la différence?

Irina Fedorovna, Dasha, Marina, Babouchka Maya parurent se ratatiner les unes contre les autres autour de la table, dévorant Alexandre des yeux — toutes. Toutes sauf Tatiana. Debout dans l'embrasure de la porte, les mains chargées de la vaisselle qu'elle rapportait à la cuisine, elle lui dit sans le regarder :

— D'accord, c'est un blocus. C'est pour ça que les Allemands ont l'air prêts à rester dans leurs tranchées pour une éternité. Ils n'ont pas l'intention de perdre leurs hommes. Et ils vont nous affamer. C'est bien ça, Alexandre?

— J'ai répondu à assez de questions pour ce soir. Le seul conseil que je vous donne, c'est de garder votre nourriture.

— Chéri, susurra Dasha en sirotant une gorgée de thé, tu ne crois pas qu'en fin de compte Dimitri a raison? Il y a encore trois millions de personnes à Leningrad. C'est un trop gros sacrifice. Notre haut commandement a-t-il déjà pensé à une reddition ?

Alexandre examina longuement Dasha. Tatiana préféra ne pas songer à ce qu'elle lisait dans ce regard. Puis il répondit enfin, peinant manifestement à garder son calme :

— À ton avis, qu'arriverait-il si on se rendait ? Tu as lu ce qui s'est passé dans les campagnes en Ukraine ?

— Je ne veux surtout pas lire des choses pareilles !

— Moi si, j'ai lu ce qu'ils ont fait, dit simplement Tatiana.

Alexandre poursuivit :

— Pendant un moment, Dimitri a pensé qu'être prisonnier dans un camp allemand ne serait peut-être pas une mauvaise idée. Jusqu'à ce qu'il apprenne que les nazis fusillent les prisonniers, pillent et brûlent les villages, massacrent les troupeaux, rasent les fermes, et tuent les Juifs, les femmes, les enfants...

— Tu oublies qu'ils violent aussi les femmes, compléta Tatiana.

Tous lui lancèrent le même regard consterné.

— Tania, arrête de lire, fit Alexandre à mi-voix, plongeant les yeux dans son verre.

Dasha reprit :

— Si c'est un blocus, comment la nourriture va-t-elle arriver jusqu'à Leningrad ? On va mourir de faim. Je serais plutôt de l'avis de Dimitri, on devrait se rendre...

Alexandre lui jeta un regard noir, puis tourna la tête vers Tatiana :

— Non, dit-il. *Nous nous battrons sur les mers et les océans. Nous nous battrons dans les champs et dans les rues...*

— ... *nous nous battrons dans les montagnes*, acheva Tatiana. *Nous ne nous rendrons jamais!*

Et dans un souffle, elle ajouta :

— Churchill.

— Dis donc, Churchill, tu ne voudrais pas nous faire un peu de thé par hasard? fit Dasha, cinglante.

Sa cadette disparut dans la cuisine, où Marina la rejoignit quelques minutes plus tard.

— De ma vie, lui chuchota-t-elle, je n'ai rencontré quelqu'un d'aussi borné que ta sœur.

— Je ne vois pas ce que tu veux dire, répondit Tatiana.

Elle était blanche comme un linge.

Quelques jours après, Dasha et elle comptaient ce qu'il leur restait de provisions : quarante-trois kilos de jambon en boîte, neuf conserves de tomates et sept bouteilles de vodka. Tatiana se souvint que, lors de l'incendie des entrepôts Badaïev, une semaine auparavant, elles en avaient dénombré onze : leur père devait boire plus qu'elles ne le pensaient.

Leur restaient également deux kilos de café, quatre de thé, ainsi qu'un sac de dix kilos de sucre, divisés en trente sachets plastique. La jeune fille compta encore quinze petites boîtes de sardines fumées, quatre kilos d'orge, six d'avoine et dix de farine. Sans oublier sept boîtes de deux cent cinquante allumettes chacune.

Irina Fedorovna dit qu'avec les neuf cents roubles en liquide qu'elle avait mis de côté, elles avaient bien assez pour acheter de quoi manger au marché noir.

— Allons-y tout de suite, fit Tatiana.

Les deux sœurs et leur mère se rendirent dans un grand magasin qui avait ouvert au mois d'août près de Saint-Nicolas-des-Marins. Elles passèrent une heure à errer dans les rayons, en lorgnant d'un œil incrédule les rares produits qui se trouvaient encore sur les étagères. Rien que des denrées périssables : des œufs, du fromage, du beurre, du jambon, du caviar. Quant au sucre, il coûtait dix-sept roubles le kilo. Irina Fedorovna partit d'un bruyant éclat de rire. Elle se dirigeait déjà vers la sortie quand Tatiana la saisit par le bras :

— Ce n'est pas le moment de faire des économies, Maman. Achète à manger.

— Lâche-moi, espèce d'idiote, lui répondit rudement sa mère. Je n'aurai pas la bêtise de payer un kilo de sucre dix-sept roubles. Et le fromage... tu as vu le fromage ? Dix roubles les cent grammes ! Ils se moquent du monde ! Voilà pourquoi il n'y a pas de file d'attente devant leur magasin. Qui va acheter de la nourriture à ce prix-là ?

— Tu te rappelles ce que nous a dit Alexandre ?

Sur ces mots, Tatiana sortit de son porte-monnaie les quelques roubles qu'elle avait épargnés chez Kirov et à l'hôpital. Ce n'était pas grand-chose : sur ses vingt roubles hebdomadaires, elle en donnait dix à ses parents. Elle était néanmoins parvenue à économiser une centaine de roubles, avec lesquels elle acheta cinq kilos de farine, quatre sachets de levure, un sac de sucre et une conserve de jambon. Il lui restait trois roubles, qu'elle investit dans du pain rassis sur les conseils d'un vendeur : elle pourrait le faire griller.

Elle passa le reste de son samedi à couper le pain en petits morceaux pour le passer au four, sous les quolibets de ses parents et de sa sœur.

— Payer trois roubles un bout de pain rassis ! Tu t'imagines peut-être qu'on va le manger ?

Tatiana les laissait dire. Elle n'avait qu'une chose en tête, cette phrase qu'Alexandre avait prononcée au *Voentorga* : « *Prends tout ce que tu pourras, comme si tu ne devais plus jamais revoir aucun de ces produits.* »

Ce soir-là, lorsqu'on lui raconta l'histoire, il dit à Irina Fedorovna :

— Votre fille a raison, camarade. Vous auriez dû dépenser jusqu'à votre dernier kopeck pour ce pain rassis.

Merci. Merci, Shura, songea Tatiana. Elle se trouvait à l'autre bout de la pièce, mais c'était comme s'ils se touchaient.

5

Les Allemands étaient d'une surprenante ponctualité. Chaque soir, à dix-sept heures précises, les sirènes se mettaient à hurler, annonçant un nouveau raid aérien.

Les bombardements se succédaient à la même cadence, à la fois terrifiante et monotone, que les désillusions dans la vie de Tatiana : son père abandonnait sa famille et s'abandonnait lui-même, sa mère s'enfermait dans sa couture, sa grand-mère dans ses toiles, Dasha dans son histoire avec Alexandre, Marina dans l'agonie de sa mère.

Dimitri aussi broyait du noir. Lorsqu'il passait chez les Metanov, il buvait de plus en plus. Un soir, il coinça Tatiana dans l'angle du mur, près de la fenêtre de la cuisine. La jeune fille ne dut son salut qu'à l'arrivée inopinée de sa sœur. Sans son intervention, elle ne savait pas comment les choses auraient tourné. Son unique réconfort, elle le trouvait sur le toit, à guetter les avions avec les autres jeunes de l'immeuble.

Ce soir-là, Mariska sautillait près d'elle, comme à son habitude, réclamant toujours plus d'avions, toujours plus de bombes. La petite fille délaissée par ses parents agitait les bras vers le ciel où vrombissaient les escadrilles en criant comme au manège :

— Là ! Là ! Venez là !

Anton, lui, se tenait prêt à chasser les bombes incendiaires d'un coup du casque fixé au bout de son bâton.

— Anton, lui dit Tatiana en s'asseyant près de lui sur le sol, il vaudrait mieux que tu aies ce casque sur la tête plutôt qu'accroché à ce bout de bois.

Il balaya l'idée d'un geste désinvolte et, tout excité, se mit à lui raconter les bombes à fragmentation : elles pouvaient découper un bonhomme en rondelles avant même qu'il ait eu le temps de faire ouf, c'était pas croyable ! Tatiana aurait juré qu'il mourait d'envie de voir quelqu'un se faire découper en rondelles...

Elle sortit un bout de pain grillé de sa poche et s'apprêtait à le porter à sa bouche quand la petite Mariska fonça sur elle :

— Dis, Tanechka, qu'est-ce que tu manges ?

— Une espèce de biscotte. Tu en veux ?

Sans répondre, la gamine lui arracha des doigts le pain grillé et l'avala tout rond.

— Encore ! fit-elle, impérieuse.

Soudain, Tatiana lut dans les yeux de l'enfant une voracité qu'elle n'avait encore jamais vue dans aucun regard.

— Ton papa et ta maman sont là ? lui demanda-t-elle.

La petite haussa les épaules :

— Ils dorment, je crois.

— Viens, on va les voir.

Et elle entraîna Mariska dans l'escalier. Une fois à la porte du logement qu'occupaient ses parents, la petite fille chantonna :

— Maman, Papochka, regardez : y a quelqu'un pour vous !

Mais Maman et Papochka étaient bien trop occupés à cuver leur vodka, le visage écrasé dans leurs oreillers souillés. La pièce empestait des mêmes relents que les cabinets communs.

— Viens avec moi, Mariska, dit alors Tatiana. Je vais te trouver quelque chose à manger.

Le lendemain matin, à six heures et demie, la jeune fille se penchait sur sa sœur endormie :

— Dashenka, souffla-t-elle, il ne faudrait pas que tu prennes l'alerte de huit heures pour un réveil. Lève-toi et viens avec moi faire les courses.

La réponse lui parvint dans un bâillement :

— Pour quoi faire, Tania? Tu fais si bien ça toute seule...

Marina aussi refusa de se réveiller.

Dépitée, une fois encore Tatiana sortit seule. En chemin, elle tenta de se donner du courage en se disant qu'Alexandre était peut-être à Leningrad... Lui, il me parlera comme si j'étais toujours vivante. Plus personne ne m'adresse la parole à la maison. Ils ne se rendent même pas compte que j'existe. Je t'en prie, Shura, viens. Viens me rappeler que je suis toujours en vie.

Son vœu fut exaucé : en effet, ce soir-là, entre deux alertes Alexandre vint frapper à la porte des Metanov, apportant avec lui ses rations... ainsi qu'un Dimitri à la mine sinistre.

Toute la famille se réunit à table pour le dîner, sauf Georgi Vassilievitch qui avait trop bu et dormait dans la pièce à côté. Tatiana n'osait lever les yeux sur Alexandre, elle avait l'impression que ses sentiments allaient exploser sur son visage : ce besoin de le regarder, de le toucher, de le sentir. Un besoin qu'il éprouvait aussi, elle en était sûre. D'un instant à l'autre, elle allait lui faire ce cadeau, *se faire à elle-même* ce cadeau : sauter au cou d'Alexandre et envoyer au diable tous ces autres qui avaient si peu besoin d'elle. Seule la pensée du danger que représentait Dimitri la retint.

Elle entreprit de débarrasser la table — pour oublier la tentation — et, une fois près d'Alexandre, pressa la hanche contre son coude, longuement, avant de s'éloigner.

— Tu sais, Tania, dit-il, si les Allemands avaient véritablement attaqué les deux premières semaines de septembre, ils n'auraient eu aucune peine à l'emporter. Nous n'avions ni chars, ni mitrailleuses, ni...

— C'est à *elle* que tu parles des combats ! l'interrompit Dasha. Voyons, Alex, elle n'en a rien à faire : c'est tout juste si elle sait qu'on est en guerre. Parle-lui plutôt de Pouchkine ou de cuisine, tu auras plus de succès ! Maintenant elle adore cuisiner !

— Puisqu'il est question de cuisine, riposta Tatiana, acide, Alexandre pourrait peut-être me dire dans quel magasin je dois aller chercher nos rations pour ne pas me faire tirer dessus.

— Le meilleur moyen de ne pas te faire tirer dessus, c'est de ne pas sortir pendant les alertes, répondit Alexandre avec sévérité.

— Je me demandais juste d'où ils tirent, s'empressa de compléter Tatiana, avant que sa sœur ne vienne placer son mot.

— Depuis les hauteurs de Pulkovo. Comme ça, ils n'ont même pas besoin de faire voler leurs avions dans la journée : ils ne veulent pas gaspiller leur précieuse puissance aérienne. Ils s'installent tranquillement près de l'observatoirc et, de là, dominent toute la ville. Tu sais où se trouve Pulkovo, Tania, n'est-ce pas ? Ce n'est pas loin de Kirov.

Les joues de la jeune fille s'empourprèrent. Arrête ça tout de suite, Shura, se dit-elle, puis, se ravisant aussitôt : Oh non, mon amour, n'arrête pas, je t'en prie. J'ai besoin de ça pour continuer à respirer.

Alexandre lui conseilla alors de ne pas emprunter la Perspective Suvorovski pour aller faire ses courses. À quoi elle répondit qu'il n'avait rien à craindre, son magasin préféré pour les rations se trouvait sur la Fontanka.

— Pas vrai, Dasha ? conclut-elle.

— J'en sais rien, répondit sa sœur. J'y vais jamais. Je ne suis pas folle, moi, je ne sors pas sous les bombes, ajouta-t-elle en se pendant au cou d'Alexandre.

Il se raidit, se dégagea de l'étreinte de Dasha et, la voix étranglée, le regard furieux, demanda à Tatiana :

— Tu sors sous les bombes ?

— Non seulement elle sort sous les bombes, mais elle ne met jamais le nez dans l'abri, renchérit Dasha.

— Elle n'est pas retournée sur le toit tout de même ?

Autour de la table, personne ne répondit. Tatiana se hâta de détourner la conversation :

— Et sur la Perspective Nevski, je peux y aller ?

— Jamais. C'est là qu'ils bombardent le plus, surtout près de la place des Décabristes. Tu sais, là où se trouve la statue du Cavalier de bronze...

À nouveau, la jeune fille rougit. Par bonheur pour elle, Alexandre enchaîna immédiatement :

— Seul l'hôtel Astoria sera épargné : Hitler a prévu d'y célébrer sa victoire en octobre. Il pense que, d'ici là, les habitants de Leningrad auront abandonné la ville. Il va être déçu, je vous le promets.

— Qu'est-ce qu'on ferait tous sans toi, Alexandre ? dit Marina.

— Arrête ça tout de suite, cousine ! s'écria Dasha, plaisantant à demi. Si tu as envie de flirter, va donc trouver le soldat de ma petite sœur.

— Oui, ne te gêne pas, je te le laisse volontiers, marmonna Tatiana en jetant un regard écœuré vers le divan où s'était vautré Dimitri.

Comme elle passait près de lui, il ouvrit un œil et, lui faisant perdre l'équilibre, la saisit par le bras pour l'attirer à lui :

— Tanechka, fit-il d'une voix empâtée par l'alcool, quand est-ce que tu diras oui ? Je peux plus attendre.

— Lâche-moi, Dima !

Tatiana tenta, en vain, de se dégager. Puis, soudain, elle sentit la présence d'Alexandre dans son dos. D'un geste brusque, il la libéra de la poigne de Dimitri :

— Je crois que tu as un peu trop bu, Dima.

— Je ne comprends pas ce qui arrive à ce garçon, renchérit Irina Fedorovna. Il est bizarre, grincheux, en ce moment. Il ne parle plus. En plus, il n'a plus l'air si gentil avec toi, Tania.

La jeune fille dévisagea un moment Dimitri, rendormi sur le canapé, avant de répondre :

— Il est trop occupé de lui-même et de son sort pour s'intéresser à moi, Maman.

6

Tatiana avait pourtant cru être assez forte. Elle avait cru pouvoir tout endurer : l'indifférence feinte, la froideur, la distance, les faux-semblants. Tout, mais pas ce que Dasha leur annonça ce soir-là dans l'abri :

— Vous savez quoi, tout le monde? commença sa sœur avec jubilation. Alex et moi, on va se marier!

Marina fut la première à réagir :

— Bravo, Dasha! Félicitations.

Puis ce fut le tour d'Irina Fedorovna :

— Ma Dashenka, quel bonheur! Enfin, une de mes filles fonde une famille.

Georgi Vassilievitch marmonna quelques mots incompréhensibles.

Tatiana, quant à elle, demeura silencieuse.

— T'as entendu, Tania? lui demanda Dasha. Je vais me marier!

— J'ai entendu, Dasha, répondit simplement sa cadette.

Elle se détourna, mais son regard rencontra celui rempli de pitié de Marina : c'était pire. Alors elle résolut de faire face à Dasha :

— Félicitations, lui dit-elle d'une voix monocorde. Tu dois être très heureuse.

— Heureuse ? Folle de joie, tu veux dire ! Tu te rends compte ? Je vais devenir Dasha Belova. Dès qu'Alex aura une permission, on ira au bureau de l'état civil.

— Tu n'es pas inquiète ?

— Inquiète ? Moi ? Mais de quoi ? Toi non plus tu n'as pas besoin de t'inquiéter, d'ailleurs, ajouta Dasha en passant un bras sur les épaules de sa sœur : nous n'allons pas te chasser de ton lit. Babouchka nous prêtera bien sa chambre le temps de la permission. Tania ! Je vais me marier ! répéta-t-elle avec allégresse. Je n'arrive pas à y croire.

— Moi non plus.

— Tu sais, Alex a fini par quitter cet horrible Dubrovka. Il est à Schlüsselburg désormais. C'est plus calme là-bas. Maintenant, quand je ferme les yeux, j'ai comme un sixième sens : je *sens* qu'il est vivant.

Marina réprima une bruyante quinte de toux. Tatiana la fusilla du regard avant de lancer à sa sœur :

— Que cherches-tu, Dasha ? Tu préfères être veuve plutôt que fille à soldats ?

— Tania ! Comment oses-tu me dire une chose pareille ?

Mais Tatiana avait déjà quitté l'abri.

Où trouver un réconfort ? Auprès de ses parents ? Inutile d'y songer. De Babouchka Maya ? Trop vieille pour comprendre. De Marina ? Elle se doutait déjà de trop de choses. Dimitri ? Il était empêtré dans son propre enfer. Restait Alexandre, l'impossible, l'impardonnable Alexandre.

Comment put-elle passer la nuit dans le même lit que sa cousine, le même lit que sa sœur surtout ? Tatiana l'ignorait. Ce fut la pire nuit de sa vie.

Le lendemain matin, elle se leva plus tard que d'habitude et, au lieu de se rendre à son magasin habituel, sur la

Fontanka, choisit de descendre la Perspective Nevski. Les sirènes se déclenchèrent. Elle ne chercha même pas à s'abriter et continua de marcher au milieu du trottoir, les yeux fixés sur ses chaussures. Le sifflement des bombes, les cris affolés, les hurlements de douleur, le fracas des explosions — rien ne parvenait à assourdir la plainte déchirante qui lui martelait la tête et dont l'écho se répercutait dans tout son corps.

Elle se rendit compte que la guerre ne l'effrayait plus. Elle n'avait plus peur que d'une chose : du chaos douloureux de son cœur en morceaux.

Après avoir été chercher les rations, elle se rendit à l'hôpital. À dix-huit heures, elle y était toujours : elle lavait le sol. À dix-neuf heures, elle attaquait les salles d'eau. À vingt heures, elle vit une porte s'ouvrir et Marina se diriger vers elle d'un pas résolu. Elle ne voulait pas la voir.

— Tania, on est tous morts d'inquiétude, lui dit sa cousine. Tu devrais être rentrée depuis deux heures. Qu'est-ce que tu fabriques?

— Ça ne se voit pas? Je fais le ménage, répondit la jeune fille sans lever les yeux de son seau d'eau savonneuse.

— Tout le monde t'attend. Dimitri et Alexandre sont là pour arroser les fiançailles. Et la fête est gâchée parce qu'on s'inquiète pour toi.

— Maintenant tu m'as trouvée, grinça Tatiana entre ses dents, tout en activant sa serpillière. Tu vas pouvoir les rassurer. Ne m'attendez pas pour arroser l'heureux événement. J'ai du travail.

— Tania, je t'en prie, viens. Ne sois pas égoïste. Je sais que c'est dur pour toi, mais... tu dois venir lever ton verre au bonheur de ta sœur.

— Je bosse! Fiche-moi la paix!

Marina eut encore un instant d'hésitation, puis battit en retraite.

Lorsqu'elle fut partie, Tatiana entreprit de nettoyer le local des infirmières, le couloir, les salles... Puis un médecin lui demanda de l'aider à traiter quelques urgences. Sur les cinq blessés, quatre moururent dans l'heure. Le cinquième était un vieil homme qui devait avoir quatre-vingts ans. La jeune fille le veilla longtemps, en tenant sa main dans les siennes. Juste avant d'exprimer son dernier souffle, il tourna la tête et lui sourit.

Quand elle rentra enfin à la maison, tout le monde dormait. Dimitri et Alexandre étaient partis. Elle se coucha sur le divan de l'entrée.

Le lendemain matin, elle se réveilla avant les autres et partit acheter les rations de la famille sur la Perspective Nevski avant de se rendre à l'hôpital.

À son retour, le soir, elle trouva son père fou de rage.

— Qu'est-ce que j'ai encore fait? fit-elle d'une voix lasse.

Il hurlait, éructait, tempêtait, mais ses paroles restaient confuses : il avalait les mots, Tatiana ne comprenait rien de ce qu'il lui reprochait. Irina Fedorovna, tout aussi en rage mais à jeun, s'empressa de lui fournir l'explication : la veille au soir, tandis que Tatiana traînait Dieu seul sait où, ils étaient tous réunis pour fêter l'annonce du mariage de Dasha, quand une gamine, une sale gosse nommée Mariska, était venue réclamer de la nourriture. Elle avait avoué que Tatiana la nourrissait *depuis une semaine*!

— Pendant toute une semaine elle a mangé sur notre dos! conclut sa mère dans un cri.

— Les parents de Mariska ne dessoûlent pas. Ils ne lui donnent rien à manger. Elle avait faim. Tu disais qu'on avait beaucoup de réserves, Maman!

Mais cette riposte n'apaisa pas ses parents, loin de là...

Le lendemain soir, Marina n'était pas là. Alexandre et Dimitri passèrent après le dîner et proposèrent aux deux sœurs une petite promenade avant le couvre-feu. Tatiana ne consentit pas un regard à Dimitri, moins encore à Alexandre.

— Qu'est-ce qui t'est arrivé hier ? lui demanda Dimitri. On t'a attendue une éternité.

— Hier je travaillais, répondit la jeune fille en attrapant sa veste à la patère de l'entrée.

Alexandre s'effaça devant elle. Elle ne leva pas les yeux.

Leningrad était calme ce soir-là. Le petit groupe déambulait sur la Perspective Suvorovski, en direction du Jardin de Tauride. Dimitri et Tatiana marchaient devant, Alexandre et Dasha derrière. Tatiana gardait la tête baissée. Dimitri lui demanda pourquoi. Elle haussa les épaules sans répondre. Ses cheveux blonds avaient repoussé. Mi-longs, ils lui masquaient la moitié du visage.

— C'est génial pour Alexandre et Dasha, tu ne trouves pas ? dit encore le soldat en passant un bras sur ses épaules.

— Oui, répondit-elle froidement.

Elle n'avait pas levé la tête. Elle sentait le regard d'Alexandre dans son dos. Derrière elle, Dasha gloussait :

— J'ai écrit à Deda et Babouchka, à Molotov, pour leur annoncer la nouvelle. Ils vont être fous de joie. Ils t'adorent, Alex. (Puis elle cria à Dimitri :) Je trouve ma petite sœur un peu morose en ce moment, Dima. Tu devrais peut-être lui suggérer de suivre notre exemple !

— C'est vrai, Tanechka ? lui demanda Dimitri avec empressement. Je devrais te proposer de m'épouser ?

Tatiana ne répondit pas, mais elle trébucha sur le trottoir. Un instant, ses cheveux s'envolèrent, dégageant son visage pour révéler une entaille au-dessus du sourcil gauche. Dimitri se figea. La jeune fille rabattit promptement une mèche sur sa tempe.

Alexandre les rejoignit :

— Que se passe-t-il ?

Dimitri baissa la tête, mal à l'aise.

— Que se passe-t-il ? répéta Alexandre en écartant la mèche du visage de Tatiana.

Elle avait envie de crier, mais avec sa sœur d'un côté et Dimitri de l'autre, elle devait garder son sang-froid.

— Ce n'est rien, dit-elle. Rien du tout.

— C'est sa faute, fit Dasha en attrapant le bras de son lieutenant. Elle savait bien que Papa était soûl. Il a fallu qu'elle lui tienne tête. Il a un peu crié après elle parce qu'elle avait donné à manger à une gamine...

— Il a crié après moi à cause de Mariska, mais il m'a frappée parce que ses draps n'étaient pas lavés, repartit Tatiana. Or c'était *à toi* de les laver.

— Comment s'y est-il pris pour t'ouvrir le front comme ça ? demanda Dimitri.

— C'est ma faute. Il m'a frappée, j'ai perdu l'équilibre et je suis tombée contre un tiroir ouvert dans la cuisine. C'est tout.

— Qu'est-ce que tu voulais que je fasse ? fit Dasha, sur la défensive. Il était soûl. Je n'allais tout de même pas me bagarrer avec lui pour rien.

— En l'occurrence, ce rien, c'est moi, rétorqua sa sœur. Tu veux dire que tu n'allais pas te planter devant Papa, soûl ou pas, et lui dire : « Papa, c'est moi qui devais laver tes draps, je suis désolée, mais je ne l'ai pas fait. »

— À quoi bon puisqu'il était soûl ?

— Il est *toujours* soûl ! cria Tatiana. (Puis elle fixa un long moment Dasha et murmura :) Laisse tomber. Viens, on traverse.

Dans son dos, elle entendit la respiration sifflante

d'Alexandre. Elle connaissait ce souffle : hors de lui, il luttait pour se contenir

— On s'en va, dit-il soudain à Dasha.

Et, l'attrapant par le bras, il l'entraîna sur l'avenue, loin des deux autres.

Dimitri et Tatiana restèrent seuls sur la Perspective Suvorovski. La jeune fille essaya un sourire :

— Dima, raconte-moi un peu ce qui se passe : j'ai entendu dire qu'Hitler comptait raser Leningrad. C'est vrai ?

Avec un haussement d'épaules, le soldat lui répondit d'un air rogue :

— Tu n'auras qu'à poser la question à Alexandre.

— Tu sais, Dima, je crois qu'on ferait mieux de rentrer...

— Tu sais, Tatiana, je crois que je ferais mieux de retourner à la caserne. J'ai à faire là-bas.

Elle le dévisagea : il se tenait là, debout face à elle, à la fois si proche et si lointain. À cet instant-là, personne au monde n'aurait pu moins l'intéresser que Tatiana, elle en était certaine.

— Je ne sais pas quand je reviendrai, poursuivit-il. Ma division va être envoyée de l'autre côté du fleuve. Je passerai te voir à mon retour. Si je reviens... Je t'écrirai si je peux.

— Bien sûr. Au revoir, Dimitri.

Les adieux furent brefs. La jeune fille regarda s'éloigner le militaire en songeant avec soulagement qu'elle n'aurait plus de ses nouvelles de sitôt.

Elle reprit seule le chemin de la maison. Comme elle approchait de l'immeuble, elle aperçut Alexandre qui en sortait, visiblement à bout de souffle. Il se trouvait à une dizaine de mètres devant elle. Elle s'immobilisa un instant, puis changea de trottoir et se mit à marcher à petits pas rapides. Il la rattrapa en quelques enjambées.

— Fiche-moi la paix, lui dit-elle.

— Où étais-tu passée ? Ça fait trois jours que je t'attends au magasin de la Fontanka. Je voulais te voir.

— Eh bien, tu me vois.

— Comment as-tu pu le laisser te faire ça ?

— Je n'arrête pas de me poser la question, et pas seulement pour mon père...

Alexandre tressaillit.

— Tania, laisse-moi t'expliquer...

— Tu n'as rien à m'expliquer ! cria-t-elle, les yeux remplis de larmes. Je ne veux plus t'entendre. *Jamais*.

— Tania, je t'en prie...

— Non.

— Écoute-moi...

— NON !

Dents serrées, poings fermés, elle lui faisait face à présent.

— Tania, tu m'avais promis de me pardonner...

— Je te pardonnais un masque indifférent, siffla-t-elle entre deux sanglots. Pas un *cœur* indifférent.

Et, avant de lui laisser le temps de répondre, elle traversa, se précipita dans l'immeuble et grimpa l'escalier quatre à quatre. Elle trouva son père étendu dans l'entrée, inconscient ; Dasha et Irina Fedorovna en pleurs. Mon Dieu, se dit-elle en essuyant ses propres larmes, ça ne finira donc jamais ?

Marina lui souffla :

— Tu peux pas savoir le scandale que vient de faire le lieutenant. Il a dit à ton père qu'à force de boire il avait tourné le dos à sa famille au moment où elle avait le plus besoin de lui. Que son rôle, c'était de vous protéger, pas de vous faire du mal. Un vrai char d'assaut, ce garçon, ajouta-t-elle, manifestement impressionnée. Il a demandé à Georgi Vassilievitch : « Où Tatiana peut-elle aller? Dans la rue elle se fait tirer dessus par les nazis et, chez elle, son père essaie de la tuer! » Il a aussi dit à ta mère de mettre ton père à l'hôpital. Et il a ajouté : « Bon sang, Irina Fedorovna, vous êtes une *mère* — sauvez donc vos enfants! » Ton père était complètement soûl, il a voulu frapper le lieutenant. Mais c'est lui qui l'a attrapé aux épaules et l'a poussé contre le mur, en le traitant de tous les noms. Après, il est parti comme un fou. Je me demande comment il ne l'a pas tué. J'arrive pas à croire qu'il ait pu faire une scène pareille.

— Moi, si, répondit Tatiana.

Il avait en lui tant de souffrances, de manques, d'absences. Elle était la seule personne en qui il ait réellement pu placer sa confiance, alors elle portait un peu sa croix avec lui. Pas beaucoup, mais juste assez pour s'oublier elle-même et penser à lui, à ce qu'il endurait. Juste assez pour ne plus lui en vouloir autant...

Georgi Vassilievitch ne reprenait pas connaissance. Les deux sœurs et leur mère décidèrent de le faire hospitaliser — il n'avait pas été à jeun depuis plusieurs jours.

Tatiana laissa Irina Fedorovna avec Dasha et Marina, et alla demander à Petr Petrov, qui habitait à l'autre bout du couloir, de l'aider à conduire son père à l'hôpital — pas à l'hôpital Grecheski, où elle savait qu'il n'y avait plus un lit de libre, mais à l'hôpital Suvorovski.

On mit Georgi Vassilievitch dans une chambre avec trois hommes dans le même état que lui. Tatiana demanda un linge et de l'eau fraîche pour lui baigner le visage et resta à son chevet, gardant dans la sienne la main molle de son père.

— Papa, tu m'entends? dit-elle quand elle le vit remuer la tête sur l'oreiller.

Il entrouvrit les yeux.

— Tu vas rester à l'hôpital quelques jours — jusqu'à ce que tu te sentes mieux. Ensuite tu reviendras à la maison et tout rentrera dans l'ordre, tu verras. Tu sais, ajouta-t-elle en pressant ses doigts, je regrette de n'avoir pas pu te ramener Pasha. Mais... nous, on est encore là, n'oublie pas.

Elle vit des larmes dans les yeux de son père. Il ouvrit la bouche et chuchota dans un murmure rauque :

— C'est ma faute...

— Non, Papa chéri, répondit-elle en déposant un baiser sur son front. Ce n'est pas ta faute. C'est la guerre.

Elle regagna le logement familial tard dans la soirée. Cette fois, personne ne dormait. Depuis l'escalier, elle entendait les cris de Dasha : à cause de Tatiana, son mariage avec Alexandre était compromis, Georgi Vassilievitch n'accepterait jamais qu'elle l'épouse. Marina essayait de la raisonner, sans succès. Tatiana entra sans un mot et s'assit sur le divan, sans tenter d'interrompre les hurlements de sa sœur. Un instant, elle rêva d'être à Molotov, en paix entre Deda et Babouchka. Son calme exacerba la colère de Dasha qui s'avança, poing levé, pour la frapper. Marina la retint par le bras :

— Arrête ça tout de suite ! Tu crois pas qu'elle a pris assez de coups comme ça ?

Tatiana se leva du canapé et, avec une vivacité dont elle se serait crue incapable, fit face à sa sœur :

— Encore un geste et je te jure que tu le regretteras.

Elle ne savait pas elle-même ce que recouvrait cette menace, mais elle avait parlé avec tant de conviction et ces mots dans sa bouche étaient si inattendus que Dasha recula.

Plus tard, Marina lui chuchota :

— T'inquiète, Tania. Tout va s'arranger, tu verras.

— Tu crois ? On est bombardés tous les jours, c'est le blocus, bientôt on n'aura plus rien à manger, Papa n'arrête pas de boire et...

— Je ne parle pas de ça.

— Je ne sais pas de quoi tu parles, répondit vivement sa cousine. *Et je ne veux pas le savoir*.

Cette nuit-là, Dasha ne dormit pas dans le lit avec elles. Pourtant, comme d'habitude, Tatiana se tourna contre le mur, une main posée sur *Le Cavalier de bronze*. La douleur battait dans son arcade sourcilière. Le lendemain matin, la jeune fille tamponna un peu de teinture d'iode sur l'entaille et partit travailler avec une tache jaune autour de l'œil.

Pendant sa pause-déjeuner, elle marcha lentement jusqu'au Champ-de-Mars, rendu méconnaissable par les tranchées qu'on y avait creusées et hérissé de pièces d'artillerie. On avait retiré les bancs ; le champ même avait été miné.

Elle resta un long moment à une centaine de mètres de la caserne, à observer de loin les soldats qui fumaient devant l'entrée...

7

Ce soir-là, trois bombes tombèrent sur l'hôpital Suvorovski.

Le bâtiment prit feu et, en dépit des efforts des pompiers, fut bientôt réduit en un gigantesque tas de cendres fumantes. Ce n'était pas un immeuble de briques, mais une construction aux murs de torchis du début du XVIIIe siècle comme il en restait encore beaucoup à Leningrad. Il s'enflamma comme une torche. Les rares blessés capables de bouger se jetèrent par les fenêtres en criant.

Georgi Vassilievitch n'avait que quarante-trois ans, il aurait pu se lever, mais le remords et l'alcool le clouèrent sur son lit.

Il ne bougea pas.

Lorsqu'elles apprirent la nouvelle, Dasha, Tatiana, Marina et Irina Fedorovna descendirent en courant la Perspective Suvorovski pour assister, impuissantes, à l'incendie. Avec quelques badauds, elles tentèrent d'aider les pompiers en lançant des seaux d'eau dérisoires sur les flammes qui s'échappaient des fenêtres du rez-de-chaussée. Tatiana demeura sur place jusqu'au petit matin tandis que sa sœur et sa cousine raccompagnaient Irina Fedorovna à la maison.

On ne retrouva pas le corps de Georgi Vassilievitch —

il faut dire que les pompiers avaient autre chose à faire que chercher des cadavres calcinés, avec tous ces feux dans la ville. L'un d'eux dit à Tatiana :

— Que veux-tu retrouver dans ce tas de cendres? C'était ton père, hein? Salauds de boches. Le camarade Staline a raison : on aura leur peau, j'sais pas comment, mais on aura leur peau!

La jeune fille se détourna lentement et reprit le chemin de la maison. Elle se revoyait, enterrée sous les murs de briques de la gare de Louga, sous les corps qui l'avaient protégée : elle avait senti la vie s'en échapper — c'était cela la vie, un souffle minuscule. Elle voulait croire que son père ne s'était pas réveillé, qu'il n'avait pas souffert.

Une fois rentrée, sans un mot elle prit les cartes de rationnement de la famille — toutes, sauf celle de Georgi Vassilievitch — et sortit acheter le pain.

Si la vie dans leurs deux pièces communes lui avait paru difficile avant la mort de son père, elle lui devint presque insupportable après : inconsolable, Irina Fedorovna ne lui adressait pas la parole; furieuse, Dasha ne lui parlait pas non plus. Tatiana ne savait pas si sa sœur lui en voulait à cause de leur père ou à cause d'Alexandre. Et, comme Dasha ne disait pas un mot, elle ne risquait pas de l'apprendre.

Marina continuait de rendre chaque jour visite à sa mère et, à la maison, laissait peser sur sa cousine un regard qui en disait long : elle avait compris.

Quant à Babouchka Maya, elle se réfugiait dans ses toiles.

Quelques jours après la mort de Georgi Vassilievitch, Dasha adressa enfin la parole à sa cadette pour lui demander de l'accompagner à la caserne : il fallait dire à

Alexandre ce qui s'était passé. Tatiana accepta et entraîna Marina avec elles pour se donner du courage.

Le lieutenant n'était pas là, Dimitri non plus ; on avait envoyé ce dernier à Tikhvine, dans la compagnie du sergent Kashnikov, leur dit Marazov.

— Alexandre aussi? lui demanda Tatiana.

— Non, lui est en Carélie, répondit-il en lui lançant un regard appuyé. Alors, comme ça c'est toi la fille dont il n'arrête pas de me parler? ajouta-t-il avec un sourire.

— Non, ce n'est pas elle, repartit sèchement Dasha. C'est moi : Dasha. Tu ne te rappelles pas? On s'est rencontrés chez *Sadko* début juin.

— Dasha..., marmonna Marazov.

Tatiana blêmit et, d'instinct, prit le bras de Marina, qui la dévisageait fixement. L'homme se tourna vers elle :

— Et toi, comment t'appelles-tu?

— Tatiana, murmura-t-elle.

Elle vit un éclair dans les yeux de Marazov :

— Je dirai à Alexandre que vous êtes passées. Je le rejoins en Carélie dans quelques jours.

— S'il te plaît, fit Dasha, dis-lui aussi que notre père est mort...

Pareille à une terre crevassée, la famille se fissurait. Irina Fedorovna ne quittait plus son lit, Babouchka Maya à son chevet. Elle ne voulait plus entendre un seul mot de Tatiana, n'écoutant ni ses excuses ni ses prières. La jeune fille finit par renoncer à implorer son pardon.

Ce n'était pas ma faute, ce n'était pas ma faute, ne cessait-elle de se répéter chaque matin, tout en avalant en quelques secondes le bout de pain qui tenait lieu de petit déjeuner. Puis, du bout de son index humide, elle ramassait les miettes et les portait à sa bouche en se répétant toujours : Ce n'était pas ma faute, pas ma faute...

Après la mort de Georgi Vassilievitch, sa ration quotidienne d'une livre de pain fut supprimée. Irina Fedorovna finit par fourrer deux cents roubles dans la main de sa cadette en lui ordonnant de trouver quelque chose à manger. Tatiana revint avec sept pommes de terre, trois oignons, cinq cents grammes de farine et un kilo d'un pain blanc qui devenait une denrée aussi rare que la viande.

Alors qu'elle continuait de se charger des rations de la famille, une fois ou deux en faisant la queue elle songea que, si elles n'avaient pas déclaré immédiatement la mort de Georgi Vassilievitch, elles auraient pu bénéficier de sa part jusqu'à la fin septembre.

Cette idée lui fit honte mais ne la quitta pas. Septembre céda bientôt la place à octobre et, si son chagrin s'estompait peu à peu, Tatiana sentait un vide cruel se creuser en elle.

Elle comprit que ce vide n'était pas du chagrin — mais la faim.

La brume de la nuit tomba sur la ville enfiévrée...

1

Même dans les mois chauds de l'été, à Leningrad l'air portait toujours des bouffées de fraîcheur, comme si l'Arctique voulait rappeler à cette cité septentrionale qu'à quelques centaines de kilomètres seulement l'hiver régnait en maître. Même pendant les nuits blanches de juillet, le souffle du vent se chargeait d'un frisson glacé. Pourtant, en cet automne 1941, le vent qui soufflait sur la ville triste et plate que les Allemands bombardaient chaque jour ne charriait plus seulement le froid, mais un parfum de désespoir.

Tatiana se sangla dans un manteau gris et posa sur sa tête le bonnet de Pasha, celui qui lui descendait jusqu'aux oreilles. Elle noua autour de son cou une écharpe beige usée et la remonta sur sa bouche, mais rien à faire pour protéger son nez d'un froid tranchant comme une lame de rasoir.

Les rations de pain avaient encore diminué : désormais Tatiana, Irina Fedorovna et Dasha, qui étaient actives, avaient droit à trois cents grammes chacune, Babouchka et Marina, inactives, à deux cents grammes — soit moins d'un kilo et demi pour elles cinq.

Les magasins d'alimentation n'avaient plus rien à

vendre : ni œufs, ni beurre, ni fromage, ni viande, ni sucre, ni farine, ni orge, ni fruits, ni légumes.

La famille vivait sur ses réserves. Chaque soir, on ouvrait une de ces conserves de jambon jadis dédaignées, avec une pensée pleine de gratitude pour Deda. Tatiana dut cesser de faire réchauffer les boîtes dans la cuisine collective, car l'odeur s'en répandait dans tout l'appartement et attirait les voisins. Ils se plantaient à côté d'elle et demandaient :

— Tu n'en aurais pas un peu pour nous, par hasard?

Alors elle acheta un petit réchaud à bois, un *bourzhuika*.

Au cours de la deuxième semaine d'octobre, Anton vit, hélas, son souhait s'exaucer : une bombe à fragmentation explosa sur Grecheski. Un morceau de métal vola dans le ciel... et lui faucha la jambe. Tatiana n'était pas sur le toit quand l'accident se produisit. Lorsqu'elle apprit la nouvelle, elle alla en secret porter une boîte de jambon au jeune garçon : il la dévora seul, à grosses bouchées voraces. Elle lui dit :

— Anton, pense à ta maman!

— Ma mère, elle mange à son travail, répondit-il la bouche pleine. Elle a de la soupe et de la farine d'avoine.

— Et Kirill, ton frère?

— Dis donc, Tania, riposta Anton avec impatience, cette boîte, tu l'as apportée pour moi ou pour eux?

Mariska dépérissait. Ses jolies boucles commençaient à tomber. Chaque jour, Tatiana lui préparait discrètement une bouillie d'avoine. Pourtant, elle savait qu'elle ne pourrait continuer de la nourrir bien longtemps — sa mère et sa sœur la surveillaient. Et puis cette bouillie sans beurre, sans lait, sans sucre, n'était que du gruau. La petite se jetait dessus comme si elle mangeait pour la dernière fois. Au bout de quelques jours, la jeune fille l'emmena à l'hôpital. L'enfant ne put parcourir les cent derniers mètres : Tatiana dut la porter.

Plus jeune, quand il lui arrivait de sauter un repas et que son estomac se rappelait bruyamment à son souvenir, Tatiana s'écriait : « Mais *je meurs* de faim ! »

La bouche qui salive toute seule, l'estomac qui crie famine, les oreilles qui bourdonnent, la tête qui tourne — désormais, elle connaissait tout cela par cœur, chaque jour, à chaque minute. Elle avait beau avaler sa soupe, claire comme de l'eau, et quelques quignons de pain noir, les signes restaient les mêmes : elle mourait littéralement de faim.

Le niveau du sac dans lequel elle avait fourré les bouts de pain rassis qu'elle avait patiemment fait griller baissait d'heure en heure. Dasha et sa mère en glissaient quelques-uns dans leurs poches avant de partir travailler. Au début, elles n'en prenaient qu'un ou deux, puis de plus en plus. Babouchka en grignotait toute la journée tout en peignant ou en lisant. Marina en emportait à la fac, ou à l'hôpital pour les donner à sa mère.

En vérité, Tatiana ne pensait quasiment plus qu'à la nourriture. La faim, qui tout le jour lui tiraillait l'estomac et qui la réveillait la nuit, avait eu raison de la plupart de ses pensées : quand elle partait chercher les rations le matin elle pensait « pain », dans la journée à l'hôpital elle pensait « déjeuner », l'après-midi elle pensait « dîner », et le soir elle pensait au bout de pain grillé qu'elle pourrait grignoter avant de se coucher.

Une fois au lit — seulement — elle pensait à Alexandre.

Un jour, Marina proposa d'aller chercher les rations à sa place. Étonnée, Tatiana lui confia les cartes de rationnement.

— Tu veux que je t'accompagne ? lui demanda-t-elle.

— Non, non, pas la peine, répondit sa cousine. Je trouverai bien le chemin.

À son retour, Marina posa une livre de pain sur la table.

— Où est le reste ? fit Tatiana.

— Pardon, Tania... Je l'ai mangé. J'avais tellement faim.

— Tu as mangé un kilo de *notre* pain !

La jeune fille avait du mal à le croire : pendant six semaines, elle était allée chercher les rations de toute la famille et pas une fois il ne lui était venu à l'idée de manger le pain qu'attendaient cinq personnes.

Pourtant, elle aussi mourait de faim.

Elle mourait aussi de manque : le manque d'Alexandre.

2

Un matin de la mi-octobre, alors qu'elle approchait du canal de la Fontanka et farfouillait dans sa poche pour y trouver les cartes de rationnement, elle aperçut l'uniforme d'un officier dans la brume et eut envie de se dire qu'il ressemblait à Alexandre. Non, ce ne pouvait pas être lui. Cet homme-là avait l'air plus vieux, sale, avec sa capote militaire et son fusil maculés de boue. Elle approcha, écarquilla les yeux : c'était bien Alexandre.

— Shura, mais... que t'est-il arrivé ?

— Tania... et à toi, que t'est-il arrivé ? Comme tu es maigre... Tiens, ajouta-t-il précipitamment, regarde ce que je t'ai apporté.

Il ouvrit sa besace et en sortit un gros morceau de pain blanc, du fromage emballé dans du papier, ainsi qu'une tranche de jambon fumé dont Tatiana n'arrivait pas à détacher ses yeux.

— Oh, Shura ! Elles vont être tellement heureuses !

— Ce n'est pas pour elles mais pour *toi*.

— Impossible.

— Ne t'inquiète pas : j'ai apporté du beurre, un sac de farine et une vingtaine d'œufs pour ta famille.

La jeune fille lui lança un coup d'œil interrogateur puis,

rassurée, dévora les victuailles qu'il lui tendait. Il la regarda manger avec un air à la fois attristé et attendri.

— Pas si vite. Tu vas te faire mal à l'estomac.

Elle ralentit — un instant seulement avant d'engloutir sa dernière bouchée, les larmes aux yeux.

— Shura, murmura-t-elle en s'essuyant les lèvres, tu ne peux pas savoir à quel point j'ai eu faim.

— Si, Tania. Je le sais.

— J'espère qu'on vous nourrit mieux à l'armée ?

— Oui. Les soldats du front sont nourris correctement. Et les officiers encore mieux. Ce qu'on ne me donne pas, je l'achète. Tu sais, c'est nous qui sommes les premiers servis, avant les civils.

— C'est normal.

Puis Tatiana se tut et ils restèrent là, debout l'un face à l'autre, sans un geste, sans un mot. Alors elle avisa la longue file qui s'étirait devant l'épicerie.

— Il faut que je prenne ma place dans la queue. Tu restes avec moi ?

— Bien sûr.

Alexandre était le seul homme dans la file. Ils durent attendre trois quarts d'heure. La boutique était bondée, pourtant on aurait entendu une mouche voler. Personne ne disait rien. Les rations étaient distribuées dans le silence. Lorsque Tatiana fut servie, Alexandre et elle prirent le chemin de la maison :

— Shura, dit-elle au bout d'un moment, cette ville n'a plus rien à manger. On ne pourrait pas nous larguer de la nourriture par avion ?

— On le fait déjà, Tania. Chaque jour, cinquante tonnes d'essence, de munitions et de vivres sont larguées sur Leningrad.

— Cinquante tonnes, répéta la jeune fille. C'est beaucoup. Alors explique-moi pourquoi Nina Iglenko n'arrive pas à nourrir sa famille.

— Cinquante tonnes, ce n'est rien, Tania. La ville reçoit quotidiennement mille tonnes de farine pour ses trois millions d'habitants. Tu comprends ?

— Tu veux dire que le peu qu'on nous donne représente mille tonnes ? Et comment arrivent-elles, ces mille tonnes ?

— Par le lac Ladoga, à trente kilomètres au nord de la ligne de blocus. Dans des barges.

— Et pourquoi est-ce qu'on n'envoie pas plus d'avions ? Pour larguer plus de nourriture ?

— Parce que tous nos avions sont réquisitionnés pour la bataille de Moscou.

— Et la bataille de Leningrad, alors, elle ne compte pas ? riposta Tatiana sans espérer de réponse. Tu... tu crois que le blocus sera levé avant l'hiver ?

Cette fois, elle voulait une réponse. Alexandre n'en donna aucune...

Ils marchèrent un long moment en silence le long du canal embrumé de la Fontanka.

— Tania, dit enfin Alexandre, Marazov m'a dit pour ton père : je suis désolé... Tu me pardonnes ?

— Que veux-tu que je te pardonne ?

— Mon impuissance. Je n'ai rien pu faire pour te protéger : je n'ai pas pu te faire quitter Leningrad quand il était encore temps, je n'ai pas pu te protéger contre ton père. À propos, comment va ton œil ? ajouta-t-il, tendant la main pour lui effleurer la tempe.

Elle eut un mouvement de recul.

— Et Dimitri ? fit-elle. Des nouvelles ?

— Ah, Dimitri... Quand je suis parti pour Schlüsselburg mi-septembre, je lui ai demandé de venir avec moi. Mais c'était trop risqué à son goût. Alors je me suis porté volontaire pour la Carélie : il fallait repousser les Finlandais afin que nos camions de nourriture puissent circuler sans trop de casse. Il y avait sans cesse des escarmouches entre eux et les troupes frontalières du NKVD. Beaucoup des chauffeurs qui transportaient de quoi manger y ont laissé leur peau. Là encore, j'ai proposé à Dimitri de m'accompagner. D'accord, c'était dangereux, d'accord on pénétrait en territoire ennemi, mais si on réussissait...

— Vous étiez des héros, compléta Tatiana. Et vous avez réussi ?

— Oui, répondit Alexandre en lui montrant une nouvelle médaille sur sa poitrine. Tu as devant toi le *capitaine* Belov.

La jeune fille s'immobilisa, peinant à réprimer un sourire de fierté tandis qu'elle écoutait la suite du récit :

— Si Dima avait accepté de me suivre, il serait devenu caporal. Plus il aurait grimpé en grade, plus il aurait été loin du front. Marazov m'a suivi, lui, et il est passé lieutenant. Tandis que maintenant, Dimitri est à Tikhvine avec Kashnikov. Il fait partie de ces milliers de malheureux qui servent de chair à canon.

— Dommage qu'il ne t'ait pas accompagné, dit Tatiana après un long silence. Une promotion lui aurait fait du bien et tu ne te serais peut-être pas cru obligé d'épouser ma sœur...

Elle avait dit cela sur un ton acide. Le visage d'Alexandre se décomposa.

— Tatia, ne pense plus à moi, fit-il en passant sur son visage une main noircie. Tu n'as pas idée de ce qu'est le front : on va tous y passer...

— Oh, Shura, pardonne-moi ! Je ne voulais pas dire ça. Viens ! Viens à la maison. Je vais te faire couler un bain. Et puis je te préparerai quelque chose à manger. Viens, mon...

Elle faillit ajouter « mon amour », mais n'osa pas. Elle faillit aussi dire : *Épouse Dasha, épouse-la si tu veux, pourvu que tu restes en vie*. Pourtant, cela non plus elle ne le dit pas...

— Viens, répéta-t-elle.

Il ne fit pas un geste.

— Tu m'en veux à cause de ton père ? lui demanda-t-il.

— Non, Shura, personne ne t'en veut. Elles vont toutes être folles de joie de te revoir.

— Je ne te parle pas des autres, Tania, mais de *toi* : est-ce que *toi* tu m'en veux ?

Sous son uniforme d'officier, cet homme qui chaque jour en emmenait d'autres au combat avait besoin de savoir qu'*elle*, Tatiana, ne lui en voulait pas. Elle eut envie de lui répondre que si elle lui gardait rancune de quelque chose, ce n'était pas de la dispute avec son père... Mais elle choisit de se taire. À cet instant, une seule chose comptait : le réconforter, oui, lui apporter tout le réconfort, toute la chaleur possibles.

— Non, je ne t'en veux pas, murmura-t-elle en se glissant entre ses bras.

Et il put enfin presser les lèvres contre sa tempe blessée.

3

— Regardez qui je vous amène! claironna-t-elle depuis l'entrée.

En apercevant Alexandre, Dasha poussa un cri et se jeta à son cou. Tatiana préféra s'éclipser et aller lui faire couler un bain. Elle dénicha du savon, des serviettes, un rasoir, et il disparut dans la salle de bains. Il en ressortit tout propre, les cheveux humides, tellement appétissant qu'elle se demanda où elle trouvait la force de ne pas l'embrasser.

En caleçon long et tricot de corps, il s'assit sur le divan et toutes se pressèrent autour de lui. Toutes sauf Irina Fedorovna, peu disposée à lui pardonner. Alors Tatiana décida de ne pas parler des victuailles qu'il avait apportées. Qu'elle pardonne d'abord, se dit-elle. Elle aura les œufs et le beurre ensuite... Et elle alla cacher le tout derrière la farine, sur le rebord de la fenêtre.

Sa mère disparut rapidement : elle avait du travail. Babouchka aussi partait : elle fourra quelques couverts et un chandelier en argent dans un sac, les couvrit de deux vieilles couvertures, et sortit.

— Où va-t-elle avec tout ça? demanda Alexandre.

Ce fut Dasha qui répondit :

— Sur l'autre rive du fleuve. Elle prend le pont

Alexandre-Nevski et se rend à Malaya Ochta. Elle a des amis là-bas et elle troque nos affaires contre des patates ou des carottes. J'ai lavé tes vêtements, ajouta-t-elle avec un sourire enjôleur, mais ils ne seront pas secs avant un moment.

— Ça ne fait rien, répondit Alexandre, souriant lui aussi. Je ne suis pas censé retourner à la caserne avant quatre jours. D'ici là, ils auront le temps de sécher.

Le cœur de Tatiana s'emballa. Quatre jours ! Quatre jours avec Alexandre !

— On m'avait promis un petit en-cas, je crois ? ajouta-t-il avec un clin d'œil malicieux.

La jeune fille se précipita dans la cuisine. Elle fit un porridge avec deux cuillerées à soupe de lait, un peu de beurre et quelques petites cuillères de sucre. Et de l'eau. Beaucoup d'eau. Il y en eut assez pour quatre tasses. Elle donna la plus grosse part à Alexandre, deux parts égales à Dasha et Marina, et garda la plus petite pour elle.

Il jeta un œil à sa tasse et déclara immédiatement qu'il n'y toucherait pas. Il n'avait pas terminé sa phrase que Dasha avait déjà terminé son porridge. Marina aussi.

Seuls Tatiana et lui restaient les yeux fixés sur leurs tasses.

— Qu'est-ce qui vous prend, tous les deux ? fit Dasha. Voyons, Alex, tu as plus besoin de manger qu'elle. Tu es un homme. Et elle, c'est la plus menue d'entre nous. De nous tous, c'est elle qui a le moins de besoins. Maintenant mange, mon chéri, je t'en prie.

— Dasha a raison, renchérit Tatiana sans lever les yeux. Tu es un homme et je suis la plus menue. Mange, s'il te plaît.

Alexandre fit permuter les tasses :

— Non, toi tu manges. Moi, on me nourrit à la caserne.

Elle ne se fit pas prier davantage.

— Alex, reprit Dasha, les choses ont bien changé depuis la dernière fois. On a la vie dure maintenant. Les gens aussi sont durs. C'est chacun pour soi, on dirait, fit-elle avec un soupir en détournant ostensiblement les yeux.

Alexandre et Tatiana la considérèrent un moment sans rien dire.

— Tu te rends compte : on n'a que trois cents grammes de pain par jour ! poursuivit-elle. Ça ne pourra jamais être pire.

— Si, rétorqua sa cadette. Parce que nos réserves s'épuisent.

— Combien de conserves de jambon vous reste-t-il ? fit Alexandre.

— Douze et...

— Alex, regarde comme j'ai maigri, interrompit Dasha.

Elle se leva et posa les mains du jeune homme sur ses hanches.

— Si je continue de maigrir comme ça, bientôt je ressemblerai à Tania et tu ne m'aimeras plus...

Ce soir-là, Dasha demanda à Marina d'aller dormir avec Babouchka Maya.

— Tu comprends, j'aimerais qu'Alexandre dorme près de moi. Ça ne te dérange pas, Maman ? ajouta-t-elle en se tournant vers Irina Fedorovna. Puisqu'on va se marier...

Sa mère ne répondit rien.

Marina, en revanche, posa une question :

— Il va dormir avec toi *et* Tania ? fit-elle avec un regard en coin vers Tatiana.

— Bien sûr, répondit Dasha en souriant. Alex, ça ne te dérange pas de dormir dans le même lit que ma sœur, n'est-ce pas ? Rassure-toi, je me mettrai entre vous !

Pour toute réponse, Alexandre émit un grognement inintelligible.

Alors Tatiana se plaqua contre son mur, sa sœur à côté d'elle, et lui prit la place au bord du lit. Le sentir à la fois si proche et si inaccessible rassurait étrangement la jeune fille. Elle écouta un peu sa mère qui sanglotait sur le canapé, puis entendit Dasha chuchoter à Alexandre :

— Dis-moi, mon amour, quand est-ce qu'on va se marier ?

— Je n'en sais rien. Il faut attendre.

— Attendre quoi ? On pourrait le faire demain. On va au bureau de l'état civil et, dix minutes après, je suis ta femme. Tania et Marina seront nos témoins.

— Écoute, Dasha. Tu as entendu ce qu'a dit le camarade Staline : désormais, être fait prisonnier est un délit. On n'a pas le droit de tomber aux mains des Allemands. Et pour dissuader ceux qui se laisseraient tenter, il a décidé de retirer leurs cartes de rationnement aux familles des soldats prisonniers. Si je t'épouse et que je suis fait prisonnier, vous perdrez vos rations. Toi. Tania. Ta mère. Ta grand-mère. Il faudra que je me fasse tuer pour que vous puissiez continuer de manger.

— Oh, chéri, ne dis pas des choses pareilles !

— On attendra.

— On attendra quoi ?

— Des jours meilleurs.

— Tu crois qu'il y en aura ?

— Oui.

Au milieu de la nuit, Dasha se leva pour se rendre à la salle de bains. Tatiana ne dormait pas. Alexandre non plus. Il se tourna vers elle, plongea ses yeux dans les siens dans la pénombre, sa jambe vint caresser la sienne.

Dasha revint. Tatiana ferma les yeux. Alexandre retira sa jambe.

Le lendemain soir, elle ne cuisina qu'une demi-boîte de jambon pour tout le monde, soit à peu près une cuillerée à soupe par personne. Dasha marmonna que ce n'était pas assez.

— Mange ton jambon, Dasha, lui dit sa sœur. Pense à Anton Iglenko : il est en train de mourir. Sa mère n'a pas eu de jambon depuis le mois d'août.

Après ce maigre repas, Irina Fedorovna voulut s'installer à sa machine à coudre. Depuis début septembre, elle prenait du travail à la maison. L'armée avait besoin d'uniformes d'hiver, et on lui donnait une prime si elle en confectionnait vingt par jour au lieu de dix. Une prime de quelques roubles et — surtout — une ration supplémentaire. Elle travaillait jusqu'à une heure du matin pour trois cents grammes de pain et quelques roubles.

— Où a bien pu passer ma machine à coudre ? fit-elle, cherchant partout dans le logement.

Personne ne répondit.

— Tania, où est ma machine à coudre ?

— Je ne sais pas, Maman.

Alors Babouchka passa aux aveux :

— Irina, je l'ai vendue.

— Tu as fait *quoi* ?

— Je l'ai troquée contre des haricots et de l'huile.

— Maman ! hurla Irina, folle de rage. Comment as-tu pu faire une chose pareille ? Tu sais que je me tue au travail sur cette machine pour nous apporter un petit supplément. Mais qu'est-ce que tu as fait ?

Puis elle s'effondra sur une chaise et resta plusieurs minutes à sangloter, la tête dans les mains. Gêné, Alexandre alla fumer une cigarette sur le divan de l'entrée. Tatiana le rejoignit discrètement. Elle prit un crayon et entreprit de marquer d'un trait le niveau des sacs qui se trouvaient derrière le divan : la farine et le sucre continuaient de mystérieusement disparaître.

Dans son dos, elle entendit Alexandre murmurer :

— Tania, que va faire ta mère ?

— Je ne sais pas. Et Babouchka, que va-t-elle faire ? Elle n'a plus rien à vendre.

Puis elle partit faire la vaisselle dans la cuisine. Il la suivit et se planta face à elle pour l'empêcher d'accéder à l'évier. Elle fit un pas sur la gauche, lui aussi. Elle repartit sur la droite, il fit de même.

Leurs yeux brillaient. Ils riaient.

Alexandre quitta les Metanov au bout de quatre jours et rentra à la caserne. Tout le monde déplora son départ — y compris Irina Fedorovna.

Par chance, il devait demeurer encore une semaine à Leningrad afin d'organiser des patrouilles, de faire dresser des barricades et d'entraîner les nouvelles recrues. Il passait presque toutes les soirées chez les Metanov et, le matin, venait chercher Tatiana à six heures et demie pour l'accompagner à la Fontanka.

Un jour, il lui annonça que Dimitri était blessé : il s'était tiré une balle dans le pied. Il était à l'hôpital, définitivement impropre pour le service et, pensait-il, à l'abri des combats.

— D'autant que, en plus de cette blessure, il est atteint de dystrophie.

— Qu'est-ce que c'est ? demanda Tatiana.

Elle sentit qu'Alexandre hésitait à répondre.

— La dystrophie, dit-il enfin lentement, c'est une maladie musculaire due à la malnutrition.

Elle frémit, puis, voyant le regard inquiet qu'il posait sur elle, s'écria d'un air faussement enjoué :

— Ne t'inquiète pas, Shura ! Mes muscles ne craignent rien... puisque je n'en ai pas !

Ils se rangèrent dans la file d'attente devant le magasin de la Fontanka. Le capitaine avait droit à une ration royale — huit cents grammes de pain par jour ! À lui seul, il avait plus de la moitié de ce que les cinq femmes obtenaient avec leurs cartes de rationnement. On lui donnait aussi cent cinquante grammes de viande, cent quarante grammes de céréales et une livre de légumes.

Grâce à ses rations, pendant huit jours la famille n'eut pas besoin de trop puiser dans ses réserves. Tatiana était ravie quand il venait dîner. Était-elle heureuse de le voir ou de savoir qu'elle allait manger ? Elle l'ignorait elle-même. Il lui tendait la nourriture, lui recommandant invariablement de la partager en six portions *égales*.

Il n'y avait plus un seul bougeoir à troquer, plus de vaisselle non plus, à l'exception des six assiettes que les cinq femmes conservaient pour elles et pour Alexandre. Babouchka Maya voulut aller échanger les vieilles couvertures et les vieux manteaux, mais Irina Fedorovna s'y opposa :

— Non. L'hiver va être rude. On en aura besoin. On n'est encore qu'en octobre et il gèle déjà.

Alors sa mère cessa de traverser la Neva pour aller faire du troc.

4

Tatiana était dans l'entrée quand elle entendit les éclats de voix : Dasha, Alexandre, Marina, sa mère et sa grand-mère discutaient avec véhémence de l'autre côté de la porte.

Alexandre disait :

— Non, vous ne pouvez pas lui annoncer ça. Pas maintenant. Ce n'est pas le moment !

Puis ce fut la voix de Dasha :

— Mais, Alex, elle finira par l'apprendre tôt ou tard...

— Pas maintenant !

— Où est le problème ? demandait Irina Fedorovna. Quelle importance ? On n'a qu'à lui dire.

— Moi, je suis de l'avis d'Alexandre, disait Babouchka. Elle a besoin de toutes ses forces, et cette nouvelle va l'affaiblir.

La jeune fille ouvrit la porte à la volée :

— Quelle nouvelle ?

Tous se figèrent dans le silence.

Tatiana s'apprêtait à servir le thé : elle avait dans les mains un plateau sur lequel étaient posées les tasses, les soucoupes, les cuillères et une petite théière.

— Quelle nouvelle ? répéta-t-elle.

Elle dévisagea sa sœur et vit des larmes rouler sur ses joues.

Personne ne disait rien. Personne n'osait même lever les yeux vers elle.

Le regard de Tatiana se posa successivement sur sa grand-mère, sa mère, sa cousine, sa sœur... puis s'arrêta sur Alexandre. Il fumait, l'œil rivé à sa cigarette.

— Pourquoi les empêches-tu de me parler ?

Enfin il la regarda et murmura doucement :

— Ton grand-père est mort, Tania. En septembre. D'une pneumonie.

Suivirent le fracas du plateau s'écrasant sur le plancher, des tasses brisées, le cliquetis des petites cuillères... Le thé bouillant vint éclabousser les bas de Tatiana. Immédiatement, elle se mit à genoux et entreprit de ramasser les débris de porcelaine — sans un mot. Qu'aurait-elle dit ? Personne ne lui parlait de toute façon. Quand elle eut posé tous les morceaux sur le plateau, elle se releva pour le porter dans la cuisine. En refermant la porte derrière elle, elle entendit la voix d'Alexandre :

— Alors, vous êtes satisfaites ?

Accompagné de Dasha, il vint la trouver dans la cuisine. Debout près de la fenêtre, les deux mains agrippées au rebord, elle fixait le vide, l'air abasourdi. Sa sœur s'approcha et la prit dans ses bras :

— Ma petite chérie, chuchota-t-elle, on l'aimait toutes. Nous aussi on a beaucoup de peine.

— Dasha, c'est un mauvais présage, fit Tatiana, hoquetante. J'ai l'impression que Deda est mort pour ne pas voir ce qui allait arriver à sa famille...

Alexandre les regardait sans un mot. Il baissa les yeux.

Le lendemain matin, Tatiana et lui patientaient en silence dans la file devant l'épicerie de la Fontanka.

Quand ils furent sortis de la boutique avec leurs rations, il plongea la main dans la poche de son manteau et dit :

— Tania, je pars demain. Mais... regarde ce que je t'ai apporté.

Et il lui tendit une petite tablette de chocolat. Elle la prit avec un pâle sourire, les yeux remplis de larmes.

— Viens, souffla-t-il en l'attirant contre lui.

Elle demeura un long moment ainsi, la joue contre la poitrine d'Alexandre, dans la chaleur de ses bras — elle pleurait.

Anton ne guérissait pas.

Tatiana lui apporta un peu du chocolat d'Alexandre. Il le mangea sans enthousiasme. Elle s'assit près de son lit.

— Tania, lui dit-il dans un souffle. Tu te souviens, l'été d'il y a deux ans ? On jouait au ballon avec Volodya, Petka et Pasha dans le Jardin de Tauride. Tu voulais tellement avoir le ballon que tu m'as donné un coup de pied dans le tibia. Eh bien, je crois que c'est la même jambe, conclut-il avec un petit sourire.

— Je crois aussi, répondit-elle en lui prenant la main. Tu vas voir, Anton, ta jambe va guérir et, l'été prochain, on retournera jouer au ballon dans le Jardin de Tauride.

— Peut-être, fit-il en fermant les yeux. Mais il n'y aura plus ni ton frère ni les miens.

— On jouera juste toi et moi, chuchota Tatiana.

— Non, pas moi, fit-il dans un murmure à peine audible.

Elle eut envie de lui dire : ils t'attendent, Anton. Ils t'attendent pour jouer au ballon là-haut.

Et moi aussi ils m'attendent...

5

Aussi ponctuelle que les bombardements, Tatiana sortait à six heures et demie précises pour aller chercher les rations, de façon à être de retour à huit heures, au moment où se déclenchaient les sirènes. Pourtant, depuis trois jours, elle constatait que, soit les sirènes se déclenchaient plus tôt, soit c'était elle qui devait sortir plus tard car, chaque fois, elle rentrait sous les bombes.

Parce que Alexandre le lui avait fait jurer, elle attendait la fin du pilonnage dans n'importe quel abri sur le chemin, son précieux pain serré contre sa poitrine. Et parce qu'il le lui avait fait jurer, désormais elle portait aussi un casque.

Ce jour-là, alors qu'elle s'était engouffrée dans l'abri d'un immeuble dès le début du bombardement, trente paires d'yeux furieux se posèrent sur elle. Puis une vieille femme finit par lui dire :

— Allons, fillette, partage ton pain avec nous. Donne-nous-en un morceau.

— Il est pour ma famille. On est cinq, rien que des femmes. Elles attendent après ce pain. Si je vous le donne, elles n'auront rien à manger aujourd'hui.

— On ne te demande pas grand-chose, petite. Rien qu'un morceau.

Par bonheur, le pilonnage cessa et Tatiana put se précipiter dehors. Après cet épisode, elle se jura de ne plus remettre les pieds dans un abri avec un pain sous le bras.

Pourtant, elle n'arrivait plus à rentrer assez tôt pour éviter les bombes. Et aller chercher les rations à dix heures du matin était impossible — elle devait être à l'hôpital. Là-bas aussi, on avait besoin d'elle. Alors elle se demanda si Marina ou Dasha ne seraient pas plus rapides.

Dasha répondit non : le matin, elle faisait la lessive de la famille. Marina aussi refusa. En définitive, c'était peut-être aussi bien. En effet, n'allant quasiment plus à la fac, elle allait se chercher son pain mais le dévorait sur place et, le soir, elle *exigeait* de Tatiana qu'elle lui donne à manger.

— Marinka, ce n'est pas juste. On a toutes faim. Je sais que c'est difficile, mais il faut que tu prennes sur toi...

— Et toi, tu prends sur toi ?

— Oui.

Tatiana sentit qu'en l'occurrence Marina ne parlait pas du pain.

— Tu fais bien, Tania, tu fais bien...

Au contraire, la jeune fille trouvait qu'elle ne « faisait pas bien ». Tous ses efforts pour presser le pas, accélérer et échapper aux bombes se heurtaient à une résistance jusqu'alors inconnue : celle que lui opposait son corps.

Un matin, rue Nekrasova, elle dépassa un homme sur le trottoir. Il était grand, plus vieux qu'elle, très maigre. Il portait un chapeau. Au début, elle n'y prêta pas attention, mais après l'avoir doublé elle se dit : soit j'avance plus vite que lui, soit il marche encore plus lentement que moi. Alors, d'instinct, elle se retourna. À cet instant précis, l'homme s'affaissa sur lui-même comme une toile de parachute d'où l'air se serait échappé. Tatiana revint sur ses pas pour l'aider à s'asseoir. Une fois près de lui, elle souleva le chapeau qui lui était tombé sur les yeux : grands ouverts, sans un cillement, ils la fixaient.

L'homme était mort.

Elle étouffa un cri d'horreur et s'éloigna à reculons. Alors les sirènes se mirent à hurler. Elle s'efforça de courir sans y parvenir, sans trop savoir non plus ce qu'elle fuyait : le mort ou les bombes ? De toute façon, elle était bien décidée à ne plus remettre les pieds dans un abri : si on veut me prendre mon pain, je ne pourrai rien faire, se dit-elle en enfonçant sur sa tête le casque que lui avait donné Alexandre.

Une fois rentrée, elle raconta à sa famille qu'elle venait de voir un homme s'effondrer raide mort en pleine rue. Personne n'eut l'air de trouver cela extraordinaire.

— Vraiment ? fit Marina. Moi j'ai vu un cheval mort sur une place l'autre jour. Une foule de gens le débitaient en quartiers et emportaient la viande. Et ce n'est pas le pire... Non, le pire, c'est que j'ai pris mon tour moi aussi...

Le visage de l'homme, sa démarche, son ridicule chapeau, Tatiana les revoyait le soir dans son lit. Ce n'était pas la mort qui la tourmentait. La mort, hélas, elle la connaissait déjà : la mort c'était Louga, l'absence de Pasha, son père dans son lit d'hôpital... Non, ce qui la tourmentait, c'était l'allure à laquelle marchait cet homme. Juste avant de mourir, il marchait plus lentement qu'elle — mais pas beaucoup plus...

6

Le 31 octobre, avant de sortir, Irina Fedorovna demanda à Tatiana combien de conserves de jambon il leur restait.

— Une seule, répondit la jeune fille.

Elle était en train de casser un bout de la croûte noire dc son pain pour observer la mie à l'intérieur.

— Mais qu'est-ce qu'il y a là-dedans ?

Sa sœur répliqua avec un haussement d'épaules :

— Qu'est-ce que ça peut te faire ? Mange. Tu voudrais du pain blanc peut-être ?

Entre deux doigts, Tatiana saisit un petit bout de mie et le posa sur sa langue :

— Tu sais ce que c'est ? De la sciure de bois ! Et ça, ajouta-t-elle en désignant un flocon brunâtre dans la paume de sa main, ça c'est du carton ! On mange du papier ! Trois cents grammes par jour, et ils nous donnent du papier !

Sans se laisser démonter, Dasha dévora jusqu'à la dernière miette de son pain, tout en lorgnant avec avidité la boulette que sa cadette pétrissait entre ses doigts :

— Estimons-nous heureuses d'avoir au moins ça. Dis-moi, Tania, fit-elle après un silence. Je voudrais te poser une question : tu as toujours tes règles, toi ?

— Non. Mais... pourquoi tu me demandes ça, Dasha? Tu... tu crois que tu es...

— Non, bien sûr que non. Alexandre ne... Enfin... Bref, ce n'est pas ça. C'est juste que je suis inquiète de ne plus les avoir. J'ai peur que... qu'elles ne reviennent jamais.

— Ne t'inquiète pas, répondit Tatiana, soulagée. Elles reviendront quand on recommencera à manger.

Sa sœur leva vers elle un regard hésitant avant de balbutier :

— Tania... tu... tu n'as pas l'impression que... que ton corps... s'arrête? Tu comprends? ajouta-t-elle dans un sanglot. Qu'il s'arrête tout simplement!

Tatiana prit Dasha dans ses bras.

— Non, il ne s'arrête pas. Tant que nos cœurs battent, nos corps ne s'arrêtent pas.

— Je n'éprouve même plus la faim. Le mois dernier encore, *j'avais faim*. Maintenant, même la faim a disparu.

— C'est vrai. Mais la faim aussi reviendra quand on recommencera à manger.

— J'espère qu'Alexandre va bientôt rentrer et nous donner un peu de ses rations, reprit Dasha. Il a de la veine, lui.

De la veine d'être au front? faillit lui répondre Tatiana. Mais elle n'en fit rien.

Elle aussi espérait le retour d'Alexandre — pas pour ses rations mais pour le voir, juste pour le voir.

— Regardez-nous, leur dit leur mère le soir même. On ne pense qu'à manger. Pourtant, il y a des gens qui sortent les blessés des décombres, qui éteignent les incendies, ramassent les morts dans les rues. Nous, on ne fait rien! On ne rêve que d'une chose : manger!

— C'est ce que veulent les Allemands, Maman, répondit Tatiana. Qu'on abandonne la ville. Et le pire, c'est qu'on en serait capables : on leur donnerait Leningrad contre une pomme de terre.

— Moi, je ne peux rien faire, dit encore sa mère. À part coudre ces uniformes — *et à la main* —, insista-t-elle avec un regard furieux en direction de Babouchka. Je ne peux pas sortir pour aller aider les autres.

— Personne ne va sortir, reprit sa cadette. On va toutes rester ici et coudre ces uniformes. Mais on n'abandonne pas Leningrad pour autant : *on ne part pas*.

Lorsque le bombardement commença, elles descendirent toutes dans l'abri, y compris Tatiana. Dans la pénombre de l'escalier, elle trébucha sur un corps : une femme — morte, assise dos au mur.

Personne ne s'était donné la peine de porter son cadavre dans la rue.

7

Tous les jours Dasha écrivait à Alexandre. Elle en a de la chance, songeait Tatiana, de pouvoir lui parler dans ses lettres, de pouvoir partager avec lui ses chagrins, ses secrets.

Elles écrivaient aussi à leur Babouchka de Molotov mais, depuis la mort de Deda, n'en recevaient plus que de loin en loin des nouvelles.

Le courrier fonctionnait mal.

Un jour, il ne fonctionna plus du tout. Les lettres cessèrent d'arriver à leur immeuble, et Tatiana se mit à aller au bureau de poste. Derrière son guichet, un vieillard édenté n'acceptait de les lui donner qu'en échange d'un peu de nourriture. Un matin, contre un quignon de pain rassis, elle obtint une lettre d'Alexandre adressée à Dasha.

Ma chère Dasha, et chères toutes

S'il est une chance dans la guerre, c'est que les femmes n'assistent pas aux combats, à l'exception des infirmières — et celles-ci en ont tant vu qu'elles sont immunisées contre nos souffrances.

Depuis Schlüsselburg, on essaie de ravitailler en munitions l'île fortifiée d'Oreshek. Un petit détachement tient cette île depuis le mois de septembre, sous le feu de l'artillerie allemande qui tire depuis la rive du lac Ladoga. Vous vous souvenez d'Oreshek? C'est là que Pierre le Grand enferma sa sœur, là aussi que le frère de Lénine, Alexandre Oulianov, a été pendu en 1887.

Les combats ne s'arrêtent jamais. Même la nuit. Il n'y a aucune trêve. La pluie non plus ne s'arrête pas. Depuis huit jours, on n'a pas été secs un seul instant. Trois de mes hommes sont morts de pneumonie. Mourir de pneumonie, c'est presque ironique quand Hitler met tant d'acharnement à nous exterminer. Pourtant je me réjouis de ne pas être à Moscou à l'heure qu'il est. En effet, les Allemands y ont envoyé beaucoup de leurs troupes, de leurs chars et de leurs avions. C'est sans doute ce qui nous sauve. Et ce qui vous sauve aussi. Si Moscou tombe, nous sommes fichus. Profitons de ce répit. Drôle de répit, cependant, dans la boue et le froid.

Mais je ne vais pas me plaindre. Je me porte plutôt bien. On continue de nourrir correctement les officiers. Je mange de la viande tous les jours.

Et je pense à vous.

Je vous en prie, dites bien à Tatiana de longer les murs quand elle sort, de porter le casque que je lui ai donné et, au moins, de se réfugier sous les porches pendant les bombardements.

Les filles, vous ne devez grimper sur le toit sous aucun prétexte. Et ne donner de la nourriture à personne.

N'oubliez pas non plus le savon que je vous ai laissé. Rappelez-vous qu'on se sent toujours un peu mieux quand on est propre. C'est mon père qui m'a appris ça. Bien sûr, sur le front, rester propre est impossible — surtout l'hiver. Mais le froid a au moins un avantage : les poux qui transmettent le typhus ne survivent pas non plus...

Croyez-moi, je pense à vous chaque jour.

Votre Alexandre

Tatiana portait le casque, restait propre et attendait sous les porches que les bombes aient fini de pleuvoir.

Mais, dans son manteau matelassé que sa mère lui avait confectionné du temps de la machine à coudre, elle ne pensait qu'à une chose : Alexandre passait ses jours et ses nuits trempé dans son uniforme, sur la glace du lac Ladoga.

Sur la ville de Pierre obscurcie...

1

C'était indéniable : ce qui arrivait à Leningrad n'avait rien de comparable avec ce qu'on avait pu imaginer.

La mère de Marina mourut.

Mariska mourut.

Anton mourut.

Les batteries allemandes pilonnaient toujours la ville. Les bombardements se poursuivaient. Cependant, les bombes incendiaires se raréfiaient. Tatiana s'en fit la remarque en constatant qu'il y avait moins d'incendies dans les rues — donc moins d'endroits où se réchauffer.

Un matin de novembre, alors qu'elle se rendait à l'épicerie de la Fontanka, elle vit deux morts sur le trottoir. Au retour, deux heures plus tard, ils étaient sept. Ce n'étaient pas des blessés — juste... des morts. Elle se signa en passant, puis se figea soudain. Mais qu'est-ce qui me prend ? Un signe de croix ? Dans la Russie communiste ? Plutôt le signe de la faucille et du marteau... Et elle s'éloigna à pas lents.

En Union soviétique, Dieu n'avait pas sa place. En vérité, l'idée même d'un dieu allait à l'encontre de tous les principes : sa foi, on la plaçait dans le travail, dans la vie en collectivité, dans le camarade Staline... À l'école, dans les journaux, à la radio, Tatiana apprenait que Dieu était le grand oppresseur, « l'opium du peuple », un tyran abject qui, pendant des siècles, avait empêché le travailleur de se réaliser pleinement. Dans la Russie postbolchévique, Dieu n'était qu'un obstacle supplémentaire dressé sur la route du prolétaire. Un communiste ne pouvait faire allégeance à Dieu, puisque cette allégeance il la devait avant tout à l'État. Et, au-dessus de l'État, il n'y avait rien, nulle entité supérieure. C'était l'État qui pourvoyait aux besoins du peuple, le nourrissait, lui donnait du travail, le protégeait contre les ennemis de l'étranger. Tatiana avait entendu ces discours dès le jardin d'enfants, puis pendant ses années de scolarité, ainsi qu'aux Jeunesses où elle était entrée à neuf ans. Elle y était allée parce qu'on ne lui avait pas laissé le choix mais, une fois en âge de rejoindre les *Jeunes Komsomols*, dans sa dernière année d'école, elle avait refusé. Pas à cause de Dieu — juste comme ça, par manque d'envie. Dans son for intérieur, elle savait qu'elle ne ferait jamais une bonne communiste. Elle aimait trop les histoires de Mikhaïl Zochtchenko...

Elle refit un signe de croix — cette fois non pour les morts, mais pour elle. Pourquoi était-ce si réconfortant ?

Ça me donne l'impression de ne pas être seule.

Et là, pour la première fois de sa vie, elle pénétra dans une église, celle qui se trouvait en face de son immeuble. Est-ce qu'on bombardait aussi les églises ? À Londres, la splendide cathédrale Saint-Paul n'avait pas été bombardée. Si les Allemands n'étaient pas arrivés à la détruire, au milieu d'un quartier dévasté, ils ne toucheraient sûrement pas la petite église où elle venait de trouver refuge. Là, enfin, elle se sentit un peu en sécurité...

Dans le noir, les filles ne voyaient pas ce qui arrivait à leur corps. Elles ne le souhaitaient pas non plus. Dasha ôta tous les miroirs du logement, et aussi la petite glace au-dessus de l'évier dans la cuisine collective. En effet, personne n'avait envie de croiser son reflet — fût-ce par accident. Personne ne voulait non plus croiser le reflet d'un être aimé. Pas dans cet état.

Pour cacher son corps, à elle comme aux autres, Tatiana portait un maillot de flanelle, un pull de laine qui avait appartenu à Pasha, une épaisse paire de bas, un pantalon, une jupe par-dessus, et son manteau. Pour dormir, elle enlevait juste le manteau.

Un jour, Dasha se plaignit d'avoir perdu sa poitrine. Marina s'emporta :

— Moi, c'est ma mère que j'ai perdue ! cria-t-elle. Moi, je préférerais avoir encore ma mère plutôt qu'une paire de nichons !

Dasha lui demanda de l'excuser mais, dans la cuisine, elle s'effondra en sanglots dans les bras de Tatiana :

— Tanechka, je veux avoir des seins... comme avant...

Après la mort de sa mère, Marina reprit le chemin de la fac : il n'y avait plus ni livres, ni cours, ni professeurs, mais il restait un peu de chauffage. Elle passait quelques heures dans la bibliothèque jusqu'à ce que la cloche annonce l'heure de la cantine et de cette soupe trop claire qu'on leur servait.

— J'ai horreur de la soupe, dit-elle un soir à Tatiana.

La jeune fille était penchée sur son sac de sucre dont le niveau ne cessait de baisser. Néanmoins, il y avait encore un peu d'orge.

— N'y touche pas, lança-t-elle à sa cousine. Il nous fera le mois prochain.

— Tu plaisantes ! Il en reste à peine la valeur d'une tasse ! s'exclama Marina, incrédule.

— Encore une chance que tu ne puisses pas le manger cru ! fit Tatiana en riant à moitié.

Elle se trompait : elle le comprit le lendemain en vérifiant le contenu du sac...

2

Les tracts pleuvaient sur Leningrad comme ils avaient plu sur Louga. Même méthode : d'abord les tracts, ensuite les bombes. Ceux que la Luftwaffe lâchait sur la ville étaient écrits en russe : *Femmes ! Portez vos robes blanches. Ainsi, quand vous marcherez sur Suvorovski pour aller chercher vos rations de pain, nous vous verrons depuis le ciel, nous ne vous abattrons pas, nous ne lâcherons pas de bombes sur votre chemin.*

Quelques jours avant le vingt-quatrième anniversaire de la révolution russe, Tatiana ramassa un tract. En rentrant à la maison, elle le posa sur la table et l'oublia jusqu'au lendemain, jour où Alexandre revint. Il avait maigri, son visage était décharné. Disparu le regard pétillant, disparu le sourire, disparus le charme et la vivacité. C'était un fantôme qui serrait Dasha et même Irina Fedorovna dans ses bras. Celle-ci lui dit :

— C'est bon de te revoir, mon grand. C'était dur de t'imaginer dans la pluie et dans le froid.

— Il fait moins humide ici, mais guère plus chaud, répondit-il en étreignant Babouchka qui resta adossée au mur de l'entrée, car ses jambes ne la portaient plus.

Il embrassa Marina sur la joue puis, enfin, se tourna vers Tatiana. Elle se tenait près de la porte, la main sur la poignée. Il ne put l'approcher, la *toucher*. Ses yeux sombres s'attardèrent un moment sur les traits de la jeune fille, et il lui fit un signe, un simple signe de la main.

À peine se fut-il débarrassé de son fusil et de son pardessus que Dasha lui demanda :

— C'est l'anniversaire de la Révolution demain. On aura un petit extra pour fêter ça ?

— Oui, demain, j'apporterai quelque chose de la caserne.

— Pourquoi pas aujourd'hui ? Tu n'as rien à manger sur toi ?

— J'arrive du front, Dasha. Je n'ai rien sur moi.

Tatiana s'avança :

— Tu veux une tasse de thé, Alexandre ?

— Oui, volontiers.

— C'est *moi* qui vais le préparer, fit Dasha.

Et elle disparut dans la cuisine.

Alexandre sortit une cigarette, l'alluma et la tendit à Tatiana.

— Tire une bouffée, lui dit-il. Ça calme la faim.

Elle le dévisagea un long moment, puis posa la main sur son bras et murmura :

— Nous avons plusieurs mois d'avance sur toi, tu sais : *nous n'avons plus faim*.

Elle retira sa main.

Il porta la cigarette à ses lèvres.

Babouchka et Marina les observaient. Tatiana s'en moquait. À cet instant-là, le visage d'Alexandre lui appartenait tout entier — à elle, rien qu'à elle.

Machinalement, il prit le tract nazi qui traînait sur la table et le parcourut, distraitement tout d'abord. Puis quelque chose retint son attention et il relut le feuillet de bout en bout.

— Qu'est-ce que c'est que ça ?

— Oh, rien, répondit Tatiana en ouvrant son manteau.

Et elle lui montra sa robe blanche aux roses rouges qu'elle portait le jour de leur rencontre et dans laquelle elle flottait désormais.

— Maintenant, je porte ma robe blanche pour que les Allemands ne me tirent pas dessus.

Alexandre se leva d'un bond, renversant sa chaise.

À cet instant, Dasha rentrait dans la pièce, le plateau à thé dans les mains :

— Voici ton thé, mon am... Qu'est-ce qui se passe ici?

Elle jeta un œil interrogateur à Marina, qui lui répondit par un haussement d'épaules : elle n'en avait aucune idée.

Debout, il fixa un long moment Tatiana, comme s'il peinait à se contenir, puis, brandissant le tract, laissa exploser sa colère :

— Tu es folle, Tania? Tu as perdu la tête? Tu sais ce que les Allemands ont fait à Louga? Ils ont lâché ces tracts sur les femmes volontaires qui creusaient les tranchées et arrachaient les pommes de terre. Ils disaient : Portez vos robes et vos châles blancs, comme ça on évitera de vous tirer dessus. Trop heureuses, elles ont couru se changer. Mais, une fois en blanc, elles étaient repérables à trois cents mètres d'altitude, des cibles idéales : les Allemands les ont massacrées. Maintenant va te changer : mets des vêtements chauds et, surtout, de couleur sombre...

Plus tard dans la soirée, Irina Fedorovna lui demanda s'il existait un moyen de faire sortir ses filles de Leningrad.

— On n'a presque plus rien à manger, dit-elle.

— Impossible, répondit-il. Il y a plus de deux millions de civils à Leningrad. Seuls quelques milliers ont été évacués. Rien que des enfants avec leurs mères. Ils ont traversé le lac Ladoga sur des barges — et encore, sous le feu des nazis.

— Nous aussi, on est des enfants avec notre mère, fit Dasha.

— Je parle de *petits* enfants, Dasha. Vous, vous contribuez toutes à l'effort de guerre : on ne va pas vous évacuer. Vous fabriquez des uniformes pour l'armée. Tatiana travaille à l'hôpital... À propos, Tania, comment ça se passe là-bas ?

La jeune fille s'était écartée de la table et se tenait debout, dans le renfoncement de la fenêtre.

— Oh..., souffla-t-elle. Aujourd'hui, j'ai cousu quarante-deux sacs, mais ce n'était pas suffisant : on avait soixante-dix-huit cadavres. As-tu des nouvelles de Dimitri ? demanda-t-elle aussitôt, pressée de changer de sujet.

Alexandre répondit non de la tête en allumant une cigarette :

— Il est à l'hôpital. Il n'a sûrement pas la force d'écrire...

Le regard qu'ils échangèrent à cet instant était lourd de sous-entendus.

— Ne reste pas près de la fenêtre, reprit-il. Il fait froid. Viens plutôt t'asseoir à table avec nous. Tu n'as pas enlevé tes gants de toute la soirée.

— À propos, Alex ! s'écria Marina. Sais-tu ce que ta Tanechka a fait la semaine dernière ?

Dasha sursauta :

— *Sa Tanechka !* répéta-t-elle, ébahie. Marina s'égare ! Elle veut sans doute dire que tu ne vas pas le croire...

Tatiana marmonna :

— Bon, je n'ai pas besoin d'entendre ça.

Et elle entreprit de débarrasser la table.

— Eh bien, samedi dernier, poursuivit sa sœur, on est sorties faire un tour Marina et moi, et on a laissé Tatiana.

On croyait qu'elle était tranquillement en train de faire la sieste. Au moment où on rentrait, le petit Kostia, tu sais le gosse du deuxième, il nous a foncé dessus en criant : « Dépêchez-vous, vot' sœur est en feu ! Vot' sœur est en feu ! » Tania chérie, ajouta-t-elle, pourquoi ne lui racontes-tu pas toi-même ? Ce serait beaucoup plus amusant. Allez, vas-y, raconte.

Le regard d'Alexandre ne quittait pas Tatiana. Maigre, le visage émacié, des cernes sombres sous les yeux, les bras chargés de la vaisselle familiale, elle répondit seulement :

— Rien. Il ne s'est rien passé.

— Raconte-moi, Tania, fit-il, glacial.

La jeune fille jeta un regard noir à sa cousine et à Dasha, puis se décida à parler :

— Kostia est trop jeune pour rester seul sur le toit. Je suis montée lui tenir compagnie. Une petite bombe incendiaire a explosé. Il n'arrivait pas à éteindre le feu tout seul. Alors je l'ai aidé, c'est tout.

— Tu es montée sur le toit ? répéta Alexandre.

Le ton était calme — d'un calme presque inquiétant.

— Juste une petite heure. Et c'était vraiment un tout petit feu. Avec le sable, je l'ai éteint en cinq minutes. Kostia s'est affolé pour rien.

— Pour rien ! s'exclama Dasha. Montre-lui donc tes mains !

— Je n'ai pas envie qu'on me montre quoi que ce soit, riposta Alexandre, cinglant. Je rentre à la caserne. Je suis en retard.

Il se leva, prit dans un même mouvement son fusil, son manteau, son havresac, grommela quelques rapides paroles d'au revoir et sortit sans un regard pour Tatiana.

— Qu'est-ce qu'il lui arrive ? demanda Dasha, médusée, quand la porte se fut refermée derrière lui.

Personne ne répondit.

Depuis son divan, qu'elle ne quittait plus guère, Babouchka Maya murmura :

— La peur, ma petite fille. Une trop grande peur.

— Tu avais vraiment besoin de raconter cette histoire, Marina ? fit Tatiana à sa cousine. Je vais bien. Mes mains vont bien. Inutile d'inquiéter Alexandre pour des bêtises.

— Elle a raison ! s'écria Dasha. Et puis qu'est-ce que ça veut dire « *ta Tanechka* » ? ajouta-t-elle, furieuse.

— Rien, maugréa Marina. C'était juste une façon de parler.

— Eh bien ! Elle est stupide, ta façon de parler !

3

Le lendemain matin, très tôt, on frappa doucement à la porte. Seule réveillée, Tatiana alla ouvrir. C'était Alexandre. Il apportait deux kilos de pain de seigle et une poignée de blé noir.

Pendant qu'elle se brossait les dents, il observa la jeune fille — bras croisés, regard froid.

— Shura, lui dit-elle quand elle eut terminé. Tu ne vas pas sortir dans le froid. Donne-moi ta carte. Je prendrai aussi tes rations.

— Tatiana, jamais je ne t'enverrai chercher mes rations, *moi*, répondit-il sèchement. Comment vont tes mains ? ajouta-t-il après un silence.

— Bien. Très bien.

Elle les lui tendit : elle avait envie qu'il les prenne dans les siennes, qu'il les touche, les embrasse.

Il n'en fit rien.

Ils sortirent ensemble. La température avait encore chuté : moins dix degrés. À sept heures du matin, le ciel était toujours noir. Le vent engouffrait ses bourrasques sous le manteau de Tatiana, s'infiltrait dans ses oreilles, hurlait sa lamentation polaire le long des rues qui conduisaient à la Fontanka. Il faisait meilleur dans la boutique.

Ce matin-là, il y avait seulement trente personnes dans la queue. Soit juste quarante minutes d'attente...

— Incroyable, non? fit soudain Alexandre entre ses dents.

— Qu'est-ce qui est incroyable?

— Qu'au mois de novembre, tu sois encore en train d'aller chercher seule les rations de toute ta famille!

Il criait presque.

— Dasha pourrait le faire, continua-t-il. Marina aussi! En tout cas, elles pourraient au moins t'accompagner.

Tatiana ne répondit pas. Que dire? Elle se demandait même si elle s'était jamais véritablement posé la question. C'est vrai, songea-t-elle, pourquoi est-ce que je fais ça toute seule, sous les bombes, dans le froid, dans le noir? Pourquoi ce n'est jamais leur tour? Elle riposta pourtant :

— Parce que, si Marina va chercher les rations, elle les mange en route. Parce que Maman fait sa couture. Parce que Dasha fait la lessive. Qui veux-tu qui y aille à ma place? Babouchka?

Alexandre resta muet, mais la colère n'avait pas quitté ses traits. Tatiana tendit la main vers lui. Il fit délibérément un pas de côté, évitant son contact.

— Tu es en colère parce que je suis montée sur le toit, c'est ça? lui demanda-t-elle.

— Parce que... (Il s'interrompit.) Parce que tu ne m'écoutes pas. Ce n'est pas à toi que j'en veux, ajouta-t-il dans un soupir. *Mais à elles*.

— Il ne faut pas. Tu sais, je préfère être dehors plutôt que faire la lessive.

— Ne te moque pas de moi, Tania. Dasha fait la lessive une fois par semaine. Les six autres jours, tu pourrais faire la grasse matinée, comme elle. Non, si tu vas chercher ces rations, c'est parce qu'elles t'ont demandé de le faire, et tu as accepté. Tout comme elles t'ont demandé de leur faire la cuisine et les courses — jambe cassée ou pas.

— Tu me reproches de faire ce qu'elles me demandent, mais je fais aussi ce que tu me demandes, toi.

— Comment oses-tu dire ça? Je t'ai demandé de ne plus monter sur ce toit : tu l'as fait? Je t'ai demandé de te mettre à l'abri pendant les bombardements : tu l'as fait? Je t'ai demandé d'arrêter de nourrir tout l'immeuble : tu l'as fait?

À présent, il ne restait plus qu'une douzaine de personnes dans la file devant eux — une douzaine de têtes qui se retournèrent en entendant leurs éclats de voix.

— On te fait faire ce qu'on veut, reprit Alexandre, indifférent à la curiosité que suscitait leur dispute. On te dit : « Vas-y », tu y vas. On te dit : « Va-t'en », tu t'en vas. On te frappe, tu défends celui qui te frappe. On te dit : « Je veux ton pain, ton lait, ton thé, ton... »

Soudain, Tatiana comprit où il voulait en venir. Elle tenta de l'arrêter :

— Non, Shura, pas ça.

— Si, fit-il, les mâchoires crispées. On te dit : « Cet homme est à moi », et tu réponds : « Bien sûr qu'il est à toi. Garde-le. Rien n'a d'importance pour moi. Ni ma nourriture, ni mon pain, ni ma vie, ni lui, rien. » Tu veux que je te dise, Tatiana? *Je me bats pour rien*.

La jeune fille ne put riposter, leur tour était venu. Ils prirent leurs rations. Alexandre avait des pommes de terre, des carottes, du pain et du beurre.

Sur le chemin du retour, il porta le sac. Tatiana avançait sans un mot à ses côtés. Mais il marchait trop vite, elle n'arrivait pas à le suivre. Quand elle comprit qu'il ne ralentirait pas, elle s'arrêta.

Il fit volte-face et lui lança :

— Quoi encore?

— Pars devant, lui dit-elle. Rentre à la maison. Je ne peux pas marcher aussi vite.

Alors il revint vers elle et lui prit le bras.

— Viens, fit-il plus doucement. Les Allemands ne vont pas tarder à bombarder, histoire de fêter à leur manière la révolution russe. Et, crois-moi, ça va durer toute la journée.

Elle s'appuya à son bras. Elle avait envie de pleurer, de marcher plus vite, de ne plus avoir froid — tout à la fois. La neige glacée s'infiltrait dans ses bottes déchirées comme le chagrin s'insinuait dans son cœur déchiré.

— Tu es injuste, Shura, dit-elle enfin. Tu transformes ma loyauté envers ma sœur en une faute que j'aurais commise. Tu devrais avoir honte.

— *J'ai honte*, admit Alexandre. Mais chaque jour *c'est pour toi* que je me bats.

La jeune fille s'arrêta et partit d'un rire amer.

— Demander à Dasha de t'épouser, c'est ce que tu appelles te battre pour moi ?

À cet instant, l'interminable hululement des sirènes retentit au-dessus de leurs têtes. Sans un mot Alexandre entraîna Tatiana sous un porche. Une pluie de bombes s'abattit sur la ville.

— Je ne lui ai pas *demandé* de m'épouser ! hurla-t-il, tentant de couvrir de sa voix le fracas des explosions. J'ai *accepté* de l'épouser pour te débarrasser de Dimitri ! Tu as oublié ce détail ?

— Ah ! C'était donc ça ton plan ! Tu épousais Dasha pour *mon bien* ! Quelle délicatesse ! Quel sacrifice ! Quel acte d'humanité !

Les mots se bousculaient dans la bouche de Tatiana, mais la rage ne réchauffait pas son souffle glacé. Elle serra entre ses poings les revers du manteau d'Alexandre et hoqueta :

— Comment as-tu pu ? Comment as-tu pu me faire une chose pareille ? Lui demander d'être ta femme !

Elle ne savait plus si elle criait ou si le son qui sortait de sa gorge était à peine un murmure. Elle secouait Alexandre, mais sans le faire bouger d'un pouce, tant elle était faible. Il ouvrit les bras et la serra contre sa poitrine.

— Oh, mon Dieu, murmura-t-il.

Elle leva les yeux vers lui :

— Que se passe-t-il, Shura ? Tu penses que je vais mourir, c'est ça ?

— Non, répondit-il, mais il garda les yeux fixés au-dessus de la tête de la jeune fille, n'osant plus la regarder. Tania, pourquoi continuer à faire semblant ? fit-il tandis que les bombes continuaient de s'abattre autour d'eux. Au nom de quoi ? De qui ? On ne sait pas combien de temps il nous reste à vivre. Nos faux-semblants n'ont plus de sens. Pourquoi continuer à mentir ?

— Mais pour elle, Alexandre ! Pour Dasha ! Parce qu'elle t'aime.

— Et toi, Tania ? demanda-t-il, la voix tremblante.

Il attendit sa réponse. Elle ne dit rien — en tout cas rien de ce qu'il espérait.

— Promets-moi que tu ne le feras pas, souffla-t-elle enfin.

— Que je ne ferai pas quoi ? L'épouser ou la quitter ?

Une larme unique roula sur la joue de la jeune fille :

— La quitter. Promets-moi de ne pas lui faire ce chagrin.

Alexandre la dévisagea avec incrédulité. Elle-même avait peine à croire en ce qu'elle venait de dire.

— Tania, ne me torture pas.

— Promets-le-moi, Shura, insista-t-elle.

— Alors toi aussi, tu vas me faire une promesse : tu ne porteras plus jamais la robe blanche, tu ne monteras plus jamais sur le toit, tu ne donneras plus jamais ton pain. Si j'apprends que tu l'as fait, même une fois — *une seule fois* —, je dis tout à Dasha. Tu m'entends?

— Je t'entends.

— Promets-moi de tout faire pour rester en vie.

Il prit son visage dans ses mains et l'attira vers le sien :

— Reste en vie, et je ne quitterai pas ta sœur — je te le jure.

4

Le lendemain matin, Tatiana se rendit seule à la Fontanka. Elle en sortait avec, sous son bras, le kilo de pain qui devait nourrir sa famille pour la journée quand elle sentit qu'on la frappait : une première fois sur la nuque, une deuxième sur l'oreille droite. Elle vacilla et vit un garçon d'une quinzaine d'années engloutir d'énormes bouchées de son pain. Il avait des yeux fous, désespérés. Sortant de l'épicerie, les clients se mirent à lui taper dessus avec leurs sacs. Il ne bougea pas et, sous leurs coups, dévora jusqu'à la dernière miette du pain. Puis il s'enfuit en courant.

Un filet de sang ruisselait de l'oreille de Tatiana. On l'aida à regagner la boutique. Sur un ton implorant, elle dit à l'épicier :

— Je ne peux pas rentrer sans rien.

— Impossible, ma petite, lui répondit l'homme. Le NKVD me tuerait si je te donnais une autre ration. L'autre jour, ils ont fusillé trois femmes qui avaient falsifié des cartes de rationnement. En pleine rue. Et ils les ont laissées sur place pour qu'elles servent d'exemple. Rentre chez toi. Tu reviendras demain.

— Demain. C'est très loin demain, murmura Tatiana en quittant l'épicerie.

Elle ne pouvait pas rentrer à la maison. Alors elle se rendit directement à l'hôpital. Véra avait disparu, la carte avec laquelle Tatiana pointait aussi. À l'heure du déjeuner, elle se rendit à la cafétéria : on lui donna une soupe plus claire que jamais et quelques cuillères de gruau. Rien qu'elle pût rapporter à la maison pour remplacer le pain qu'on lui avait volé.

Elle prit tout de même le chemin du retour. Elle pensait à Alexandre. Il essayait encore de la protéger. De Leningrad, de Dimitri, des briques de la gare de Louga, des bombes, de la faim. Il ne voulait pas qu'elle monte sur le toit, ni qu'elle se rende seule à la Fontanka, il exigeait qu'elle porte ce casque ridicule, qu'elle reste propre, même si elle devait se laver à l'eau glacée. En réalité, il ne voulait qu'une chose : qu'elle vive.

C'était une consolation — en tout cas, elle devrait s'en contenter.

Elle arriva sur le coup de dix-neuf heures et trouva sa famille folle d'inquiétude. Elle leur raconta ce qui s'était passé : on lui reprocha de n'être pas rentrée directement.

— On aurait compris, dit Irina Fedorovna. Peu importe le pain.

Dasha ajouta qu'elle avait envoyé Alexandre à sa recherche.

— Ne fais plus jamais ça, lui dit Tatiana d'une voix faible mais catégorique. Tu risques de le faire tuer.

Elle s'étonna que sa mère et sa sœur ne soient pas furieuses après elle. Bientôt, elle comprit la raison de ce brusque sursaut d'indulgence : le matin, Alexandre leur avait apporté un peu d'huile, un morceau de viande et la moitié d'un oignon. Dasha s'était débrouillée pour en concocter un délicieux ragoût auquel elle avait ajouté une cuillerée à soupe de farine et une pincée de sel.

— Où est cette merveille ? demanda Tatiana.

— On... on a pensé que tu avais mangé là où tu étais, répondit Irina Fedorovna.

— Tu as mangé, n'est-ce pas ? fit Babouchka, l'air inquiet.

— Tu comprends, on avait tellement faim, expliqua Marina.

— Oui, je comprends, souffla la jeune fille. Ne vous en faites pas pour moi.

Alexandre revint vers huit heures. Il était parti depuis trois heures à la recherche de Tatiana.

— Où étais-tu ? Que t'est-il arrivé ? lui demanda-t-il dès qu'il l'aperçut.

Elle lui raconta.

— Tu as passé toute la journée à l'hôpital ?

Il lui parlait comme s'il n'y avait personne d'autre dans la pièce.

— Oui, je pensais trouver quelque chose à manger à la cafétéria.

— Et il n'y avait rien.

— Pas grand-chose, c'est vrai. Mais j'ai eu un peu de bouillie d'avoine, mentit-elle.

— Bien, dit-il en ôtant son manteau, avant d'ajouter sur un ton presque joyeux : Ici, nous avons du ragoût au menu !

Toussotements. Regards fuyants.

— Tu n'avais pas dit que tu faisais un ragoût ? demanda-t-il en se tournant vers Dasha.

— Si, répondit celle-ci, mal à l'aise. Mais... il y en avait si peu : on l'a mangé.

— Quoi ? Vous l'avez mangé sans lui en laisser ?

Le visage rouge de colère, il serra les poings.

— Ce n'est pas grave, s'empressa d'ajouter Tatiana. Toi non plus tu n'en auras pas, de toute façon ! conclut-elle en essayant un petit rire.

Dasha reprit, elle aussi avec un rire nerveux :

— Toi, tu peux manger à la caserne. Et ma sœur a dit qu'elle avait mangé à l'hôpital.

— Elle a menti ! hurla Alexandre avant de se tourner vers Tatiana : Je t'interdis... oui, à partir de maintenant *je t'interdis* d'aller chercher leurs rations. Rends-leur leurs cartes. Qu'elles aillent se les chercher elles-mêmes, leurs fichues rations ! Je ne veux plus jamais te voir aller chercher leur pain sous les bombes si elles ne sont même pas capables de te laisser un peu de la viande que j'ai apportée !

Puis il fit volte-face et, menaçant, s'approcha de Dasha :

— Qui va aller te chercher ton pain si elle meurt ? Qui ? Quant à vous, Irina Fedorovna, vous mangez la moitié de ce qu'on vous donne à l'usine avant d'avoir posé le pied dans l'immeuble, je le sais ! Et toi, Marina, tu bouffes seule tes rations et après tu viens réclamer du pain à Tatiana. Et elle, elle se fait molester pendant que vous dormez encore, toutes autant que vous êtes !

Il criait, éructait, à bout de souffle. Puis il prit une ample respiration et, d'une voix plus calme mais toujours ferme, il conclut à l'intention de Tatiana :

— Tu n'iras plus chercher leurs rations. Compris ?

— Compris, Shura...

Le lendemain matin, Dasha accompagna sa sœur.

Le surlendemain, elle resta couchée mais, au pied de l'immeuble, Tatiana trouva un soldat qui l'attendait :

— Sergent Petrenko ! s'exclama-t-elle, reconnaissant la sentinelle qu'elle avait vue en faction devant la caserne. Qu'est-ce que vous faites ici ?

— Ordre du capitaine, répondit-il en saluant. Il m'a demandé de vous accompagner jusqu'à la Fontanka.

Le troisième jour, Petrenko n'était pas là, mais

Alexandre attendait la jeune fille près de l'épicerie. Sans un mot, il lui tendit une arme : un P-38 automatique trouvé sur un soldat mort.

— Shura, je ne sais pas me servir de...

— Peu importe. Ces gamins sont des lâches. Ils s'en prennent à ceux qu'ils croient sans défense. Tu n'auras qu'à leur montrer ton arme, ça suffira. Tania, c'est la guerre ! ajouta-t-il devant la mine incrédule de la jeune fille.

Puis il lui fourra une poignée de billets dans les mains.

— Mille roubles. La moitié de ma solde mensuelle. Tu t'en serviras pour acheter à manger au marché noir. Je t'en conjure, ne regarde pas les prix. Achète ce que tu trouveras. Maintenant il faut que j'y aille. Le colonel Stepanov m'envoie sur le lac Ladoga. Je ne reviendrai pas avant une semaine, dix jours, peut-être plus... Tania, il faut que les filles t'accompagnent pour aller chercher les rations. Il le faut, tu m'entends ?

— Je t'entends, Shura. Mais... et toi ?

— Ne t'inquiète pas pour moi. Notre seul gros souci, c'est la chute de Tikhvine. Tu vois, ajouta-t-il avec un petit sourire, Dimitri s'est tiré sa balle dans le pied juste à temps. Il n'y a pas de voie ferrée pour aller chercher le ravitaillement de l'autre côté du lac. La seule manière de faire pénétrer la nourriture dans Leningrad, c'est par le Ladoga. Sauf que, maintenant, il n'y a plus moyen de l'acheminer *jusqu'au Ladoga*. Il faut reconquérir Tikhvine et la voie ferrée. Sans eux, on ne peut pas alimenter la ville. Crois-moi, Tania, fais durer le peu que tu as à manger. Les rations vont encore diminuer.

Ils marchèrent en silence jusqu'au coin de la Perspective Nevski et de la Perspective Liteyniy, où leurs chemins se séparaient. En se penchant vers Tatiana pour l'embrasser, Alexandre lui dit :

— Hier, tu m'as appelé Shura devant ta famille. Tu devrais te montrer plus prudente. Ta sœur pourrait se douter de quelque chose...

— Oui, tu as raison, répondit la jeune fille dans un murmure triste. Je ferai attention.

Au marché noir, elle acheta une livre de farine pour cinq cents roubles, une livre de beurre pour trois cents roubles et un petit sachet de levure.

Voilà ce que représentait la moitié de la solde que touchait Alexandre pour défendre Leningrad : à peine de quoi dîner pour un soir. Par bonheur, il leur avait aussi apporté un peu de bois pour le poêle, et du pétrole pour la lampe.

Avec ce qu'elle avait trouvé au marché noir, Tatiana fit du pain. Elle le partagea en cinq portions égales. Et les cinq femmes le mangèrent dans les assiettes, avec couteau et fourchette, comme s'il s'agissait d'un vrai repas...

5

Il y avait longtemps que Tatiana n'avait plus de bicarbonate pour se laver les dents. On le lui avait volé pour le manger sans doute. Il ne lui restait plus que de l'eau oxygénée. Mais, ce matin de novembre, un nouvel obstacle se dressa entre elle et la propreté : elle eut beau tourner et tourner encore le robinet, il n'y avait plus d'eau. Les canalisations avaient gelé, la station de pompage manquait de combustible, lui dit-on à la mairie.

— Alors il va falloir attendre le printemps et le dégel pour se laver? demanda-t-elle à l'employée sur un ton accusateur.

— T'inquiète, ma petite, lui répondit la femme. D'ici le printemps, on sera tous crevés.

Tatiana découvrit que l'eau arrivait encore au premier étage de leur immeuble. Il n'y avait juste plus assez de pression pour l'acheminer jusqu'au troisième. Alors elle descendit dans la rue avec un seau, y tassa de la neige, puis le remonta dans le logement familial. Elle fit fondre la neige sur le *bourzhuika :* cette eau-là servirait à vider les toilettes. Ensuite elle redescendit au premier chercher un seau d'eau propre et froide pour la toilette — la sienne, mais aussi celle de Dasha, d'Irina Fedorovna, de Marina et de Babouchka...

— Dasha, tu veux bien te lever et m'accompagner? demanda-t-elle un matin à sa sœur.

Mais celle-ci resta lovée sous les couvertures.

— Oh, Tania, pitié ! Ne me demande pas ça. Il fait si froid.

Seulement, toute seule, Tatiana n'y arrivait plus : le temps de faire la queue à la Fontanka, de revenir, de s'acquitter des deux corvées d'eau, elle n'était pas à l'hôpital avant onze heures.

— De toute façon, mes pieds sont tellement enflés qu'ils ne rentrent plus dans mes bottes, dit encore Dasha.

— Les miens aussi, marmonna Marina. Ils ont triplé de volume.

— Pourquoi est-ce que j'enfle comme ça? fit Dasha d'une voix plaintive. Qu'est-ce qui m'arrive?

— Qu'est-ce qui t'arrive? Qu'est-ce qui t'arrive? répéta sa cousine, exaspérée. Et à Tania? Et à moi? Qu'est-ce qui nous arrive? Dasha, le problème avec toi, c'est que tu te crois toujours seule au monde.

— Tu peux parler, toi qui manges le pain des autres, toi qui nous voles notre farine !

Tatiana sortit. Elle en avait assez entendu.

6

Le lendemain matin, elle alla chercher les rations, remonta le seau de neige, puis le seau d'eau, et trouva sa mère en pleurs. Babouchka Maya était morte. Depuis plusieurs jours, elle ne quittait plus le divan. Tatiana et les trois autres femmes restèrent un long moment debout au-dessus du corps.

Puis Marina se mit à tourner autour de la table. Entre deux reniflements, elle dit :

— Bon. On pourrait manger quand même. De toute façon, ça ne changera rien.

Elles prirent place à table et Tatiana divisa en deux les rations de la journée : une livre pour tout de suite, l'autre pour plus tard. Puis elle partagea en quatre la première livre, soit cent vingt-cinq grammes de pain chacune.

— Marina, dit-elle avec une fermeté dont elle ne se serait pas crue capable. À partir d'aujourd'hui, tu vas apporter ton pain à la maison, tu m'entends ?

— Et la part de Babouchka ? répliqua sa cousine. On pourrait se la partager maintenant.

Ce qu'elles firent.

Tatiana n'insista pas. Elle finit de manger, puis dit à sa mère qu'elle sortait déclarer la mort de Babouchka aux autorités afin qu'on vienne enlever le corps. Irina Fedorovna l'arrêta, une main sur son bras :

— Attends. Si on déclare sa mort... on n'aura plus ses rations.

— Enfin, Maman, intervint Dasha, qui va l'emmener si on ne prévient pas les autorités ? Nous peut-être ? On ne peut pas la laisser sur le divan tout de même !

— Elle est mieux ici, sur ce divan, que par terre dans la rue, répondit sa mère d'une voix faible.

— Non, on ne peut pas la garder ici, déclara Tatiana en ouvrant le tiroir de la commode pour en sortir un drap blanc. Un mort, ça s'enterre. Dasha, aide-moi à l'envelopper dans ce drap.

Lorsqu'elles eurent terminé, la jeune fille alla chercher un petit croquis au fusain que sa grand-mère avait dessiné en septembre : il représentait une tarte aux pommes. Elle posa le dessin sur sa poitrine, puis sa mère transforma le drap en un sac qu'elle referma par quelques points en haut et en bas. Tatiana se signa, essuya ses larmes d'un geste vif et sortit déclarer la mort de sa grand-mère.

Dans l'après-midi, deux hommes vinrent lever le corps. Irina Fedorovna les paya de deux verres de vodka chacun.

— J'arrive pas à croire que tu aies encore de la vodka, camarade, dit l'un d'eux. C'est la première fois que j'en vois depuis le début du mois.

— Tu sais que la vodka, c'est ce qui se troque le mieux en ce moment ? reprit l'autre. Pain contre vodka, ça marche !

Les femmes Metanov échangèrent un regard. Tatiana savait qu'il leur en restait deux bouteilles. Depuis que son père était mort, depuis que Dimitri ne venait plus, personne ne buvait de vodka à la maison, sinon parfois Alexandre lorsqu'il passait.

— Où l'emmenez-vous? demanda Irina Fedorovna en désignant le corps. On vient avec vous.

L'un des deux hommes répondit :

— Impossible, camarade. On a un plein camion de cadavres dehors. Y a pas de place pour vous là-dedans. On va l'emmener au cimetière le plus proche, sans doute Starorusskaïa. Vous irez la voir là-bas.

— Et... et le cercueil?

— Quel cercueil? Camarade, même si tu me donnais toute ta bouteille de vodka, je ne pourrais pas te trouver de cercueil. Qui veux-tu qui fabrique encore des cercueils? Et avec quoi?

Tatiana hocha la tête : c'était vrai, elle-même aurait été capable de transformer un cercueil en bois de chauffage avant de songer à l'utiliser pour ensevelir sa grand-mère... Elle frissonna et boutonna jusqu'en haut son manteau.

— Et... la tombe? insista sa mère d'une voix tremblante.

— Camarade! s'exclama encore l'homme, tu as vu la neige, le sol gelé? Viens avec nous puisque tu y tiens, tu jugeras par toi-même. Et pendant que tu y es, tu jetteras un œil à notre chargement dans le camion!

Tatiana posa une main sur le bras de l'homme.

— D'accord, dit-elle, portez-la en bas. C'est le plus dur pour nous. On se chargera du reste.

Elle courut au grenier, où jadis la famille faisait sécher le linge. Il n'y avait plus de linge à sécher depuis longtemps, mais elle trouva ce qu'elle cherchait : sa luge d'enfant. Une belle luge bleue avec des patins rouges. Elle la porta en bas, dans la rue, en prenant garde à ne pas glisser. Le corps de Babouchka y était déjà, à même le trottoir, dans la neige. Avec Dasha, elle le souleva pour le poser sur la luge. Leur cousine était trop faible pour les aider. Puis elles entreprirent de tirer la luge jusqu'au cimetière, trois rues plus loin. Irina Fedorovna et Marina suivaient le cortège. Tatiana ne put s'empêcher de couler un regard par le hayon ouvert du camion : des monceaux de corps s'y empilaient.

L'entrée du cimetière était jonchée de cadavres, certains enveloppés dans des draps, d'autres non.

— Impossible de passer, dit la jeune fille. Il va falloir laisser notre Babouchka ici.

Dasha l'aida à déposer leur grand-mère dans la neige, près des portes du cimetière. Les quatre femmes restèrent quelques instants debout près de sa dépouille.

Puis elles rentrèrent à la maison.

Elles vendirent les deux bouteilles de vodka : celles-ci ne leur permirent d'acheter que deux pains blancs au marché noir.

7

Vivre avec deux petits seaux d'eau était difficile. Le pire, c'étaient les éclaboussures que faisaient les habitants de l'immeuble en montant l'eau du premier dans les étages. Par moins vingt degrés, elles gelaient immédiatement sur les marches et l'escalier était tout le temps couvert de glace. Chaque matin, Tatiana devait d'une main se cramponner à la rampe et de l'autre à son seau pour porter l'eau jusqu'au troisième. Souvent, elle tombait. Mais elle eut plus de chance que leur voisine du quatrième : celle-ci voulut emprunter l'escalier de derrière, elle se cassa une jambe et ne put jamais se relever. Elle gela sur les marches, prise dans la glace. Personne ne put la déplacer, ni avant ni après sa mort...

La radio disait que Staline envisageait d'ouvrir un second front sur le Volkhov, mais pas avant que Churchill n'en ait lui-même ouvert un autre en Europe, afin de laisser un peu de répit à l'Armée rouge. Churchill répondait n'avoir ni les troupes, ni les moyens nécessaires pour ouvrir un second front. Cependant, il était prêt à dédommager Staline pour les pertes matérielles subies par son pays. À quoi Staline rétorqua que cette facture-là, il la présenterait au Führer lui-même.

Moscou agonisait dans sa lutte contre les armées nazies.

— On n'a plus de nouvelles de Babouchka Anna depuis un mois, dit Dasha un soir de novembre. Et toi, Tania, tu as eu des nouvelles de Dimitri ?

— Bien sûr que non. Je ne pense plus en avoir. Alexandre non plus n'en a pas donné ? ajouta-t-elle, hésitante.

— Si, il y a trois jours, répondit sa sœur. J'ai oublié de te le dire. Tu veux lire sa lettre ?

Chère Dasha, chères vous toutes

J'ai été envoyé à Kokkorevo : un village de pêcheurs déserté par les pêcheurs et qui n'est plus qu'un cratère creusé par les bombes. On n'avait pratiquement pas de camions sur cette rive-là du lac et, de toute façon, pas de carburant. On était vingt sur place — avec deux chevaux. On devait tester la glace et voir si elle pourrait supporter le poids d'un camion chargé de vivres et de munitions, ou au moins celui d'un cheval tirant un traîneau avec de la nourriture.

Alors on a marché sur la glace, pensant qu'avec un froid pareil elle aurait eu le temps de se former. Eh bien non, par endroits elle était encore étonnamment mince. On ne savait plus quoi faire. Alors j'ai pris un cheval et traversé jusqu'à Kobona — sur la glace ! Il m'a fallu quatre heures. Par moins douze degrés, il faudrait se contenter de cette glace-là.

Je suis revenu avec un traîneau chargé de vivres et on m'a tout de suite confié un régiment de transporteurs — un nouveau nom pour un nouveau millier de volontaires. Personne ne risquerait de vrais soldats dans une mission pareille.

En attendant que la glace devienne assez épaisse pour permettre le passage des camions, les volontaires devaient traverser le lac à cheval jusqu'à Kobona, en tirant un traîneau, puis revenir par le même chemin avec leur chargement de farine et de vivres. Croyez-moi, votre Babouchka aurait fait mieux que la plupart de ces hommes. Jamais ils n'étaient montés à cheval, encore moins sur un lac gelé. Beaucoup sont tombés, beaucoup se sont noyés. Alors on a essayé de faire passer un camion. On l'a perdu tout de suite, ainsi que le carburant qu'il transportait, et qui était destiné à Leningrad. Manquer de combustible, c'est presque pire que manquer de nourriture. Avec quoi cuire le pain si on ne peut pas allumer le four ?

On a donc abandonné les camions et repris les chevaux. Comme ça, petit à petit, on est arrivés à faire passer vingt tonnes de vivres. C'est peu, mais mieux que rien. Quand j'étais à Kobona, en train de charger la farine sur les traîneaux, je pensais à vous qui en manquez si cruellement. Les rations des troupes du front ont été réduites à une livre de pain par jour.

Inutile de vous dire que les Allemands n'ont pas apprécié notre petite route de la glace. Ils la bombardent jour et nuit — un peu moins la nuit, tout de même. La première semaine, on a perdu plus de trois douzaines de camions et tous les vivres qu'ils contenaient. En définitive, il a été décidé que je ne devais plus conduire de camion et me réserver pour un meilleur usage : la défense antiaérienne. Désormais, je suis à Kokkorevo, et chaque fois que j'abats un avion, j'ai la satisfaction de me dire qu'il s'apprêtait à détruire un camion qui vous apportait de quoi manger.

Maintenant, la glace est assez épaisse, à l'exception de quelques zones encore fragiles. On a quelques bons camions. Ils roulent à quarante kilomètres à l'heure sur le lac. Mes hommes et moi, on a appelé cette route de la glace la « Route de la Vie ». Ça sonne bien, vous ne trouvez pas?

Pourtant, tant qu'on n'aura pas repris Tikhvine, on ne pourra pas faire entrer grand-chose dans Leningrad. Je ne sais pas quand je reviendrai, mais ce jour-là je vous apporterai à manger.

Tenez bon. Courage à toutes.

Votre Alexandre

Marche, marche sans lever les yeux, se disait Tatiana. Mets ce châle sur ta tête, sur ta figure s'il le faut, mais ne lève pas les yeux, pour ne pas voir Leningrad, la cour de ton immeuble encombrée de cadavres, les rues enneigées jonchées de corps, lève les pieds, enjambe-les. Contourne-les. Ne les regarde pas — tu ne veux pas les voir.

Ce matin-là pourtant, son regard se posa malgré elle sur un homme mort depuis peu. Il lui manquait un bout de torse. Cette blessure, ce n'était pas une bombe qui l'avait faite. Non, on avait découpé le flanc de l'homme avec un couteau. D'instinct, Tatiana plongea la main dans sa poche pour y palper l'arme que lui avait donnée Alexandre. Puis elle reprit sa marche, droit devant elle dans les bourrasques de neige, les yeux rivés au sol.

Fin novembre, une explosion souffla les vitres d'une des pièces du logement des Metanov. Les trous béants furent obstrués tant bien que mal avec les couvertures de Babouchka. La température de la pièce chuta : maintenant il gelait aussi à l'intérieur.

Tatiana et Dasha portèrent le *bourzhuika* de l'autre côté, devant le canapé où Irina Fedorovna cousait, afin que ses doigts ne s'engourdissent pas. L'atelier lui payait vingt roubles chaque uniforme supplémentaire. Il lui fallut tout le mois de novembre pour en coudre cinq.

Ne lève pas les yeux, Tania, garde ta place dans la file. Si tu perds ta place, il n'y aura plus de pain pour toi et ta famille, et tu devras courir dans tous les sens avant de trouver une autre épicerie. Ne bouge pas, quelqu'un va venir les ramasser... Oui, quelqu'un va sûrement s'en charger...

Une bombe était tombée sur la Fontanka, là où Tatiana faisait la queue chaque matin : les corps d'une douzaine de femmes qui se trouvaient elles aussi dans la file d'attente avaient volé en morceaux. Que faire ? Se sauver pour sauver sa peau ? Attendre le pain et sauver sa famille ? Ramasser les mortes... ou plutôt ce qu'il en restait ? Ne lève pas les yeux, Tania, ne regarde pas. Fixe la neige, tes bottes en lambeaux. Avant, Maman aurait pu t'en fabriquer une nouvelle paire. Maintenant c'est impossible : elle doit garder tout son temps, toutes ses forces pour les uniformes. Même avec ton aide, même avec celle de Dasha, elle ne peut pas coudre un uniforme de plus, alors qu'en octobre, avec la machine, elle en fabriquait dix par jour.

Shura, je fais tout pour tenir ma promesse, pour rester en vie. Mais, même moi, je ne peux pas vivre avec deux cents grammes de pain par jour, dont cinquante ne sont que de la sciure et du carton. Un pain noir et lourd comme de la pierre. Je ne peux pas vivre avec deux cents grammes de ce pain-là. Ni avec des soupes qui ne sont que de l'eau à peine tiède.

Luba Petrova n'a pas pu. Véra non plus. Kirill non plus. Nina Iglenko non plus. Et Maman ? Et Dasha ? Et Marina ? Est-ce qu'elles vont pouvoir ?

Ce que j'ai pu faire jusqu'ici ne suffit pas pour continuer à vivre. Vivre exige quelque chose de plus de moi, une force qui n'est pas de ce monde. Où la trouver, cette force, quand on est au-delà des privations, du froid, de la faim ? Quand on ne sent plus rien ? Quand l'envie de manger cède la place au malaise, à la perte d'intérêt de tout et de tous ?

Les bombardements, Tatiana n'y faisait plus attention. Elle n'avait plus la force de courir, ni de se coucher par terre parmi les morts, encore moins celle d'aider à déplacer les corps ou à porter les blessés. L'hébétude l'envahissait, une irrépressible apathie qui s'érigeait autour d'elle comme une forteresse que perçaient seulement parfois les vestiges d'une émotion.

De l'émotion, elle en avait encore pour sa mère, pour Dasha, pour Marina même, en dépit de son avidité. Tatiana ne la jugeait pas, elle était juste déçue. Nina Iglenko aussi avait éveillé en elle un peu de pitié : elle l'avait vue veiller son dernier fils à l'agonie, puis mourir elle-même.

Pour tenir, pour vivre jusqu'au soir, la jeune fille avait dû s'interdire toute émotion, tout chagrin, toute compassion.

Je ne frissonnerai pas, je ne tressaillirai pas, je ne vacillerai pas, je ne baisserai pas la tête. Juste les yeux — pour ne pas voir —, mais un jour je trouverai le moyen de les relever.

Tout repousser hors de moi, être hors d'atteinte. Tout repousser sauf toi, Shura. Toi, je te garde en moi...

L'INFORTUNE ADVENUE AUX BORDS DE LA NEVA...

1

Les nuits blanches ont un envers : Leningrad et son hiver. Les nuits blanches : lumière, été, ciel pastel. Décembre : nuit, blizzard, ciel de plomb.

Sur le coup de dix heures du matin, une lueur blafarde apparaissait qui tenait lieu de jour. Elle planait jusque vers deux heures de l'après-midi, puis s'effaçait, cédant la place à l'obscurité.

Une obscurité totale puisque, début décembre, Leningrad fut privée d'électricité. Pas juste une journée, mais définitivement, semblait-il. La ville resta plongée dans le noir. Les tramways ne pouvaient plus rouler. Quant aux bus, ils ne marchaient plus depuis des mois, faute de carburant.

La semaine de travail fut ramenée à trois jours, puis à deux, puis, enfin, à un seul jour. L'électricité fut rétablie dans quelques établissements indispensables à l'effort de guerre : l'usine Kirov, les boulangeries, la station de pompage, l'atelier où travaillait Irina Fedorovna, une aile de l'hôpital de Tatiana. Mais, chez elles, il n'y avait ni électricité ni chauffage, et l'eau s'arrêtait toujours au premier, deux étages plus bas dans cette patinoire qu'était devenu l'escalier.

Chaque jour qui se levait posait sur la ville un linceul

rendant impossible toute pensée autre que celle de la mort.

Début décembre, l'Amérique finit par entrer dans la guerre. Tatiana ne comprit pas très bien : cela avait un rapport avec Hawaii et les Japonais...

Deux jours plus tard, Tikhvine fut reprise aux Allemands. Là, elle comprit. Tikhvine voulait dire voie ferrée, donc nourriture. Une augmentation des rations peut-être ?

Non, pas d'augmentation des rations.

Cent vingt-cinq grammes de pain.

Sans électricité, la radio cessa de fonctionner. Plus de lumière, plus de nouvelles, plus d'eau, plus de bois, plus rien à manger.

Les quatre femmes se regardaient : qui serait la prochaine ?

Un matin, en remontant son seau d'eau, Tatiana vit que la porte de ce cinglé de Slavin était fermée — cela faisait quelque temps, d'ailleurs, la jeune fille s'en fit la remarque. En revanche, celle de Petr Petrov était ouverte. Assis à sa petite table, il essayait en vain de se rouler une cigarette. Elle entra et lui proposa son aide. Il accepta de bon cœur : ses mains tremblaient tellement.

— Pourquoi ne vas-tu pas travailler, camarade ? lui demanda-t-elle. On te donnera quelque chose à déjeuner chez Kirov.

Petrov travaillait à l'usine Kirov. Elle avait été bombardée, mais les Soviétiques en avaient reconstruit une plus petite derrière la façade écroulée.

Comme il ne répondait pas, elle insista :

— C'est à cause des bombes ?

— Non, petite, dit enfin l'homme en secouant la tête avec découragement. C'est pas les bombes...

Et il lui raconta que son travail consistait à réparer les

moteurs des chars. Comme il n'y avait aucune pièce de rechange, il avait trouvé le moyen de bricoler des moteurs d'avion et de les faire fonctionner dans les chars.

— Bravo ! s'écria Tatiana. Ça vaut bien trois cent cinquante grammes de pain, un truc pareil, non ?

Petr Petrov balaya sa question d'un geste de la main. Il tira une longue bouffée de la cigarette qu'elle lui avait roulée, puis dit :

— Le NKVD, Tania, le NKVD... Ils restaient à côté des engins, prêts à tirer sur le premier qui n'arriverait pas à faire marcher son moteur. Quand ç'a été mon tour, ils m'ont fait faire le boulot avec leurs fusils dans les côtes.

— Mais tu y es arrivé, camarade ? Tu as réussi ?

— Oui... Mais qu'est-ce qui se serait passé si je n'avais pas réussi ? Le froid, la faim, les boches, ça suffisait pas ? Combien de façons de nous tuer on va encore inventer ?

Tatiana posa sur le bras de l'homme une main qu'elle espérait réconfortante, puis sortit lentement, à reculons, son seau à la main. Juste avant d'atteindre la porte, elle murmura, hésitante :

— Je voulais te dire, Petr Pavlovitch. Je... je suis désolée pour ta femme.

L'après-midi, en rentrant de l'hôpital, elle vit que la porte de Petr Petrov était encore ouverte. Elle jeta un œil dans la pièce. Il était toujours assis à sa petite table, la cigarette à moitié fumée entre les doigts. Il était mort.

Désormais elles mangeaient et dormaient dans la même pièce, autour du *bourzhuika*. Les minuscules flammes qu'on voyait danser de l'autre côté de la vitre étaient leur seule source de lumière et de chaleur. Pour combien de temps ? Elles avaient des allumettes, mais plus rien à brûler.

Rien à brûler... Tatiana se souvint. L'huile de moteur.

L'huile de moteur qu'Alexandre lui avait conseillé d'acheter un dimanche de juin, quand il y avait encore du soleil et des cornets de glace. Elle n'avait pas écouté. Elle avait répondu qu'elle achèterait de l'huile quand elle aurait une voiture...

— Qu'est-ce que tu fabriques, Marina ? demanda-t-elle soudain en voyant sa cousine arracher un coin du papier peint sur le mur.

Sans répondre, Marina alla tremper le bout de tapisserie dans l'eau du seau puis, attrapant une cuillère, entreprit d'en racler la colle.

— L'autre jour, j'ai appris qu'il y avait de la fécule de pomme de terre dans la colle à tapisserie, dit-elle enfin en portant la cuillère à sa bouche.

— De la fécule de pomme de terre *et de la colle* ! s'exclama Tatiana, tentant de l'arrêter.

Marina la repoussa brutalement :

— Touche pas à ma cuillère ! Si t'en veux, t'as qu'à t'en prendre un morceau.

— Mais, Marina, la colle, *c'est du poison* !

Sa cousine éclata de rire et enfourna la cuillère dans sa bouche.

Dasha aussi semblait perdre la tête. Debout devant le *bourzhuika*, elle déchirait des livres et lançait les pages dans les flammes.

— Tu... tu brûles des *livres* ? lui demanda sa sœur, médusée.

— Et alors ? Il faut bien trouver un moyen de se chauffer.

Tatiana saisit le bras de Dasha :

— S'il te plaît, ne fais pas ça ! On n'en est pas encore là.

— Ah ! Tu crois ça ! Je vais te le dire, moi, où on en est !

Si j'en avais la force, je te tuerais, je te découperais en morceaux et je te boufferais. Voilà où on en est ! conclut-elle en jetant un nouveau livre dans le feu.

Tatiana se précipita vers le lit, côté mur. Son Zochtchenko, son John Stuart Mill, son dictionnaire d'anglais... Ils étaient là. Tout à coup, elle se rappela qu'un samedi après-midi, elle avait lu quelques pages de Pouchkine et laissé le précieux volume près du canapé. Elle fit volte-face. Dasha venait justement de s'emparer du *Cavalier de bronze*.

— Non ! cria-t-elle en se ruant vers sa sœur. Non ! Pas celui-là !

Où trouva-t-elle la force de le lui arracher des mains avec cette sauvagerie ? Elle l'ignorait. Elle reprit son souffle, le livre serré contre sa poitrine, et dit plus posément :

— Pourquoi brûler des livres ? On a encore une table et six chaises. Si on ne les gaspille pas, elles nous feront du bois pour tout l'hiver.

Elle venait à peine d'achever sa phrase quand elle sentit un liquide amer sur ses lèvres. D'un revers de main, elle s'essuya la bouche. C'était du sang.

Pour ne pas les inquiéter, Tatiana ne dit rien à sa mère ni à sa sœur. Marina, elle, ne s'inquiétait plus pour personne. Mais quand elle aussi se mit à saigner, elle l'accompagna à l'hôpital.

Le médecin qui les reçut n'eut pas besoin de les examiner longuement pour poser son diagnostic :

— Scorbut, comme tout le monde. Vous saignez de l'intérieur. Vos vaisseaux capillaires deviennent si fins qu'ils se rompent. Il vous faut de la vitamine C.

On leur fit à toutes deux une piqûre de vitamine C.

Tatiana guérit.

Marina ne guérit pas.

Une nuit, elle gémit :

— Tania, je ne veux pas mourir. Si je n'étais pas restée ici pour Maman, maintenant je serais à Molotov avec Babouchka, et je ne mourrais pas.

Elle ne pleurait pas, elle n'en avait plus la force.

— Tu ne vas pas mourir, Marinka, fit Tatiana en lui caressant les cheveux.

— Je ne veux pas mourir sans avoir ressenti une fois dans ma vie ce que tu ressens, Tania. Rien qu'une fois !

Couchée près d'elles, Dasha demanda :

— De quoi tu parles, Marina ? Qu'est-ce qu'elle ressent de si extraordinaire, Tania ?

Sa cousine ne lui répondit pas, mais chuchota à Tatiana :

— Dis-moi, quel effet ça fait ?

— Quel effet fait *quoi* ? fit Dasha, exaspérée. L'indifférence ? Le froid ? La faim ?

Dans un murmure Tatiana répondit :

— Ça fait... ça fait qu'on n'est pas seul au monde.

Le lendemain matin, Marina était morte.

— On va avoir ses rations jusqu'à la fin du mois, déclara Dasha en jetant à peine un regard au cadavre.

— Non, tu sais bien qu'elle les a déjà mangées, répondit sa sœur.

Irina Fedorovna et Tatiana enveloppèrent Marina dans un drap blanc qu'elles refermèrent par quelques points. Puis elles firent glisser le corps sur les marches gelées, jusqu'en bas de l'immeuble. Mais elles n'eurent pas la force de le soulever pour le poser sur la luge, ni de le traîner jusqu'aux portes du cimetière. Alors, Tatiana fit un rapide signe de croix, et elles laissèrent Marina sur la neige du trottoir.

2

Nouvelle journée, nouvelle piqûre de vitamine C. Les doigts de Tatiana saignotaient sur les deux cents grammes de pain qu'elle coupait pour sa mère et sa sœur.

Ce matin-là, une bombe incendiaire tomba sur le toit de l'immeuble. Il n'y avait plus d'Anton pour l'éteindre, plus de Mariska, plus de Kirill, plus de Kostia – plus de Tatiana non plus. Le feu embrasa le quatrième étage, du côté qui faisait face à l'église sur la Perspective Grecheski. Personne ne l'éteignit. Il finit de se consumer seul.

Peu à peu, la ville paraissait étonnamment silencieuse. Certes, Leningrad était toujours bombardée, mais les raids duraient moins longtemps. Ils étaient moins intenses aussi, comme si les Allemands finissaient par se lasser. Finalement, que restait-il à bombarder ?

Tatiana.

Sa sœur.

Leur mère.

Non, plus leur mère.

Elle avait toujours sa couture entre les mains, mais cette fois ce n'était pas un uniforme. Devant la faible chaleur du *bourzhuika*, elle marmonna :

— Je ne peux plus. Je ne peux plus.

Ses doigts cessèrent de bouger. Sa tête s'inclina sur le côté. Elle avait les yeux grands ouverts. Tatiana vit la buée d'un ultime souffle s'échapper de sa bouche entrouverte.

Avec Dasha, elle s'agenouilla près d'Irina Fedorovna.

— J'aimerais connaître une prière, Dasha.

— Je connais un bout de quelque chose qu'on appelle le « Notre Père ».

— Alors dis-le.

— *Donne-nous chaque jour notre pain quotidien*, murmura sa sœur. Je ne me souviens que de ça.

Tatiana posa une main sur les genoux de sa mère :

— On va l'enterrer avec ce qu'elle était en train de coudre.

— Non, Tania, on va l'enterrer *dans* ce qu'elle était en train de coudre. Regarde, c'est son sac qu'elle fabriquait.

Au dîner, elles coupèrent le pain en trois portions égales. Tatiana mangea la sienne. Dasha mangea la sienne. Elles laissèrent la part de leur mère dans son assiette.

Cette nuit-là, les deux sœurs se serrèrent l'une contre l'autre dans le lit :

— Ne me laisse pas, Tania, je t'en prie. Je n'y arriverai pas sans toi.

— Je ne te laisserai pas. Et tu ne me laisseras pas non plus. On ne peut pas rester seul. Il faut quelqu'un, quelqu'un qui nous rappelle qu'on est encore des humains, pas des animaux.

— Il n'y a plus que nous deux, Tania. Rien que toi et moi.

Tatiana serra plus fort sa sœur entre ses bras, en songeant : Non. Nous trois : toi, moi... et Alexandre.

3

Il reparut quelques jours plus tard. Les cernes noirs autour de ses yeux, sa barbe épaisse lui donnaient des airs de mercenaire, mais il semblait en bonne santé. En le voyant, Tatiana se sentit tout de suite mieux. Mais c'était Dasha qu'il tenait dans ses bras. Elle, elle les regardait depuis l'autre bout de la petite entrée. Il la regardait aussi.

— Comment ça va, les filles? dit-il en s'arrachant doucement à l'étreinte de Dasha.

— Mal, lui répondit celle-ci. Maman est morte depuis cinq jours. Plus personne ne vient chercher les morts. Et on n'arrive pas à la bouger.

Sur ces mots, elle le précéda dans la pièce. Dans son dos, il caressa la joue de Tatiana de sa main gantée...

Alexandre porta leur mère en bas de l'immeuble, la posa sur la luge rouge et bleu et la tira jusqu'au cimetière Starorusskaïa. Les filles marchaient de chaque côté de la luge. Une fois devant les portes, il dégagea les cadavres gelés qui obstruaient l'entrée, ménageant un passage pour la luge. Puis il déposa doucement Irina Fedorovna sur la neige du cimetière, cassa deux branchettes et, avec un bout de ficelle, les attacha de manière à former une croix. Ils déposèrent la croix sur le corps.

— Tu connais une prière, Alexandre? demanda Tatiana.

Il la dévisagea, puis répondit non de la tête. Mais elle le vit se signer et marmonner dans sa barbe quelques paroles inintelligibles.

Comme ils sortaient du cimetière, il lui souffla :

— J'ai dit une prière. Mais je ne la connais pas en russe...

De retour dans le logement des Metanov, il sortit de sa besace un sac de pommes de terre, sept oranges dénichées Dieu sait où, un demi-kilo de sucre, une demi-livre d'orge, de l'huile de lin et, avec un grand sourire pour Tatiana... de l'huile de moteur.

Si elle avait pu, elle aurait aimé lui rendre son sourire.

Il lui montra comment allumer l'huile de moteur avec une mèche humide. Elle dispensait suffisamment de lumière pour pouvoir lire ou coudre. Ensuite il sortit et revint une demi-heure plus tard avec du bois — des poutres brisées qu'il avait trouvées au sous-sol. Il alla aussi leur chercher de l'eau.

Tatiana mourait d'envie de le toucher. Mais, dès qu'il était dans le logement, Dasha ne le quittait pas d'une semelle. Impossible même de croiser son regard. Alors la jeune fille s'occupa de la cuisine et fit cuire trois pommes de terre qu'ils dévorèrent. Puis elle mit de l'eau à chauffer sur le *bourzhuika*, demanda un bout de savon à Alexandre et se nettoya le visage, le cou, les mains...

— Merci, lui dit-elle.

— Alex, regarde! Mes cheveux commencent à tomber, geignit Dasha en lui montrant une touffe de mèches noires dans le creux de sa main.

— Ne fais pas ça, Dasha, dit-il sans quitter Tatiana des yeux. Les tiens aussi tombent?

Son regard sur elle était chaud, si chaud.

— Non, murmura-t-elle.

Elle mentait.

Après le dîner, il entreprit de scier la table, les chaises, et d'en faire du petit bois pour alimenter le *bourzhuika*. Elle demeura près de lui, tandis que Dasha se recroquevillait sous les couvertures, sur le canapé. Elles ne venaient plus jamais dans cette pièce. Elles dormaient et mangeaient dans l'autre, là où les vitres étaient intactes.

— Alexandre, combien de tonnes de farine nous donne-t-on maintenant ? demanda la jeune fille tout en empilant dans un coin les bouts de bois qu'il lui tendait.

— Cinq cents, répondit-il en soupirant.

— Et en juillet, on nous en donnait combien ?

— Que veux-tu que j'en sache ? Je ne suis pas en charge de l'alimentation de la ville !

— Réponds-moi, Alexandre. Combien ?

Nouveau soupir :

— Sept cents...

Elle ne répondit rien. Elle jeta un œil à sa sœur, toujours recroquevillée sur le divan : son regard vide ne quittait pas Alexandre.

Ils étaient blottis tous trois sur le canapé, dans la pénombre, face au *bourzhuika* où tremblotait une petite lueur. Alexandre était assis entre les deux sœurs. Tatiana avait tiré son bonnet sur ses oreilles et sur ses yeux. Seuls son nez et sa bouche restaient exposés au froid. Ils avaient étendu une couverture sur leurs genoux. À un moment, la jeune fille sentit le sommeil la gagner. Ses paupières se fermaient, sa tête dodelinait vers la droite, vers... Alexandre. Sous la couverture il posa une main sur son genou et dit sur le ton de la plaisanterie :

— Vous savez ce qu'on dit sur le front ? « Je voudrais

être un soldat allemand, avec un général russe, des armes anglaises et des rations américaines. »

— Moi, les rations américaines me suffiraient, fit Tatiana d'une voix somnolente. Dis-moi, maintenant que les Américains sont entrés dans la guerre, tu crois que ça va être plus facile pour nous ?

— Oui. *Maintenant* il y a de l'espoir.

— Si on sort vivants de ce cauchemar, marmonna Dasha, Alex, je te jure qu'on quittera Leningrad et qu'on partira vivre en Ukraine, sur la mer Noire, enfin n'importe où où il ne fait jamais froid.

— Il n'y a aucun endroit comme ça en Russie, répondit Alexandre.

— Existe-t-il un endroit au monde où il ne gèle pas en hiver ?

— Oui, l'Arizona, par exemple.

— L'Arizona. C'est quelque part en Afrique, non ?

— Non, corrigea Tatiana. C'est en Amérique.

Et elle pressa sa tête contre le bras d'Alexandre.

— C'est vrai, reprit-il. C'est un État américain, près de la Californie. Un désert : quarante degrés l'été ; vingt degrés l'hiver. Jamais de gel. Jamais de neige...

— Arrête, l'interrompit Dasha. C'est un conte de fées. Raconte ça à Tatiana. Moi, je suis trop vieille pour les contes de fées.

— Tatia, tu sais que je dis la vérité. *Toi*, tu aimerais vivre en Arizona ?

— Oui.

Alors ils entendirent une voix morne, indifférente, demander :

— Comment tu l'as appelée ?

Silence.

— Je l'ai appelée Tatiana, répondit posément Alexandre.

Dasha secoua la tête.

— Non. Tu l'as appelée *Tatia*. C'est la première fois que je t'entends l'appeler comme ça, ajouta-t-elle, bataillant avec la couverture pour s'extraire du canapé. De toute façon, je m'en fiche. Tu peux bien l'appeler comme tu veux.

Et elle disparut vers la salle de bains.

Tatiana ne quitta pas sa place près d'Alexandre, mais elle n'osa plus poser la tête sur son épaule.

— Tatia, Tatiasha, Tania, chuchota-t-il. Tu tiens le coup ?

— Comme tu vois, Shura.

— Oui, je vois, fit-il en prenant sa main. Courage, Tatia. Courage.

Elle pensa : *Je t'aime, Shura*.

Mais elle ne le dit pas.

Le lendemain soir, il rentra presque guilleret :

— Vous savez quel jour on est, les filles ?

Elles le dévisagèrent sans comprendre.

— Eh bien, c'est le soir du réveillon ! Regardez, j'ai apporté trois boîtes de *tushonka*. Une pour chacun. Et un peu de vodka aussi.

Les deux filles le regardaient toujours, déconcertées.

— Comment veux-tu qu'on sache pour le réveillon ? dit enfin Tatiana. Le réveil ne marche plus depuis des mois. Et la radio ne fonctionne plus.

Ils n'avaient plus de table, alors ils s'assirent sur le canapé, les assiettes sur les genoux, face au *bourzhuika*, et réveillonnèrent de *tushonka*, d'un peu de pain blanc et d'une cuillère de beurre.

Alexandre guettait l'heure à sa montre. Une minute avant minuit ils levèrent leurs petits verres de vodka à l'année 1942. Alexandre embrassa Dasha et Dasha embrassa Tatiana en lui disant :

— Allez, fais la bise à Alexandre pour la nouvelle année.

Puis elle alla s'étendre sur le canapé et ferma les yeux.

— Bonne année, Alexandre.

— Bonne année, Tatiana.

Il se pencha vers elle et, doucement, déposa un baiser sur ses lèvres.

Deux jours plus tard, ils se frayaient tous deux un pénible chemin dans la neige pour se rendre au bureau de poste. Chaque semaine, Tatiana allait voir si Babouchka n'avait pas écrit, et chaque semaine elle lui envoyait un petit mot. Depuis la mort de leur grand-père, les filles n'avaient reçu qu'un seul courrier dans lequel leur Babouchka disait quitter Molotov pour un village de pêcheurs au bord de la rivière Kama.

Les lettres que lui adressait Tatiana étaient brèves : en quelques paragraphes, elle racontait l'hôpital, Véra, Nina Iglenko, ce cinglé de Slavin qui, avant sa mystérieuse disparition deux semaines auparavant, passait nuit et jour dans le couloir — moitié dans son logement, moitié à l'extérieur —, indifférent aux bombes et à la faim, avec juste une couverture sur sa carcasse décharnée. Slavin, elle pouvait en parler. Mais elle ne pouvait pas parler d'elle, moins encore de sa famille. Elle laissait ce soin à Dasha qui parvenait toujours à trouver quelque phrase brillante à ajouter à la prose de sa cadette. Tatiana ne savait pas comment s'y prendre pour cacher à sa grand-mère ce qu'était Leningrad dans les derniers mois de l'année 1941. Dasha, elle, cachait tout, se contentant d'évoquer joyeusement Alexandre et leurs projets de mariage. Bon, c'était une adulte. Les adultes savaient si bien dissimuler...

La lettre qu'elle portait à la poste ce jour-là ne comportait pas une ligne de Dasha qui s'était sentie trop fatiguée pour écrire.

Accrochée au bras d'Alexandre pour ne pas glisser dans la neige, Tatiana pensait à sa prochaine lettre. Oui, la prochaine fois, peut-être oserait-elle avouer pour sa mère, sa cousine, sa tante, Babouchka Maya...

La poste se trouvait au premier étage d'un immeuble de la Perspective Nevski. Avant, elle était au rez-de-chaussée, mais une explosion avait fait voler les vitres en éclats et on n'avait pu les remplacer. Le bureau de poste avait dû déménager à l'étage. Le problème avec l'étage, c'était son accès : l'escalier couvert de glace était jonché de corps.

Au bas des marches, Alexandre arrangea l'écharpe de Tatiana autour de son cou en murmurant :

— Je pars ce soir. L'artilleur qui me remplaçait a été...

— Ne me le dis pas.

— Je vais essayer de vous faire sortir de Leningrad, Dasha et toi. Tu vas tenir le coup jusque-là, n'est-ce pas?

Ils se dévisagèrent un long moment. Puis la jeune fille acquiesça en silence et fit lentement demi-tour pour gravir les marches. Elle posa la main sur la rampe, puis se retourna vers Alexandre. Quelque chose qui ressemblait à un sourire passa sur son visage. Elle fit venir dans ses yeux toute la chaleur dont elle était encore capable.

— Je ne m'en sors pas bien sans toi, tu sais?

— Je sais, répondit-il simplement.

Alors, prudemment, Tatiana entreprit l'ascension de l'escalier, enjambant les cadavres tout en prenant garde à ne pas glisser. Une fois en haut des marches, elle se retourna pour voir si Alexandre était encore là. Bien sûr, il ne l'avait pas quittée des yeux. De la main, elle lui envoya un baiser.

Le lendemain matin, Dasha refusa de se lever.

— Dasha, je t'en prie, l'implora Tatiana. Je ne peux pas y aller seule.

— Non. Je n'y arrive pas.

Alors la jeune fille remonta les couvertures jusqu'au menton de sa sœur. Elle aurait beau la supplier, Dasha n'irait nulle part, elle le savait. Les yeux fermés, elle n'avait pas quitté la position dans laquelle elle s'était endormie. Elle toussait aussi.

Tatiana alla chercher l'eau — ce qui lui prit une heure. Elle alluma le feu dans le *bourzhuika*, y jeta un pied de chaise coupé en deux et prépara du thé — ou ce qui en tenait lieu — pour Dasha.

Ensuite elle partit chercher leurs rations. Il était dix heures du matin, mais il faisait encore nuit. À onze heures il fera jour, se dit-elle. Quand je reviendrai avec le pain, il fera jour. « *Donnez-nous chaque jour notre pain quotidien* », se murmura-t-elle à elle-même. Je regrette de ne l'avoir pas connue plus tôt, cette prière. J'aurais pu la dire chaque jour depuis le mois de septembre.

Est-il tard ? Est-il tôt ? Est-ce l'après-midi ? La nuit ? Il fait tout le temps noir. Le matin, quand je monte le seau d'eau dans l'escalier il fait noir, quand je baigne le visage de Dasha il fait noir, quand je vais à l'épicerie sous les bombes il fait noir. Et puis un immeuble prend feu, et là il fait jour : je peux me planter devant et me réchauffer un peu. Aujourd'hui, je suis restée jusqu'à midi devant un incendie. Je ne suis allée à l'hôpital qu'à treize heures. Peut-être que demain je trouverai un autre feu quelque part. Mais à la maison il fait noir. L'huile et la petite mèche d'Alexandre permettent de lire quand on se met tout près, mais guère plus. Lire ou regarder Dasha.

Dasha... pourquoi elle me dévisage comme ça? Depuis cinq jours je ne la reconnais plus. Et ça fait trois jours qu'elle n'est pas sortie du lit. Elle me fixe comme si elle ne me reconnaissait pas non plus.

— Qu'est-ce qu'il y a, Dasha?

Sa sœur la dévisageait toujours. Sans répondre. Sans bouger.

— Dasha! hurla Tatiana, terrifiée.

— Pourquoi tu cries comme ça? demanda tranquillement Dasha. Viens près de moi.

La jeune fille se précipita :

— Que se passe-t-il, ma chérie? Tu as besoin de quelque chose?

— Où est Alexandre?

— Je ne sais pas. Sur le lac Ladoga peut-être...

— Quand est-ce qu'il revient?

— Je ne sais pas. Demain, peut-être...

— Dis-moi, tu veux que je meure?

— Quoi?

Du fond de ce qu'il lui restait de vie, Tatiana avait crié, horrifiée.

— Bien sûr que non! s'exclama-t-elle. Où es-tu allée chercher ça? Tu es ma sœur, je t'aime. Et on a tous besoin de quelqu'un qui nous rappelle qu'on est encore des humains. Tu n'as pas oublié?

— Non, je n'ai pas oublié, chuchota Dasha. Pour moi tu es ce quelqu'un, Tania. *Mais qui est ton quelqu'un à toi?*

Tatiana tressaillit et répondit :

— *Toi.*

Mais son murmure était presque inaudible.

Sur les eaux terribles

1

— Je vous ai vus, dit Dasha dans la pénombre. Je vous ai vus ensemble.

— De quoi parles-tu ? fit Tatiana.

Un instant, son cœur s'arrêta.

— Je vous ai vus il y a cinq jours — à la poste.

À genoux près du lit, la jeune fille tenta de se rappeler. La poste... la poste... Que s'était-il passé à la poste ? Impossible de se souvenir.

— Tu savais qu'on allait au bureau de poste. On te l'avait dit.

— Je ne te parle pas de ça. Il t'accompagne partout.

— S'il m'accompagne, c'est pour nous protéger toutes les deux. Il est très inquiet pour nous. Il nous donne à manger. Dasha, quand il me donne du pain pris sur des soldats morts, c'est pour que je te le donne à *toi*, et quand il n'en trouve pas, il m'offre la moitié de ses rations pour *toi*.

— Non, il nous donne à manger pour que tu l'aimes.

— Faux, chuchota Tatiana, abasourdie. Il nous donne à manger *pour que tu vives*. Pourquoi m'as-tu suivie à la poste ?

— Je ne t'ai pas suivie. Je me sentais coupable de ne pas avoir écrit à Babouchka. Elle attend mes lettres. Les tiennes sont trop déprimantes. Tu ne sais pas dissimuler la vérité comme moi. Enfin, c'est du moins ce que je croyais jusqu'à aujourd'hui, ajouta Dasha sur un ton amer. Alors je lui ai écrit un petit mot joyeux et je suis allée le porter au bureau de poste. Je ne vous suivais pas. Je vous ai vus, c'est tout.

Tatiana se leva et alla mettre un nouveau pied de chaise dans le feu. Il ne suffirait pas à les chauffer toute la nuit, elles allaient devoir se rationner aussi sur le bois. Quand Alexandre avait scié la table, elle ne s'était pas rendu compte à quel point elles avaient besoin d'avoir chaud. Elles avaient déjà brûlé toute la table. Il ne restait plus que quatre chaises. Et quand il leur avait apporté les pommes de terre, elle n'avait pas pensé non plus qu'elles disparaîtraient si vite.

Elle revint près de Dasha, tira sur elle couvertures et manteaux, puis s'étendit sur le lit. Elle eut envie de se tourner vers le mur. Elle ne le fit pas.

Pendant quelques minutes, les deux sœurs demeurèrent silencieuses. Puis Dasha murmura :

— Je veux qu'il meure sur le front.

— Ne dis pas des choses pareilles !

Tatiana voulut se signer pour conjurer le sort, mais elle n'eut pas le courage de sortir son bras décharné hors des couvertures. Elle se dit qu'elles étaient trop épuisées pour se déchirer. Et pourtant...

— Je vous ai vus, reprit Dasha. J'ai vu comment vous vous regardiez. Il était au pied de l'escalier. Toi, deux marches plus haut. Il t'a dit quelque chose et tu as fait oui de la tête. Et puis tu as grimpé les marches et il ne t'a pas quittée des yeux. Je l'ai vu, Tatiana ! *Vu* !

— Tu te tortures pour rien, ma chérie.

— Ah vraiment ? Dis-moi depuis combien de temps ça dure, depuis combien de temps je suis aveugle. Depuis le début ? Bon sang ! Dis-le-moi !

— Tu es folle.

— Je suis peut-être aveugle mais pas complètement idiote. Moi, je n'ai jamais vu ce regard-là dans les yeux d'Alexandre. Il t'a regardée monter les marches avec tellement de désir, de tendresse, d'*amour* ! C'était insupportable. J'aurais vomi dans la neige si j'avais eu quelque chose dans l'estomac.

Tatiana répéta d'une petite voix :

— Tu te trompes.

— Sans blague ! Et toi, quand tu le regardais, qu'y avait-il dans tes yeux, petite sœur ?

— Je ne comprends rien à ton histoire. Alexandre m'a accompagnée à la poste. On s'est dit au revoir. Et ce qu'il y avait dans mes yeux, c'était ça, Dasha : un au revoir, rien qu'un au revoir.

— C'est faux.

— Dasha, arrête. *Je suis ta sœur*. Alexandre se montre juste protecteur avec moi...

— Non, pas protecteur. Fou amoureux plutôt ! Réponds-moi : tu as fait l'amour avec lui ?

— Bien sûr que non !

— Tu me mens depuis si longtemps. Qu'est-ce qui me dit que tu ne mens pas encore aujourd'hui ?

— Je ne t'ai pas menti et je ne te mens toujours pas.

Ces mots, Tatiana parvint à peine à les articuler.

— Je ne te crois pas, répondit sa sœur en fermant les yeux. C'est odieux. Quand je pense à tous les jours, toutes les nuits, qu'on a passés ensemble, à dormir dans le même lit, à manger dans la même assiette... Et tout cela n'était qu'un mensonge !

— Ce n'était pas un mensonge ! Il t'aime. Regarde comme il t'embrasse, comme il te touche. Et il te faisait l'amour, non ?

Ces mots-là furent particulièrement difficiles à prononcer.

— Il m'embrassait, il me touchait, d'accord. Mais on n'a pas fait l'amour depuis le mois d'août. Pourquoi ?

— Dasha, je t'en prie...

— Que vas-tu faire quand je n'y serai plus ? Ça va te faciliter les choses, non ?

— Qu'est-ce que tu racontes ! Tu es ma sœur ! répéta Tatiana, au bord des larmes. Je ne suis pas partie, je ne t'ai pas quittée ! Je suis restée ici, avec toi. *Et lui, il t'aime*.

— Oui, fit Dasha, la voix brisée, mais je voudrais qu'il m'aime comme il t'aime toi, du même amour.

La jeune fille ne répondit pas. Elle écoutait le bois crépiter dans le poêle, essayant d'évaluer le temps qu'il restait encore avant que le pied de chaise soit totalement consumé. Puis elle souffla :

— Il ne m'aime pas. Comment pourrait-il m'aimer puisqu'il va t'épouser ?

Dasha fit comme si elle n'avait rien entendu :

— Combien de temps pensiez-vous me cacher ça ?

— On ne te cache rien.

— Tania, comment peux-tu encore mentir dans un moment pareil, alors qu'on est à deux doigts de la mort ? Et moi, comment ai-je encore la force d'être en colère ? On ne tient plus debout, mais pour la colère, pour le mensonge, oui, on a encore de la force.

— Tant mieux, répondit Tatiana. Tant mieux si ta colère te maintient en vie. Déteste-moi. Déteste-moi de toutes tes forces si ça peut t'aider.

— Est-ce que j'ai des raisons de te détester ?

Les lèvres de Dasha murmuraient à peine.

— Non.

Et Tatiana se tourna vers le mur : *Mentir — mentir jusqu'au bout*.

2

Le lendemain, Dasha ne se leva pas. Elle essaya, mais ne put pas. Il était neuf heures quand elles se réveillèrent. Elles n'avaient même pas entendu les sirènes annonçant le raid de huit heures.

Tatiana parvint à se traîner jusqu'à l'épicerie de la Fontanka. Elle était si faible qu'elle n'y arriva que sur le coup de midi. Bien sûr, il ne restait plus un seul quignon de pain. Il en était sûrement de même dans toute la ville.

Alors elle se mit en quête de la seule personne susceptible de l'aider et, au prix d'un effort surhumain, se dirigea vers la caserne Pavlov. Là, elle s'effondra contre le mur près de la sentinelle et demanda à parler au capitaine Belov. Quelques instants plus tard, Alexandre apparut. Elle fut incapable de marcher vers lui, ni même de se tenir debout sans l'appui de ce mur qui lui glaçait le dos. Il dut la soutenir pour la faire avancer.

— Tatia, ma Tatia... Tu n'en peux plus. Viens, je t'emmène au mess des officiers.

Il dénicha une tranche de pain de seigle, une cuillerée à café de beurre, une demi-pomme de terre bouillie et même un peu de vrai café avec un vrai morceau de sucre. Tatiana s'apprêtait à manger, mais elle se ravisa :

— Et Dasha ?

— Ne t'inquiète pas. J'ai ce qu'il faut pour Dasha.

Et il lui tendit une tranche de pain, une poignée de haricots et l'autre moitié de la pomme de terre. Elle glissa le tout dans la poche de son manteau et mangea.

— Je voudrais te raccompagner, Tatia, mais je ne peux pas quitter la caserne aujourd'hui.

Elle répondit que ce n'était pas grave, qu'elle se débrouillerait très bien, tout en songeant : Je n'arriverai jamais à refaire seule tout ce chemin. Jamais.

Elle eut envie de l'interroger sur ce qu'il avait fait dans la semaine, sur le sergent Petrenko qu'elle n'avait pas vu depuis longtemps, sur Dimitri aussi. Elle eut envie de lui raconter que Zhanna Sarkova était morte. Surtout, elle eut envie de lui parler de Dasha, de ses soupçons. Mais cette conversation allait demander un effort trop important. Prononcer les mots, faire des phrases tout en réfléchissant aux mots qui allaient suivre, les articuler à leur tour, c'était impensable : elle arrivait déjà à peine à trouver la force de mâcher le quignon de pain auquel tenait sa vie. Elle ne pouvait pas penser plus loin que ce bout de pain. Je lui parlerai plus tard, une autre fois, se dit-elle.

Il la raccompagna à l'entrée de la caserne. Dès qu'il lâcha son bras, elle vacilla, prête à tomber.

— Mon Dieu, Tatia, tu ne tiens vraiment plus debout, murmura-t-il.

Elle ne put répondre, mais se redressa difficilement, toujours cramponnée à son bras, et balbutia :

— Tout... tout va... bien. Pas de... de souci.

— Attends-moi ici.

Il avait parlé sur un ton qui n'admettait pas de réplique et, après l'avoir assise sur un banc, il s'éloigna à grandes enjambées dans la cour de la caserne. Il reparut quelques minutes plus tard, tirant derrière lui un traîneau :

— Stepanov me donne deux heures. Je te ramène chez toi. Assieds-toi là-dessus.

Mais elle n'avait même pas la force de tenir assise. Je ne veux pas me coucher, se dit-elle. Ce sont les morts qui se couchent et je ne suis pas encore morte. Pas encore. Pourtant, elle ne put faire autrement...

Et Alexandre commença de tirer le traîneau dans le silence des rues enneigées. C'est lui, pensa Tatiana, lui qui me porte, lui qui me ramène, lui qui me donne à manger. Elle voulut faire le geste d'effleurer son manteau. Elle ne put pas et sombra dans une étrange torpeur.

Quand elle rouvrit les yeux, elle vit le visage d'Alexandre penché sur elle, elle sentit une main chaude contre sa joue glacée.

— Tatia, réveille-toi. On est arrivés.

Je vais mourir avec sa main sur ma joue. Ce n'est pas une si vilaine mort. Je ne peux pas bouger. Je ne pourrai jamais me lever. Ses yeux se fermèrent à nouveau, comme malgré elle.

Dans un brouillard, des mots lui parvenaient. Ils disaient :

— Tania, ne fais pas ça ! Je t'aime, tu m'entends ? Je t'aime comme je n'ai jamais aimé. Lève-toi. Pour moi. Pour Dasha ! Elle a besoin de toi, n'oublie pas. Et moi aussi j'ai besoin de toi...

C'était la voix d'Alexandre, c'étaient ses lèvres sur sa joue.

Elle rouvrit les yeux. Il était si proche. Il y avait tant de vérité dans son regard. Avait-il vraiment prononcé ces mots ? Avait-elle rêvé ? Tournée contre son mur, la nuit, elle avait si souvent rêvé de les entendre.

Alors elle parvint à se redresser. Il passa un bras autour de sa taille, la souleva du traîneau, et la porta presque dans l'entrée de l'immeuble. Puis, d'une main elle agrippa son manteau, de l'autre la rampe, et elle gravit une à une les marches gelées qui montaient à leur logement. Une fois devant la porte, elle dit dans un souffle :

— Entre le premier. J'attends ici. Va voir si elle n'est pas...

Il obéit, la laissa dans l'entrée et pénétra dans la chambre. Alors elle l'entendit qui disait :

— Viens, Tania. Tout va bien.

Elle entra à son tour et s'agenouilla près du lit.

— Dasha, dit-elle, regarde. Il t'a apporté à manger.

Les yeux affolés de sa sœur passaient d'un visage à l'autre, ses lèvres tremblaient sans parvenir à émettre un son.

— Il faut que j'y aille, dit Alexandre, embrassant Dasha sur le front avant de se redresser. Je reviendrai demain.

Tatiana aussi se releva. Elle savait que les yeux de Dasha étaient posés sur eux et elle le laissa partir sans même oser le regarder.

3

Dans la nuit, elle entendit frapper à la porte. Il lui fallut de longues minutes avant de s'extraire du lit pour aller ouvrir, en chancelant.

Alexandre se tenait sur le seuil, en tenue de combat, une couverture dans les mains.

— Préparez vous, dit-il. Un camion de munitions quitte la caserne ce soir. Je vais vous conduire au lac Ladoga. De là, vous gagnerez Kobona. Tania ! ajouta-t-il en lisant l'incompréhension sur son visage. Je vais vous faire sortir de Leningrad.

— Mais... Dasha ne peut pas se lever.

— Si. Elle va se lever.

Il pénétra dans la pièce et alla s'accroupir près du lit où Dasha gisait, les yeux clos, les lèvres blêmes.

— Dashenka, réveille-toi, lui murmura-t-il à l'oreille. Il faut qu'on parte. Tout de suite.

— Je ne peux pas, répondit-elle sans ouvrir les yeux.

— Si, tu peux. Je vais vous faire passer à Kobona. Tu verras, il y a à manger là-bas. Ensuite, vous irez retrouver votre Babouchka à Molotov. Mais, pour ça, il faut que tu te lèves. Tout de suite.

Sur ces mots, d'un geste vif il arracha les couvertures.

— Je ne pourrai pas marcher jusqu'à la caserne.

— On a la luge de Tania. Tiens, regarde ce que je t'ai apporté, dit encore Alexandre en tirant de son manteau un morceau de pain blanc avec une belle croûte croustillante.

Il en rompit un bout qu'il posa délicatement sur les lèvres de Dasha :

— Mange. Ça va te donner des forces.

Elle laissa la mie fondre sur sa langue, les yeux toujours fermés, puis se mit à tousser. Tatiana se tenait tout près, serrée dans son manteau, une couverture sur les épaules. Elle fixait ce morceau de pain comme jadis elle fixait Alexandre. Avec le même amour, la même envie, la même convoitise. *Peut-être qu'elle ne va pas tout manger. Peut-être qu'il va en rester pour moi.*

Mais Dasha mangea tout.

— Il y en a encore ? fit-elle lorsqu'elle eut terminé la mie.

— Juste la croûte, répondit Alexandre.

— Je la veux.

— Tu ne pourras pas la mâcher.

— Je l'avalerai.

— Dasha... tu pourrais peut-être la laisser à ta sœur ?

— Elle, elle tient debout, non ?

Alexandre leva vers Tatiana un regard navré.

— Donne-la-lui, dit-elle. Elle a raison : je tiens debout.

Il obtempéra en soupirant, puis se redressa et dit :

— Tu as des bagages ?

— Non, je suis prête. Tout a été vendu ou brûlé, tu sais. Je n'ai sauvé que les livres, conclut Tatiana avec un pâle sourire.

— Alors prends-les et écoute-moi bien : dans le Pouchkine, tu trouveras de quoi faire face dans les moments difficiles.

Tatiana ne comprit pas ce qu'il voulait dire, mais elle se

sentait trop faible pour l'interroger. Elle glissa les livres dans un vieux sac à dos qui avait jadis appartenu à Pasha puis, autant qu'elle put, aida Alexandre à soulever Dasha. Il la prit dans ses bras et la porta pour descendre les trois étages, risquant leur vie à chaque marche. Une fois dehors, il coucha le corps inerte de Dasha sur la luge et le couvrit avec la couverture qu'il avait apportée. Tatiana voulut prendre un bout de la corde et l'aider à tirer la luge.

— Non, Tania. Garde tes forces, tu vas en avoir besoin. Accroche-toi à mon bras.

Elle n'insista pas et ils entamèrent leur longue marche dans la neige, cernés par un silence que troublaient seulement les déchirantes quintes de toux de Dasha.

— Pourquoi est-ce qu'elle tousse comme ça? Que va-t-elle devenir? chuchota la jeune fille.

— À Kobona, vous trouverez un hôpital et de quoi vous nourrir, répondit Alexandre. Quand ta sœur sera rétablie, vous partirez pour Molotov.

Il avait dit cela sans la regarder.

La nuit était froide. Tatiana ne sentait plus ses pieds. La ville était muette, figée, noire — comme morte. Dans le ciel, les lueurs translucides de l'aurore boréale striaient l'obscurité de traînées vertes. La jeune fille se retourna pour regarder sa sœur : elle gisait, immobile, sur la luge.

— Elle a l'air si faible, dit-elle.

— Elle *est* faible. Je préfère vous savoir en sécurité hors de Leningrad. Tu ne trouves pas que c'est mieux comme ça?

Elle ne répondit pas. Bien sûr, elles auraient à manger. Bien sûr, c'était mieux pour Dasha. Mais pas mieux pour Alexandre, ni pour elle. Pas mieux de ne plus se voir. Elle ne dit rien, mais entendit sa voix qui murmurait :

— Je sais, Tania, je sais.

Elle eut envie de pleurer, mais pleurer était impossible. Le froid lui faisait mal aux yeux, comme si les larmes y gelaient. Elle ne pleura pas.

Ils arrivèrent à la caserne une heure plus tard. Le camion était prêt à partir. Alexandre hissa Dasha à l'arrière. Six soldats s'y trouvaient déjà, ainsi qu'une jeune femme, un bébé dans les bras, assise près d'un homme qui paraissait comme mort. Alexandre coucha Dasha par terre, dans le camion, pendant que Tatiana s'efforçait d'y grimper. Mais ses bras ne pouvaient plus la hisser. Elle avait besoin d'aide. Personne ne s'aperçut de sa présence, de ses efforts. Alexandre lui-même semblait l'avoir oubliée, trop occupé à installer Dasha pour le voyage. Quelqu'un cria :

— C'est parti !

Et le camion commença sa lente progression dans la neige.

Les bras tendus, Tatiana hurla :

— Shura !

Alexandre fit volte-face, rampa à quatre pattes jusqu'au bord du hayon, la saisit par les bras et la hissa à bord.

— Tu m'as oubliée ?

Et, comme elle prononçait ces mots, le regard de Tatiana rencontra les yeux soudain grands ouverts de Dasha.

Le hayon se referma dans un claquement sonore, plongeant brusquement l'intérieur bâché du camion dans une obscurité totale. À tâtons dans la sciure, Tatiana se fraya un chemin jusqu'à sa sœur. Assis près de son fusil, Alexandre avait posé la tête de Dasha sur ses genoux. La jeune fille resta à ses pieds. Machinalement, elle attrapa une poignée de sciure et la porta à sa bouche : elle avait le goût du pain.

— Ne mange pas ça, Tania, dit Alexandre. C'est dégoûtant.

Comment avait-il pu la voir dans le noir ? Elle rougit. Les lueurs intermittentes des phares croisés sur la route leur permettaient de saisir de brefs moments du visage de l'autre. De fait, ils ne se quittaient pas des yeux. Sans un mot, sans se toucher, dans les cahots du camion, ils ne se quittaient pas d'un battement de cils.

Le temps s'étirait, interminable.

— Quelle heure est-il ? fit Tatiana.

— Deux heures du matin. On est bientôt arrivés. Comment s'appelle le village où vit ta grand-mère ?

— Lazarevo.

Elle attendit une autre lueur qui lui aurait permis d'attraper son regard. Il n'y en eut pas. Mais, peu à peu, ses yeux s'accoutumèrent à l'obscurité : elle le vit tendre la main vers elle. Elle la saisit un instant. Puis leurs doigts se dénouèrent.

Alexandre s'endormit. Dasha dormait aussi. Tout le monde dormait dans ce camion. Sauf Tatiana. Peut-être que je suis morte, se dit-elle. Les morts ne peuvent pas fermer les yeux. C'est peut-être pour ça que je n'arrive pas à dormir. Parce que je suis morte...

Soudain le camion s'arrêta avec un brusque à-coup, arrachant ses passagers au sommeil. Alexandre souleva doucement la tête de Dasha et se mit debout. Puis il aida Tatiana à faire de même.

— Shura, lui dit-elle, que va-t-il se passer à Kobona ? Elle ne peut pas marcher. Et je ne pourrai pas la porter.

— Ne t'inquiète pas. Il y aura des soldats et des médecins là-bas. Ils t'aideront.

Il sauta du camion, tendit les bras et posa la jeune fille dans la neige, tout contre lui. Ils restèrent ainsi un court instant, soudés l'un à l'autre. Puis Tatiana murmura :

— Maintenant va chercher Dasha.

Quatre autres camions étaient rangés au même endroit, les phares braqués sur un immense champ de neige. Ce n'était pas un champ : c'était le lac Ladoga. La Route de la Vie...

— Allez, camarades, allez ! criait une voix. Descendez au lac. Un camion vous attend. Plus vite vous y serez, plus vite on sera partis. Trente kilomètres sur la glace, deux heures de route, mais au bout il y a du beurre et peut-être même un peu de fromage. Dépêchez-vous !

La femme avec le bébé descendait déjà vers la rive. Plus mort que vif, son mari boitillait à ses côtés.

Dasha était dans les bras d'Alexandre.

— Tu viens avec nous ? lui demanda-t-elle dans un souffle.

— Non, je dois reprendre mon poste à la défense antiaérienne. Mais écris-moi dès que vous serez arrivées à Molotov. À la première permission, je viendrai.

Il avait prononcé ces paroles sans un regard pour Tatiana — mais elle, elle n'avait pu détourner les yeux.

Il déposa Dasha dans un des camions en attente, puis redescendit pour aider Tatiana à y grimper. Il la prit dans ses bras :

— Tu vas devoir être forte pour deux, Tania. Et ne t'inquiète pas pour les bombes. C'est la nuit. D'habitude, ils bombardent moins dans l'obscurité.

— Je ne m'inquiète pas.

— Sauve-toi, Tatia. Vis, murmura-t-il encore d'une voix rauque. Pour moi.

— C'est ce que je fais, Shura. Pour toi, rien que pour toi.

— C'est parti ! hurla quelqu'un.

Alexandre hissa la jeune fille dans le camion et posa la

tête de Dasha sur ses genoux. Puis il s'agenouilla tout près :

— Dashenka, à Kobona on va te donner à manger. Rappelle-toi de n'avaler que de petites bouchées, sinon tu risques de te perforer l'estomac. Mange lentement, des petits morceaux, tu m'entends ? Après, tu pourras manger davantage. D'accord ?

Dasha saisit sa main, avec un geste d'une vivacité inattendue :

— Adieu, Shu... Comment est-ce que ma sœur t'a appelé ? Shura, c'est ça ?

Alexandre jeta un regard en coin à Tatiana.

— Oui, c'est ça. Shura.

— Alors, adieu, Shura. Je t'aime.

La jeune fille ferma les yeux pour ne pas le voir répondre. Si elle l'avait pu, elle se serait aussi bouché les oreilles.

— Je t'aime aussi, répondit-il. N'oublie pas de m'écrire.

— Dis-moi...

— Oui ?

— Depuis combien de temps es-tu amoureux de ma sœur ?

Un instant, le regard d'Alexandre vacilla. Il se posa sur le visage de Tatiana, puis sur celui de Dasha, et, enfin, il secoua la tête pour dire non.

— Depuis combien de temps ? insista-t-elle. Dis-le-moi... Regarde-nous, pourquoi faire des secrets dans notre état ? Dis-le-moi, mon amour.

Les mâchoires d'Alexandre se crispèrent et, les dents serrées, il martela avec force :

— Dasha, je n'ai *jamais* été amoureux de ta sœur. *Jamais*. C'est toi que j'aime. Tu le sais.

— Quand tu m'as dit qu'on se marierait l'été prochain, tu le pensais ?

— Bien sûr que je le pensais. Et je le pense toujours : l'été prochain, on se mariera.

Sur ses mots, il sauta du camion et, de sa main gantée, souffla un baiser à Dasha. Pas un regard pour Tatiana. *Pas un seul*. Elle aurait tellement voulu un *dernier* regard, même furtif, un regard qui dise : Tout est faux — c'est toi que j'aime. Mais il ne lui accorda pas ce regard. Non, *il l'avait reniée*, tout simplement — avant de disparaître dans la nuit glacée.

Des mains rapides bouclèrent la bâche du camion. À nouveau, le petit groupe fut plongé dans le noir. Mais à présent Alexandre n'était plus là, son visage n'apparaissait plus dans la lueur intermittente des phares. Des tirs d'artillerie, des explosions retentissaient. Tatiana les entendait à peine, le martèlement de son cœur couvrait les bruits de la guerre. Elle ferma les yeux pour que Dasha, dont la tête reposait sur ses genoux, ne puisse pas y lire ce qu'elle parvenait si mal à cacher.

— Ouvre les yeux, sœurette.

Tatiana ne pouvait pas. Ne voulait pas.

— Ouvre-les.

La jeune fille obéit à contrecœur, les paupières lourdes, comme si tout son chagrin s'y était accumulé.

— Quel effet ça fait de l'entendre dire qu'il ne t'a jamais aimée ?

— Aucun. C'est normal.

Elle avait répondu d'une voix rauque et réprima avec peine un gémissement de douleur. Elle ferma à nouveau les yeux.

— Alors pourquoi t'es-tu rétractée comme si on te frappait quand il a dit ça ? Pourquoi ?

— Je ne comprends pas ce que tu racontes.

— Ouvre les yeux.

— Non.

— Tu l'aimes, n'est-ce pas? Tu l'aimes à en crever. Comment as-tu fait pour me le cacher? Tu n'as aimé personne plus que lui.

— Si, Dasha, répondit Tatiana d'une voix résolue. Toi, je t'aime plus que lui.

Elle n'ouvrit pas non plus les yeux en prononçant ces mots.

— Tu as raison, reprit Dasha. Tu ne m'as rien caché. Tout était sous mon nez. Marina le savait, elle. J'ai été aveugle, un point c'est tout.

Elle aurait crié si elle l'avait pu, mais son cri fut étouffé par une violente quinte de toux.

— Tout était sous mes yeux, poursuivit-elle en hoquetant. Et je n'ai rien vu. Rien! Tu n'étais qu'une enfant, Tania! Une enfant ne tombe pas amoureuse!

Ses dernières paroles se perdirent dans une plainte.

J'ai grandi, Dasha, songea Tatiana. Dès le premier jour de cette guerre...

Dehors, des tirs de mortier retentissaient. Mais, à l'intérieur du camion, tout était silencieux.

Tatiana fixa un moment sans les voir la femme avec le bébé, ainsi que l'homme appuyé contre elle. Puis elle comprit : il n'était pas appuyé contre elle, *il tombait sur elle*. Même quand elle le repoussait du coude, il ne tenait pas assis et s'effondrait sur son épaule. Quant au bébé, il n'émettait pas un son, ne bougeait pas. Ils étaient morts — le père et l'enfant. La mère seule semblait encore l'ignorer.

La jeune fille ferma les yeux pour ne pas voir cette femme avec son mari mort, avec son enfant mort. Elle posa la main sur la tête de Dasha — qui ne la repoussa pas.

Le camion atteignit Kobona au lever du jour. Le lever du jour... un brouillard mauve sur un horizon noir. Tatiana remarqua les traits de Dasha : ils semblaient s'effacer de son visage.

Un soldat ouvrit la bâche et ordonna avec brutalité :

— Descendez tous ! Et plus vite que ça ! On doit charger et repartir.

La femme au bébé mort appela à l'aide. Personne ne vint. Elle apostropha Tatiana :

— Aide mon mari à descendre, camarade ? Aide-le, par pitié ! Tu es forte, toi. Et lui, il est malade.

— Je regrette, je ne peux pas. Il est trop grand et lourd pour moi.

— Allez, aide-nous. Toi, au moins, tu tiens sur tes jambes, insista la femme. Ne sois pas si égoïste.

— J'aide ma sœur à descendre du camion. Après, je reviendrai m'occuper de vous.

— Fiche-nous la paix, dit soudain Dasha. Il est mort, ton mari. Laisse ma sœur tranquille !

La femme se mit à hurler pendant que Dasha rampait à plat ventre jusqu'à l'extrémité du hayon. Là, Tatiana la fit basculer, jambes en avant, mais elle n'eut pas la force de la retenir. Dasha s'abattit de tout son long dans la neige. Le chauffeur vint la relever.

— Debout, camarade, lui dit-il. Tu vois la tente là-bas. On va te donner du thé et de quoi manger. En route.

Dans le camion, la femme hurlait toujours :

— Ne me laissez pas là-dedans !

Tatiana ne voulut pas attendre le moment où elle découvrirait la vérité pour son mari et son bébé. Elle se tourna vers Dasha et dit :

— Sers-toi de moi comme d'une béquille. Tu me mets sous ton bras et on avance ensemble.

— Je pourrai jamais.

— Si, tu pourras. Sers-toi de la colère que tu as contre moi et marche.

— Évidemment, pour toi c'est facile, répliqua sa sœur. Toi, tu as envie de vivre.

— Pas toi ?

Dasha ne répondit rien.

— Écoute-moi, lui murmura Tatiana avec une détermination rageuse. Il n'y a plus personne pour nous aider maintenant. Les soldats ont autre chose à faire, et les gens s'occupent de leurs proches. Il n'y a plus que toi et moi. Et tu vas vivre. Tu vas vivre parce que, l'été prochain, Alexandre viendra te chercher à Molotov pour t'épouser.

Son aînée eut un petit rire muet :

— Tu ne renonces donc jamais, Tania. Tu ne baisses jamais les bras.

— Jamais.

Dasha la dévisagea un instant, puis se laissa tomber dans la neige. Elle ne se releva pas.

Désemparée, impuissante, Tatiana pivota sur elle-même et aperçut non loin la femme du camion : elle gravissait seule, sans mari, sans bébé, le petit raidillon qui menait vers la tente. Elle se dirigea vers elle et l'agrippa par le bras :

— Camarade, s'il te plaît, aide-moi ! Ma sœur est tombée et je n'arrive pas à la relever.

— Tu ne m'as pas aidée, toi, tout à l'heure. Maintenant ils sont morts. Fiche-moi la paix.

Sur ces mots, la femme se dégagea d'un geste brusque et s'éloigna.

À cet instant, Tatiana entendit une voix familière dans son dos :

— Tatiana ? Tatiana Metanova ?

Elle se retourna et vit Dimitri qui claudiquait vers elle, appuyé sur son fusil.

— Dimitri ! Dimitri, aide-moi, je t'en prie ! Dasha, elle est tombée ! Là, dans la neige !

— Je suis blessé, je ne peux pas la porter, mais je vais t'appeler un autre soldat.

Il était arrivé près de Tatiana et la prenait dans ses bras, longuement :

— Je n'arrive pas à y croire. Le destin, sans doute...

Son drôle de sourire satisfait ne l'avait pas quitté.

Il appela l'un de ses camarades et lui demanda de porter Dasha jusqu'à la tente-hôpital. Tatiana les suivit d'un pas lourd dans la neige.

Sous la tente, un médecin vint ausculter Dasha. Il écouta son cœur, ses poumons, prit son pouls, lui fit ouvrir la bouche, puis secoua négativement la tête.

— Tuberculose galopante. Laissez tomber.

Tatiana s'avança :

— *Laisser tomber !* Mais... c'est ma sœur ! Qu'est-ce que vous racontez ? Donnez-lui quelque chose ! Des sulfamides !

Le médecin partit d'un bref éclat de rire.

— Vous êtes bien tous les mêmes. Vous croyez peut-être que j'en ai à revendre, des sulfamides ? Je ne vais sûrement pas les gaspiller pour un cas désespéré. Regardez-la. Il ne lui reste pas une heure à vivre. Je ne lui donnerais même pas un bout de pain. Vous avez vu ce qu'elle crache ? Vous avez entendu son souffle ? Allez donc plutôt manger une soupe dans la tente d'à côté. Vous, vous pouvez encore vous en sortir si vous mangez. Venez, je vais vous examiner.

Sans lui laisser le temps de répondre, il ouvrit le manteau de Tatiana et pressa le stéthoscope contre sa poitrine, puis dans son dos.

— À vous aussi, il vous faut des sulfamides, ma petite.

Vous avez une pneumonie. Je vais demander à une infirmière de s'occuper de vous. Et n'approchez plus de votre sœur. La tuberculose, c'est très contagieux.

Tatiana s'étendit à même le sol, près du grabat où on avait couché Dasha. Lorsqu'elle eut trop froid par terre, elle vint se blottir dans le lit, près d'elle.

— Dashenka, murmura-t-elle, tu te souviens, quand j'étais petite, chaque fois que je faisais des cauchemars, je venais me serrer contre toi dans notre lit.

— Je me souviens, Tania, répondit Dasha dans un chuchotement. Tu étais tellement mignonne.

Dehors la lumière prenait les teintes bleutées du soir, projetant des taches bleu sombre sur les joues tremblantes de Dasha. Tatiana l'entendit prononcer dans un souffle :

— Je n'arrive pas à respirer...

Alors elle se pencha sur sa sœur, posa sa bouche contre la sienne et souffla, souffla de toutes ses faibles forces pour lui insuffler un peu d'air. Elle essayait de respirer à fond avant de souffler, mais n'y arrivait pas. Pendant quelques minutes qui lui parurent une éternité, elle tenta de faire revenir le petit murmure de la vie dans le corps de Dasha.

Soudain, une infirmière surgit derrière elle, qui l'attrapa aux épaules et la tira en arrière :

— Arrête ça, camarade ! Le docteur t'a pourtant dit que c'était dangereux. Et prends ces comprimés.

La femme lui tendit trois petites pilules blanches, un verre d'eau et un quignon de pain.

— Merci, hoqueta la jeune fille entre deux sanglots.

Puis elle jeta un regard vers sa sœur. L'infirmière comprit le sens de ce regard :

— Le pain est pour *toi*, dit-elle avec fermeté.

— Elle... elle en a plus besoin que moi.

— Non, elle n'en a plus besoin.

Dès qu'elle eut tourné le dos, Tatiana écrasa les comprimés de sulfamide contre le montant du lit, les réduisit en poudre dans le creux de sa main, puis les versa dans l'eau. Elle en but une petite gorgée et fit couler le reste dans la gorge de Dasha, en soulevant sa tête de l'oreiller. Ensuite elle rompit un bout du quignon de pain et lui en déposa des miettes minuscules dans la bouche. Dasha tenta d'avaler, mais la douleur était trop forte : elle s'étouffa et se mit à cracher du sang sur le drap blanc. Tatiana était en train de lui essuyer le menton quand elle l'entendit lui murmurer :

— Tania, c'est ça mourir ?

— Non. Non, ce n'est pas ça.

Les yeux plongés dans le regard vide et comme recouvert d'un voile de sa sœur, elle ne trouva pas d'autre réponse.

— Tania chérie, tu es... *tu es une bonne sœur*.

La jeune fille n'entendait plus le souffle douloureux de Dasha, seulement le sien qui bourdonnait à ses oreilles. Une main chaude vint se poser dans son dos.

— Viens maintenant, dit l'infirmière. C'est l'heure du petit déjeuner. Il y a de la *kasha* de sarrasin, du pain, du thé sucré, et même un peu de vrai lait. Viens, camarade, le petit déjeuner ne durera pas toujours.

— Je ne peux pas laisser ma sœur, fit Tatiana.

Un instant elle tourna la tête vers la femme, un instant son regard abandonna le visage de Dasha. Lorsqu'elle le porta à nouveau sur elle, elle vit la bouche ouverte, les yeux écarquillés qui fixaient un point, loin derrière — si loin. Tatiana se pencha et, d'un baiser, ferma les paupières de sa sœur. Puis, du pouce, elle traça une petite croix sur son front.

L'infirmière la prit sous les bras pour l'aider à se relever et la conduisit à la cantine où elle la fit asseoir à une table. La jeune fille regardait sans la voir l'assiette vide posée devant elle. On lui servit la *kasha*.

Elle refusa : elle voulait la garder pour Dasha.

— Mais, ma pauvre petite, ta sœur est morte, lui dit l'infirmière.

Entendre prononcer ces mots-là, c'était plus que Tatiana n'en pouvait supporter : elle perdit connaissance.

Lorsqu'elle se réveilla, elle était étendue sur un lit.

— Olga, je m'appelle Olga, disait une voix douce au-dessus de sa tête.

Tatiana ouvrit les yeux. Devant ce regard désespéré, l'infirmière comprit :

— D'accord, viens. Je vais te conduire à ta sœur.

Elle l'emmena dans une partie de la tente-hôpital séparée des autres par un rideau : là gisaient le corps de Dasha ainsi que trois autres cadavres.

La jeune fille demanda qui allait les enterrer. Olga ne put réprimer un sourire :

— Personne, bien sûr. Qu'est-ce que tu t'imagines, fillette ?

— Olga, je voudrais un drap pour ma sœur.

— D'accord. Tu as pris les médicaments que t'a donnés le docteur ?

Tatiana répondit par un signe de tête négatif. L'infirmière poussa un soupir et disparut. Elle revint quelques minutes plus tard avec un drap, d'autres pilules de sulfamide, une tasse de thé sucré et un morceau de pain. Cette fois, la jeune fille prit les comprimés et accepta de manger, assise sur une chaise de métal, au milieu des morts. Quand elle eut terminé, elle déplia le drap sur le sol et y enveloppa Dasha. Elle tint un long moment la tête de sa sœur entre ses mains, puis referma le sac en faisant un nœud aux deux extrémités du drap.

Après quoi elle se mit en quête de Dimitri dans la petite bourgade de Kobona. Elle croisa une foule de soldats, mais pas de Dimitri. Pourtant, elle avait besoin de lui. Tellement besoin de son aide.

Au hasard, elle arrêta un officier et lui demanda s'il connaissait un certain Dimitri Chernenko. Non, il ne le connaissait pas. Elle interrogea dix soldats — certains connaissaient Dimitri, mais personne ne savait où il se trouvait. Le onzième leva les yeux en disant :

— Tania ? Qu'est-ce qui t'arrive ? Tu ne me reconnais donc pas ?

C'était lui.

— Si, bien sûr que je te reconnais, lui répondit-elle d'une voix atone. Viens. Suis-moi.

Il obéit sans discuter, claudiquant à ses côtés, et passa un bras sur ses épaules.

— Tu ne me demandes pas des nouvelles de ma jambe ?

— Tout à l'heure.

Ils pénétrèrent dans la tente-hôpital. Tatiana se dirigea sans hésiter vers le rideau. Dimitri traînait la jambe derrière elle — un peu trop lentement. Lorsqu'il l'eut enfin rejointe, elle lui désigna parmi les cadavres le drap sous lequel on devinait la forme d'un corps. Le soldat eut un haut-le-cœur.

— Il faut que tu m'aides à enterrer Dasha. Je ne peux pas la laisser ici.

— Tania..., commença Dimitri d'un ton implorant en lui ouvrant les bras.

Elle recula d'un pas.

— Tania, reprit-il, où veux-tu qu'on l'enterre ? La terre est gelée !

Sans un geste, sans un mot, elle se figea. Attendant. Une idée. Une solution.

— Les nazis bombardent la Route de la Vie, n'est-ce pas ? demanda-t-elle au bout de quelques instants.

— Oui.

— Ils font des trous dans la glace du lac, non ?

— Oui.

Elle lut sur les traits de Dimitri que, peu à peu, il comprenait.

— Alors on y va.

— Tania, je ne peux pas.

— Si je peux, tu peux aussi.

— Tu ne comprends pas...

— C'est *toi* qui ne comprends pas, Dima. Je préfère mourir plutôt que de la laisser ici comme ça. Dis-moi, fit-elle en plantant dans le sien un regard impitoyable, quand je serai morte, est-ce que tu sauras seulement coudre un sac pour me faire un linceul ? Quand je serai morte, tu te contenteras de me laisser dans ce recoin, sur un tas de cadavres ? Oui, dis-moi ce que tu feras de moi quand je serai morte, Dimitri...

— Oh, Tania, répondit-il dans un soupir. Je ne peux pas. Regarde-moi ! J'ai passé presque trois mois à l'hôpital. Dès que je suis sorti, on m'a expédié ici, à Kobona. Tous les jours, on me fait marcher pendant des heures. J'ai très mal au pied. Et puis l'artillerie allemande n'arrête pas de tirer. Je ne vais pas y aller. Tu comprends, je ne pourrais pas courir pour me mettre à l'abri.

— Trouve-moi un traîneau.

— Un quoi ?

— Je te demande de me trouver un traîneau, répéta froidement Tatiana. Peux-tu au moins faire ça ?

Dimitri sortit sans un mot. Il revint au bout d'un long moment. Avec un traîneau.

— Maintenant tu peux t'en aller.

— Bon sang, pourquoi tu fais ça, Tania ? Elle est morte.

Quelle importance maintenant ? Tu n'as plus à t'inquiéter pour elle. Cette saloperie de guerre ne peut plus lui faire de mal.

— Tu me demandes quelle importance, Dimitri ? articula lentement Tatiana. Mais... Dasha est ma sœur. Elle n'est pas morte seule. J'étais là. Et je ne m'en irai pas sans lui avoir donné une sépulture.

— Et après qu'est-ce que tu vas faire ? Tu vas aller retrouver tes grands-parents ? Où ils étaient déjà ? Kazan ? Molotov ? Tu devrais pas, tu sais. J'arrête pas d'entendre des horreurs sur ce qu'on fait aux évacués.

— Je ne sais pas ce que je vais faire. Ne t'inquiète pas pour moi.

Comme il partait, elle le rappela :

— Dimitri !

— Oui, fit-il en se retournant.

— Quand tu verras Alexandre... dis-lui... pour ma sœur.

— Bien sûr, Tanechka. Je le verrai la semaine prochaine. Pardon de n'avoir pu t'aider davantage.

Elle tourna le dos.

Lorsqu'il fut parti, elle alla demander de l'aide à Olga et toutes deux portèrent le corps de Dasha sur le traîneau. Puis, seule, Tatiana le tira jusqu'au lac.

Le gris semblait suinter d'un ciel de plomb. C'était le début de l'après-midi et on se serait cru au crépuscule. Aucun avion allemand ne survolait le lac Ladoga. La jeune fille parcourut quelques dizaines de mètres, tirant, traînant, poussant son traîneau de toutes ses maigres forces. Enfin, elle trouva un trou creusé par une bombe, une large blessure dans la glace déchirée, sous laquelle clapotait une eau gelée. Elle mit ce qu'il lui restait d'énergie à s'arc-bouter sur le drap contenant le corps de sa sœur et parvint, lentement, péniblement, à faire glisser celui-ci sur la glace.

Puis elle se mit à genoux, une main posée sur la bosse blanche que formait la tête de Dasha.

Tu te souviens, Dashenka, quand j'avais cinq ans, tu m'as appris à plonger dans le lac Ilmen ? Oui, c'est toi qui m'as appris à nager sous l'eau. Tu disais que tu aimais la sentir partout autour de toi parce qu'elle te donnait une impression de silence et de paix. Ensuite, tu m'as appris à rester la tête sous l'eau plus longtemps que Pasha. Tu disais que les filles doivent toujours être plus résistantes que les garçons. Eh bien, maintenant va, ma Dasha, va nager sous l'eau. En paix.

Les larmes qui ruisselaient sur les joues de Tatiana gelaient sous les assauts du blizzard qui s'était levé. Toujours à genoux, elle poussa le corps de sa sœur dans le trou d'eau. Dans la lumière blême qui baignait le lac, le drap lui parut bleu. Dasha descendit lentement, très lentement, comme à regret, comme si, même morte, elle refusait de disparaître. Puis, enfin, elle sombra dans l'invisible. Tatiana resta longtemps agenouillée près du trou.

Lorsqu'elle finit par se relever, elle toussa un long moment dans ses moufles, se baissa pour ramasser la corde attachée au traîneau et le ramena vers la rive. Lentement. Très lentement.

Livre 2

« La porte d'or par ma lampe
est éclairée... »

Emma Lazarus

Troisième partie

Lazarevo

Un parfum de printemps

1

Alexandre se rendit à Lazarevo comme on s'accroche à un ultime espoir et presque sans y croire.

Il ne savait que cela : la grand-mère de Tatiana était partie vivre à Lazarevo, la jeune fille le lui avait dit dans le camion qui les emmenait au lac Ladoga. Depuis, il n'avait reçu aucune lettre, pas un mot, ni d'elle ni de Dasha. Il n'était pas très confiant en ce qui concernait celle-ci, mais si Slavin avait survécu à l'horreur de cet hiver 1941, rien n'était impossible. C'était l'absence de lettres qui l'inquiétait. Quand elle était à Leningrad, Dasha n'arrêtait pas de lui écrire. À présent, janvier et février avaient filé et, rien, toujours rien.

Une semaine après le départ des filles, il avait convoyé un camion sur la Route de la Vie jusqu'à Kobona. Là, il les avait cherchées parmi les malades, les blessés — les morts aussi. Il ne les avait pas trouvées.

Il était souvent retourné dans le logement des Metanov — Dasha lui avait laissé une clef. Il avait dépoussiéré, balayé, nettoyé le sol, et fait la lessive lorsque les canalisations avaient été réparées, en mars. Il avait remplacé les carreaux qui manquaient aux fenêtres. En rangeant, il avait découvert un vieil album de photos. Il l'avait feuilleté avec attendrissement avant de le refermer soudain dans un claquement sec : tout à coup, il avait eu l'impression de voir des fantômes.

C'était bien ça : partout il voyait leurs fantômes...

Chaque fois qu'il se trouvait à Leningrad, il allait voir à la poste si les Metanov n'avaient rien reçu. Une lettre aurait pu lui apprendre quelque chose, lui donner un indice...

À la caserne, il harcelait sans relâche le sergent responsable du courrier — mais il n'y avait jamais rien pour le capitaine Belov : ni lettre ni télégramme, rien.

Il retourna sur les rives du lac Ladoga, assurant toujours la protection de la Route de la Vie — une route navigable à présent que la glace avait fondu —, et attendit une permission.

Lentement, Leningrad se libérait de l'étreinte mortelle de l'hiver le plus rude qu'avait connu le pays depuis cent quarante ans. Craignant que la prolifération des cadavres, les égouts bouchés, les flots d'eaux usées qui dégelaient dans les rues n'entraînent une gigantesque épidémie, la municipalité décida de recourir aux survivants : tous ceux qui tenaient encore debout devaient déblayer les décombres des bombardements et ramasser les corps. L'électricité fut rétablie. Trams et trolleys se remirent à rouler. Des tulipes surgirent de la terre devant la cathédrale Saint-Isaac. Leningrad parut renaître — provisoirement. Les rations des civils furent augmentées et portées à trois cents grammes de pain par jour. Non qu'il y eût davantage de farine : il y avait juste moins de bouches à nourrir...

Au début de la guerre, le 22 juin 1941, le jour où Alexandre avait rencontré Tatiana, la ville comptait trois millions d'habitants. Au début du blocus allemand, le 8 septembre 1941, deux millions et demi. Au printemps

1942, il ne restait plus qu'un million de rescapés dans Leningrad.

La route de glace qui traversait le lac Ladoga avait permis l'évacuation de cinq cent mille personnes laissées à Kobona, livrées à un sort incertain.

Et le siège n'était pas terminé...

Lorsque la neige eut fondu, Alexandre fut chargé de dynamiter une douzaine de fosses communes dans le cimetière Piskarev. C'était là qu'avaient été transportés et enterrés sommairement près d'un demi-million de cadavres. Et Piskarev n'était que l'un des sept cimetières de la ville transformés en charniers.

Et le siège n'était pas terminé...

Grâce à la loi Prêt-Bail, les denrées alimentaires américaines s'acheminaient avec une tortueuse lenteur jusqu'à Leningrad. Ainsi, à quelques reprises au cours du printemps, les habitants de Leningrad reçurent-ils du lait en poudre, de la soupe en poudre et des œufs, en poudre également.

La Perspective Nevski fut reconstruite avec de fausses façades destinées à masquer les trous béants laissés par les pilonnages allemands, puis Leningrad entra lentement dans l'été 1942.

Les bombardements se poursuivaient, sans diminuer d'intensité.

Janvier, février, mars, avril, mai.

Combien de mois Alexandre allait-il pouvoir rester sans savoir ? Combien de mois sans nouvelles, sans un mot ? Combien de mois avec cet espoir fou, ce refus d'admettre l'impensable ? Il voyait la mort à chaque coin de rue. Sur le front, bien sûr, mais aussi sur les trottoirs de Leningrad : corps mutilés, corps estropiés, corps gelés, corps affamés. Il avait beau tout voir, il croyait encore.

2

En juin, Dimitri vint lui rendre visite à la caserne. Il avait beaucoup vieilli et boitait fortement. Il était maigre, son corps semblait usé et ses doigts tremblaient d'une manière qu'Alexandre n'avait encore jamais remarquée.

— Mon pied valide, c'est le gauche, fit-il avec son mauvais sourire. Quelle bêtise ! J'aurais pu choisir l'autre tout de même...

À contrecœur, Alexandre l'invita à s'asseoir sur une des couchettes. Il avait cru en avoir fini avec lui, mais manifestement il s'était trompé. Ils étaient seuls, et Dimitri avait dans les yeux une lueur pensive que l'officier ne remarqua pas tout de suite.

— Au moins, fit-il gaiement, je ne verrai plus jamais de combats. Tant mieux.

— Parfait. Tu as ce que tu voulais : tu es sur l'arrière à présent.

— Tu parles, grogna Dimitri. Au début on m'a envoyé à Kobona...

— Kobona ! l'interrompit Alexandre. Je ne savais pas.

— Oui, Kobona, là où passent les camions du Prêt-Bail américain...

— Dis-moi, y étais-tu en janvier ? J'y ai conduit Dasha et

Tatiana pour les évacuer. Tu ne les aurais pas vues par hasard ?

— Tu me demandes si j'ai repéré deux filles parmi des milliers d'évacués ? fit Dimitri avec un ricanement.

— Je ne te parle pas de deux filles, riposta Alexandre, haussant le ton. *Mais de Tania et de Dasha*. Celles-là, tu les aurais reconnues tout de même, non ?

— Oh ! T'énerve pas ! Les malheureuses ! Quelle idée de les envoyer là-bas ? Je ne pensais pas que tu voulais leur mort...

— Qu'est-ce que je pouvais faire d'autre ? Je n'avais pas le choix : tu sais ce qu'a été la vie à Leningrad cet hiver ?

Dimitri sourit :

— Oui, j'en ai entendu parler... Mais tu aurais peut-être pu trouver une autre solution : ton cher colonel Stepanov ne pouvait rien faire ?

Alexandre tourna le dos à cette insinuation :

— Non, rien. Maintenant, si tu n'y vois pas d'inconvénient, je suis occupé.

— Voyons, Alex, ne te fâche pas. Ce que je dis, c'est juste que les évacués qui nous arrivaient avaient tous un pied dans la tombe. Dasha est une fille solide, mais la petite Tania ? Je suis même étonné qu'elle ait tenu le coup si longtemps. Tous ceux qui débarquaient à Kobona crevaient — de maladie, de faim, mais ils crevaient. Les survivants, on les faisait grimper dans des camions qui s'arrêtaient à soixante kilomètres de la gare la plus proche. Quant aux trains, c'étaient des wagons à bestiaux. Je ne sais pas si c'est vrai, ajouta Dimitri en baissant la voix, mais je me suis laissé dire que soixante-dix pour cent des évacués qu'on a mis dans ces trains sont morts de froid ou de maladie. Tu voudrais que Dasha et Tania aient survécu à un truc pareil ? Ben, mon vieux, t'aurais fait un drôle de mari !

Alexandre serra les dents, serra les poings, mais ne répondit pas.

— En tout cas, moi je suis bien content d'avoir quitté Kobona, reprit Dimitri. Le mois dernier les boches ont bombardé trois des six camions qui traversaient le lac. Tu parles d'une position sur l'arrière ! J'ai fini par demander le ravitaillement.

Alexandre lui tournait toujours le dos, pliant mécaniquement quelques habits.

— Le ravitaillement ? Ce n'est pas vraiment une planque, commença-t-il avant de se raviser — *après tout, qu'il y aille à son putain de ravitaillement*. Tout le monde va te demander des clopes, tu vas devenir très populaire, poursuivit-il d'un ton qu'il espérait léger.

Il y avait désormais un gouffre entre eux deux, un gouffre que rien ne pourrait combler. De Dimitri, Alexandre n'attendait plus que deux choses : qu'il s'en aille, ou qu'il se décide enfin à demander des nouvelles des Metanov. Bientôt, il n'y tint plus :

— Dima, t'es-tu seulement demandé ce qui était arrivé aux Metanov ?

Dimitri haussa les épaules :

— Ce qui est arrivé à la plupart des habitants de cette ville, j'imagine : tout le monde est mort. Je me trompe ?

Il n'aurait pas pris un ton plus dégagé pour dire : *Tout le monde est sorti faire des courses, je me trompe ?*

— C'est la guerre, Alex. Seuls les plus forts survivent. C'est pour ça que j'ai fini par laisser tomber pour Tania. Elle me plaisait bien, j'en ai de très bons souvenirs, mais j'avais déjà du mal à sauver ma peau. Je n'allais pas, en plus, m'inquiéter pour elle.

Alexandre songea que Tatiana avait vu juste : Dimitri ne s'intéressait pas à elle, *jamais* il ne s'était intéressé à elle. Quant à parler d'amour...

— À propos, poursuivit Dimitri, imperturbable, il y a une chose dont j'aimerais te parler.

Nous y voilà, se dit Alexandre sans lever les yeux du tiroir où il rangeait ses vêtements.

— Maintenant que les Américains sont entrés dans la guerre, ça va faciliter nos plans ! Ils sont partout dans Kobona ! Ils transportent du ravitaillement, des chars, des jeeps, des troupes, par bateau, par camion ! Ils pourraient peut-être nous filer un coup de main, tu crois pas ?

Alexandre fit volte-face et vint se planter devant Dimitri :

— Quel coup de main ? demanda-t-il sèchement. Qu'est-ce que tu crois ? Qu'il me suffit de débarquer à Kobona, d'aborder un chauffeur de camion américain et de lui parler anglais — moi, un soldat russe ! — pour qu'il réponde : « Bien sûr, mon gars, monte donc dans le bateau qui nous ramène à la maison. » Et même, ajouta-t-il en tirant une cigarette de son paquet, même si c'était possible pour moi, tu crois que ça pourrait l'être pour toi ? En supposant qu'un parfait inconnu accepte de risquer sa peau pour un ancien compatriote, la risquerait-il pour *toi* ?

Décontenancé, Dimitri bredouilla :

— D'accord, ce n'est peut-être pas un plan excellent, mais c'est tout de même un début...

— N'oublie pas que tu es blessé, Dima. Regarde-toi, poursuivit Alexandre en le toisant des pieds à la tête. Tu n'es ni en état de te battre, ni en état de courir. Non, Dima, c'est trop tard. Il faut laisser tomber.

— Mais... tu ne peux pas dire ça ! s'écria Dimitri, ulcéré. Je sais que tu veux toujours...

— Non ! Notre plan consistait à passer la frontière au nez et à la barbe des troupes frontalières du NKVD et à nous planquer dans les marécages de Finlande ! Maintenant que tu t'es tiré une balle dans le pied, comment vois-tu la chose ?

— C'est bien pour ça qu'il serait sûrement plus facile de graisser la patte aux chauffeurs du Prêt-Bail pour qu'ils nous filent un coup de main.

— Dima ! riposta Alexandre, hors de lui, ces gars-là ne sont pas des livreurs ! Ce sont des combattants surentraînés qui ont traversé l'Arctique au milieu des torpilles pour *te* livrer du *tushonka*.

— Justement, c'est des types comme ça qui pourront nous aider, répondit Dimitri sans se démonter. Et j'ai besoin qu'on m'aide. Vite. Très vite. Je n'ai pas l'intention de laisser ma peau dans cette putain de guerre. Et toi ?

— Moi, j'y laisserai ma peau s'il le faut, rétorqua Alexandre, inflexible.

Dimitri le dévisagea un long moment. Il vit son regard glacé, un regard qui ne cillait pas. Alors il se leva de la couchette et demanda :

— Tu as toujours ton argent sur toi ?

— Non.

— Tu peux le récupérer facilement ?

— Je ne sais pas, répondit Alexandre en lui tournant le dos pour allumer une autre cigarette.

C'était une manière de marquer la fin de la conversation. Dimitri se dirigea vers la porte, posa la main sur la poignée, puis se retourna une dernière fois :

— Tu fumes trop, *Alexander Barrington*.

Le colonel Stepanov octroya à Alexandre une généreuse permission — du 15 juin au 24 juillet.

— Ça suffira, capitaine ? lui demanda-t-il avec un léger sourire.

— Oui. De toute façon, ce sera soit trop, soit pas assez, mon colonel.

— Capitaine Belov, reprit Stepanov, nous ne pouvons plus rester en garnison dans cette ville. Nous ne pouvons pas nous permettre un nouvel hiver comme celui qui vient de s'écouler. (Il s'interrompit un moment avant de poursuivre :) Nous allons devoir briser le blocus — cet automne. Savez-vous ce qui arrive à nos hommes de la zone Nevski ?

— Oui, répondit Alexandre. La zone Nevski est une enclave de l'Armée rouge dans les lignes ennemies. Les Allemands s'en servent comme cible pour leurs exercices de tirs quotidiens. Deux cents soldats russes y meurent chaque jour.

Stepanov confirma d'un hochement de tête :

— Eh bien, on va briser le blocus et traverser la Neva sur des bateaux-pontons. Et on aura besoin d'artilleurs comme vous, capitaine Belov.

Il dévisagea encore un moment Alexandre avant d'ajouter :

— Dans un mois, à votre retour : plus rien ne sera comme avant...

3

Pendant les quatre jours que dura son voyage jusqu'à Molotov, Alexandre revit chacun des instants passés avec Tatiana. Deux images revenaient sans cesse dans ses souvenirs, refrain irrépressible et obsédant : Tatiana couverte de sang, de poussière, de morceaux de charpente, ensevelie sous les cadavres, mais respirant, chaude, vivante — et Tatiana couchée dans son lit d'hôpital, nue sous ses doigts, gémissant sous ses caresses.

Si quelqu'un pouvait — *devait* — survivre, n'était-ce pas une fille capable, pendant quatre mois, de se lever à l'aube et de se rendre à l'autre bout de la ville, dans la neige, pour aller chercher les rations de sa famille?

Mais, si elle était vivante, pourquoi ne lui avait-elle pas écrit? Avait-elle disparu ou avait-il tout simplement perdu son cœur?

Mon Dieu, se dit-il, *faites qu'elle ne m'aime plus mais qu'elle soit en vie.* C'était pour lui la plus douloureuse des prières, mais il ne pouvait imaginer un monde où n'aurait pas vécu Tatiana.

Sale, affamé, après quatre jours passés dans cinq trains et une multitude de camions militaires, il atteignit Molotov à midi, le vendredi 19 juin 1942.

Il sortit de la gare et se laissa tomber sur un banc. Maintenant il fallait marcher jusqu'au village de Lazarevo. Qu'allait-il découvrir là-bas ? Qu'elle était morte à Kobona ? Qu'il était parvenu à la faire sortir de Leningrad pour qu'elle meure si près du but, de la délivrance ? Pire : il savait que, dans ce cas, il n'y aurait plus pour lui de retour — oui, retourner vers quoi ?

Il lui fallait, pour marcher jusqu'à ce village, beaucoup plus de courage qu'il n'avait dû en réunir pour actionner des lance-fusées Katioucha, ces « orgues de Staline » dévastateurs, ou un canon de défense antiaérienne sur le lac Ladoga, quand chaque appareil de la Luftwaffe volant au-dessus de sa tête pouvait signer son arrêt de mort.

Sa propre mort ne lui faisait pas peur. Celle de Tatiana lui ôtait tout courage.

Il passa deux heures assis sur son banc, dans cette petite ville de Molotov aux ruelles bordées de chênes. Il venait de parcourir mille six cents kilomètres vers l'est, la rivière Kama, les montagnes de l'Oural — Lazarevo, enfin.

Continuer jusqu'au village était presque inconcevable. Mais faire demi-tour était impossible.

Alors il se signa lentement, se leva, ramassa ses affaires et prit la direction de Lazarevo du pas du condamné se rendant au peloton d'exécution.

4

Lazarevo se trouvait à dix kilomètres de Molotov, dix kilomètres d'un sentier serpentant dans une épaisse forêt aux essences variées : pins, ormes, chênes, bouleaux... L'eau de la Kama roulait en cascade entre les arbres. Alexandre portait son havresac, son fusil, son arme de poing, des munitions, une tente, une couverture, son casque, ainsi qu'un autre sac contenant des vivres achetés à Kobona.

Soudain, la forêt s'arrêta, et il vit se dérouler devant lui une route poussiéreuse, flanquée de petites bicoques en bois aux jardins envahis par les herbes que protégeaient mal des clôtures délabrées.

Sur sa gauche, il voyait la rivière scintiller au soleil et, au-delà de la rivière, une immense forêt dominée par les montagnes de l'Oural. Il prit une ample respiration, puis s'engagea sur la route.

Au bout de quelques mètres il aperçut une femme assise sur un banc devant sa maison. Lorsqu'il passa devant elle, elle parut se rappeler brusquement quelque chose et se leva d'un bond. Sans vraiment y réfléchir, il attribua sa réaction à l'étonnement : certes, un officier de l'Armée rouge en promenade sur cette route ne devait pas être chose courante. Mais la femme cria dans son dos :

— Camarade, tu ne serais pas... Alexandre, par hasard ?

Il s'immobilisa, puis se retourna, interloqué :

— Si, répondit-il, hésitant, doutant encore qu'elle s'adresse à lui. Je cherche Tatiana et Dasha Metanova.

À ces mots, la femme éclata en sanglots. Alexandre sentit son sang se figer dans ses veines.

— Là-bas, hoqueta-t-elle encore en désignant le bas de la route. Sur la place du village. Le vendredi, il y a un cours de couture.

Et, toujours en larmes, elle s'engouffra dans sa maison.

Il la regarda disparaître sans comprendre : que voulait-elle dire ? Que signifiaient ces larmes ? Puis il se mit à courir, le cœur battant, et ne s'arrêta que lorsqu'il distingua enfin une petite place ombragée par une voûte de verdure. Là, un groupe était installé autour d'une longue table de bois couverte de morceaux de tissu : quatre vieilles, une femme moins âgée, un garçon, et une jeune fille, debout, penchée sur leurs travaux : elle montrait, expliquait, s'appliquait. Enfin, elle se redressa... Tatiana.

Tout d'abord, il crut presque à une vision. Pieds nus, la jeune fille était vêtue d'une robe paysanne jaune à manches courtes. Un léger hâle donnait à ses bras une délicieuse couleur dorée. Ses cheveux blonds, décolorés par le soleil, étaient tressés en deux nattes qui tombaient doucement sur ses épaules. Elle était belle — cruellement belle. Et, surtout, *vivante*.

Il ferma les yeux un instant. Lorsqu'il les rouvrit, Tatiana était toujours là, cette fois elle s'inclinait sur l'ouvrage du garçon. Elle dit quelque chose : tout le monde partit d'un grand éclat de rire. Le bras du jeune homme effleura son dos. Alexandre frémit. Elle souriait — un sourire étincelant. Puis elle tourna la tête et... le vit.

Elle se pétrifia. Puis courut, courut, sauta par-dessus un banc sur son chemin et reprit sa course vers ce soldat qui laissait tomber son barda à ses pieds pour lui ouvrir les bras. Il la souleva de terre, riant et pleurant à la fois. Elle enfouit son visage dans son cou, le frotta contre ses joues que la barbe rendait piquantes. Elle lui parut plus lourde que la dernière fois qu'il l'avait prise dans ses bras, le jour où il l'avait hissée dans le camion qui les emmenait, Dasha et elle, sur les rives du lac Ladoga. Dasha... où était-elle ?

— Alexandre, tu es vivant. Vivant !

Incapable de prononcer un mot, il serrait de toutes ses forces contre lui ce corps dont il sentait la peau sous le coton fin de la robe. Quand il la reposa enfin sur le sol, Tatiana leva les yeux vers lui. Il avait toujours les mains sur sa taille, ne la lâchait pas, se penchait vers ses lèvres, puis... puis il se redressa brusquement, son sourire s'évanouit, il recula :

— Tania, où est Dasha ?

Aussitôt après avoir posé cette question, il lut dans les yeux de la jeune fille un inexprimable mélange de tristesse, de culpabilité, de ressentiment aussi. Lui en voulait-elle ? De quoi ? Puis, très vite, un voile glacé vint se poser sur le regard de Tatiana. Quelque chose se ferma en elle.

— Dasha est morte, Alexandre. Je suis désolée.

— Oh, Tania...

Il tendit la main, mais elle esquiva son geste et recula d'un pas chancelant.

— Je suis vraiment désolée, dit-elle, les yeux baissés, incapable de croiser son regard. Tu as fait tout ce voyage pour Dasha et...

— Qu'est-ce que ça signi...

Avant qu'il ait pu achever sa phrase, le garçon et les vieilles femmes du groupe de couture étaient accourus, aussi vite que le leur permettaient leurs jambes. Maintenant ils faisaient cercle autour d'eux.

— Qui est-ce, Tanechka? demanda une petite rondelette aux cheveux poivre et sel. L'Alexandre de Dasha?

— Oui, répondit Tatiana. C'est l'Alexandre de Dasha. Alexandre, laisse-moi te présenter Naira Mikhaïlovna.

Celle-ci fondit aussitôt en larmes.

— Oh, le pauvre garçon! Tu lui as dit, n'est-ce pas?

— Oui, confirma Tatiana.

Nouveau déluge de larmes. Pendant ce temps, la jeune fille continuait les présentations :

— Alexandre, voici Vova, le petit-fils de Naira, et sa sœur Zoé.

Vova était exactement le genre de fanfaron costaud que détestait Alexandre. Visage rond, yeux ronds, bouche ronde : tout était rond chez lui, d'une rondeur hypocrite. Ils échangèrent une poignée de main plutôt sèche.

Zoé, une grande villageoise aux cheveux très noirs, vint presser son opulente poitrine contre l'uniforme d'Alexandre.

— Nous sommes très heureuses de faire enfin ta connaissance, camarade. On a tellement entendu parler de toi.

— Oui, nous savons *tout*, renchérit une petite femme frisée que Tatiana présenta comme étant Axinya, la sœur de Naira.

Celle-là aussi tomba dans les bras d'Alexandre. Vinrent ensuite deux autres vieilles, toutes deux frêles et grisonnantes. L'une tremblait de tout son corps : ses mains, sa tête, sa bouche même tremblaient à chaque mot. Elle s'appelait Raisa. L'autre, sa mère, plus grande et plus carrée, portait au cou une croix d'argent. C'était Dusia. Elle dit :

— Dieu veille sur toi, Alexandre. Ne t'inquiète pas.

Il faillit lui répondre qu'à présent qu'il avait retrouvé Tania vivante, il était à l'abri de toute inquiétude, mais avant qu'il eût pu prononcer une parole, Naira l'agrippa par la manche :

— Mon pauvre garçon, tu as fait un si long voyage. Tu dois être épuisé. Et avoir une faim de loup. Viens, tu vas voir : notre Tania est une excellente cuisinière.

Notre Tania ! s'étonna Alexandre avec un soupçon d'agacement. Il se garda de tout commentaire et se tourna vers la jeune fille en lui lançant un sourire complice. Elle ne lui rendit pas son sourire mais dit :

— Elles ont raison. Viens, allons manger.

La petite troupe s'apprêtait à entrer dans le village quand Tatiana se ravisa, s'apercevant soudain qu'elle avait oublié sa couture sur la place. Alexandre saisit l'occasion pour voler quelques instants seul avec elle.

— Qu'est-ce qui ne va pas, Tania ? Que se passe-t-il ? lui murmura-t-il en l'aidant à ramasser ses coupons.

— Rien.

— Tania, parle-moi. Pourquoi ne m'as-tu pas écrit ?

— Et toi, Alexandre, pourquoi ne m'as-tu pas écrit ?

— Mais... je ne savais pas si tu étais vivante.

— Moi non plus je ne savais pas si tu étais vivant.

— Tu étais censée m'écrire pour me dire que tu étais bien arrivée, tu te rappelles ?

— Faux, riposta Tatiana tout en fourrant à la hâte aiguilles, bobines, boutons, fil et tissu dans un grand cabas. *Dasha* était censée t'écrire. Tu te rappelles ? Elle est morte. Elle n'a donc pas pu le faire.

— Je suis désolé pour Dasha. Vraiment désolé.

Il voulut poser la main sur son épaule, mais elle se déroba d'un mouvement brusque, fit volte-face et, refoulant ses larmes, cria presque :

— Moi aussi.

— Que s'est-il passé ?

— Elle est morte le matin de notre arrivée.

Il baissa les yeux : il n'osait plus la regarder. Elle murmura :

— C'est le fait de te revoir qui fait remonter tout ça. La blessure est encore à vif, tu sais...

Alors il leva le regard et, dans les yeux de Tatiana, il vit cette blessure, cette plaie qui saignait encore. Lentement, sans ajouter un mot, ils rejoignirent le petit groupe qui les attendait à l'entrée du village.

Affectant une mine débonnaire, Vova gratifia Alexandre d'une vigoureuse tape dans le dos, qu'il accompagna de cette question :

— Alors, camarade, comment va la guerre ?

— Elle se porte comme un charme, merci, répondit froidement l'officier.

— J'ai entendu dire que nos soldats ne font pas de merveilles. Les Allemands approchent de Stalingrad.

— Oui. Les Allemands sont très forts.

— Ils n'ont qu'à bien se tenir : j'arrive ! J'aurai dix-sept ans le mois prochain.

— Je suis sûr que l'Armée rouge fera de toi un homme, répondit Alexandre, s'efforçant tout à la fois de se montrer aimable et de remettre à sa place ce jeune villageois bravache.

Puis il coula un regard dans la direction de Tatiana. Elle portait le cabas. Il fit mine de le lui prendre, mais elle s'écarta et le tendit à Vova :

— Non, Alexandre, tu as déjà assez à faire avec ton barda.

Il remarqua non sans irritation que le garçon ne la quittait pas d'une semelle et, avec plus d'exaspération encore, qu'elle ne s'en éloignait pas.

À mesure qu'ils traversaient le village, les portes des maisons s'ouvraient sur leur passage, les gens sortaient, certains secouaient la tête d'un air navré, d'autres saluaient l'officier. Une vieille femme vint même le prendre dans ses bras, sans un mot.

— Camarade, tu fais notre fierté, dit son mari.

Il sentit confusément que le vieillard ne faisait pas allusion à sa valeur militaire. En effet, celui-ci poursuivit d'une voix chevrotante :

— Avoir fait tout ce chemin pour épouser ta Dasha. Tu peux me demander n'importe quoi : je suis ton homme ! Je m'appelle Igor.

Alexandre se tourna vers Tatiana et chuchota :

— Pourquoi ai-je l'impression qu'ils me connaissent tous ?

— Parce qu'ils te connaissent tous, répondit-elle d'une voix morne, les yeux fixés droit devant elle. Tu es le capitaine de l'Armée rouge qui est venu épouser ma sœur : tous le savent. Hélas, elle est morte : tous le savent aussi. Alors ils sont tous très tristes.

Sa voix ne tremblait presque pas — ou alors imperceptiblement.

Il n'en allait pas de même chez les femmes du groupe : sanglots devant, sanglots derrière, sanglots à côté.

— Alexandre, hoqueta Naira, à la maison on va tout te raconter devant un verre de vodka.

On ? Il avait espéré que ce « on » se réduirait à Tatiana et lui. Il commençait à comprendre : il allait devoir écouter le récit de toute la famille.

Il lui fallait absolument trouver le moyen de parler seul à seul avec Tatiana, comme ils l'avaient fait un soir au pied du Cavalier de bronze. Il en était sûr : un tête-à-tête suffirait à tout éclaircir — notamment la présence insistante de ce Vova...

La maison de Naira était située à l'autre bout du village : c'était une petite maison de bois peinte en blanc. Une *très petite* maison.

— Vous habitez tous ici ? demanda Alexandre.

— Non, répondit la vieille femme, rien que nous et notre Tania. Vova et Zoé vivent chez leur mère, de l'autre côté de Lazarevo. Leur père s'est fait tuer en Ukraine l'été dernier.

— Babouchka, intervint Zoé, je crois que tu n'auras pas assez de place chez toi pour loger Alexandre.

Celui-ci considéra un moment la maison : Zoé avait sans doute raison. Dans le jardin, il vit deux chèvres et trois poules : elles seules semblaient jouir de toute la place nécessaire.

Il suivit Tatiana et gravit trois marches de bois avant de pénétrer sous une véranda vitrée où on avait installé deux petites banquettes ainsi qu'une longue table rectangulaire. La jeune fille pénétra dans la maison, mais Alexandre s'arrêta sur le seuil, afin de s'accoutumer à la pénombre qui régnait dans le salon. Bientôt, il distingua au fond de la pièce un poêle à bois au long foyer de fonte divisé en trois compartiments : le bois brûlait dans celui du milieu, les deux autres étaient réservés à la cuisine. Sur la gauche du poêle se dressait le conduit de la cheminée et, au-dessus des trois foyers, une surface plane couverte d'édredons et d'oreillers. Le dessus de poêle servait souvent de lit dans les isbas. Une fois le feu éteint, une douce chaleur montait du foyer.

Dans la pièce, Alexandre distingua aussi une table, une machine à coudre et une malle. Sur sa droite, il aperçut deux portes dont il devina qu'elles donnaient sur les chambres.

— Je parie que tu dors au-dessus du poêle, souffla-t-il à Tatiana.

— Oui, répondit-elle en évitant son regard. Entre.

— Attendez, fit Naira depuis la véranda. Zoé a raison. Il n'y a vraiment pas assez de place.

— Ne vous inquiétez pas. J'ai une tente, je dormirai dans le jardin.

— Pourquoi dormir sous la tente, alors que Zoé et Vova ont une grande maison ? reprit Naira. Tu aurais ta chambre rien qu'à toi, camarade. Avec un vrai lit, et tout et tout...

— Non, c'est très gentil, merci.

— Tanechka, insista encore la vieille femme, tu ne trouves pas que ce serait plus confortable pour lui ? Il pourrait...

— Alexandre a dit non, Naira Mikhaïlovna, l'interrompit Tatiana. Il n'a pas fait tout ce chemin pour habiter chez Vova et Zoé. Il va rester ici. Il dormira au-dessus du poêle.

— Oh ! s'exclama Naira, le souffle coupé. Et toi ?

La jeune fille sentit le rouge lui monter aux joues.

— Je dormirai sur une des banquettes de la véranda.

— Dans ce cas, Tania, il faut que tu changes tes draps pour lui en donner des propres.

Et Naira disparut pour chercher une serviette de toilette à « ce bel officier venu épouser notre pauvre Dasha ».

— Tatia, je t'interdis d'enlever tes draps, chuchota Alexandre lorsqu'elle fut sortie.

À nouveau, elle s'empourpra. Elle n'arrivait pas à le regarder dans les yeux. Pourtant, elle était si près de lui, oui si près...

— Je vais faire un brin de toilette à la rivière, dit-il avec un sourire. Je crois que j'en ai bien besoin.

— Tu veux du savon ?

— Non, j'en ai apporté, répondit-il en s'accroupissant près de son havresac. Regarde ce que j'ai encore...

Et, du sac, il sortit des boîtes de *tushonka*, du café, un

gros sac de sucre, un autre de sel, des bouteilles de vodka...

— Je n'arrive pas à croire que tu aies porté tout ça. Ça devait être très lourd. Merci, ajouta Tatiana après un silence. Viens, je vais te montrer la direction de la rivière.

Au passage, Naira leur tendit une serviette et, dans le jardin, la jeune fille se lança dans de longues explications sur le chemin à suivre pour se rendre à la Kama. Alexandre se tenait contre elle, mais n'osait pas la toucher : sous la véranda, six paires d'yeux les observaient, il le savait. Il n'écoutait rien de ce qu'elle disait, ne regardait même pas la route qu'elle lui montrait. Il ne voyait qu'une chose : ses sourcils blonds, ses taches de rousseur, la courbe de sa joue...

D'un doigt il effleura la petite cicatrice sur la tempe, souvenir de la dispute avec son père.

— Elle ne se voit presque plus, dit-il.

— Si elle ne se voit plus, pourquoi la touches-tu ?

Elle ne lui avait pas accordé un regard. Elle reprit tout de suite ses indications :

— Regarde par là. Quand tu auras traversé la route, tu vas trouver un sentier entre les arbres. Tu fais cent mètres et tu arrives dans une clairière au bord de la rivière. C'est là que je fais la lessive. Tu ne peux pas te tromper.

— Je suis sûr que je vais me perdre. Viens avec moi.

— Tania doit préparer le dîner, fit Zoé, avançant vers eux. Moi, je vais t'accompagner, camarade.

— Oui, Zoé va te montrer. Il faut que je me mette en cuisine si on veut avoir quelque chose à manger ce soir.

Alexandre se raidit et se tourna vers Zoé :

— Non, fit-il en attrapant Tatiana par le bras. Pardonnez-moi, mais Tatiana va m'accompagner. (Et il ajouta à son oreille :) Tu vas me dire ce qui se passe et...

— Pas maintenant, Alexandre, *pas maintenant*, souffla-t-elle.

Avec un profond soupir, il relâcha son étreinte et partit à grandes enjambées dans la direction indiquée, abandonnant derrière lui une Zoé parfaitement déconcertée.

Lorsqu'il revint, tout propre et rasé de frais, il constata ce qu'il avait déjà pressenti auparavant : cette Zoé lui témoignait un intérêt qu'aucune pudeur ne cherchait à masquer. Il n'en fut pas surpris. Non qu'il se trouvât particulièrement séduisant, mais dans un village d'où les hommes avaient disparu, où ne restaient plus que quelques vieillards et de jeunes garçons, même avec une seule dent et un seul œil, il aurait éveillé l'intérêt de Zoé...

Quant à Tatiana, c'était une autre histoire. Elle évitait obstinément son regard. Elle s'affairait au-dessus du foyer quand il s'approcha d'elle :

— Tatia, je ne comprends pas. C'est *moi*, Tatia, *moi*, *Alexandre*. Que se passe-t-il?

Alors, enfin, elle leva les yeux vers lui, et il y lut du chagrin, de la bienveillance aussi, mais *surtout* du chagrin.

— Qu'est-ce qui...

Il fut interrompu par la voix de Naira dans son dos :

— Et si on passait à table, les enfants?

Cette injonction suffit aux cinq femmes et à Vova pour prendre place.

— D'habitude, Tatiana s'assoit au bout du banc, expliqua Zoé. Comme ça, elle peut plus facilement se lever et aller chercher les plats, tu vois?

— Oh, je vois très bien, grogna Alexandre. Je vais m'asseoir près d'elle.

— D'habitude, c'est *ma place*, fit Vova.

Tatiana s'empressa de régler la question :

— Je vais m'asseoir entre vous.

— Parfait, s'empressa d'ajouter Zoé. Moi je prends l'autre place à côté d'Alexandre.

Tatiana avait préparé une salade de concombres et fait revenir quelques pommes de terre avec des oignons, accompagnées de *tushonka*. Il y avait du pain blanc, du beurre, du lait, du fromage, des œufs...

Elle servit Alexandre debout. Il n'accepta que pour une seule raison : la jambe nue de la jeune fille effleurait son pantalon, sa hanche se pressait contre son coude. Puis elle s'éloigna pour aller servir les cinq femmes et Vova... Il eut un pincement en la voyant lui sourire. Lui, elle le regardait. À lui, elle souriait. Pourtant, dans ses yeux, il ne lisait aucun amour pour Vova.

Enfin elle finit par s'asseoir à la table.

— Tu ne peux pas savoir comme je suis heureux de te voir enfin devant une assiette pleine, lui dit-il.

— Moi aussi, répondit-elle dans un murmure.

Le coude de Zoé frottait obstinément celui d'Alexandre. Il s'écarta « pour lui laisser davantage de place », prétendit-il, et se serra contre Tatiana. Sous la table, il pressait sa jambe contre la sienne.

— Maintenant, j'aimerais bien savoir ce qui s'est passé, commença-t-il.

Ces quelques mots soulevèrent un torrent de pleurs et de reniflements chez les quatre femmes. Naira sanglota :

— Tania n'aime pas qu'on en parle. Mais, à Alexandre, Tanechka, on peut peut-être lui raconter un peu tout de même ?

La jeune fille acquiesça en soupirant.

— J'aimerais qu'elle me le raconte elle-même si vous n'y voyez pas d'inconvénient.

— Tu sais, il n'y a pas grand-chose à dire. On est arrivées à Kobona. Dasha est morte. Je suis venue ici et j'ai été un peu souffrante...

— Un peu souffrante ! l'interrompit Naira. Aux portes de la mort, tu veux dire !

— Alexandre, renchérit Axinya, cette enfant nous est arrivée en janvier et jusqu'en mars on n'a pas su si elle survivrait. Elle avait toutes les maladies. Le scorbut, le...

— Elle saignait de l'intérieur ! s'exclama Dusia. Comme notre tsarévitch Alexis. Exactement pareil.

— Le tsarévitch n'avait pas le scorbut, repartit Tatiana. Il était hémophile.

— Et ta double pneumonie, tu l'as oubliée, peut-être ? s'écria encore Axinya. Les deux poumons abîmés !

— Un seul, Axinya, je t'en prie. *Un seul poumon*, corrigea-t-elle d'une voix lasse.

— Ce n'est pas la pneumonie qui a failli la tuer, cette petite, reprit Axinya sans se démonter. C'est la tuberculose. Elle a craché du sang pendant des semaines. Tu te souviens, Naira ?

— Seigneur..., murmura Alexandre.

— Je vais bien, Alex. Ne t'inquiète pas. C'était un cas bénin de tuberculose. J'étais guérie avant même de quitter l'hôpital. Le médecin dit que, d'ici l'année prochaine, il n'y paraîtra plus.

Axinya s'insurgea :

— Tania ! Tu es restée en quarantaine pendant un mois et...

— Et pourquoi ne racontes-tu pas comment tu as attrapé cette tuberculose ?

Alexandre sentit Tatiana frissonner à côté de lui :

— Plus tard, répondit-elle. Je lui dirai plus tard.

— Oui, raconte-lui ce que tu as dû endurer avant d'arriver ici. Vas-y, dis-lui.

— Oui, dis-moi, Tania, fit tout bas Alexandre.

Il posa sa fourchette. Redoutant ce qu'il allait

apprendre, il était incapable d'avaler une bouchée de plus.

Tatiana prit une ample respiration avant d'entamer son récit :

— On nous a entassés dans des camions, moi et des centaines d'autres, et puis on nous a conduits au train près du Volkhov...

— Dis-lui quel genre de train c'était ! chevrota la vieille Raisa. Et combien ont survécu ! Et ce qu'on faisait des morts !

Alexandre blêmit. Tatiana baissa les yeux.

— C'étaient des wagons à bestiaux. Les morts étaient jetés dehors. Pour faire de la place.

Naira renifla :

— Quand ils sont arrivés à la Volga, effectivement il y avait davantage de place dans le train...

Ce fut Axinya qui poursuivit :

— Le pont de chemin de fer sur la Volga avait sauté, le train ne pouvait pas passer. Alors on a fait descendre tous ces malheureux, y compris notre Tanechka, et on leur a dit de traverser à pied, sur la glace ! Dans leur état ! Que dis-tu de ça, camarade ?

Le camarade Alexandre Belov n'en disait rien. Sous le choc, il contemplait le visage de Tatiana. Comment pouvait-elle garder autant de fraîcheur après ce qu'elle avait traversé ?

— Tania, dis-lui combien il y a eu de morts sur la glace de la Volga. Dis-lui.

— Je n'en sais rien, Axinya. Je ne les ai pas comptés.

— Dis-lui combien de kilomètres tu as dû faire à pied, dans la neige, le blizzard, alors que tu avais le scorbut, la tuberculose et une double pneumonie, dis-lui ! Tout ça pour gagner la gare la plus proche, parce qu'il n'y avait pas assez de camions pour vous transporter tous, conclut Axinya avec indignation.

— J'ai fait trois kilomètres, seulement trois kilomètres. Et il n'y avait pas de blizzard. Il faisait juste très froid.

— Et après, poursuivit Dusia, la petite est restée trois jours dans le train qui devait l'emmener à Molotov. C'est le conducteur qui l'a retrouvée. Elle était couchée dans un coin. Elle ne répondait pas quand on lui parlait. Il l'a crue morte...

— Je n'étais pas morte, la preuve, marmonna Tatiana. Alexandre, ajouta-t-elle en se tournant vers lui, je suis désolée que tu doives entendre tout ça.

Il posa une main dans son dos et, voyant qu'elle ne s'écartait pas, pressa un peu plus fort — pour lui faire sentir sa chaleur, sa présence, sa tendresse. Il ne trouvait pas les mots.

— Heureusement on nous l'a rendue, reprit Naira. On est restées avec elle à l'hôpital. On lui tenait le masque à oxygène sur le visage pour qu'elle puisse respirer. À la mort de sa grand-mère, on...

— Je... je crois que j'aurais besoin d'une autre vodka, coupa Alexandre en fixant Tatiana.

Ils se regardèrent un long moment. Dans leurs yeux, il y avait Leningrad, l'hiver, la famine, leurs familles respectives, la glace du lac Ladoga. La jeune fille chuchota :

— Courage, Shura.

Incapable de répondre, il vida d'un trait son verre de vodka.

— De quoi est-elle morte ? demanda-t-il en s'essuyant les lèvres.

— D'une dysenterie. En décembre dernier, répondit Naira. À mon avis, ajouta-t-elle en se penchant vers lui, après la mort de son pauvre mari, elle n'avait plus envie de vivre. Sur son lit de mort, elle m'a dit : « Naira, j'aimerais tant que tu connaisses mes petites-filles. Tu ne connaîtras sans doute jamais notre petite Tania. Elle est si fragile, elle ne pourra jamais arriver jusqu'ici. Mais, si jamais elles réussissaient, occupe-toi d'elles. Garde-leur ma maison... »

— Une maison ? Quelle maison ?

— Ils avaient une isba dans les bois, près de la rivière. Tania te montrera. Une fois rétablie, la petite a voulu y vivre, fit Naira en écarquillant des yeux indignés. *Toute seule !* Tu penses bien, il n'était pas question que la petite-fille de notre Anna habite seule. Personne n'habite seul, voyons ! ajouta-t-elle au milieu des murmures approbateurs des autres femmes. On lui a dit : « Tu fais partie de la famille. Ton Deda chéri était le cousin par alliance de mon premier mari. Tu vas venir vivre avec nous. Ce sera tellement mieux pour toi. » N'est-ce pas que c'est mieux pour toi, Tanechka ?

— Oui, Naira Mikhaïlovna, répondit obligeamment Tatiana.

— Lorsqu'elle est arrivée, cette petite n'avait plus que la peau sur les os, renchérit Axinya. Heureusement que nous ne vivons pas dans un kolkhoze, comme notre cousine Yulia. Elle habite dans la campagne près d'Arkhangelsk. À cinquante-sept ans, elle passe ses journées à travailler aux champs, et le kolkhoze lui prend tout. Ici, on ne nous prend que le poisson. Il nous reste les œufs, le lait de chèvre, le beurre, le fromage... C'est comme ça qu'on a pu engraisser notre Tanechka, conclut-elle en posant sur la jeune fille un regard affectueux. Elle est ronde et dorée comme une brioche maintenant. Tu ne trouves pas, Alexandre ?

Celui-ci glissa discrètement une main sous la table et la posa sur la cuisse de Tatiana, écarlate. Elle lui lança un rapide sourire, puis se leva d'un bond pour refaire un service de pommes de terre.

— Alexandre, déclara soudain Axinya, nous tenons à te dire qu'on n'était pas du tout d'accord avec notre Tanechka...

Tatiana foudroya la femme du regard. Devant la mine interrogative d'Alexandre, ce fut Naira qui répondit, entre deux bouchées de pommes de terre :

— Mmmmmmm. On lui a dit cent fois de t'écrire, camarade, et de te dire ce qui était arrivé à la pauvre Dasha, pour que tu ne fasses pas tout ce voyage en pensant te marier. C'est si triste, renifla-t-elle. Oui, on lui a dit : « Épargne un si long voyage à ce garçon. Écris-lui, dis-lui la vérité. » Mais elle n'a rien voulu entendre. L'idée que tu venais te marier avec ta Dasha et qu'elle était morte, c'était... c'était...

Elle ne put poursuivre et éclata en sanglots.

— On a lu toutes les lettres que Dasha envoyait à sa grand-mère, reprit Axinya. Cette petite était folle de toi, vraiment. Tu étais son prince charmant, son chevalier, tu sais...

Alexandre vida un nouveau verre de vodka.

— Et cette lettre que tu as écrite à Dasha. Tu es un poète, camarade, un vrai poète. Elle était si pleine d'amour, cette lettre ! On a eu le cœur brisé quand tu lui as écrit que rien au monde ne pourrait t'empêcher de venir la rejoindre au printemps pour l'épouser.

— Oui, Alexandre, fit lentement Tatiana. Tu te souviens de cette lettre si poétique ?

Elle avait prononcé ces mots avec une intonation étrange, un ton qui lui ressemblait peu. Il la dévisagea. Il ne se souvenait plus. Puis, tout à coup, il se rappela : il avait écrit cette lettre à Dasha pour la rassurer. Il ne voulait pas laisser Tatiana l'affronter seule.

— Tu aurais dû répondre à cette lettre, Tania, lui dit-il sur un ton de reproche. Tu aurais dû me dire pour Dasha. Mais, ajouta-t-il avec un petit haussement d'épaules ironique, qui a encore le temps d'écrire de nos jours ? Surtout dans un village. Il y a les cours de couture, la cuisine...

— À ce propos, fit la jeune fille en débarrassant son assiette d'un geste un peu trop vif, as-tu apprécié ton dîner ?

Il ne répondit pas.

Il y avait trop à dire. Et nulle part où pouvoir le faire.

Comme avant, à Leningrad : pas un coin à eux, pas un coin tranquille, aucune intimité...

— Que vas-tu faire maintenant, camarade ? demanda Vova. Tu vas rentrer à Leningrad, non ?

— Je ne sais pas, répondit Alexandre en faisant un effort surhumain pour garder son calme.

— Naturellement, tu peux rester ici tant que tu voudras, s'empressa d'ajouter Naira. On t'aime comme si tu faisais partie de la famille, tu sais ? Tu pourrais être le mari de Dasha et...

— Et il ne l'est pas, l'interrompit Zoé en posant une main cajoleuse sur le bras d'Alexandre. Ne crains rien, camarade, on va te remonter le moral. Combien de temps dure ta permission ?

— Un mois.

— Zoé, fit soudain Tatiana, tu ne nous as pas donné de nouvelles de ton ami Stepan. Tu ne devais pas le voir ce soir ?

Zoé retira immédiatement sa main de la manche de son voisin qui glissa un œil amusé en direction de Tatiana : finalement, peut-être n'était-elle pas aussi indifférente qu'elle voulait le paraître...

Elle débarrassait la table. Alexandre s'étonna que personne ne bouge — ni les vieilles femmes, ni même Zoé ou Vova. Il se leva.

— Où vas-tu? lui demanda Tatiana.

— Nulle part. Je veux t'aider à débarrasser, c'est tout.

— Mais non, c'est inutile! s'exclama le chœur dans son dos. Puisque la petite s'en charge!

— Je sais, répondit-il, mais il n'y a aucune raison pour qu'elle s'en charge *seule*. Zoé, tu ne voudrais pas l'aider, par hasard? fit-il en se tournant vers celle-ci.

Elle obtempéra sans conviction, mais en le gratifiant d'un sourire particulièrement avenant.

— Tanechka, fit Vova, tu ne voudrais pas me servir un peu de thé?

Tatiana s'approchait de la table et s'apprêtait à prendre la tasse que lui tendait le garçon quand la main d'Alexandre se referma sur son poignet. La tasse cliqueta dans la soucoupe.

— La bouilloire est sur le feu et la théière devant toi, gronda Alexandre. Assieds-toi, Tania. Tu en as assez fait pour ce soir. Vova peut se servir un thé tout seul.

La jeune fille s'assit sans un mot.

Un silence pesant s'abattit sur la pièce : tout le monde dévisageait Alexandre sans comprendre.

Vova se leva et alla se servir son thé.

Puis, assez rapidement, sa sœur et lui prirent congé. Restaient les vieilles femmes qui ne cessaient de caqueter :

— Dans quel état elle était, cette petite...

— On aurait dit une apparition...

— Oui, c'est ça, un fantôme!

Tatiana se leva de table avec un soupir et disparut dans

l'une des chambres. Alexandre allait la suivre quand Naira lui chuchota à l'oreille :

— Elle ne veut pas qu'on parle de ce qui s'est passé à Kobona, mais...

— Ce Dimitri s'est comporté comme le dernier des derniers, vraiment ! renchérit Axinya dans une vigoureuse exclamation.

Tatiana ne pouvait pas ne pas l'avoir entendue. Elle reparut dans la pièce en claquant violemment la porte de la chambre.

— Pardonne-moi, Tanechka, mais si je tenais ce gars-là, il passerait un mauvais quart d'heure, je te le jure, reprit la femme.

— Ce Dimitri, chevrota Raisa, il tombera un jour et personne ne le relèvera.

Tatiana les fusilla du regard et repartit dans la chambre en ponctuant sa sortie d'un nouveau claquement de porte.

— À mon avis, ce monstre lui a brisé le cœur, fit Axinya, s'efforçant — quoique difficilement — de parler bas. Je crois qu'elle est amoureuse de lui.

Ébahi, Alexandre n'en croyait pas ses oreilles.

Raisa secoua la tête plus fort encore qu'à son ordinaire :

— Pas du tout, fit-elle. La petite ne se serait jamais trompée sur son compte. Notre Tania a un excellent jugement sur les gens.

Alexandre confirma.

— Eh bien, vous ne m'ôterez pas de l'idée qu'il y a une autre histoire là-dessous, une histoire d'*amour*.

Axinya pesa de toute sa voix sur le mot.

Naira n'était pas d'accord :

— Moi, je te dis que non. Cette petite a tout perdu,

tous ceux qu'elle aimait. Elle est anéantie. Il n'y a pas d'amour là-dedans.

— Mais si, voyons. Pourquoi passerait-elle son temps au bureau de poste sinon ? S'il ne lui restait plus personne, de qui attendrait-elle une lettre ? Et pendant les cours de couture, elle n'arrête pas de regarder la route, vous avez remarqué ?

— Ça, c'est vrai, acquiescèrent les trois autres avec un bel ensemble. Elle fixe cette route comme si elle attendait quelqu'un.

Alexandre leva les yeux. Tatiana était revenue dans la pièce : debout derrière les vieilles femmes, elle posait sur lui un regard calme et profond.

— C'est vrai, Tatiasha ? Tu attends quelqu'un ?

— Plus maintenant, lui répondit-elle avec un sourire.

— Vous voyez ce que je vous disais, reprit Naira, satisfaite. Il n'est pas question d'amour là-dedans. Tanechka, fit-elle en se tournant vers la jeune fille, ça ne te dérange pas qu'on parle un peu de toi ? Tu sais bien que tu es ce qui est arrivé de plus intéressant à Lazarevo depuis des années. Ce n'est pas Vova qui me contredirait, n'est-ce pas ? ajouta-t-elle avec un clin d'œil malicieux.

C'en était trop pour Alexandre : la fatigue du voyage et la vodka lui brouillaient l'esprit. Il ne voulait qu'une chose : passer une minute seul avec Tatiana. Mais l'heure du coucher arriva et, avec elle, l'interminable litanie des « Tanechka chérie, tu peux m'apporter mon médicament ? », « Tanechka chérie, tu peux venir retaper mes couvertures ? », « Tanechka, mon cœur, tu voudrais bien me donner un verre d'eau ? »...

Lassé, il retira ses bottes et alla s'étendre tout habillé au-dessus du poêle, la tête sur l'oreiller de Tatiana, heureux de respirer son odeur. Et il s'endormit. Dans la nuit, il sentit qu'on déboutonnait sa vareuse, qu'on défaisait la boucle de sa ceinture — puis des lèvres sur ses yeux, sa joue, son front, légères comme des plumes caressant son visage.

Il fit pour se réveiller un effort surhumain — mais vain...

5

Le lendemain matin, par la fenêtre ouverte, les rayons de soleil d'une radieuse journée de printemps vinrent frapper ses paupières. Il se réveilla, jeta un rapide coup d'œil dans la maison et constata que Tatiana était sortie. Quant aux quatre vieilles, elles dormaient toujours. Il s'habilla à la hâte.

Il trouva la jeune fille sur la route, un seau de lait dans chaque main. Elle avait laissé libres ses cheveux blonds et portait une jupe portefeuille bleue avec un petit haut blanc qui lui arrivait juste au-dessus du nombril. Le cœur d'Alexandre s'emballa en la voyant. Il lui prit ses seaux, puis ils marchèrent quelques minutes en silence.

— Tania, fit-il enfin, maintenant que je suis à jeun, raconte-moi ce qui s'est passé avec Dimitri. Je l'ai vu il y a quinze jours. Il ne m'a pas dit qu'il vous avait rencontrées à Kobona.

Tatiana s'immobilisa sur la route :

— Qu'est-ce qu'il t'a raconté ?

— Rien. Je lui ai demandé s'il vous avait vues, Dasha ou toi, et il m'a répondu non.

Elle secoua la tête, le regard fixé droit devant elle et soupira :

— Si, il nous a vues. Il nous a même très bien vues, répondit-elle, énigmatique.

Les seaux tremblèrent dans les poings d'Alexandre. Du lait gicla dans la poussière de la route. Il aurait voulu poser davantage de questions, mais il sentit que c'était inutile.

— Les rations ont été augmentées ? demanda très vite Tatiana.

— Oui, elles sont passées à six cents grammes pour les actifs et trois cents pour les autres. Et la municipalité a du pain blanc pour cet été.

— Évidemment, marmonna la jeune fille, il est plus facile de nourrir un million de personnes que trois millions. Tout le monde a été enterré ? ajouta-t-elle soudain en le regardant droit dans les yeux.

Il soupira — imperceptiblement.

— J'ai supervisé moi-même les travaux au cimetière Piskarev.

— Quels travaux ?

— On a... On a utilisé des mines pour dynamiter...

— Des charniers, n'est-ce pas ?

— Tania, allons...

— Tu as raison, l'interrompit-elle, il vaut mieux ne pas parler de ça. D'ailleurs, nous sommes arrivés.

Et elle se précipita dans la maison.

Elle n'avait pas plus tôt ouvert la porte que des criailleries retentirent de tous côtés :

— On ne sent pas la bonne odeur du café ce matin. C'est ce qui m'a réveillée, d'ailleurs, faisait la voix perçante de Naira dans une chambre.

— Tania, quand tu auras une minute, tu voudras bien me conduire aux toilettes ? demandait Raisa.

— Tanechka, c'est toi, viens voir, mon cœur ! pleurnichait Dusia.

Alexandre s'assit à la table, manifestement exaspéré.

— Reste, Tania. Il faut qu'on parle.

— Je ne peux pas maintenant. Raisa n'est pas autonome, tu as vu comme elle tremble ? Il faut que je l'accompagne. Tu peux bien m'attendre cinq minutes, non ?

Ne s'était-il pas déjà montré assez patient ?

— Je t'ai attendue toute la soirée d'hier avec tes nouveaux amis, répondit-il, cinglant.

Tatiana se mordit la lèvre.

Honteux, il reprit :

— D'accord. Excuse-moi. Je peux faire quelque chose ?

— Oui, allumer le feu pour que je puisse préparer le petit déjeuner.

Et Tatiana disparut pour s'occuper de Raisa, donner ses médicaments à Dusia, habiller l'une, lever l'autre, retaper les lits...

Il était sorti fumer une cigarette dans le jardin quand elle vint le rejoindre :

— J'ai des vêtements civils pour toi, si tu veux.

Il la suivit à l'intérieur et, de la malle près du poêle, elle tira une grande chemise à manches courtes en coton blanc, un tricot, une chemise en lin couleur crème, trois pantalons, et un short.

— Pour nager, expliqua-t-elle en le lui tendant.

Alexandre était stupéfait :

— Mais... où les as-tu trouvés ?

— Je les ai cousus moi-même. Maman m'a appris à coudre, ajouta-t-elle avec un haussement d'épaules désinvolte. Ce n'est pas bien difficile. Le plus dur, c'était d'essayer de me rappeler ta taille.

— Tania... tu as fait ces vêtements *pour moi* ?

— Je ne savais pas si tu viendrais mais, au cas où, je voulais que tu aies des vêtements confortables.

— Le lin, c'est très cher, fit Alexandre en caressant l'étoffe du bout des doigts.

— Tu avais laissé beaucoup d'argent dans le volume du *Cavalier de bronze*. Ça m'a permis d'acheter quelques bricoles. Un peu pour tout le monde...

— Ah... Vova compris, j'imagine...

— Rien d'important, répondit Tatiana en détournant un regard coupable. Un peu de vodka, quelques paquets de cigarettes...

— Je vois. Tu as fait des cadeaux à ce Vova avec *mon* argent.

— Alexandre, je t'en prie, pas ici, souffla-t-elle.

— Très bien. Alors sortons.

Mais à peine furent-ils dans le jardin que les vieilles femmes firent cercle autour d'eux, caquetant toujours.

— Tanechka, où vas-tu? cria Naira en voyant Alexandre l'entraîner vers la route.

— Cueillir des myrtilles pour la tarte de ce soir, répliqua la jeune fille sans se retourner.

— Mais... et la lessive?

— Tu seras rentrée à midi pour mon médicament? piailla Raisa.

— Qu'est-ce que je réponds? souffla Tatiana.

— Que tu as un compte à régler avec moi, riposta froidement Alexandre.

— Alex, je crois que même toi tu ne pourras jamais régler ce compte-là.

La voix de la jeune fille était glaciale.

— Tania, Vova va passer! cria encore Naira. Qu'est-ce que je lui dis?

Tatiana jeta un regard à son compagnon. Il la dévisageait avec froideur :

— Choisis, Tania, c'est moi ou la lessive. Moi ou Vova. Je sais, c'est un choix difficile, n'est-ce pas?

Il se planta au milieu de la route, les bras croisés sur la poitrine, attendant une réponse.

Alors elle se tourna vers Naira et lança :

— Je reviens dans un moment. Dites à Vova que je le verrai plus tard.

Lorsqu'elle se retourna vers lui, Alexandre était déjà loin sur la route. Elle eut du mal à le rattraper.

— Pourquoi marches-tu si vite ? fit-elle, à bout de souffle, une fois à sa hauteur.

Il sentait la colère bouillonner en lui — elle grésillait, crépitait, menaçante. Il tenta de respirer profondément pour se calmer, mais rien n'y fit. Alors, dans une brusque volte-face, il saisit le poignet de Tatiana et cria :

— Laisse-moi te dire une chose : si tu ne veux pas d'ennuis, dis à ce Vova de ne plus t'approcher !

Elle ne répondit pas. Il l'attira contre lui avec rudesse :

— Mais peut-être préfères-tu que *moi* je ne t'approche plus. Si c'est le cas, autant le dire tout de suite, Tatiana.

Cette fois elle répondit, mais sans lever les yeux, et sans non plus tenter de se dégager :

— Je suis désolée pour Vova. Ne te fâche pas. Tu sais bien que je ne veux pas lui faire de peine, c'est tout.

— Et me faire de la peine à moi, ça ne te dérange pas ?

Elle leva enfin vers lui un regard lourd de reproches :

— À toi *surtout* je ne veux pas faire de peine.

— Écoute-moi bien, Tania : je ne vais pas ménager Vova comme j'ai dû ménager le cœur de Dasha. Donc, soit tu lui parles, soit je m'en charge. Choisis.

La jeune fille se mordillait les lèvres sans répondre.

— Tania, je ne veux pas me battre avec ce gamin, reprit Alexandre. Ni devoir faire semblant d'apprécier les avances de sa sœur. Je veux juste passer quelques jours en paix avec *toi*.

— D'accord, répondit Tatiana en dégageant doucement son bras. Je vais parler à Vova. Mais, franchement, ajouta-t-elle en se remettant en marche, il est le moindre de nos problèmes.

— Là, je ne peux que te donner raison ! s'exclama Alexandre avec un ricanement mauvais. Après ce que j'avais vu chez toi, à Leningrad, je ne pensais pas que ce soit possible ! Et pourtant tu y es parvenue.

— Parvenue à quoi ?

— À t'entourer de gens qui t'asservissent encore plus que ne le faisait ta famille.

— Je t'interdis de parler comme ça de ma famille !

— Pourquoi ont-ils *tous* et *toujours* quelque chose à te demander ? Tu peux m'expliquer ça ?

— Non. Je ne peux pas te l'expliquer à toi.

— Pourquoi plonges-tu dans leur vie de cette façon ?

— Je refuse de parler de ça avec toi.

— Pourquoi ? As-tu seulement une minute à toi, *rien qu'à toi*, dans leur putain de bicoque ?

— Non, je n'ai pas une minute à moi ! cria Tatiana. Dieu merci !

Sur cette riposte, ils traversèrent Lazarevo sans plus s'adresser la parole, longèrent les bains, le Soviet du village, la petite maison sur laquelle était inscrit le mot « Bibliothèque », ainsi qu'une minuscule église au dôme d'une blancheur éclatante surmonté d'une croix dorée. Puis ils s'enfoncèrent dans les bois, empruntant le sentier qui menait à la rivière pour déboucher enfin sur une vaste clairière cernée de pins et de bouleaux. Des saules et des peupliers bordaient les eaux scintillantes de la Kama.

À gauche, sous un bouquet de pins, se nichait une petite isba aux fenêtres condamnées par des planches, avec, sur le côté, un appentis où ranger le bois — sauf qu'il n'y avait pas de bois.

— C'est la maison de tes grands-parents? demanda Alexandre en en faisant le tour. Elle n'est pas bien grande.

— Assez pour deux personnes, répondit froidement Tatiana.

— Tu as la clef du cadenas?

La jeune fille ne répondit pas et s'éloigna vers la rivière.

— Tatiana, je te parle! Tu as la clef du cadenas?

— Non, je ne l'ai pas!

Elle ne s'était pas retournée.

— Dans ce cas, il ne reste plus qu'à tirer dans la porte.

Elle fit volte-face, vit qu'il avait dégainé son arme et courut vers lui en criant :

— Non, attends! Ne fais pas ça!

Elle ôta de son cou un lacet auquel pendait une clef.

— La voilà ta clef. Pas besoin d'emporter cette arme partout avec toi! Tu n'es pas à la guerre ici, tu sais?

— Je me le demande, siffla Alexandre entre ses dents.

Il glissa la clef dans la poche de son pantalon, rangea son pistolet et recula de quelques pas, les yeux fixés sur Tatiana, ses cheveux blonds qui coulaient sur ses épaules nues, sa taille si fine...

— Maintenant tu vas me dire ce que tu as, Tania. Qu'est-ce que j'ai fait, ou pas fait... Dis-moi. Tout de suite!

— Pourquoi me parles-tu sur ce ton? Tu n'as rien à me reprocher.

— Toi non plus, tu n'as rien à me reprocher. *Moi*, j'aurais des reproches à te faire, seulement *moi* je suis trop heureux de te retrouver vivante pour te reprocher quoi que ce soit!

— Si, moi aussi j'aurais des reproches à te faire, Alexandre, et moi aussi je suis heureuse de te retrouver vivant.

— On ne le dirait pas. Tu te rends compte que j'ai fait tout ce voyage alors que, depuis six mois, j'étais sans nouvelles de toi ? Six mois ! répéta-t-il, élevant la voix. Je pouvais vous croire mortes toutes les deux, tout ça parce que tu ne t'es pas donné la peine de prendre un crayon pour m'écrire trois lignes !

— Je ne savais pas que tu voulais que je t'écrive...

Sur ces mots, Tatiana ramassa une poignée de cailloux qu'elle se mit à lancer un à un dans la rivière.

— Tu ne savais pas ! hurla Alexandre. Tu te fiches de moi ! Tu ne savais pas qu'avoir de tes nouvelles m'intéresserait ! Tu ne savais pas qu'apprendre la mort de Dasha m'intéresserait !

Lorsqu'il prononça le nom de sa sœur, il vit Tatiana reculer, comme malgré elle.

— Je refuse de parler de Dasha avec toi, dit-elle.

Elle s'éloigna. En deux enjambées, il la rattrapa :

— Avec qui veux-tu en parler ? Avec Vova peut-être ?

— Pourquoi pas ?

Il serra les poings : il avait l'impression de perdre la raison — oui, c'était bien ça, il devenait fou.

— Écoute, reprit Tatiana, je ne t'ai pas écrit parce que je croyais que Dimitri t'avait parlé. Il avait promis de le faire. J'étais sûre que tu savais pour Dasha.

— Pourquoi t'en remettre à Dimitri ? Tu sais qu'on ne peut pas se fier à lui ! Pourquoi ne pas m'avoir écrit toi-même ? Quatre mille roubles, Tatiana ! Il y avait quatre mille roubles dans le volume de Pouchkine, et tu ne pouvais pas t'acheter un putain de crayon pour m'écrire au lieu de payer de la vodka et des clopes à ton don juan de village !

Alexandre se baissa et, cette fois, ce fut lui qui, dans un mouvement rageur, arracha au sol une poignée de galets qu'il jeta dans l'eau. Pendant deux minutes, trois peut-être, ils n'échangèrent plus une parole. Puis, d'une voix hésitante, il demanda :

— Tout ça parce qu'on avait prévu de se marier, Dasha et moi ?

Elle ne répondit pas.

— Tout ça à cause de la lettre que je lui ai envoyée ?

Elle ne répondit pas.

— Il y a autre chose ?

— Alexandre, fit enfin Tatiana en secouant la tête d'un air navré, comment fais-tu pour donner à ce « tout ça » une connotation aussi insignifiante ? Tous mes sentiments, tous mes doutes, toutes mes attentes, tu les réduis à ce « *tout ça* » méprisant.

— Ça n'a rien de méprisant, ça n'a rien d'insignifiant. C'est juste... du passé.

— Non ! Il n'y a rien de passé dans « tout ça ». Au contraire, c'est bien présent ! Je vis ici désormais, figure-toi, et depuis des mois tout le monde dans ce village attend l'Alexandre qui devait épouser Dasha ! Depuis mon arrivée, je n'entends parler que de ça, chaque jour, à chaque repas, à chaque cours de couture ! Dasha et Alexandre. Dasha et Alexandre. Pauvre Dasha, pauvre Alexandre. C'est du passé, ça ? Tu lui avais dit que tu l'épouserais à l'été.

— Oui. Et tu sais très bien pourquoi je l'ai fait !

— Arrête ! On s'était mis d'accord au pied de la statue, tu te souviens ? On gardait nos distances. Mais toi tu n'as pas pu, et tu as tiré des plans sur la comète pour épouser ma sœur !

— Je l'ai fait pour que Dimitri te fiche la paix ! Il t'a laissée tranquille après ça, non ?

— Il m'aurait laissée tranquille de toute façon !

— Tania, c'est toi qui as fixé les règles du jeu. Respecte-les.

— Je les respecte. Depuis le jour où je t'ai rencontré, je les respecte. Et ici aussi : tu as dit à Dasha que vous alliez vous marier, elle l'a écrit à notre grand-mère, qui en a parlé à tout le village. Tu as écrit cette lettre où tu disais que tu allais venir l'épouser. Les mots ont un sens, sais-tu? Même les mots que tu ne penses pas, ajouta-t-elle après un silence.

— Alors pourquoi ne pas m'avoir écrit : « Alexandre, Dasha n'est plus là, mais moi, oui »? Je serais venu plus vite et je n'aurais pas souffert pendant six mois à me demander si tu étais toujours vivante!

— Tu ne croyais tout de même pas que j'allais te demander de venir — après la lettre que tu lui avais écrite? Il aurait fallu que je sois idiote — ou encore trop enfant...

— Oh, Tania..., soupira Alexandre.

— Ce sont des jeux d'adulte. Tous ces mensonges — tu les réussis très bien. Trop bien pour moi, conclut Tatiana en baissant la tête.

— Tania, de quels mensonges, de quels jeux parles-tu?

Il tendait les mains vers elle, parlait dans un murmure à présent. Il n'avait plus qu'une envie : la prendre dans ses bras, la caresser, la consoler.

— Pourquoi es-tu venu ici? fit-elle froidement.

— Comment... Comment peux-tu me demander ça?

Il sentait les mots s'étrangler dans sa gorge.

— Comment? s'indigna la jeune fille. Mais parce que les dernières lignes que j'ai lues de ta main, c'était que tu allais venir épouser Dasha. Que tu l'aimais. Qu'elle était la femme qu'il te fallait. *La seule*. J'ai lu cette lettre : ce sont tes mots, tes propres mots! Et les derniers que tu as prononcés sur le lac Ladoga, c'était que...

— Tania! l'interrompit-il dans un cri. C'est *toi*, toi qui m'as fait promettre de mentir jusqu'au bout! En novembre je t'ai encore proposé de tout avouer, de dire la vérité, mais tu n'as pas voulu : « Mens, mens, Shura.

Épouse-la, mais promets-moi de ne pas lui briser le cœur. » Tu te souviens ?

— Oui, je me souviens. Et tu as mis beaucoup de zèle à t'acquitter de ces mensonges, riposta Tatiana, acide. Avais-tu besoin de te montrer si convaincant ?

Alexandre passa une main fébrile dans ses cheveux :

— Tu *savais* que je ne pensais pas ce que je disais. Quelle réponse voulais-tu que je lui fasse alors qu'elle agonisait dans tes bras ?

— La seule que tu pouvais lui faire, c'est vrai — dans ta vie pavée de mensonges.

— Nos vies *à tous deux* sont pavées de mensonges, Tatiana — *et par ta faute* ! hurla-t-il, presque menaçant. Mais tu sais que je ne pensais pas ce que j'ai dit près du lac Ladoga.

— J'ai cru que tu ne le pensais pas. J'ai espéré de tout mon cœur que tu ne le pensais pas. Mais les mots sont restés gravés dans ma tête : « Dasha, je n'ai *jamais* été amoureux de ta sœur. *Jamais. C'est toi que j'aime.* » Peux-tu comprendre que je me suis répété ça pendant tout le trajet jusqu'à Molotov, sur la glace de la Volga et pendant les deux mois passés à l'hôpital à essayer de respirer, à chercher mon souffle. Tu peux le comprendre, ça ?

À présent, elle le cherchait à nouveau, ce souffle qui lui avait fait défaut — là, sous le regard lourd de remords d'Alexandre.

— Tu sais, poursuivit-elle plus doucement, oui, tu sais mieux que personne qu'il ne me faut pas grand-chose, qu'un brin d'herbe me suffit à me raccrocher, mais *j'en ai besoin* de ce brin d'herbe ! Un regard, Alexandre, un seul regard que tu m'aurais lancé en descendant de ce camion, et j'aurais compris : tu aurais pu dire à Dasha tout ce que tu devais lui dire. Mais tu n'as même pas posé les yeux sur moi.

— Je ne pouvais pas te regarder en disant ça, répondit Alexandre en rougissant. Je trichais, tu le sais.

— Si tu sais si bien tricher, même à mes yeux... Qui me dit que tu ne le fais pas avec chaque fille que tu rencontres ? C'est peut-être ce que font tous les hommes : ils vous aiment en tête à tête et vous renient en public.

— Mais tu es folle ! s'écria Alexandre. Tu oublies que la seule à n'avoir rien vu, c'était ta sœur ! Marina, elle, avait compris au bout de cinq minutes. Non, tout bien réfléchi, ajouta-t-il après un silence, il y a deux personnes qui n'ont pas vu la vérité : ta sœur et... toi.

— Quelle vérité ? demanda Tatiana en s'éloignant encore, les poings serrés, tremblants. Moi, je n'aurais pas su faire ça : mentir avec autant d'aisance. Mais tu es un homme. Tu y es arrivé à la perfection. Tu m'as reniée dans tes dernières paroles, reniée sans me regarder. Un instant, ça m'a paru presque normal : quels sentiments pouvais-tu avoir pour moi ? Qui pouvait encore s'offrir le luxe d'avoir des sentiments après cet hiver 1941 à Leningrad ? Mais je voulais tellement croire en toi, poursuivit-elle, presque à bout de souffle. Alors, quand on a reçu ta lettre pour Dasha, je l'ai ouverte comme une folle, en priant de m'être trompée, en espérant y trouver un mot, une syllabe pour moi. J'avais tellement besoin de me prouver que ma vie n'avait pas été qu'un mensonge. Un mot ! hurla-t-elle dans un sanglot. Un seul mot !

Peu à peu, elle s'était rapprochée ; maintenant ses poings martelaient la poitrine d'Alexandre. Il tenta de se rappeler ce qu'il avait écrit. Impossible. Rien ne lui revenait. Il ne voyait que cette souffrance qui explosait soudain face à lui. Il prit Tatiana dans ses bras.

— As-tu oublié la nuit à l'hôpital, souffla-t-il tout bas, le

Cavalier de bronze, Louga? As-tu oublié cet hiver où je passais chez vous dès que je le pouvais pour vous apporter à manger? À ton avis, Tania, je faisais ça pour qui?

— Je n'ai jamais dit que tu n'éprouvais pas de pitié pour moi.

— Quelle pitié! s'écria-t-il en la repoussant, hors de lui. La pitié, ce serait encore trop bon pour toi! Ce serait le prix à payer pour avoir choisi le mensonge, Tania. Et tu n'aimes pas trop ça, n'est-ce pas?

— Non, j'ai horreur de la pitié, répondit-elle en le fixant droit dans les yeux. Puisque tu le sais, qu'es-tu venu faire ici? Me torturer?

— Je suis venu parce que je ne savais pas que Dasha était morte! Parce que tu n'as pas été fichue de me l'écrire!

— D'accord. Tu es venu pour épouser Dasha et pour aucune autre raison. Pourquoi ne pas le dire tout simplement?

Alexandre poussa un grognement d'impuissance et s'éloigna.

— Difficile de rester cohérent au milieu de tous ces mensonges, pas vrai? cria Tatiana dans son dos.

Il fit volte-face :

— Les mensonges, c'est toi qui les as voulus. Rien de tout cela ne serait arrivé si tu m'avais écouté : dès le début, je t'ai dit qu'il fallait avouer, leur dire à tous la vérité et assumer les conséquences.

— Et dès le début je t'ai répondu que ma sœur était plus importante que ton bon plaisir, que *notre* bon plaisir. Tout ce que je te demandais, c'était de respecter ma volonté, de te tenir éloigné de moi. Mais non, il a fallu que tu continues de me tourner autour, encore et encore et encore... Et, petit à petit, tu m'as mise en pièces. Comme si ce n'était pas suffisant, tu es venu cette fameuse nuit à l'hôpital pour me déchirer un peu plus, et puis tu m'as emmenée au pied du Cavalier de bronze et puis... quand tu as eu terminé, quand tu m'as eue, quand tu en as été certain, là tu m'as montré ce que je représentais vraiment pour toi en demandant ma sœur en mariage !

Tatiana était à bout de souffle, prête à défaillir.

— Qu'est-ce que tu t'imagines, Tania ? Que crois-tu qu'il arrive quand on refuse de se battre pour ce qu'on veut ? Que crois-tu qu'il arrive quand on cède l'homme qu'on aime à sa sœur ? Voilà ce qui arrive ! Ils continuent leur vie, ils se marient, ils ont des enfants. C'est toi qui voulais vivre ce mensonge !

— Ne me dis pas que je voulais vivre ce mensonge ! Je voulais vivre la seule vérité que je connaissais : ma famille — et je ne voulais pas la sacrifier pour toi !

— Était-ce vraiment la seule vérité que tu connaissais ? fit Alexandre, chancelant.

— Non, avoua la jeune fille en baissant la tête. Je ne t'ai pas repoussé assez fort... Je ne pouvais pas. J'avais les yeux grands ouverts, mais ils ne regardaient que toi. J'espérais que tu serais plus solide, plus intelligent que moi. Mais non, tu continuais, alors moi aussi j'ai continué — avec une seule certitude : je croyais en toi. J'étais prête à tout t'offrir. Je ne te demandais pas grand-chose en retour : un seul regard au moment où tu déclarais ton amour à une autre m'aurait suffi, un seul mot dans une lettre d'amour à une autre m'aurait suffi. Mais tu ne m'aimais pas assez pour sentir que j'avais au moins besoin de ça...

— Tania ! Tu peux me reprocher ce que tu veux, mais pas de ne pas t'aimer assez ! N'essaie pas de te raconter cette histoire. Tout ce que j'ai fait dans ma vie depuis le jour de notre rencontre, c'était justement par am...

Incapable de poursuivre, il la saisit aux épaules et la

secoua avec brutalité, comme si désormais les mots étaient impuissants, comme si seule la forcc pouvait la convaincre. Il la sentit si vulnérable et douce entre ses mains que, vaincu par un mélange de colère, de remords et de désir, il la repoussa et partit vers les bois, courant presque.

6

Elle s'élança à sa poursuite en criant :

— Shura, je t'en prie, arrête ! Shura !

Elle ne put le rattraper : il avait disparu entre les arbres. Alors elle rentra à toutes jambes à la maison : les affaires d'Alexandre étaient toujours là — lui pas.

— Que se passe-t-il, Tanechka ? lui demanda Naira, un panier plein de tomates à la main.

— Rien, répondit la jeune fille, pantelante, en lui prenant son panier.

— Où est Alexandre ?

— À l'isba. Il enlève les planches des fenêtres.

— J'espère qu'il les reclouera quand il aura fini, fit Dusia en levant les yeux de sa Bible. Mais, au fait, pourquoi fait-il ça ?

— Je ne sais pas, répliqua Tatiana en détournant la tête pour dissimuler son visage. Tu veux ton médicament ?

— Oui, s'il te plaît, ma petite.

Elle donna à la vieille femme sa potion, puis plia les draps qu'elle avait lavés la veille et, tout à coup, terrifiée à l'idée qu'il pût arriver, prendre ses affaires et partir, elle alla cacher la tente et le fusil dans l'appentis, derrière la maison. Ensuite, elle retourna à la rivière et entreprit de nettoyer quelques-unes des affaires d'Alexandre.

Lorsqu'elle revint, il n'était toujours pas rentré.

Elle alla pêcher et prépara une soupe de poissons pour le dîner. Un jour, il lui avait dit qu'il adorait ça.

Il ne rentrait toujours pas.

Elle éplucha des pommes de terre, les coupa en rondelles et fit une tourte.

Il ne rentrait pas.

Pourquoi n'était-il pas resté jusqu'au bout de leur dispute ? Elle, elle ne serait pas partie : elle aurait enduré la querelle jusqu'à son terme. Alors pourquoi pas lui ? Elle ne le laisserait pas partir, pas avant d'en avoir le cœur net.

Il était six heures, l'heure de se rendre aux bains publics. Elle laissa un petit mot à Alexandre, qu'elle posa sur la couche au-dessus du poêle : *Mon Shura, si tu as faim, il y a de la soupe et de la tourte aux pommes de terre. Nous sommes aux* banya. *Tu peux aussi nous attendre et on mangera tous ensemble. Tania.*

Pendant le bain, Zoé demanda à Tatiana si Alexandre les accompagnerait au feu de joie du village, le soir même.

— Je ne sais pas. Tu n'auras qu'à lui poser la question, répondit-elle.

Zoé reprit, en éclaboussant son opulente poitrine :

— Il est vraiment charmant. Tu... tu crois qu'il est très malheureux, pour Dasha ?

— Oui.

— Dans ce cas, il aurait peut-être besoin d'un petit réconfort.

Tatiana regarda la femme droit dans les yeux.

— Je ne vois pas ce que tu veux dire, répliqua-t-elle froidement.

— Ça, ça ne m'étonne pas ! fit Zoé.

Elle partit d'un grand éclat de rire et, riant toujours, sortit du bain pour aller se rhabiller.

Lorsqu'elles arrivèrent à la maison, Alexandre les attendait dans le jardin. Tatiana posa sur lui un regard à la fois soulagé et anxieux. Elle ne put rien déduire de son expression : il restait impénétrable. Elle détourna les yeux.

— Tu es là, mon garçon ! s'exclama Naira avec joie. Où étais-tu donc passé toute la journée ?

— Dans quel état sont les fenêtres de l'isba ? ajouta immédiatement Dusia.

— Quelles fenêtres ? Quelle isba ? grogna Alexandre.

— Mais enfin ! L'isba de Vassili Metanov. Tania nous a dit que tu enlevais les planches qui bouchaient les fenêtres.

— Ah, répondit-il en posant un regard sombre sur la jeune fille.

Elle se tenait derrière Raisa, comme si elle espérait se cacher derrière le corps tremblotant de la vieille femme.

— Tu as faim ? Tu as mangé ? demanda-t-elle d'une petite voix.

Il secoua négativement la tête — sans un mot.

Alors Axinya le prit par un bras et Zoé par l'autre, afin de l'entraîner dans la maison, tout en lui demandant s'il se rendrait au village dans la soirée pour voir le feu de joie.

— Non, fit-il, catégorique, sans une parole de politesse.

Là-dessus, il s'arracha aux deux femmes et se pencha vers Tatiana en chuchotant :

— Qu'as-tu fait de mes affaires ?

— Je les ai cachées, répondit-elle dans un souffle, le cœur battant.

Elle eut envie de lui prendre le bras, elle aussi, mais redouta sa réaction et l'esclandre qui pouvait s'ensuivre.

Une fois à l'intérieur, elle s'occupa de dresser la table, puis alla discrètement jeter un œil sur le lit au-dessus du poêle et vit que son mot avait disparu. Alexandre entra à son tour. Les femmes étaient restées sous la véranda.

— Où sont mes affaires ?

— Shura...

— Tais-toi et donne-moi mes affaires, que je puisse partir.

— Pourquoi veux-tu partir ?

— Pourquoi ? Mais parce qu'il n'y a pas de place pour moi ici. Tu me l'as clairement fait comprendre. Je m'étonne d'ailleurs que tu n'aies pas préparé toi-même mes bagages. Je n'ai pas besoin qu'on me dise deux fois ce genre de chose, Tatiana.

Les lèvres tremblantes, elle murmura :

— Reste dîner avec nous.

— Non.

— Je t'en prie, Shura. Tu ne peux pas partir. On n'a pas fini notre discussion.

— Oh, si.

— Qu'est-ce que je pourrais dire pour arranger les choses ?

— Vu les circonstances, « au revoir » me semble tout indiqué.

Elle contourna la table pour s'approcher de lui.

— Shura, je t'en prie, laisse-moi te toucher.

— Non.

Il recula.

Naira passa la tête par la porte :

— Le dîner est prêt ?

— Presque, lui répondit Tatiana avant de se tourner à nouveau vers Alexandre. Je croyais que tu ne voulais pas partir sans avoir réglé tes comptes avec moi ?

— Tu m'as répondu que je n'y arriverais pas. Maintenant où sont mes affaires ?

— Shura...

Il s'avança vers elle, les dents serrées, la mâchoire crispée :

— Que veux-tu, Tania? Une scène? Une scène très moche comme celles qu'il y avait dans ta famille?

— Non, articula-t-elle en s'efforçant douloureusement de ne pas pleurer.

— Alors rends-moi mon barda, et tu n'auras pas un mot d'explication à donner à tes nouvelles amies, ni à ton petit copain.

Bouleversée, Tatiana le conduisit derrière la maison, jusqu'à l'appentis, à l'abri des regards. Elle tenta de lui prendre la main, il esquiva son geste avec brusquerie. Elle tressaillit, mais ne recula pas et, au contraire, glissa ses bras autour de sa taille. Il voulut la repousser :

— Je t'en prie, ne pars pas, lui dit-elle en levant vers lui un regard implorant. Je t'en supplie. Je ne veux pas que tu t'en ailles. Je t'ai attendu chaque minute de chaque jour depuis que je suis rentrée de l'hôpital. Je t'en prie.

Elle posa son front contre la poitrine d'Alexandre. Il ne disait rien. Mais ses mains restaient posées sur les bras nus de Tatiana.

— Bon sang! fit-elle soudain. Tu n'as donc pas compris pourquoi je ne t'ai pas écrit!

— Non, pas du tout.

Le visage toujours enfoui contre son torse, elle respirait son odeur, ce parfum de savon si doux et familier.

— J'avais... j'avais tellement peur que tu ne viennes pas si... si je te disais pour Dasha.

Elle n'eut pas le courage de lever les yeux et de le regarder.

— Leningrad a failli nous tuer, poursuivit-elle. Je me suis dit que si tu ignorais qu'elle était morte, tu viendrais, que d'ici là j'aurais le temps de me refaire une santé, et que peut-être tes sentiments pour moi reviendraient...

— Reviendraient? répéta Alexandre d'une voix rauque. Comme s'ils étaient jamais partis...

Il posa une main sur la joue de Tatiana et plaqua l'autre dans son dos pour la serrer contre lui. Elle sentait ses doigts caresser sa peau nue.

— Tatia, reprit-il dans un chuchotement. Je mériterai ton pardon, j'arrangerai tout mais, je t'en prie, laisse-moi faire. Tu ne peux pas me repousser comme tu l'as fait. Tu ne peux pas...

— Pardonne-moi, murmura-t-elle. C'étaient trop de mensonges pour moi. Trop de doutes. Tu comprends?

— Regarde-moi, dit-il en passant un doigt sous le menton de la jeune fille pour lever vers lui son visage. De quels doutes parles-tu? *Je ne suis là que pour toi.*

— Alors reste. Reste pour moi.

Il pencha la tête, déposant sur ses lèvres quelques légers baisers, puis l'embrassa avec cette fougue, cette passion qui l'avaient conduit à entreprendre un si long voyage pour la retrouver enfin. Abandonnée dans ses bras, Tatiana répondait à son étreinte quand la voix sonore de Naira retentit :

— Le dîner va brûler. Qu'est-ce qu'elle fiche donc dehors? On meurt de faim, Tatiana!

Alexandre poussa un soupir exaspéré. Ils s'arrachèrent l'un à l'autre sans bien savoir comment et pénétrèrent dans la maison.

Pendant que Tatiana servait la tablée, Zoé lança la conversation sur la guerre :

— Il paraît que Stalingrad va bientôt tomber, Alexandre.

— Si Stalingrad tombe, on perd la guerre, répondit celui-ci.

— Combien d'hommes sommes-nous prêts à sacrifier à Stalingrad pour arrêter Hitler ? demanda Dusia.

— Autant qu'il faudra.

La vieille femme se signa en entendant cette réponse.

Rouge d'excitation, Vova renchérit :

— Moscou a été un vrai bain de sang.

Tatiana venait de prendre place près d'Alexandre. Elle le sentit se raidir à ses côtés. L'air mauvais, il se penchait vers le garçon, de l'autre côté de la table. Oh, non, se dit-elle. Pas ça... Pas de scène...

— Vova, sais-tu ce qu'est un bain de sang ? articula-t-il lentement. Avant la bataille, en octobre, il y avait huit cent mille hommes pour défendre Moscou. Sais-tu combien ils étaient quand ils ont arrêté Hitler ? Quatre-vingt-dix mille. Sais-tu combien ont été tués rien que dans les six premiers mois de la guerre ? Combien de jeunes hommes sont morts avant que Tania quitte Leningrad ? Quatre millions, fit-il d'une voix forte. Tu aurais pu être l'un d'eux, Vova. Alors n'appelle pas ça un bain de sang comme s'il s'agissait d'un jeu.

Un lourd silence s'abattit sur la pièce. Tatiana fit mine de se lever :

— Bien, je vais débarrasser et...

Sous la table, Alexandre posa une main ferme sur son genou pour la faire se rasseoir. Elle obéit. Il n'ôta pas sa main, au contraire, releva doucement le tissu de la robe et commença de lui caresser la cuisse. Le visage de la jeune fille s'empourpra.

— Tanechka, tu ne débarrasses pas, ma chérie ? demanda Naira. Nous avons hâte de goûter à ton gâteau.

Ce fut Alexandre qui répondit :

— Tatiana nous a préparé un merveilleux repas. Maintenant elle pourrait se reposer un peu. Zoé, Vova — vous pourriez peut-être débarrasser ?

— Mais, Alexandre, tu ne comprends pas..., commença Naira.

— Oh si. Je ne comprends que trop bien.

Il ne lâchait pas la cuisse de Tatiana qu'il sentait frémir sous ses doigts.

— Non, Tania, lui dit-il. C'est bien le moins qu'ils puissent faire. Vous n'êtes pas d'accord avec moi, Naira Mikhaïlovna ?

— Je... je pensais que Tania aimait bien faire toutes ces petites choses domestiques.

Dusia renchérit :

— Oui, on pensait lui faire plaisir en la laissant faire.

— Bien sûr... elle adore ça ! riposta Alexandre, cinglant. La prochaine fois elle se mettra à genoux pour vous laver les pieds, mais vous ne croyez pas que les disciples peuvent donner à boire à Jésus de temps en temps ?

— Qu'est-ce... qu'est-ce que Jésus a à voir là-dedans ? balbutia Dusia.

— Très bien, fit Zoé en se levant. Nous allons débarrasser.

Alexandre relâcha doucement son étreinte sur la cuisse de Tatiana.

— Merci. Maintenant je sors fumer une cigarette.

À peine fut-il dans le jardin que les femmes se pressèrent autour de Tatiana en chuchotant.

— Il est très agressif, fit Naira.

— Que vient-il nous parler de Jésus ? renchérit Dusia. Dieu n'existe pas dans l'Armée rouge. La guerre a durci ce garçon, moi je vous le dis.

— Oui, mais regardez comme il se montre protecteur avec notre Tanechka. N'est-ce pas adorable ? repartit Axinya.

Tatiana les dévisageait sans comprendre. De quoi, de qui parlaient-elles ?

— Tania, tu nous écoutes?

Elle se leva de table. La seule personne qui l'eût jamais défendue en ce monde méritait un soutien inconditionnel :

— Alexandre n'est ni dur ni agressif. Il a raison. Je ne devrais pas tout faire dans cette maison.

Le gâteau fut mangé dans un profond silence, puis les quatre femmes sortirent à leur tour dans le jardin. Croisant Alexandre, Zoé l'attrapa par le bras et lui demanda avec un sourire faussement timide s'il voulait bien l'accompagner au village pour voir le feu de joie. Il se dégagea et répondit à nouveau non.

— Allez, insista-t-elle. Même Tania y va — avec Vova.

— Oui, Tania, renchérit Vova. Tu viens, n'est-ce pas?

— Non, pas ce soir.

— Pourquoi? On y va toujours.

Avant que la jeune fille ait pu répondre, Alexandre se tournait vers Vova :

— Elle a dit « non, pas ce soir ». Combien de fois va-t-elle devoir le répéter pour que tu comprennes? Et vous, Zoé, combien de fois faut-il vous dire non?

Vova et sa sœur restèrent bouche bée. Leurs regards affolés et incrédules se portaient alternativement sur tous les visages.

— Maintenant, filez voir votre feu. Mais vite! reprit Alexandre.

Offusqués, Vova et Zoé disparurent. Partagée entre la stupeur et la consternation, Tatiana partit aider les vieilles femmes à se mettre au lit. Puis elle vint faire du rangement sous la véranda. Alexandre était assis sur le banc devant la maison. Les grillons stridulaient dans la nuit. Au loin, on entendait le hurlement d'un coyote, une chouette qui hululait...

— Tania, arrête de tourner. Viens ici. Plus près, fit-il,

posant les mains sur ses hanches, l'attirant entre ses jambes.

Sa tête vint se blottir contre les seins de la jeune fille. Troublée, elle enserra de ses mains la nuque qui s'offrait à elle. Elle aimait le contact des cheveux courts et drus sous ses doigts. Les yeux clos, elle s'efforçait de respirer normalement.

— Tatia, chuchota-t-il contre sa peau, te figures-tu seulement ce que j'ai enduré pendant ces six mois sans nouvelles ? Si tu avais réfléchi, ne serait-ce que cinq minutes, tu m'aurais écrit et tu aurais reçu en réponse des lettres qui auraient levé tous tes doutes, chassé toutes tes peurs.

— Je sais, tu as raison. Pardonne-moi.

— Pour moi, il n'y avait que deux explications possibles : soit tu étais morte, soit... tu avais trouvé quelqu'un d'autre. Jamais je n'ai imaginé qu'aucun de ces mensonges puisse t'atteindre. Je croyais que tu avais la capacité de voir la vérité au-delà des mensonges.

— La capacité ? fit doucement Tatiana. Où était ta capacité *à toi* de voir la vérité quand tu as cru que j'avais pu trouver quelqu'un d'autre ?

Il glissa une main sous sa robe.

— Comment t'appelle Axinya déjà ? Une brioche ?

— Oui, une « brioche ronde et dorée ».

— Viens, ma petite brioche.

Et il entraîna Tatiana dans le lit au-dessus du poêle.

— Shura, on ne peut pas... Ça va faire toute une histoire...

— Même si ça fait la une des journaux demain matin, je m'en fiche. Viens.

Il l'étendit sur la couche et l'enlaça comme si son corps tout entier devait l'avaler.

— Tu m'as tellement manqué.

— Toi aussi tu m'as manqué.

Elle sentait sur sa peau des lèvres insatiables, des mains exigeantes qui retroussaient sa robe jusqu'à la taille, caressaient ses jambes, l'intérieur de ses cuisses... Comme malgré elle, celles-ci s'entrouvrirent légèrement. La jeune fille poussa un gémissement.

— Chut, ma chérie. J'espère que tes vieilles copines ont le sommeil lourd.

— Pas du tout, répondit-elle dans un chuchotement haletant. Elles se réveillent au moindre grillon et se lèvent cinq fois par nuit pour aller aux cabinets dans le jardin. Je t'en prie, Shura, arrête.

À regret, il cessa ses caresses et posa la main sur le ventre de Tatiana. Chaque centimètre de sa peau frémissait — elle frissonnait.

— Shura, je t'en prie, ne me touche plus.

— Impossible. J'ai attendu trop longtemps, fit-il en pressant un baiser sur sa gorge. Tu n'as pas envie de moi, Tania ? Ose dire que tu n'as pas envie de moi.

Ses mains tiraient le haut de la robe, dégageaient les épaules, les bras...

— Shura, s'il te plaît.

Il lui prit la main et la posa contre sa poitrine.

— Tu sens mon cœur ? Tu n'as pas envie de ma peau contre ta peau ? Allez, ôte cette robe. Juste cinq minutes. Tu la remettras après.

En silence, elle le dévisageait dans la pénombre. Comment dire non ? Elle leva les bras et fit passer la robe pardessus sa tête. D'instinct, ses mains vinrent cacher ses seins. Il lui saisit les poignets :

— Non, ne fais pas ça. Viens. Couche-toi sur moi.

Avec une légère plainte, elle s'étendit doucement contre sa poitrine. Les doigts d'Alexandre couraient dans son dos, sur ses hanches, se glissaient sous son slip, caressaient ses fesses nues.

— Voilà un an que je rêve de cet instant, murmura-t-il contre ses lèvres.

Elle eut envie de lui avouer qu'elle aussi, depuis un an, elle pensait à ses mains sur son corps, à sa bouche sur ses seins, comme le soir de l'hôpital. Mais elle fut incapable de prononcer une parole, tant le désir, cette chose inconnue, si douce et cruelle à la fois, la submergeait. Elle gémit à nouveau, plus fort que la première fois. Il interrompit ses caresses et fit doucement glisser la jeune fille sur le dos, à ses côtés.

Ils restèrent étendus l'un près de l'autre quelques instants puis, lentement, Tatiana renfila sa robe et entreprit de descendre de la couche au-dessus du poêle.

Il l'arrêta :

— Où vas-tu ? Reste dormir avec moi.

— Non, Shura.

— Tu ne me fais pas confiance ?

Elle voyait son sourire briller dans l'ombre.

— Pas une seule seconde, répondit-elle, souriant aussi.

— Je te promets d'être sage, insista-t-il sans lâcher son bras. Viens. Viens contre moi, comme à Louga. Tu te souviens ? Là-bas, c'est toi qui m'avais demandé de dormir près de toi, maintenant c'est mon tour.

Alors elle s'étendit à nouveau près de lui et posa la tête sur son épaule. Il tira sur eux les couvertures et la serra dans ses bras.

— Tatia. Raconte-moi. Raconte-moi tout depuis le début.

Et elle lui raconta tout, mais s'arrêta au bord du trou d'eau sur la glace du lac Ladoga : elle ne pouvait aller plus loin...

7

Le lendemain matin, elle descendit prestement du lit. Alexandre dormait toujours. Vite, elle passa une robe propre et courut chercher de l'eau au puits, puis elle alla traire la chèvre et partit troquer son lait contre un peu de lait de vache. Lorsqu'elle rentra, Alexandre était debout, en train de se raser.

— Bonjour, ma Tatia, lui dit-il avec un large sourire.

Elle n'eut pas le temps de lui répondre : déjà Naira appelait sur un ton impérieux. Elle s'apprêtait à la rejoindre lorsqu'elle vit Alexandre réunir ses affaires et les fourrer dans son havresac, comme s'il partait.

— Qu'est-ce... qu'est-ce que tu fais ? balbutia-t-elle.

— Nos bagages. On s'en va. Maintenant.

— Tous les deux ?

Une lueur joyeuse illumina le visage de Tatiana.

— Bien sûr, tous les deux.

— D'accord, mais pas tout de suite. Je dois faire la lessive et préparer le petit déjeuner.

— Tania, tu vas devoir apprendre à me faire passer *avant* les tâches ménagères.

Il la dévisageait avec sévérité. Elle recula, réfléchit un instant, puis dit :

— Écoute, tu n'as qu'à me donner un coup de main : ça ira plus vite.

— Après tu promets de m'accompagner ?

— Oui, je le promets, fit-elle d'une voix presque inaudible.

Mais il avait entendu — il sourit.

Elle prépara des œufs et des pommes de terre pour tout le monde. Lui se dépêcha d'avaler son petit déjeuner. À peine engloutie la dernière bouchée, il était déjà debout, le panier de linge sale sous le bras :

— Alors, on va la faire cette lessive ?

Il prit la direction de la Kama. Tatiana trottinait derrière lui avec la planche à laver et le savon. Elle avait du mal à le suivre. Une fois à la rivière, elle entra dans l'eau, mouillant le bas de sa robe pour tremper la planche et le savon.

Alexandre écrasa sa cigarette, ôta sa chemise, ses bottes et dit :

— Reste au sec et tends-moi les vêtements.

C'était si touchant de voir cet officier de l'Armée rouge torse nu dans la rivière, le pantalon retroussé jusqu'aux genoux, les bras couverts de savon, plongés dans la lessive. Tatiana trouva l'image si drôle qu'au moment où il se baissait pour rattraper une taie d'oreiller qui lui avait échappé, elle le poussa dans l'eau en pouffant. Il perdit l'équilibre.

Lorsqu'il se releva, elle éclata de rire :

— Tu manques un peu d'équilibre, soldat ! Et si j'avais été un Allemand ?

Sans répondre, il la souleva dans ses bras et la porta au-dessus de l'eau.

— Non, Shura ! Pose-moi immédiatement au sec. C'est une jolie robe. En plus, quand elle est mouillée, elle est transparente.

— Raison de plus ! s'exclama-t-il en la laissant tomber dans la rivière.

Elle en ressortit trempée et, en effet, comme nue. Il vint la rejoindre sur la berge avec, sur le visage, une expression qu'elle ne lui connaissait pas.

— Regarde-toi, murmura-t-il d'une voix rauque. Regarde-toi dans cette robe.

Elle rougit. Il la prit dans ses bras, la souleva de terre. D'elles-mêmes, les jambes de Tatiana s'enroulèrent autour de la taille d'Alexandre. Ils s'embrassèrent — un long baiser fougueux, passionné, avide —, laissant monter en eux le désir qui les torturait.

Lorsque, à regret, leurs lèvres se séparèrent, lorsqu'ils tournèrent la tête, ce fut pour constater que six femmes du village s'étaient figées, leur panier de linge sous le bras, à l'orée de la clairière : elles les observaient sans un mot, avec des mines réprobatrices.

— Euh... on... on allait partir, marmonna Tatiana tandis qu'il la déposait sur le sol.

Il lui couvrit les épaules d'une taie d'oreiller mouillée qui dissimulait mal la transparence de la robe. Elle ne portait jamais de soutien-gorge, n'en possédait même pas, et, pour la première fois de sa vie, elle eut une conscience aiguë de ses pointes de sein qui se dressaient, bien droites, comme pour percer le fin tissu. Soudain, elle eut l'impression de se voir avec les yeux d'Alexandre...

— Eh bien, dès demain ça aura fait le tour de Lazarevo, chuchota-t-elle comme ils s'éloignaient de la clairière. On ne pouvait rien imaginer de plus humiliant.

— Oh si ! Elles auraient pu arriver trois minutes plus tard...

Tatiana rougit et ne répondit pas.

Ils firent une arrivée remarquée à la maison, elle dans

sa robe transparente, lui torse nu. Les vieilles dames eurent l'air horrifiées.

— Le... le linge est tombé dans l'eau, tenta d'expliquer Tatiana d'une façon peu convaincante. On a dû plonger pour le repêcher.

— Je n'ai jamais entendu raconter une histoire pareille, marmotta Dusia en se signant. Non, jamais de toute ma vie...

Quant à Alexandre, il disparut dans la maison et en ressortit cinq minutes plus tard vêtu de son pantalon kaki militaire, de ses bottes de l'armée et de l'un des tricots sans manches que Tatiana lui avait confectionnés. Il avait son sac sur le dos et son fusil à la main. La jeune fille le dévisagea d'un air interrogateur.

— Tu prends l'argent du Pouchkine, ton passeport, et on file, lui dit-il.

Elle obtempéra sans un mot. Naira lui demanda si elle serait de retour pour le déjeuner. Ce fut lui qui répondit :

— Non, sans doute pas.

— Mais... le cours de couture est à quinze heures.

— Aujourd'hui, vous ferez sans Tania.

Sur ces mots, il attrapa celle-ci par la main et l'entraîna en direction de la rivière. Honteuse, elle n'osa même pas jeter un regard en arrière pour voir les quatre femmes les suivre des yeux, ébahies.

— Où va-t-on ? fit-elle dans un souffle.

— À l'isba de tes grands-parents.

— Mais... elle est dans un état épouvantable ! Personne n'y a mis les pieds depuis des lustres.

— C'est ce qu'on va voir.

Ils arrivèrent à la clairière. Alexandre sortit la clef du cadenas qu'il avait gardée dans sa poche et ouvrit la porte de l'isba. Puis il s'effaça pour laisser entrer Tatiana. Elle découvrit avec surprise une pièce à peu près vide, à l'exception du lit et du poêle, mais propre. Tout avait été nettoyé : le plancher, les vitres des quatre longues fenêtres, et même les rideaux qui ne sentaient plus le moisi. Elle se retourna. Alexandre se tenait sur le seuil. Il dit :

— Oui. Que crois-tu que j'ai fait hier après-midi quand nous sommes quittés ? Maintenant on a enfin un endroit à nous, à nous deux *seuls*.

— Alors comme ça tu savais que tu resterais ?

— Je n'en savais rien, mais je l'espérais tellement...

Tatiana baissa les yeux. Il avança dans la pièce, vint se planter devant elle et, d'un doigt, souleva doucement son menton :

— Regarde-moi, Tatiasha.

— Je ne peux pas, répondit-elle en rougissant.

Il prit son visage dans ses mains :

— Tu as peur ?

— Terriblement.

— Ne crains rien, je t'en prie. Jamais je ne te ferai de mal.

Et il l'embrassa avec tant de passion et de sensualité qu'elle sentit monter en elle un désir qu'elle reconnaissait désormais mais qui l'effrayait encore. Doucement, très doucement, il la fit glisser sur le lit et puis... rien. Il s'écarta.

Elle lut dans ses yeux un souci, une interrogation.

— Que se passe-t-il ?

— Tu... tu m'as dit tant de choses, hier, commença-t-il sans oser la regarder. Bien sûr, je le méritais, mais...

— Disons que tu en méritais certaines, coupa-t-elle avec un sourire.

Il ne continua pas et demeura silencieux, les yeux baissés.

— Shura, regarde-moi, fit-elle en déposant un léger

baiser sur ses lèvres. Je sais ce qui te tracasse : il n'y a eu personne d'autre que toi. Je t'appartiens, tu comprends?

— Oh, Tania... tu ne peux pas savoir ce que ça signifie pour moi...

— Où sont tes mains? Je veux sentir tes mains sur moi.

Il lui ôta sa robe et se mit à genoux à ses côtés. Sa bouche avide dévorait de baisers chaque partie de ce corps qui avait nourri ses rêves pendant tant de nuits, ses doigts enfiévrés le découvraient comme un territoire fertile et fragile tout à la fois. Puis ses lèvres se posèrent sur les seins de Tatiana. Elle gémit.

— N'aie pas peur, murmura-t-il.

Elle plongea ses mains dans les cheveux d'Alexandre et attira contre elle sa tête, réclamant en silence davantage de ces baisers qui dévoraient ses seins. Le dos arqué, elle les lui offrait. Sans cesser de les embrasser il glissa une main entre ses cuisses.

— N'aie pas peur, répéta-t-il dans un murmure rassurant, tout en se débarrassant de son pantalon. Je veux être en toi. *Maintenant.*

Des deux mains, elle lui agrippait les bras. Elle avait envie de crier mais, craignant qu'il ne se retire s'il pensait lui faire mal, elle réprima son cri. Il allait et venait lentement — doucement. Puis moins lentement, moins doucement. Elle gémit.

— Tu veux que j'arrête? lui chuchota-t-il à l'oreille.

— Non, souffla-t-elle.

De moins en moins lentement, de moins en moins doucement. Elle cacha son visage dans le cou d'Alexandre, pleurant sans savoir si c'était de douleur ou de joie.

Dans un ultime sursaut, il poussa un cri et s'abattit sur elle, à bout de souffle. Puis, prenant appui sur ses avant-bras, il souffla doucement sur le front et la poitrine humide de la jeune fille.

— Tu vas bien ? Je ne t'ai pas fait mal ?

— Je vais bien, répondit-elle après quelques instants, comme si elle se posait la question à elle-même. Et toi ?

— Moi, je n'ai jamais été plus heureux, fit-il en se laissant tomber près d'elle. Je t'aime, Tatiana, ajouta-t-il sur le ton de l'évidence. Je te l'ai déjà dit, mais toi jamais...

Impossible, songea-t-elle. Je me le suis répété chaque minute de chaque jour depuis qu'on s'est rencontrés.

— Je t'aime, Alexandre. Je t'aime à la folie. Mais, tu sais... tu ne me l'avais jamais dit non plus.

— Si. Je te l'ai dit un jour et je sais que tu l'as entendu.

Elle restait immobile, pas un de ses muscles ne bougeait.

— Tu veux savoir comment je l'ai su ? reprit-il.

Elle ne répondit pas.

— Tu t'es levée de ce traîneau le jour où je t'ai ramenée de la caserne l'hiver dernier — et tu as survécu...

La deuxième fois qu'ils firent l'amour, elle eut moins mal.

La troisième fois, tout son corps fut traversé d'une onde de plaisir qui l'envahit presque par surprise. Elle cria. Alexandre lui sourit tendrement.

— Tania, tu me dis la vérité si je te pose une question ?

— Bien sûr.

Elle souriait, les yeux fermés.

— Tu avais déjà touché un homme avant moi ?

Elle ouvrit les yeux et éclata de rire.

— À part mon frère quand on était petits, je n'avais même jamais *vu* d'homme nu.

— C'est vrai ?

Il prit un peu de recul pour la regarder droit dans les yeux.

— Mais oui, c'est vrai ! s'écria-t-elle en se nichant dans le creux de son bras.

— Je ne te crois pas. Je pense que tu dis ça parce que tu imagines que c'est ce que je veux.

— Est-ce ce que tu veux entendre ?

Il mit quelques instants à répondre :

— Non. Si... Je ne sais pas... Je veux la vérité.

— Shura, je te dis la vérité, répondit gravement Tatiana. Avant toi, aucun homme ne m'a jamais touchée.

— Alors tu es passée directement du ventre de ta mère dans mes bras ? demanda-t-il en souriant.

— Oui, c'est presque ça ! s'esclaffa-t-elle avant de reprendre, sérieuse cette fois : Alexandre, je t'aime, tu comprends ? Je n'ai jamais eu envie d'embrasser personne avant toi. À Louga, j'avais une telle envie de t'embrasser que je ne savais pas quoi faire. Je ne savais pas comment te le dire. Je me sentais tellement coupable de cette envie.

— Pardonne-moi, Tania. Pardonne-moi de t'avoir blessée avec mon masque d'indifférence et de froideur. Tu n'as pas mérité ce qui t'est arrivé. Ni Dasha, ni Leningrad, ni ce que moi je t'ai fait subir. Tu n'imagines pas ce que ça m'a coûté de ne pas te regarder en refermant la bâche de ce camion près du lac Ladoga. Mais si je le faisais, même une seconde, tout était fini — je le savais. Ce regard pouvait être le dernier, on pouvait ne jamais se revoir — il m'aurait trahi, Dasha aurait compris. Je t'avais promis de ne pas lui faire de peine. Tu comprends, Tatia, *je ne pouvais pas te regarder*. J'espérais que ce qui s'était passé entre nous les rares fois où nous nous étions retrouvés seuls te donnerait confiance...

— Tu avais raison, Shura, fit Tatiana, les yeux remplis de larmes. Pardonne-moi d'avoir douté de toi.

Il déposa un baiser entre ses seins.

— Tu vois, nos comptes sont réglés à présent, chuchota-t-elle en souriant.

Elle resta un long moment étendue près de lui, laissant sa peau frissonner sous la douceur de ses caresses. Elle ne disait rien.

— À quoi penses-tu ? lui demanda-t-il.

Elle respira profondément, pour se donner du courage.

— Shura... tu as aimé beaucoup de filles avant moi ?

— Non, mon ange.

— Et... et Dasha, tu l'aimais ? demanda-t-elle encore, des sanglots dans la voix.

— Tania, ne fais pas ça. Je ne sais pas quelle réponse tu attends.

— La vérité, tout simplement.

— Non, je n'aimais pas Dasha. Je prenais soin d'elle, c'est tout. Et on a passé quelques bons moments ensemble.

— « Bons » comment ?

— Bons, rien de plus, Tania. Tu sais, Dasha n'était pas vraiment mon genre.

— C'est aussi ce que tu diras de moi à la prochaine fille que tu rencontreras.

— Non, parce qu'il n'y aura pas de « prochaine fille ». Tu es ce qu'il m'est arrivé de mieux dans la vie.

— À ton avis, quelle heure est-il ?

— Je ne sais pas, répondit Alexandre d'une voix somnolente. Le soir.

— Je ne veux pas retourner là-bas.

— Il est hors de question que tu retournes chez ces vieilles folles. Jamais.

Ils sortirent de l'isba. Tatiana s'assit au bord de la rivière sur une couverture, la vareuse d'Alexandre sur les épaules pendant qu'il faisait un feu. Il tira de son havresac deux boîtes de *tushonka*, un peu de pain sec et... du chocolat.

— Shura, je t'adore, dit-elle en croquant à pleines dents dans un carré.

Puis, tout à coup, elle fondit en larmes :

— Que se passe-t-il, Tatia ?

Il la prit dans ses bras.

— Dasha... elle me manque tellement...

— Je sais.

— Tu crois qu'on a fait ce qu'il fallait ? J'ai tellement peur qu'elle ait souffert par notre faute.

— On a fait du mieux qu'on a pu. *Tu* as fait du mieux que tu as pu. Crois-tu qu'on ait vraiment le choix quand on tombe amoureux comme on est tombés amoureux ? J'ai lutté contre mes sentiments pour toi, j'ai *voulu* aimer ta sœur — je n'ai pas pu. *C'était toi que j'aimais*.

Tatiana détourna son visage baigné de larmes vers le feu, la rivière, le reflet tremblotant de la lune dans l'eau.

— Shura, moi aussi j'ai essayé de ne pas t'aimer... *pour elle*. Mais c'était impossible.

— Épouse-moi, Tania, dit-il soudain.

— Pardon ?

— Oui, Tatiana, veux-tu être ma femme ?

Suivit un long silence.

— Tu ne réponds pas ?

— Oui, Shura... Je veux être ta femme.

8

Le lendemain, dans la fraîcheur du petit matin, Tatiana se baignait dans l'eau glacée de la rivière tandis qu'il tirait un bout de pain de sa besace.

— Il nous manque deux ou trois bricoles, dit-elle en souriant. Tasses, cuillères, assiettes, café...

— Habillons-nous, répliqua Alexandre. On va à Molotov.

— Vraiment? Pour quoi faire?

— Eh bien, acheter des couvertures, des oreillers, des casseroles, des assiettes, des tasses, de quoi manger... Et des alliances...

9

Ils prirent lentement la route de Molotov. Le soleil perçait à travers les aiguilles des pins.

— Il va falloir qu'on trouve une église, fit Alexandre.

— Une église ? Pour quoi faire ?

— Où veux-tu te marier sinon dans une église ?

— Au bureau de l'état civil, répondit Tatiana sur le ton de l'évidence. Comme tout le monde en Union soviétique.

— Tania, reprit-il sans la regarder, les yeux fixés sur le ruban de la route devant lui, qui doit veiller sur notre mariage ? L'Union soviétique ? Ou Dieu ?

Comme elle ne disait rien, il ajouta :

— En qui crois-tu, Tania ?

— Je crois en toi.

— Eh bien, moi je crois en toi *et aussi* en Dieu. Et on va se marier à l'église.

Ils découvrirent près du centre-ville une petite chapelle orthodoxe vouée à saint Séraphim de Sarov. Quand Alexandre lui fit part de leur requête, le pope les examina un long moment, Tatiana et lui, puis laissa tomber ces mots :

— Encore un mariage de circonstance. Hum. (Il jeta un

œil à la jeune fille.) Es-tu au moins en âge de te marier, toi ?

— J'aurai dix-huit ans demain, répondit Tatiana d'une voix qui laissait penser qu'elle en avait dix.

— Vous avez des témoins ? Des alliances ? Vous êtes allés au bureau de l'état civil ?

— Non, non, on n'a rien fait de tout ça, fit-elle, tirant Alexandre par la manche. Viens, on s'en va, ajouta-t-elle dans un souffle.

Il se dégagea doucement et demanda au pope où ils pouvaient acheter des alliances. Le prêtre les fixa de ses yeux bleus perçants :

— Vous ne pouvez pas acheter d'alliances. On a bien un bijoutier en ville, mais il n'a pas d'or.

— Où est-il, ce bijoutier ?

— Laisse-moi te poser une question, mon fils : pourquoi tiens-tu tellement à te marier à l'église ? Pourquoi ne pas faire comme tout le monde ? Vous allez au bureau de l'état civil et l'affaire est réglée. Le greffier vous servira de témoin.

Alexandre resta un moment silencieux. Tatiana était immobile à ses côtés, comme paralysée.

— Là d'où je viens, répondit-il enfin, le mariage est une cérémonie sacrée.

Le pope sourit.

— Bien, mon fils. Je serai heureux de célébrer votre mariage. Revenez demain avec des alliances et des témoins. À quinze heures.

En descendant les marches de la chapelle, Tatiana dit :

— De toute façon, on n'a pas les alliances, alors...

— On les aura, repartit Alexandre en tirant quatre dents en or de son havresac. Ça devrait suffire pour deux alliances.

Ébahie, elle regardait les dents dans le creux de sa main.

— Dasha me les avait données. Ne prends pas cet air horrifié.

— On... on va se faire faire des alliances avec les dents en or que Dasha a volées à ses patients ?

— Tu vois une autre solution ?

— Oui : attendre.

— Attendre quoi ?

La jeune fille ne sut quoi répondre. Il avait raison : attendre quoi ? Alors elle le suivit, le cœur lourd, sans comprendre elle-même ce qui motivait les doutes et les appréhensions qui la rongeaient.

Le bijoutier habitait une petite maison du centre-ville. Il considéra d'abord les quatre dents, puis Alexandre et Tatiana, et finit par déclarer qu'il pouvait fabriquer les alliances, mais avec deux dents supplémentaires. Alexandre essaya bien de marchander plutôt une bouteille de vodka, puis il céda face à l'opiniâtreté de l'homme et sortit de sa besace les deux autres dents réclamées.

Après quoi il demanda s'il existait à Molotov un endroit où acheter des articles de ménage. Le bijoutier appela immédiatement sa femme, qui leur vendit, pour deux cents roubles, deux couvertures, deux oreillers et une paire de draps usés jusqu'à la trame.

— Deux cents roubles ! s'exclama Tatiana. Je fabriquais dix chars d'assaut et cinq mille lance-flammes pour moins cher que ça.

— Oui, repartit Alexandre, et moi on me payait *deux mille roubles* pour détruire tes dix chars d'assaut et user tes cinq mille lance-flammes. Ne pense jamais à la valeur de l'argent, Tania. Contente-toi de le dépenser pour ce qui t'est nécessaire.

Ils achetèrent encore une casserole, une poêle, une bouilloire, quelques assiettes, des couverts et des tasses.

La femme du bijoutier leur vendit aussi deux kilos de tabac et leur indiqua une épicerie où ils pourraient trouver des pommes, des tomates, des concombres, du pain, du beurre... Avec une boîte de *tushonka* qu'Alexandre avait dans sa besace, assis sur une de leurs couvertures, ils se firent un pique-nique de fête au bord de la Kama. Tout en rompant le pain, Tatiana dit :

— Shura, tu te souviens quand tu m'as donné le livre de Pouchkine l'an dernier ?

— Oui, bien sûr.

— Comment as-tu fait ensuite pour y glisser l'argent ?

— L'argent était déjà dedans quand je te l'ai donné.

Elle le dévisagea, songeuse.

— Mais... tu me connaissais à peine. Pourquoi me donner un livre plein d'argent ?

Elle voulait qu'il lui dise d'où provenait la somme qu'elle avait découverte dans le livre. Mais il ne dit rien.

Elle n'insista pas : elle savait qu'il parlerait lorsque *lui* l'aurait décidé.

10

Ils passèrent la nuit sous la tente, au bord de la rivière, à l'entrée de Molotov. Le lendemain matin, en fouillant dans sa besace, Alexandre demanda :

— Tu veux voir ta robe de mariée, Tania ?

Elle le dévisagea sans comprendre et le vit sortir du sac la robe blanche à fleurs rouges qu'il avait retrouvée au cours de ses rangements dans l'appartement des Metanov. Folle de joie, elle lui sauta au cou. Cette robe autrefois trop petite lui allait à nouveau parfaitement après des mois de privations.

— Tu la portais quand je t'ai vue pour la première fois, lui chuchota tendrement Alexandre en serrant les lacets dans son dos.

Derrière son petit bureau, l'employé de l'état civil posa sa question avec indifférence : étaient-ils sains d'esprit et consentaient-ils librement à ce mariage ? Puis, sans un regard, il tamponna leurs passeports.

— Et c'est devant ce type-là que tu voulais te marier ? murmura Alexandre en quittant la pièce.

Tatiana resta silencieuse : était-elle vraiment « saine d'esprit »... ?

— Shura, dit-elle enfin. Maintenant nos deux noms

figurent sur nos deux passeports, avec la mention « mariés le 23 juin 1942 ».

— Oui et alors ?

— Alors... Dimi...

— Pas un mot de plus, l'interrompit Alexandre en posant un doigt sur ses lèvres. Tu voudrais que ce salopard nous empêche de nous marier ?

— Non.

— Je me fiche de Dimitri. Je ne veux plus jamais entendre parler de lui, compris ?

Elle acquiesça en silence avant de reprendre quelques instants plus tard :

— On n'a pas de témoins.

— On va en trouver.

— On pourrait retourner à Lazarevo et demander à Naira Mikhaïlovna et aux autres d'être nos témoins.

— Tu veux gâcher cette journée ou m'épouser ? demanda Alexandre en passant un bras sur ses épaules. Ne t'inquiète de rien : je vais nous trouver d'excellents témoins.

Il offrit au bijoutier et à sa femme une bouteille de vodka contre leur présence à l'église en tant que témoins. Le couple accepta de bon cœur. La femme prit même un appareil photo.

— Faut vraiment avoir envie de se marier pour se donner tout ce mal, dit-elle alors que le petit groupe se dirigeait vers Saint-Séraphim. Mais peut-être que la jeune dame attend un heureux événement, insinua-t-elle en coulant un œil soupçonneux vers le ventre de Tatiana.

— Vous avez deviné ! s'esclaffa Alexandre, provocateur. On attend notre troisième !

Sur ces mots, il pressa le pas. Rouge de confusion, Tatiana le rattrapa et le tira par la manche en soufflant :

— Pourquoi tu fais ça ?

— Je ne veux pas qu'ils apprennent quoi que ce soit sur nous. Ce que nous sommes, ce qui nous unit ne regarde que nous — pas ces étrangers, ni les vieilles avec lesquelles tu vis. Ça ne regarde que *toi, moi et Dieu*.

Elle se tenait à ses côtés. Le pope n'était pas encore arrivé.

— Il ne viendra pas, chuchota-t-elle en balayant la chapelle du regard.

Le bijoutier et sa femme attendaient dans le fond, avec leur bouteille de vodka.

— Si, il viendra.

Tatiana avait le sentiment de vivre un rêve — ou plutôt un cauchemar auquel elle ne parvenait pas à s'arracher. Mais ce cauchemar ce n'était pas elle qui le faisait : non, c'était Dasha...

Comment pouvait-elle épouser l'Alexandre de Dasha? Une semaine auparavant encore, elle n'aurait pu l'imaginer. Elle avait le sentiment de s'approprier une vie qui ne lui appartenait pas.

— Shura, murmurait-elle, je n'arrive pas à croire que j'aie pu faire une chose pareille : attendre la mort de ma sœur pour épouser son amoureux. C'est une honte.

— Qu'est-ce que tu racontes? s'écria Alexandre avant de baisser la voix tout à coup : Je n'ai *jamais* été à Dasha. J'ai toujours été à toi, tu entends? *À toi*.

Il lui prit la main.

— Même pendant le blocus?

— Surtout pendant le blocus. Le peu que j'avais, c'était pour toi, rien que pour toi. C'est toi qui appartenais à tout le monde. Moi, je n'étais qu'à toi.

Ils avaient vécu un amour impossible et caché. Se marier, c'était crier cet amour à la face du monde. Ils s'étaient rencontrés, étaient tombés amoureux, maintenant ils se mariaient — comme si tout était naturel, comme si tout était dans l'ordre des choses, comme si le mensonge, la guerre, la famine, la mort de leurs proches n'avaient finalement été qu'une manière de se faire la cour...

Il y avait eu Pasha, qui avait perdu sa vie avant même de la commencer vraiment ; Irina Fedorovna et sa souffrance après la mort de ce fils adoré ; Georgi Vassilievitch qui buvait tant, noyant dans l'alcool un remords qu'aucune guerre ne pouvait réparer ; Marina à qui sa mère manquait tellement et qui n'arrivait pas à trouver sa place chez eux ; Babouchka Maya, qui peignait en songeant au retour de son premier amour ; Deda, qui était mort loin de sa famille ; Babouchka, morte elle aussi parce que, sans Deda, elle n'avait plus de raison de supporter cette guerre.

Et enfin Dasha.

Pourquoi sa mort à elle semblait-elle si peu naturelle ? Pourquoi sa mort à elle semblait-elle rompre l'ordre des choses ?

Peut-être Alexandre avait-il raison. Peut-être aurait-il fallu le laisser lui dire : *Dasha, c'est Tania que j'aime.* Peut-être aurait-il fallu dire dès le premier jour : *Je veux cet homme-là.*

Ç'aurait été plus juste : oser dire la vérité plutôt que se cacher derrière toutes ces peurs...

Non ! C'est faux ! s'insurgea Tatiana en elle-même. À l'époque, c'était impensable. J'étais folle de lui, mais il était normal qu'il soit avec Dasha. Moi je n'étais qu'une gamine, bonne pour le jardin d'enfants, alors que Dasha, elle, était une femme.

— Égoïste ! s'exclama-t-elle soudain dans le silence de la chapelle. Oui, égoïste jusqu'au bout, répéta-t-elle en hochant la tête avec conviction. Dasha est morte et moi je prends sa place. Discrètement, en douceur, mais je prends sa place ! En prenant bien garde de ne pas décevoir Vova, de ne pas détromper Naira sur mon compte, ni Dusia qui s'imagine que je vais à la messe. Je prends la place de Dasha et je dis : « Attention, il ne faut pas que cet amour chamboule mon cours de couture. »

— Tatiana, répliqua gravement Alexandre, je peux t'assurer que cet amour ne va pas chambouler que ton cours de couture, mais toute ta vie.

Elle leva les yeux vers lui : il était si grand... Elle était toujours folle de lui. Rien n'avait changé. Mais il représentait toujours « *trop* » pour elle — maintenant plus que jamais.

— Shura, es-tu sûr de ce qu'on va faire ? Es-tu sûr de ne pas te tromper ? Tu n'es pas obligé, tu sais ?

Il sourit et se pencha vers elle :

— Jamais je n'ai été plus sûr qu'aujourd'hui, répondit il en prenant sa main pour y déposer un baiser.

Pourtant, cette réponse ne suffisait pas à Tatiana. Elle le savait, s'il avait dit la vérité à Dasha, il n'aurait pu faire autrement que s'éloigner — de Dasha, mais d'elle aussi : jamais il n'aurait pu faire partie de sa vie, dans ce logement sinistre, avec toutes ces trahisons, toutes ces blessures. Sa sœur l'aurait perdu et elle aussi l'aurait perdu. Un gouffre se serait ouvert dans la famille, un gouffre qu'aucun pont n'aurait pu franchir, pas même celui de leur affection.

Elle n'avait pas dit : « Cet homme est à moi » — et elle ne le disait encore pas aujourd'hui. Non, c'était lui qui était venu à elle, alors qu'elle était absorbée dans sa petite vie solitaire, lui qui lui avait montré une autre existence, plus vaste. C'était lui qui avait traversé la rue et dit : *Je t'appartiens.*

Elle lui jeta un regard. Il attendait, patient, sûr de lui. Le soleil filtrait par les vitraux de l'église. La petite chapelle orthodoxe sentait l'encens. Dusia emmenait Tatiana à l'église de Lazarevo : chaque soir après le dîner, la jeune fille s'y rendait pour prier comme elle avait appris à le faire, afin d'essayer de lever les doutes et la tristesse qui l'écrasaient parfois.

Un jour, quand elle était petite, son grand-père lui avait dit : « Si tu es triste, il faut que tu te poses trois questions, Tatiana Metanova ; elles t'aideront toujours. *Demande-toi en qui tu crois, en qui tu espères et, surtout, qui tu aimes.* »

Je crois en Alexandre. J'espère en Alexandre. J'aime Alexandre.

— Êtes-vous prêts, mes enfants ? demanda le pope en pénétrant dans l'église. Je vous ai fait attendre, pardonnez-moi.

Il prit place derrière l'autel, face à eux. Le bijoutier et sa femme s'avancèrent à leurs côtés. Tatiana ne put s'empêcher de penser qu'ils devaient déjà avoir sifflé leur bouteille de vodka.

Le prêtre sourit.

— C'est ton anniversaire aujourd'hui, dit-il à la jeune fille. Ce mariage est un beau cadeau, n'est-ce pas ?

En guise de réponse, elle se serra contre Alexandre.

— Les hommes ont parfois l'impression que Dieu est absent de leur vie dans les épreuves qui les accablent par ces temps difficiles, reprit le pope. Pourtant, Dieu est toujours là. Et je vois qu'il est présent ici, dans mon église, et en vous, mes enfants. Je suis heureux que vous soyez venus me trouver. Dieu bénit votre union, votre bonheur, l'aide et le réconfort que vous vous apporterez dans la joie comme dans la peine et, si telle est Sa volonté, les enfants que vous aurez. Êtes-vous prêts à cet engagement ?

— Nous le sommes, répondirent d'une seule voix Tatiana et Alexandre.

— Les liens du mariage ont été voulus par Dieu dès la Création. Le Christ lui-même a sanctifié le mariage en réalisant son premier miracle aux noces de Cana, en Galilée. Le mariage symbolise le lien qui unit le Christ à Son Église. Savez-vous que ce que Dieu a uni, nul ne peut le séparer ?

— Oui, nous le savons.

— Avez-vous les alliances ?

— Oui.

Alors le pope poursuivit, élevant la croix au-dessus de leurs têtes :

— Très Saint Père, Dieu tout-puissant, considère avec bienveillance cet homme et cette femme pour lesquels Ton Fils a donné Sa Vie. Fais de leur vie commune un témoignage de l'amour du Christ dans ce monde brisé par la guerre et le péché. Protège-les, conduis-les dans Ta Paix et fais que l'amour soit un sceau sur leurs deux cœurs, un manteau sur leurs épaules, une couronne sur leurs fronts. Bénis-les dans leurs joies comme dans leurs peines, dans la vie comme dans la mort.

Des larmes roulaient sur les joues de Tatiana. Alexandre se tourna vers elle et lui prit les mains : il était radieux.

Une fois dehors, il la souleva dans ses bras et l'embrassa avec fougue. Le bijoutier et sa femme applaudirent mollement. Ils étaient déjà au bas des marches.

— La serre pas si fort, camarade ! Tu vas l'écraser, ta mariée ! fit la femme en sortant son vieil appareil photo.

Elle prit un cliché. Deux clichés.

— Passez me voir la semaine prochaine, dit-elle. D'ici là j'aurai trouvé du papier pour les développer.

Elle fit un signe d'au revoir et disparut avec son mari.

— Alors tu crois toujours qu'on aurait dû se contenter d'un mariage civil? demanda Alexandre à Tatiana lorsqu'ils eurent disparu.

— Non, répondit-elle en secouant la tête. Tu avais raison. C'était très émouvant. Comment le savais-tu?

— C'est Dieu qui nous a réunis. C'était notre manière de le remercier.

Elle étouffa un petit rire :

— Tu te rends compte qu'il nous a fallu moins de temps pour nous marier que pour faire l'amour la première fois?

— Beaucoup moins! Je pensais avoir vingt pour cent de chances de te faire accepter ce mariage.

— Vingt *contre*?

— Non, vingt *pour* bien sûr.

— Il faut croire un peu plus en ta femme, mon époux, fit-elle en déposant un baiser sur ses lèvres.

11

Ils rentrèrent par le sentier forestier. Alexandre portait presque tous leurs achats, Tatiana les deux oreillers.

— On devrait passer chez Naira Mikhaïlovna, dit-elle. Elles doivent être folles d'inquiétude.

— Voilà que tu recommences, répliqua-t-il, irrité. Tu veux retourner chez elles le jour de notre mariage ? *Pour notre nuit de noces ?*

Il avait raison. À quoi pensait-elle ? C'était juste que... qu'elle n'aimait pas blesser les gens. Elle le lui dit.

— Je sais, répondit-il. Commence par t'occuper de moi, par me choyer, *moi*. Ensuite, on ira voir Naira Mikhaïlovna, ajouta-t-il dans un soupir.

Quand ils arrivèrent à l'isba, vers six heures du soir, ils trouvèrent un mot épinglé sur la porte : *Tania, où es-tu ? Nous sommes folles d'inquiétude. N. M.*

Alexandre arracha le bout de papier dans un geste rageur.

— Tu ne crois pas qu'on devrait y aller ? hasarda timidement Tatiana.

— D'accord, mais attends un instant. J'ai deux ou trois choses à préparer avant.

Sur ces mots, il s'empara de leurs achats, des oreillers, des couvertures, et disparut à l'intérieur de l'isba. Il reparut quelques minutes plus tard, souleva la jeune fille dans ses bras et franchit avec elle le seuil de la petite maison de bois.

— Tania, en Amérique, on a une tradition : le marié porte toujours la mariée pour franchir le seuil de leur logis.

Il referma la porte d'un coup de talon, plongeant la pièce dans la pénombre. Tatiana songea qu'ils avaient oublié d'acheter une lampe à pétrole. Demain, oui demain ils iraient en chercher une à Lazarevo. Puis, clignant des yeux, elle distingua le lit qu'Alexandre avait garni d'oreillers et de couvertures. Il l'y déposa avec douceur, et elle lui tendit ses lèvres tandis que, lentement, il remontait sa robe le long de ses cuisses nues...

12

Ils se rendirent chez Naira au matin, encore tout étourdis par leur nuit. Les femmes se tenaient sous la véranda, pépiant autour du samovar.

— Elles sont en train de parler de nous, souffla Tatiana.

D'instinct, elle s'écarta d'Alexandre. Il la rattrapa par la taille en disant :

— Attends. On va leur donner vraiment de quoi cancaner.

Elles étaient furieuses après Tatiana. Dusia se mit à marmotter des prières en pleurnichant. Raisa fut saisie de ses inévitables tremblements. Naira braqua sur Alexandre un regard réprobateur. Quant à Axinya, elle ne se tenait plus d'excitation, mourant d'impatience de raconter l'affaire à ses amies du village.

— Où étais-tu passée ? demanda Naira à Tatiana. On t'a crue morte.

Les quatre femmes fusillèrent Alexandre du même œil furibond. La jeune fille ne savait quel parti prendre : faire semblant ? avouer ? expliquer ? expliquer quoi ? Comment leur expliquer les méandres de sa vie et de son cœur ? Comment leur dire qu'elles s'étaient trompées sur son compte ?

Quelques jours auparavant, elles se mouchaient en

chœur en évoquant les centaines de kilomètres parcourus par Alexandre pour venir épouser sa Dasha, Alexandre le fiancé au cœur brisé ! Et voilà que, tout à coup, il fallait leur annoncer son mariage...

— Tatiana, répéta Naira Mikhaïlovna sur un ton pincé, aurais-tu l'obligeance de nous dire où tu étais passée ?

— Nulle part. On... on est allés à Molotov. On a fait quelques courses, on a...

Elle s'arrêta. Alexandre compléta :

— Tu es sûre de ne rien oublier, Tania ? Et notre mariage, tu n'en parles pas ?

Les quatre femmes ne purent réprimer une exclamation horrifiée. La jeune fille secoua la tête d'un air navré, puis s'effondra, plus qu'elle ne s'assit, dans un fauteuil. Allant prendre place près de Dusia, Alexandre passa un bras sur les épaules de la vieille dame et dit :

— Eh bien, mesdames, je croyais qu'on aimait bien les noces dans les villages. On pourrait faire une petite fête, qu'en dites-vous ?

Il arborait un sourire rayonnant.

Perdant contenance, Naira riposta sèchement :

— Tu ne l'as sans doute pas remarqué, mon garçon, mais nous sommes bouleversées. Bouleversées et très contrariées.

— Ils se sont mariés ! s'exclama Axinya comme pour bien se pénétrer de l'idée.

— Que voulez-vous dire au juste par *mariés* ? fit Dusia en se signant. Pas ma Tanechka, ma si pure Tanechka... Tanechka, dis-moi que ce n'est pas vrai, poursuivit-elle. Dis-moi que c'est une plaisanterie. Dis-moi que vous nous faites marcher, nous autres pauvres vieilles folles.

— Ils n'ont pas l'air de plaisanter, Dusia, fit Naira Mikhaïlovna.

— Dusia, je t'en prie, ne sois pas fâchée, implora Tatiana. On n'a pas...

— Attends un instant, l'interrompit Alexandre. Pourquoi serait-elle fâchée? Un mariage, c'est plutôt une bonne nouvelle, non?

— Une bonne nouvelle! s'écria la vieille dame. Mais, aux yeux de Dieu...

Elle n'acheva pas sa phrase.

— As-tu pensé à ta sœur, Tatiana Georgievna? demanda sévèrement Naira.

— Et les convenances? Que vont dire les gens? Vous y avez pensé? fit Axinya d'une voix vibrante d'indignation mais qui n'en trahissait pas moins son ravissement de voir enfin se passer quelque chose dans ce village sans histoires.

Raisa chevrota :

— Tania, le souvenir de ta sœur est encore si vivant, si proche... et toi, tu...

Naira la coupa dans ses bredouillis pour s'adresser à Alexandre :

— Nous pensions que tu étais venu pour épouser notre Dasha! Paix à son âme, la pauvre petite...

Tatiana le savait : il allait bientôt perdre patience. Elle tenta de s'interposer :

— Laissez-moi vous expliquer...

Trop tard. Il s'était levé d'un bond :

— Non, c'est *moi* qui vais leur expliquer. Je suis venu à Lazarevo *pour Tatiana*. C'est *elle* que je suis venu épouser. Que ça vous plaise ou non! Maintenant, viens, Tania, on fiche le camp. Je vais chercher ta malle. On passera prendre la machine à coudre plus tard.

— Prendre sa malle? Et la machine à coudre? Tu n'y penses pas! Tania ne va pas quitter cette maison! fit Naira, éclatant en sanglots.

— Si, répondit Alexandre en passant un bras sur les épaules de Tatiana. Mesdames, je vous rappelle que nous sommes de *jeunes mariés*. Vous savez ce que font les jeunes mariés, non? Tenez-vous vraiment à avoir ça sous votre toit?

Naira eut un hoquet offusqué. Dusia se signa fébrilement. Raisa tremblait comme une feuille. Axinya jubilait.

La jeune fille pressa son bras.

— S'il te plaît, lui chuchota-t-elle. Laisse-moi leur parler. Va faire un tour dans le jardin. Je t'en prie, Shura.

Il obtempéra — à regret. Lorsqu'il se fut éloigné, elle se tourna vers les quatre femmes :

— Écoutez, on sera plus... plus à l'aise dans l'isba. Si vous avez besoin de quelque chose, dites-le-nous. Alexandre viendra réparer votre clôture. Et si vous voulez nous inviter à dîner, ce sera volontiers.

— Tanechka, nous nous faisons tellement de souci pour toi! s'exclama Naira. *Toi avec un... militaire!* On ne sait pas qui est ce garçon. On pensait que tu aurais choisi quelqu'un... quelqu'un... qui te ressemble davantage, vois-tu?

Axinya dit avec un sourire impénétrable :

— Je commence à croire que c'est exactement ce qu'elle a fait.

— Ne vous inquiétez pas pour moi, répliqua Tatiana. Je suis en sécurité avec lui.

— Et... bien sûr qu'il faudra venir dîner, reprit Naira. *Toi*, on t'aime beaucoup.

— Dieu te protège des horreurs du lit conjugal, marmotta Dusia.

Tatiana ne put s'empêcher de glisser un regard malicieux en direction d'Alexandre qui errait dans le jardin. Elle parvint à conserver son sérieux et répondit :

— Merci.

Tandis qu'il portait sa lourde malle sur le sentier, elle sautillait à ses côtés, furieuse :

Pourquoi ne peux-tu pas me laisser régler les choses à ma façon ? Pourquoi ?

— Parce que si on les avait réglées à ta façon, tu serais encore en train de traire une demi-douzaine de vaches, de faire la lessive pour tout le monde et de leur coudre à chacune une garde-robe toute neuve pour te faire pardonner !

— Je ne comprends pas. Je pensais qu'une fois marié, tu te calmerais un peu, que tu serais moins protecteur, moins... moins américain, voilà ! Moins comme un éléphant dans une fabrique de porcelaine !

Il éclata de rire :

— Je me demande ce qui a pu te faire penser qu'une fois marié je serais moins protecteur. Au risque de briser tes illusions, Tania, je tiens à te prévenir que tout ce que tu connais de moi va se multiplier par cent maintenant que tu es ma femme. Tout, tu m'entends ?

— Vraiment tout ?

— Oui. La possessivité. La jalousie. La protection. Tout. Multiplié par cent. C'est dans l'ordre des choses. Je ne voulais pas te le dire avant, de crainte de t'effrayer. Et tu ne peux pas faire annuler un mariage si... si pleinement consommé.

Sur ces mots, il posa lourdement la malle sous un bouquet de pins et s'assit dessus. Tatiana se planta face à lui, les yeux lourds de désir. Puis elle retroussa lentement sa robe et grimpa sur ses genoux...

13

Le soir, ils allèrent dîner chez Naira. Tatiana fit la cuisine pendant qu'Alexandre réparait la clôture. Vova et Zoé vinrent aussi, l'un et l'autre déconcertés par la tournure que prenaient les événements.

Tous épiaient chacun de leurs gestes. Tatiana n'osait pas croiser le regard d'Alexandre. Son corps tremblait encore du frisson de leur après-midi d'amour. Elle se demandait si la tablée tout entière ne pouvait pas lire comme dans un livre ouvert les images indécentes qui se bousculaient dans sa tête, sous sa peau.

Après le dîner, Alexandre ne demanda à personne d'aider sa femme à débarrasser. Il le fit lui-même et, lorsqu'ils se retrouvèrent seuls au-dessus de l'évier, il prit doucement son menton et le tourna vers lui :

— Tatia, n'évite plus jamais mon regard. Jamais. Parce que maintenant *tu es à moi*, et chaque fois que je te regarde j'ai besoin de le voir dans tes yeux.

— Je suis là et je suis à toi, répondit-elle dans un murmure tandis que leurs mains se cherchaient dans l'eau savonneuse.

14

— *How is my english?*

— *It's good.*

La matinée était bien avancée. Ils cueillaient des myrtilles sur les berges feuillues de la rivière, à quelques centaines de mètres de l'isba, et avaient décidé de ne se parler qu'en anglais. Mais la jeune fille revint sur sa promesse et dit en russe :

— Je crois que je lis mieux que je ne parle, tu sais. Maintenant John Stuart Mill est juste incompréhensible au lieu d'être franchement illisible.

Alexandre sourit.

— Subtile distinction, fit-il en se baissant pour ramasser deux ou trois champignons. On peut les manger, ceux-là ? demanda-t-il.

Elle les lui arracha des mains et les jeta par terre :

— Bien sûr qu'on peut les manger, mais ce sera la première et la dernière fois. Décidément, il faut que je t'apprenne à les reconnaître, Shura.

— Et moi que je t'apprenne à parler l'anglais.

— D'accord. *This is my new husband, Alexander Barrington.*

— *And this is my young wife, Tatiana Metanova*, répliqua-t-il en déposant un baiser sur son front. Maintenant, est-ce que tu te souviens des autres mots que je t'ai appris ? J'aimerais que tu me les dises.

Elle rougit.

— Pas maintenant. Occupe-toi plutôt de cueillir les myrtilles.

— Tania, ta pudeur et ta timidité me font l'effet d'un aphrodisiaque. Dis-moi ces mots...

— *Let us go home. I will make love to you.*

C'était un après-midi d'été au soleil radieux. Alexandre coupait du bois. Elle ne le quittait pas d'un pas.

— Tu es mon ombre, lui dit-il. Laisse-moi finir ce banc. Au moins nous aurons de quoi nous asseoir pour manger.

— Tu ne veux pas jouer à quelque chose ? Aurais-tu peur de perdre, capitaine ?

— Oh, toi..., fit-il en laissant tomber sa scie.

Il la souleva dans ses bras, passant les mains sous sa robe, et l'emporta vers l'isba.

— Shura, tu me serres trop fort. Je ne peux plus bouger. À quel genre de jeu veux-tu jouer ?

— À celui auquel nous jouons toute la journée : faire l'amour, se lever, faire l'amour, se baigner, faire l'amour...

15

Il était midi. Alexandre vidait une truite sur la petite table en bois. Avec son couteau de l'armée il l'écailla et lui coupa la tête. Tatiana se tenait près de lui, avec une casserole d'eau pour y plonger la truite.

— Quand va-t-on aller à Molotov chercher nos photos de mariage ? fit-elle.

— À mon avis, ce bijoutier va nous les faire payer le prix des alliances.

Elle sourit, puis prit une ample respiration, comme pour se donner du courage :

— Shura ?... Dusia m'a demandé de l'aider à l'église. S'il te plaît, ne te fâche pas. Je me sens coupable : il y a longtemps que je n'y suis pas allée.

— Tu y vas déjà bien trop...

Il ne souriait pas. Au bout de quelques instants, il reprit en soupirant :

— Que veut-elle cette fois ?

— Le vitrail est sur le point de tomber. C'est le seul de l'église. Elle se demandait si... si tu ne pourrais pas le réparer.

— Oh ! C'est *moi* qu'on demande aujourd'hui !

— Elle a dit qu'elle te donnerait de la vodka.

— Dis-lui que je préférerais qu'elle te laisse tranquille.

Sur ces mots, il alluma une cigarette. Par jeu, Tatiana la lui prit des lèvres et en tira une ou deux bouffées. Instantanément, elle s'étouffa.

— Qu'est-ce qui te prend? s'écria Alexandre en la lui arrachant des doigts. Je t'entends respirer la nuit. Tes poumons souffrent : ils cherchent l'air.

— Ce n'est pas la tuberculose — c'est parce que tu me serres trop fort dans tes bras.

Elle détourna les yeux. Il lui jeta un regard, mais ne répondit rien.

Dans l'église, debout sur un escabeau Tatiana maintenait le petit vitrail cher à Dusia, tandis qu'Alexandre enduisait le bord du panneau d'une mixture gluante composée d'eau, de poudre de calcaire et d'argile.

— Shura, je peux te poser une question?

— Dis toujours...

— Il t'arrive de penser à ce qu'on aurait fait si Dasha était toujours en vie?

— Non.

— Eh bien, moi j'y pense. Parfois.

— À quels moments?

— Des moments comme celui-ci.

Il ne dit plus rien, alors elle insista :

— Qu'est-ce qu'on aurait fait si elle avait vécu?

— Je refuse d'y penser.

— Penses-y.

Il poussa un soupir exaspéré :

— Quel plaisir as-tu à te torturer? Tu trouves que la vie t'a trop gâtée jusqu'ici?

— Oui, répondit-elle lentement. La vie m'a trop gâtée.

— Au lieu de dire des bêtises, cramponne-toi à ce vitrail, j'ai bientôt fini.

Une fois le vitrail fixé dans son logement, Dusia, qui

s'était tenue dans le fond de l'église pendant tout le temps de la réparation, remercia Alexandre. Elle alla même jusqu'à l'embrasser sur les deux joues en ajoutant que, finalement, il n'était pas un si mauvais gars.

De retour à l'isba, pendant le dîner Tatiana posa à nouveau la question :

— Tu ne m'as pas répondu tout à l'heure. Pour Dasha...

Il prit le temps de terminer sa bouchée, puis dit en s'essuyant posément les lèvres :

— Je crois que tu connais la réponse. Si elle avait vécu, j'aurais dû l'épouser comme je l'avais promis, et toi tu serais allée te vautrer dans le lit de ce brave Vova.

— Shura ! s'exclama Tatiana, indignée. Je ne veux plus te parler si tu ne me réponds pas sérieusement.

— D'accord, fit Alexandre, cette fois avec le plus grand sérieux. Toi vivante, je n'aurais jamais pu épouser Dasha, et tu le sais. Ma vérité aurait dû éclater ici, à Lazarevo. Et la tienne, Tania ?

Elle ne répondit pas.

— Elle te manque, n'est-ce pas ?

— Oui, confirma-t-elle avec un triste hochement de tête. Toute ma famille me manque, ajouta-t-elle dans un sanglot étouffé. Comme ton père et ta mère ont dû te manquer aussi.

— Je n'ai pas eu le temps de vraiment ressentir ce manque-là. J'étais trop occupé à sauver ma peau.

— Tu sais, Shura, parfois j'ai une drôle d'impression à propos de Pasha.

— Quelle impression ?

— Je ne sais pas. Un train saute, on ne retrouve pas un corps... J'ai le sentiment que le fait de n'avoir aucune certitude rend sa mort un peu moins réelle.

— Tu veux dire que tu ne crois à la mort que si tu la vois de tes yeux?

— Oui, c'est quelque chose comme ça.

— Impossible, Tania. Je n'ai vu partir ni ma mère ni mon père — et ils n'en sont pas moins morts.

— Je sais, soupira Tatiana en baissant les yeux. Mais *Pasha est mon jumeau*, c'est une moitié de moi. S'il est mort, je dois l'être aussi à moitié, non?

— Voilà une question à laquelle je peux répondre, fit Alexandre en lui prenant la main de l'autre côté de leur petite table. Tu es très très vivante — et pas seulement à moitié...

Le lendemain, sous son œil réprobateur, elle se préparait à aller donner son cours de couture.

— Pourquoi faut-il que tu perdes ton temps avec des bêtises pareilles? maugréa-t-il.

— Je ne perds pas mon temps, Shura. Ça dure juste une heure. Tu peux m'attendre *une heure*, n'est-ce pas, capitaine? ajouta-t-elle dans un murmure en se pressant contre lui.

— Pas sûr. À mon avis, elles devraient pouvoir s'en sortir sans toi. Et puis tu pourrais coudre ici. Je t'ai apporté ta machine, je t'ai fabriqué un tabouret. L'autre jour, je t'ai vue coudre tout un tas de vêtements noirs. Pour quoi faire?

— Rien. Des bêtises.

— Eh bien, tu n'as qu'à continuer de coudre tes bêtises ici.

— Alexandre, tu ne comprends pas. Tu sais ce qu'on dit : « Donne un poisson à un homme, et il aura de quoi manger pour la journée. Mais apprends-lui à pêcher et, toute sa vie, il aura de quoi manger. » Voilà ce que je fais : je leur apprends à pêcher...

16

— Qu'est-ce qu'il y a donc encore dans ce sac, capitaine ?

Assise sur une couverture devant l'isba, Tatiana vidait méthodiquement le havresac d'Alexandre, occupé à scier deux longues bûches.

— Rien d'intéressant, répondit-il sans se retourner.

Elle tira du sac un semi-automatique, un stylo, du papier, deux livres, deux boîtes de cartouches, un couteau, deux grenades à main et des cartes, des cartes, une multitude de cartes...

Celles-ci éveillèrent immédiatement son intérêt, mais avant qu'elle ait pu en déplier une, Alexandre avait déjà traversé la clairière et ramassé les grenades pour les ranger dans le sac.

— Pourquoi te promènes-tu avec autant de cartes ? Et... des cartes de Scandinavie, ajouta Tatiana en les étalant l'une après l'autre sur l'herbe. Finlande... Suède... Mer du Nord...

— Ce sont des cartes militaires.

— D'accord, mais pourquoi la Scandinavie ? Tu ne te bats pas en Scandinavie que je sache ?

— Non, mais notre armée se bat contre la Finlande.

— Tiens, en voici une de Carélie.

— Et alors ?

— Tu ne m'as pas dit que tu t'étais battu près de Vyborg pendant la guerre de Finlande en 1940 ?

— Oui.

Il s'assit près d'elle sur la couverture.

— Et au début de la guerre, l'an dernier, tu as envoyé Dimitri en reconnaissance dans l'isthme de Carélie, à Lisiy Nos.

Alexandre entreprit de rassembler les cartes éparpillées devant Tatiana :

— T'arrive-t-il d'oublier une seule chose que j'aie pu dire ?

— Non. Jamais. Pourquoi toutes ces cartes ?

— Juste la Finlande, Tania, répondit-il en se relevant et en l'aidant à se mettre debout à son tour.

— Et la Suède, Shura.

— Un petit bout de la Suède.

— Et la Norvège et l'Angleterre ?

— Quelle est ta question ?

— Ma question, c'est : la Suède est bien un pays neutre ?

— Oui.

Maintenant il la guidait doucement vers l'isba. Une fois à l'intérieur, il l'étendit sur le lit en souriant :

— D'autres questions de géographie politique, ma chérie ?

— Non, chuchota Tatiana en glissant une main sous sa chemise. Je crois que je vais plutôt m'occuper de ta géographie personnelle...

Leurs corps en sueur se dénouèrent et s'abattirent l'un près de l'autre. À bout de souffle.

Puis Alexandre se leva pour aller leur chercher un verre

d'eau. Lorsqu'il revint, Tatiana lui demanda ce qui lui avait valu sa médaille.

Il resta muet quelques instants. Elle attendit. Une brise chaude s'engouffrait dans les rideaux. Il eut un léger haussement d'épaules, puis répondit enfin :

— Pas grand-chose. On était arrivés à repousser les Finlandais, mais on s'était enlisés dans les marécages. Les Finlandais, eux, étaient bien retranchés, ils avaient des munitions, des réserves, et nous on était dans la boue et on n'avait rien. On avait perdu les deux tiers de nos hommes. Alors on a dû battre en retraite. C'était stupide : ça se passait au mois de mars, juste avant l'armistice, et nous on était là, on avait perdu sans raison des centaines d'hommes. On avait nos fusils, un ou deux obusiers, rien d'autre. Ma section comptait trente hommes. Au bout de deux jours, ils n'étaient plus que quatre. En regagnant Lisiy Nos, on a appris que l'un des gars qu'on avait laissés dans les marais près de la ligne de défense était le fils du colonel Stepanov. Il avait dix-huit ans. Il venait juste de s'engager...

Alexandre s'arrêta. Tatiana avait posé une main sur sa poitrine, elle sentit les battements de son cœur s'accélérer sous ses doigts.

— Je suis retourné dans les marais, reprit-il. J'ai passé quelques heures à le chercher et je l'ai trouvé — vivant mais blessé. On l'a ramené. Il n'a pas survécu. C'est pour avoir ramené le corps de Youri Stepanov qu'on m'a donné cette médaille, conclut-il brièvement.

Il avait les traits tendus mais, bizarrement, ses yeux ne trahissaient aucune émotion. Tatiana savait — il dissimulait si bien.

— Le colonel t'a été reconnaissant d'avoir ramené son fils ?

— Oui. Il s'est montré très bon avec moi. C'est grâce à

lui que j'ai pu quitter l'infanterie et entrer dans une division motorisée. Et, quand on lui a confié le commandement de la garnison de Leningrad, il m'a appelé auprès de lui.

Tatiana restait immobile, osant à peine respirer : non, elle ne voulait pas poser la question, elle ne voulait pas savoir. Pourtant, ce fut plus fort qu'elle :

— Tu n'es pas retourné seul dans les marais. Il y avait quelqu'un avec toi, n'est-ce pas ?

— Oui, répondit lentement Alexandre. Dimitri.

— Je ne savais pas qu'il était dans ta section.

— Il ne l'était pas. Je lui ai demandé s'il voulait m'accompagner et il a répondu oui.

— Pourquoi ?

— Pourquoi quoi ?

— Pourquoi a-t-il accepté ? J'ai du mal à croire que Dimitri ait pu accepter de bon cœur une mission périlleuse près des lignes ennemies.

Suivit un long silence — puis Alexandre dit enfin :

— Eh bien... c'est quand même ce qu'il a fait.

— Je ne suis pas sûre de bien comprendre : Dimitri et toi, vous êtes partis *seuls* dans les marais pour retrouver Youri Stepanov ?

— Oui, répondit Alexandre, agacé. Que cherches-tu ? Tu crois que je te cache quelque chose ?

— Je te renvoie la question : est-ce que tu me caches quelque chose ?

Les yeux fixés au plafond, il répliqua :

— Je te l'ai dit : on est partis dans les marécages, on a patrouillé deux ou trois heures, on l'a trouvé et ramené. C'est tout.

Les doigts de Tatiana traçaient machinalement des cercles sur la poitrine d'Alexandre.

— Shura... après l'armistice de 1940, Vyborg s'est retrouvé sur la frontière entre la Finlande et l'Union soviétique, pas vrai ?

— Exact.

— Il y a combien de kilomètres de Vyborg à Helsinki ?

— Je n'en sais rien.

— Sur la carte, ça n'a pas l'air très loin.

— C'est une carte ! Tout semble près sur une carte ! Mettons qu'il y ait trois cents kilomètres de Vyborg à Helsinki.

— Et combien de kilomètres d'Helsinki à Stockholm ?

— Pour l'amour de Dieu, Tania ! Cinq cents kilomètres, peut-être — mais sur l'eau, par la Baltique et le golfe de Botnie.

— J'ai encore une question.

— Laquelle ? fit Alexandre, franchement exaspéré.

— Où se trouve la frontière maintenant ?

Il ne répondit pas. Alors Tatiana reprit :

— Les Finlandais sont descendus de Vyborg à Lisiy Nos, n'est-ce pas ? Là où tu as envoyé Dimitri en reconnaissance l'année dernière ?

— Où veux-tu en venir avec ces questions ? J'en ai assez ! Et où vas-tu ? ajouta-t-il en la voyant se lever.

— Nulle part. Cette discussion semble terminée, non ? Alors je vais me rafraîchir à la rivière et préparer le dîner.

— Viens ici.

Elle le dévisagea : ces yeux, ces mains, cette bouche, cette voix, décidément elle ne pouvait leur résister. Elle obéit.

— Que vas-tu t'imaginer ? demanda-t-il, radouci.

— Rien. Je réfléchissais, c'est tout.

— Tu m'as posé des questions sur ma médaille, je t'ai répondu. Tu m'as posé des questions sur les frontières, je t'ai répondu. Tu m'as posé des questions sur Lisiy Nos, je t'ai répondu. Maintenant, arrête de me poser des questions et embrasse-moi.

Sur ces mots, il lui donna un long baiser — un baiser chaud, tendre, sensuel, un interminable baiser à l'abri des questions...

17

— Tania, es-tu vraiment en train de me dire que Pierre le Grand n'aurait pas dû bâtir Leningrad et moderniser la Russie ?

— Ce n'est pas moi qui dis ça, s'insurgea la jeune fille. C'est Pouchkine. Il est très partagé sur le sujet dans *Le Cavalier de bronze*.

— Pouchkine n'est pas partagé. Il a écrit *Le Cavalier de bronze* pour dire que la Russie devait entrer dans le Nouveau Monde — fût-ce dans les cris et les larmes.

— Non, pour lui, le prix à payer pour cette ville était trop cher.

Alexandre saisit le volume sur la table et lut :

— « *Ô, puissant maître du destin / n'as-tu pas comme une cavale, / bâillonné la Russie avec un mors d'acier, / la jetant, cabrée, sur l'abîme ?* » Voilà ce qu'écrit Pouchkine, poursuivit-il, enflammé. *L'abîme*, Tatiana !

— Il écrit aussi — et elle cita par cœur : « *Il dit un mot et, aussitôt, / bravant les vagues dangereuses, / ses généraux se portent au secours / des pauvres gens qui, figés par la peur, /se noyaient entre quatre murs.* » Ils ont peur, Alexandre ! Elle est là l'ambivalence de Pouchkine. La Russie, celle que représente le personnage d'Eugène, ne souhaitait pas être modernisée.

— Mais Tania, la Russie n'existait pas ! Il n'y avait pas de Russie ! Alors que le reste de l'Europe entrait dans les Lumières, la Russie était encore plongée dans le Moyen Âge. Quand Pierre le Grand a bâti Leningrad, tout à coup le pays a connu la langue française, la culture, l'éducation, les voyages ; il y a eu une économie de marché, une classe moyenne, une aristocratie. Il y a eu la musique et les livres. Ces livres que tu aimes tant, Tania, ces *familles heureuses* qu'évoque Tolstoï. Jamais Tolstoï n'aurait pu écrire ses livres si Pierre le Grand n'avait pas bâti cette ville cent ans auparavant. Le sacrifice d'Eugène et de Paracha signifie que, l'important, c'était de créer un monde meilleur, de faire triompher la lumière sur les ténèbres, d'élever une ville là où, avant, il n'y avait rien, de bâtir la *civilisation* là où, avant, on ne trouvait que des marécages !

— Va raconter ça à l'Eugène de Pouchkine : il devient fou. Va raconter ça à sa Paracha : elle meurt noyée.

— Eugène était faible. Paracha était faible. On ne leur a érigé aucune statue.

— Peut-être. Mais on ne peut nier que Pouchkine posait cette question : la construction de cette ville méritait-elle le sacrifice de tant de vies humaines ?

— Non, riposta Alexandre, catégorique. Je ne crois pas en l'ambivalence de Pouchkine.

— Comment peux-tu être aussi affirmatif ? Lis ! C'est tout le sujet du poème : « *Dans le clair de lune blafard, / tendant son bras haut vers le ciel, / le Cavalier de bronze le pourchasse / sur son cheval aux bonds retentissants.* »

Tatiana s'interrompit pour reprendre son souffle avant de poursuivre :

— Pouchkine ne finit pas son poème comme il l'a commencé, avec la « *Neva vêtue de granit* », la flèche d'or de l'Amirauté et les nuits blanches ! Il achève son poème en disant que certes, Leningrad existe, mais que la statue de Pierre le Grand surgit comme sortie d'un cauchemar et pourchasse à tout jamais Eugène — le pauvre fou — dans les rues sublimes de la ville : « *La nuit durant, où qu'il portât ses pas, / le pauvre hère était rejoint / par le pesant galop du cavalier d'airain.* » Shura, c'est ça le prix de Leningrad ! Paracha meurt noyée, et Eugène est poursuivi pour l'éternité par le Cavalier de bronze. À mon avis, Paracha aurait préféré vivre et Eugène garder la raison, même dans un marécage.

Alexandre lut les toutes dernières lignes du poème :

— « *On découvrit mon pauvre fou. / Et là même son corps glacé / fut enterré par charité.* »

Il eut un haussement d'épaules désinvolte :

— Peu importe. Si le prix à payer pour un monde libre est un Eugène, eh bien soit. Tu sais bien que les plus belles réussites de l'humanité ont exigé des sacrifices et qu'elles les méritaient. Leningrad méritait ce sacrifice.

Tatiana réfléchit un moment, puis leva les yeux vers Alexandre :

— Et si l'Eugène de Pouchkine était le prix à payer pour le « *socialisme dans un seul pays* », qu'en penserais-tu ?

— Allons, Tania, Pierre le Grand n'était pas Staline !

— Réponds-moi.

— Je parle de grands accomplissements pour l'humanité. Les sacrifices qu'exige le monde de Staline ne sont pas seulement odieux, ils sont inutiles. Je parle de se sacrifier pour un monde libre, pas pour un *esclavage*. C'est une différence vitale, essentielle ! C'est celle qu'il y a entre mourir pour Hitler et mourir pour l'arrêter.

— En attendant, c'est toujours mourir, n'est-ce pas ? fit

Tatiana en se serrant contre lui. Je sais, ajouta-t-elle dans un souffle, que, pour toi, mourir pour Hitler ou mourir pour Staline, c'est pareil.

— C'est vrai, mais mourir pour arrêter Hitler, ça c'est différent.

18

Assis sur un rocher, Alexandre et Tatiana pêchaient — ou, plus exactement, essayaient de pêcher : sa ligne à elle était toujours dans l'eau, mais lui avait déjà posé la sienne dans l'herbe. Il dévorait des yeux la jeune femme tout en lui caressant le dos.

— Shura, dit-elle, je t'en prie. On n'a encore attrapé aucun poisson. Je ne voudrais pas décevoir Naira Mikhaïlovna.

— Naira Mikhaïlovna est bien le cadet de mes soucis à l'heure qu'il est, répondit-il, rendant ses caresses plus insistantes.

Elle sourit et, sans quitter du regard les reflets scintillants de la rivière, lui demanda de lire la fin du prologue du poème de Pouchkine. Alexandre obtempéra :

— « *Or il advint des jours terribles / dont le souvenir reste vif... / C'est pour vous, mes amis, / que je veux les conter. / Triste en sera l'histoire, que voici.* » Tania, combien de jours nous reste-t-il ? ajouta-t-il après un silence.

— Je ne sais pas, murmura-t-elle, les yeux toujours fixés sur l'eau.

Alors elle entendit la voix d'Alexandre chuchoter dans son dos :

— « *Me marier, moi? Pourquoi pas? / C'est une affaire, il va sans dire, / mais enfin, jeune et bien portant, / je peux travailler nuit et jour. / Je saurai bien trouver un coin / où cajoler ma...* »

Il s'interrompit. Tatiana savait que, dans le poème, Pouchkine parlait de Paracha, la « *tendre amie* » d'Eugène. Elle attendit, les larmes dans lesquelles il lui semblait que son cœur se noyait lui brouillaient les yeux. Alexandre reprit sa lecture d'une voix tremblante.

— « *Où cajoler ma* Tatiana. / *Un an passera, puis un autre, / je monterai en grade. Alors / je confierai à* Tatiana *l'éducation de nos enfants. / Et nous vivrons ainsi ensemble, / main dans la main, jusqu'au tombeau, / où nous mettrons les fils de nos enfants...* »

Il s'arrêta. Elle l'entendit refermer le livre d'un coup sec.

— Continue de lire, soldat, lui dit-elle. Allons, courage.

— Non, répliqua-t-il d'un ton sans appel.

Et ils n'échangèrent plus une parole jusqu'à ce qu'ils soient revenus dans l'isba.

Ils rentrèrent de chez Naira Mikhaïlovna tard dans la soirée. Alexandre était très calme et silencieux, plus calme et silencieux qu'à l'ordinaire.

— Qu'y a-t-il, Shura? Dis-moi ce qui te tracasse.

— Rien, répondit-il tout d'abord, puis, n'y tenant plus, il explosa : Pourquoi faut-il *toujours* que tu serves ce Vova? Il n'a pas de mains, ce garçon? Il ne peut pas se servir tout seul?

— Shura, tu es injuste : je sers tout le monde. Et toi le premier. À quoi ça ressemblerait si je servais tout le monde sauf lui?

— Je me fiche de savoir à quoi ça ressemblerait. Je te demande juste de ne pas le faire.

Elle ne dit rien. Il paraissait tellement furieux. Qu'avait-elle fait pour lui déplaire à ce point ?

Elle resta assise au bord de la rivière, jambes croisées, à contempler le halo cireux d'un croissant de lune dans l'obscurité du ciel. Elle savait qu'Alexandre était parti s'asseoir sur le banc près de l'isba, et qu'il la regardait. Il le faisait de plus en plus souvent : la regarder et fumer. Fumer. Fumer. Fumer.

Elle se leva et se dirigea vers lui.

— Tu veux rentrer, Shura ? lui demanda-t-elle timidement.

Il répondit non d'un mouvement de tête.

Elle le dévisagea un long moment, épiant son regard, ses lèvres qui tremblaient un peu, ses mains agitées.

— Shura ?

— Quoi ?

— Je t'aime.

Et elle rentra dans l'isba.

19

À la tombée du jour, il s'était enfoncé dans la forêt pour aller chercher du petit bois. Tatiana cria, l'appela. Elle n'obtint aucune réponse. Elle voulait le voir avant de faire un saut chez Naira. Comme il ne venait pas, elle posa pour lui, sur la table, une assiette de pommes de terre frites, deux tomates et un concombre. Il était toujours affamé lorsqu'il rentrait de la forêt.

Étrange époux qu'elle avait là... Plus rien ne semblait l'intéresser, sinon fumer et couper du bois. C'était tout ce qu'il faisait désormais. De temps en temps, à l'aube ils allaient encore pêcher sur leur rocher. Ils étaient silencieux, ensommeillés. La rivière Kama était immobile, comme gelée, l'air était humide de rosée. Alexandre avait raison : c'était bien le meilleur moment pour la pêche. À cette heure-là, il leur arrivait de prendre une demi-douzaine de truites en quatre ou cinq minutes. Il les faisait glisser, vivantes, dans un filet accroché à une branche de peuplier qui plongeait dans la rivière. Puis il fumait une cigarette pendant que Tatiana se lavait les dents avant de retourner se coucher.

Ensuite, il venait la rejoindre et ils faisaient l'amour.

Pourtant, depuis quelques jours, il la touchait comme s'il risquait de se brûler au contact de sa peau. Elle exerçait toujours sur lui un irrésistible attrait, il ne pouvait s'empêcher de la toucher, mais le faisait désormais comme un homme qui sait que les brûlures qu'il s'inflige vont lui laisser des cicatrices ineffaçables.

Qu'était devenu celui qui la poursuivait en riant pour la faire tomber dans l'herbe et la couvrir de délicieuses chatouilles ? Celui qui voulait lui faire l'amour dehors, en pleine lumière, pour mieux la contempler ? Où étaient passées sa légèreté, sa drôlerie ? Elles avaient disparu peu à peu : sombre, taciturne, il fumait, coupait du bois... et dévorait Tatiana des yeux.

La nuit, elle sentait parfois qu'il s'éveillait. Alors il la serrait dans ses bras, si fort qu'elle suffoquait, et il respirait l'odeur de ses cheveux, de sa peau, comme s'il ne devait plus jamais les sentir.

Elle était en train de trancher les deux tomates qu'elle lui avait préparées. Des larmes roulaient lentement sur ses joues.

— Tu vas quelque part ?

Elle ne l'avait pas entendu arriver. Elle s'essuya les yeux d'un geste rapide, s'éclaircit la gorge et dit :

— J'ai presque fini.

La lumière déclinait. Peut-être ne verrait-il pas qu'elle avait pleuré. Elle tourna la tête vers lui. Sa silhouette s'encadrait dans la porte. Il transpirait et était couvert de copeaux de bois.

— Pourquoi as-tu les yeux rouges ? demanda-t-il.

— À cause des oignons. J'en ai coupé quelques-uns pour les mettre avec les tomates.

— Je ne vois qu'une assiette. Tu vas quelque part ? Je viens de te poser la question.

Il ne souriait pas. Elle répondit :

— Non... Non, bien sûr que non.

20

De tout son corps, il la clouait sur le lit. De sa main gauche il lui tenait la tête, de la droite il agrippait sa cuisse — il était sur elle, en elle, autour d'elle, partout. À chaque va-et-vient de l'amour, elle le sentait se débattre et lutter dans sa passion pour elle, dans ce besoin fou qu'il avait d'elle.

Elle pressa les lèvres sur son épaule.

— Oh, Shura... Moi aussi, j'ai besoin de toi, chuchota-t-elle en s'efforçant de ne pas éclater en sanglots.

— Je suis là. Tu me sens?

— Je te sens, soldat, répondit-elle dans un murmure. Je te sens.

Trop vite, la vague brûlante du plaisir l'envahit, elle réprima un gémissement. Il se retira. Voilà, se dit-elle, ouvrant les mains dans un geste d'impuissance, l'implorant de revenir en elle. Voilà. Ça va durer toute la nuit jusqu'à ce que, enfin, à la fois doux et violent, il soulage sa faim de moi, jusqu'à ce qu'il aille au bout de ses forces, jusqu'à ce qu'il nous épuise l'un et l'autre, jusqu'à ce qu'on ne puisse plus ni l'un ni l'autre échapper à sa souffrance.

21

Ils ne parlaient pas de son départ, de leur séparation. Les jours passaient pourtant — sur la fin, ils semblaient même courir. Non, Alexandre et Tatiana ne voulaient pas parler de l'avenir.

Ils ne le pouvaient pas.

Ils n'avaient pas de passé — le passé, c'était la guerre. Le futur aussi. Ils vivaient leur jeunesse au jour le jour dans la quiétude de Lazarevo. Alexandre savait qu'il avait vécu dans ce village les plus belles journées de sa vie. Il ne se berçait pas d'illusions : le temps de Lazarevo ne reviendrait pas — ni pour lui ni pour Tatiana.

Elle, en revanche, donnait l'impression de se cramponner à cette illusion. Il se disait qu'elle avait de la chance. Elle paraissait tellement heureuse, insouciante : elle souriait, riait, comme si le temps ne passait pas, comme si demain n'existait pas. Il savait qu'elle pensait parfois au passé, à Leningrad, sentait en elle un chagrin qui s'était comme pétrifié. Mais à l'évidence l'avenir n'effrayait pas Tatiana.

— Qu'est-ce que tu fais? lui demandait-elle lorsqu'il restait assis sur le banc à fumer.

— Rien, répondait-il.

Et en lui-même il ajoutait : *Si... je souffre.*

Il passait son temps à fumer et à la désirer, mais d'un désir autre, proche de celui qu'il avait éprouvé, plus jeune, pour l'Amérique... Il voulait une vie avec elle, une simple et longue vie de couple marié, où il aurait pu tous les jours la toucher, respirer son odeur, entendre son rire, caresser le miel de ses cheveux. Tous les jours.

Comment partir? Comment l'abandonner, trahir sa confiance, la laisser? Lui pardonnerait-elle? De la quitter — de mourir — de la tuer?

Il sentait son estomac se nouer quand il la regardait courir toute nue vers la rivière le matin. Elle ressortait de l'eau frissonnante et venait se planter devant lui, la pointe des seins dressée. Il la prenait dans ses bras et la pressait contre lui en serrant les dents, remerciant le Ciel qu'elle ne pût lire sur son visage la torture qu'il endurait.

Il fumait en la regardant depuis son banc de rondin.

— Qu'est-ce que tu fais? lui demandait-elle.

— Rien, répondait-il.

Et en lui-même il ajoutait : *Rien... sinon souffrir à en crever*.

Il devenait de plus en plus irascible.

Il ne supportait plus de la voir se démener pour les autres. Et elle, le voyant mécontent, s'efforçait toujours d'en faire davantage pour lui : « Tu veux quelque chose? De quoi as-tu besoin? Qu'est-ce qui te ferait plaisir? » Elle n'avait que ces mots-là à la bouche.

Il répondait que non, il ne voulait rien, n'avait besoin de rien, envie de rien. À plusieurs reprises, il manqua la repousser en lui criant : Que vas-tu devenir quand je serai parti? Si tu me donnes tout, que va-t-il te rester?

Il savait qu'elle ne pouvait que donner ou, plus exactement, qu'elle était incapable de ne pas donner. C'était pour cela, entre mille autres raisons, qu'il était tombé amoureux d'elle. Pourtant, bientôt, elle devrait apprendre, elle devrait grandir, se disait-il en abattant rageusement sa hache sur le bois.

Il se fâchait pour des broutilles. La gaieté de Tatiana l'exaspérait. Elle chantait et sifflotait sans cesse. Comment pouvait-elle avoir le cœur léger alors qu'il allait partir dans... quinze jours, dix jours, cinq jours, trois jours... ?

Il devenait de plus en plus jaloux. Personne n'avait plus le droit de poser les yeux sur elle. Il ne supportait plus de la voir sourire ou parler à quiconque. Moins encore à Vova. Il entrait sans cesse dans des colères folles, qui tombaient au bout de cinq minutes grâce à toute la séduction qu'elle mettait en œuvre pour l'apaiser. Mais ces accalmies n'étaient que de courte durée.

Il avait le sentiment de n'être jamais assez proche d'elle — en marchant, en dormant, en faisant l'amour même... Ses sentiments oscillaient entre la plus douce des tendresses et le désir le plus fou. Il se mit à éprouver une souffrance physique intolérable quand elle s'absentait pour donner son cours de couture ou pour rendre quelque service aux vieilles femmes. La timidité de Tatiana, sa gentillesse, sa vulnérabilité, sa générosité le déchiraient. Il n'aspirait qu'à une chose : la prison veloutée de sa chair — elle seule lui apportait quelques instants de paix.

La quitter était impensable.

Un jour où elle était sortie, après avoir un long moment tourné en rond dans la clairière, il rentra dans l'isba et, par désœuvrement, ouvrit sa malle. Il contempla avec émotion les quelques draps et habits qu'elle contenait, ainsi que ses trois livres. Puis il aperçut autre chose dans le fond, une forme qui semblait dissimulée : c'était un sac à dos de toile noire. Il le tira de la malle, défit les sangles et en sortit l'arme qu'il lui avait confiée à Leningrad, trois bouteilles de vodka, des bottes, des boîtes de *tushonka*, des biscottes et quelques roubles. Il y avait aussi des vêtements chauds — tous noirs.

Alors il entendit la voix de Tatiana dans la clairière. Elle l'appelait joyeusement :

— Shura ! Shura ! Tu ne vas pas le croire. J'ai acheté des harengs ! *De vrais harengs !*

Comme elle pénétrait dans l'isba, il fit volte-face, le sac à la main.

— Qu'est-ce que c'est que ça ? lui demanda-t-il sèchement.

— Tu fouilles dans mes affaires maintenant ? répondit-elle d'un ton léger. Viens plutôt m'aider à préparer ces poissons.

— Pas tant que tu ne m'auras pas répondu.

Elle poussa un soupir :

— C'est un sac pour moi.

— Tu pars en camping peut-être ? fit-il, railleur.

— Non...

— Et ça, c'est quoi ? répéta-t-il en saisissant une brassée de vêtements noirs qu'il brandit sous son nez. Dis-moi où tu vas, Tania.

— Je veux... Je veux juste être prête à... à toute éventualité.

— Quelle éventualité ?

— Je ne sais pas, fit-elle, hésitante. Partir avec toi, par exemple.

— Partir avec moi où ça ? répliqua-t-il, suffoqué.

— N'importe où. N'importe où tu iras, j'irai avec toi.

Elle braquait ses yeux dans les siens.

Il resta un moment sans voix, puis articula douloureusement :

— Mais, Tania... je retourne *sur le front*.

Il recula de quelques pas comme si, soudain, la présence de Tatiana était une menace, avant de poursuivre :

— Le colonel Stepanov m'a accordé une longue permission pour que je puisse venir ici. Je lui ai juré de revenir. Inutile de discuter, d'ailleurs : tu sais bien que je dois partir.

— Dans ce cas, je pars avec toi et on rentre tous les deux à Leningrad. Tu vas bien retourner à la caserne, non ?

— Tatiana ! Tu n'entends pas ce que je te dis ? Je repars sur le front, tu comprends ? Sur le front !

Il avait hurlé. À son tour elle cria :

— Et tu ne reviendras jamais ? Et tu mourras loin de moi ? Non, Shura, je ne resterai pas ici sans toi !

— Tu as oublié le blocus ? On évacue les gens de Leningrad, on ne les y ramène pas ! Je ne peux pas croire que tu aies oublié : c'était il y a six mois et tes cauchemars te réveillent encore la nuit. Leningrad est une ville assiégée, bombardée. Il n'y a pas de vie là-bas. Moi je te dis que tu n'y retourneras pas.

Sur ces mots, il sortit de sa poche son couteau militaire et lacéra rageusement les vêtements qu'elle s'était fabriqués.

Elle le regarda faire avec effarement, mais sa voix était posée quand elle lui dit :

— Tu sais, je peux m'en faire d'autres.

Il poussa un juron, serra le poing puis, tout à coup, son visage changea d'expression, comme s'il venait de saisir quelque chose :

— Je comprends maintenant. Oui, je comprends pourquoi tu étais si gaie, comme si tu te moquais de savoir que j'allais partir. C'est parce que tu pensais venir avec moi, c'est ça ?

Elle fit un pas vers lui :

— Shura, murmura-t-elle, crois-tu que j'aurais pu endurer ces derniers jours sans cette idée ? Mon époux, ajouta-t-elle d'une petite voix, je t'ai donné tout ce que j'avais. Si tu pars, tu emportes tout.

Il recula brusquement, évitant son contact, fou de rage :

— Tu aurais mieux fait de te montrer plus économe, Tania, parce que je pars, en effet, et je pars *sans toi* ! C'est la guerre, bordel ! La guerre ! Avec des millions de morts. Qu'est-ce que tu cherches ? À faire un cadavre de plus dans une fosse commune ? Je suis un soldat. Je dois retourner me battre. Tu ne peux pas me suivre. De toute façon, je ne retourne pas à la caserne Pavlov.

— Où vas-tu ?

— Je ne peux pas te le dire. Mais Leningrad ne pourra pas supporter un autre hiver comme celui-là.

— Vous allez briser le blocus, c'est ça ? Où ?

— Je ne te le dirai pas.

— Bien, fit Tatiana en s'asseyant sur le lit. Trois jours après notre rencontre, tu me racontais que tu étais américain alors que tu ne me connaissais même pas. Et maintenant que nous sommes mari et femme, tu refuses de me dire où on va t'envoyer ?

— Je refuse de te répondre, un point c'est tout.

— Pourquoi m'as-tu épousée si c'était pour continuer à mentir ?

— Je t'ai épousée, hurla Alexandre, la voix brisée, pour pouvoir te baiser comme je voulais ! Tu piges maintenant ? Comme je voulais, Tania ! À ton avis, que peut vouloir un militaire en permission ? Je suis venu passer du bon temps. Si je ne t'avais pas épousée, à l'heure qu'il est tout Lazarevo te traiterait de putain !

Tatiana se leva en chancelant. Elle n'arrivait pas à y croire.

— Tu... tu dis que tu m'as épousée pour... pourquoi ? bredouilla-t-elle.

— Tatia...

— Je t'interdis de m'appeler Tatia ! D'abord les insultes, ensuite les « Tatia » ? fit-elle en se cachant le visage dans ses mains. Tu crois que je ne vois pas ce que tu es en train de faire ? Tu essaies de me faire te détester ! Voilà des jours que ça dure ! ajouta-t-elle en redressant la tête, mâchoires crispées. Eh bien, tu veux que je te dise ? Je crois que tu as fini par y arriver !

— Tania, s'il te plaît...

— Voilà des jours que tu t'efforces de me repousser pour pouvoir me quitter plus facilement, l'interrompit-elle. Qu'es-tu vraiment venu chercher ici, Alexandre ? Ça, peut-être ?

Elle s'était emparée du volume de Pouchkine dans sa malle ouverte et en avait arraché une poignée de dollars qu'elle brandissait sous le nez d'Alexandre. Elle lui lança les billets à la figure.

— C'est pour ça que tu es revenu ? Pour ton argent américain ? Pour les dix mille dollars que j'ai trouvés dans ton livre ? Tu es revenu les chercher pour pouvoir t'enfuir aux États-Unis *sans moi* ? Ou peut-être que tu allais m'en laisser un peu, histoire de me dédommager d'avoir si obligeamment écarté les jambes ?

Elle était tout près de lui à présent et, sans même qu'elle ait réfléchi à son geste, sa main s'envola pour s'abattre sur la joue d'Alexandre.

— Fiche le camp maintenant, et tout de suite, poursuivit-elle alors qu'une larme roulait sur sa joue. On a eu de bons moments. Ils ne se reproduiront pas. Tu m'as *baisée* comme tu dis. J'ai compris. Tu as eu ce que tu voulais, alors fiche le camp. Quant à ça, conclut-elle en arrachant l'alliance à son doigt, tu pourras la donner à ta prochaine putain !

Elle lui lança l'anneau au visage, puis alla se recroqueviller sur le lit, enroulée dans un drap, et se tourna vers le mur, comme autrefois à Leningrad. Quelques instants plus tard, il vint s'étendre près d'elle.

— Tatiasha, murmura-t-il, pardonne-moi. Je ne pensais pas ce que je disais.

— Si, tu le pensais. Tu pensais tout ce que tu as dit. Tu es un soldat...

— Non. Je suis ton mari avant d'être un soldat.

Il la prit dans ses bras.

— Sens-moi, Tania. Sens mon corps contre le tien, sens mes mains, mes lèvres, sens mon cœur. Ils ne te mentent pas. Tourne-toi, je t'en prie.

— Non.

— Je t'en supplie, tourne-toi et dis-moi que tu me pardonnes.

Elle se tourna comme il le demandait et le dévisagea sous ses paupières gonflées de larmes.

— Je te pardonne, répondit-elle d'une voix vide.

— Embrasse-moi. Je veux que tes lèvres me pardonnent.

Elle ferma les yeux. Sa bouche effleura celle d'Alexandre — de mauvaise grâce. Alors, malgré elle, elle sentit ses lèvres s'entrouvrir sous la chaleur de ce baiser, et elle l'embrassa passionnément — comme avant.

Quand ils eurent retrouvé leur souffle, elle chuchota :

— Alexandre, c'est... c'est pour l'argent que tu es venu ?

— Tu sais bien que non.

— D'où sortent-ils, ces dollars américains ?

— De ma mère. Mon père avait décidé de venir en Union soviétique sans un sou, mais ma mère avait caché quelques dollars dans ses bagages, au cas où... Ces billets sont la dernière chose qu'elle m'ait donnée quelques semaines avant son arrestation. On a découpé ensemble l'intérieur de la couverture du Pouchkine et on y a caché l'argent. Dix mille dollars d'un côté, quatre mille roubles de l'autre. Elle pensait que ça pourrait m'aider à quitter ce pays.

— Qu'est devenu le livre quand tu as été arrêté ?

— Je l'avais caché.

— Et pourquoi me l'as-tu donné ? Tu voulais le savoir en lieu sûr ?

Alexandre plongea ses yeux dans ceux de Tatiana.

— Non, je te l'ai donné pour te confier ma vie.

Elle accueillit cette déclaration sans ciller.

— En 1940, quand tu es parti te battre contre les Finlandais, tu as emporté l'argent avec toi, n'est-ce pas ?

Il ne répondit pas.

— Encore une chose que Dimitri ne te pardonne pas. Et quand tu es parti chercher le fils de Stepanov, tu as emmené Dimitri parce que vous aviez le projet de fuir ensemble par la Finlande, vrai ou faux ?

Alexandre demeurait immobile, tel un gisant. Aucun son ne passait ses lèvres.

— Vous vouliez fuir par les marais, gagner Vyborg, puis Helsinki, et ensuite l'Amérique ! Tu avais pris l'argent, tu étais prêt. C'était le moment dont tu rêvais depuis des années. Dis-moi si je me trompe.

Sa voix tremblait. Lui ne répondait toujours rien. Alors elle poursuivit, hoquetant tout d'abord entre deux sanglots :

— C'était un bon plan. Vous disparaissiez et personne ne serait parti à votre recherche : on vous aurait crus morts, tout simplement. Vous n'aviez pas pensé que Youri Stepanov pouvait être encore en vie. Il n'était qu'un prétexte pour retourner dans les marécages. Or il était vivant ! C'est Dimitri qui a dû être surpris quand tu lui as annoncé que tu ramenais Youri à son père, ajouta-t-elle avec un petit rire amer et une voix plus ferme. Je croirais l'entendre : « Bon sang, à quoi tu penses, Alex? T'es dingue ou quoi? Ça fait des années que tu veux rentrer en Amérique. C'est ta chance, c'est *ma chance* que tu laisses filer! » Dis-moi si je me trompe.

Cette fois, le ton était impératif et Alexandre répondit dans un murmure assourdi :

— Non, on croirait presque que tu y étais. Comment sais-tu tout ça?

Elle prit son visage dans ses mains :

— Parce que je te connais mieux que personne. Tu n'allais pas laisser ce pauvre garçon mourir dans les marais. Alors tu as fait demi-tour en te disant que tu trouverais tôt ou tard une autre occasion de t'enfuir. Combien ça t'a coûté, Shura? Qu'as-tu dû promettre à Dimitri pour qu'il accepte? Que si tu n'y laissais pas ta peau, un jour où l'autre tu l'aiderais à partir pour les États-Unis?

Il écarta doucement les mains de Tatiana de son visage et ferma les yeux.

— Je t'en prie, tais-toi.

— Et maintenant, que va-t-il se passer?

— Maintenant rien. Maintenant tu vas rester ici et moi je vais retourner sur le front. Maintenant Dimitri est estropié. Maintenant je vais me battre pour Leningrad...

22

Le matin du départ, ils ne purent se toucher.

— Tu veux que je t'accompagne à la gare ? demanda Tatiana.

— Non. Ce serait insupportable.

— Tu as raison.

— Je t'ai laissé plein de bois, dit Alexandre en désignant la remise.

— Oui, plein. De quoi tenir longtemps, très longtemps...

Elle avait les larmes aux yeux.

— Je t'enverrai chaque mois une partie de ma solde. Mille cinq cents roubles. J'en garderai cinq cents pour mes cigarettes.

— Ne fais pas ça : ça va t'attirer des ennuis. Leningrad n'est pas Lazarevo, Shura. Protège-toi. Ne dis à personne que tu m'as épousée. Enlève ton alliance. Tu ne veux pas que Dimitri apprenne notre mariage, n'est-ce pas ? Et puis je n'aurai pas besoin de ton argent.

— Si, tu en auras besoin.

— Tu n'auras qu'à me l'envoyer dans tes lettres.

— Impossible. Il serait volé à la censure.

— La censure ? Alors il vaut mieux éviter de t'écrire en anglais ?

— Oui, si tu veux que je reste en vie...

— C'est la seule chose que je te demande, murmura Tatiana.

— J'enverrai l'argent au Soviet de Molotov, reprit Alexandre, feignant de n'avoir rien entendu afin de ne pas se laisser gagner par l'émotion. Passes-y une fois par mois. Je dirai que je l'envoie à la famille de Dasha. Maintenant il faut que j'y aille, il n'y a qu'un train par jour.

— Je t'accompagne jusqu'à la route.

La voix de Tatiana s'étranglait dans sa gorge.

Sans un regard, sans un mot, ils gravirent du même pas le sentier. Avant de quitter la clairière, Alexandre se retourna pour jeter un dernier coup d'œil à leur petite isba près de la rivière, au milieu des grands pins.

— Écris-moi, dit-il en faisant volte-face pour reprendre sa marche. Pour que je ne m'inquiète pas...

— D'accord, répondit-elle, les bras noués sur son ventre. Toi aussi... écris-moi.

Ils arrivèrent à la route. Les pins exhalaient un arôme résiné. Tout était silencieux. On n'entendait pas un oiseau chanter, le temps semblait s'être arrêté. Alexandre et Tatiana restèrent figés l'un face à l'autre, elle dans sa robe jaune, les yeux baissés sur ses pieds nus, lui sanglé dans son uniforme, le fusil à l'épaule, le sac sur le dos, les yeux tournés vers la route.

— Fais attention à toi, soldat, dit-elle en posant une main sur son torse, à l'endroit du cœur. Reste en vie, pour moi.

Il prit cette main et la porta à ses lèvres, effleurant doucement les deux alliances que désormais elle portait seule.

— Rentre, fit-il d'une voix rauque. Ne me regarde pas partir. Je t'en prie.

Elle se détourna :

— Tu peux y aller : je ne te regarde pas.

— S'il te plaît, Tania, insista-t-il. Rentre. Je ne peux pas te laisser comme ça, seule sur cette route.

— Je ne veux pas que tu partes, Shura, tu le sais.

— Je le sais. Je n'en ai pas envie non plus. Alors aide-moi. Si je te sais en sécurité ici, je resterai en vie — je te le promets. Maintenant fais-moi un sourire.

Elle leva vers lui un regard brouillé par les larmes.

— Il faut croire un peu plus en ton époux, ma femme.

Ce furent ses derniers mots : il déposa un léger baiser sur les lèvres de Tatiana et s'éloigna à grands pas.

Dévastations

1

Naira disait :

— Je l'avais pourtant prévenue : c'était une très mauvaise idée de s'enticher d'un soldat. Si elle était restée chez nous, rien de tout ça ne serait arrivé.

Dusia disait :

— Si elle m'accompagnait plus souvent à l'église, elle y trouverait du réconfort. De toute façon, ce garçon ne m'a jamais plu.

Raisa chevrotait :

— Décidément, je ne vois pas ce que cette petite lui trouvait.

Axinya répondait :

— Vous êtes de vieilles biques, et elle, elle a de la chance : il reviendra. Un amour comme celui-là ne cède que devant la mort.

Tatiana fermait les yeux, remerciait mentalement Axinya et se disait que c'était bien ce qu'elle craignait : que l'amour cède devant la mort.

Les vieilles femmes n'eurent guère de peine à la convaincre de revenir vivre avec elles. Vova l'aida volontiers à rapporter sa malle et sa machine à coudre chez Naira.

Au début, elle crut ne jamais pouvoir se ressaisir, même

physiquement. Rien ne la soulageait du poids de son chagrin. Nulle part elle ne voyait cette petite lueur qui lui aurait permis d'échapper aux ténèbres. Nulle part elle ne trouvait un souvenir, une plaisanterie, une chanson, qui l'eût rendue joyeuse. Chaque millimètre de sa peau lui rappelait une caresse d'Alexandre — et le manque d'Alexandre. Partout où elle posait le regard, elle ne voyait qu'une chose : un vide — son absence.

Puis elle se reprit, se remit peu à peu à porter les seaux le matin, à traire la chèvre, à étendre la lessive sur la corde, à écouter les vieilles s'émerveiller de la bonne odeur du linge séché au soleil. Elle se remit à coudre, pour elles et aussi pour elle-même, à leur faire la lecture, à s'occuper de leur jardin, de leurs poules, à cueillir les pommes... Et petit à petit, seau après seau, traite après traite, lessive après lessive, le besoin que les vieilles femmes avaient d'elle l'enveloppa de nouveau — elle y puisa son réconfort.

Comme avant.

2

La première lettre d'Alexandre lui parvint deux semaines après son départ :

Tatiasha

Jamais je n'endurerai rien de pire — c'est impossible. Le manque de toi est une souffrance physique qui m'étreint dès le matin et ne me quitte que le soir, lorsque je sombre enfin dans le sommeil. Ma seule consolation, c'est de te savoir en sécurité en dépit du servage que t'imposent ces quatre vieilles folles si pleines de bonnes intentions.

Le retour a été rude : pendant six jours on a préparé notre attaque, puis on a essayé de passer la Neva — en deux heures on a été écrasés. Les Allemands ont bombardé les bateaux avec leurs lance-fusées. Toutes nos embarcations ont coulé. On a perdu un millier d'hommes et toute chance de traverser le fleuve. En ce moment, on cherche d'autres endroits par où passer.

Je vais bien, mais depuis dix jours la pluie tombe sans relâche et je passe mon temps à m'enfoncer dans la boue. C'est là qu'on dort aussi — dans la boue, sur nos manteaux. Pourtant, chaque fois que me prend l'envie de me plaindre, je pense à toi et à ce que tu as subi quand tu as dû ensevelir ta sœur dans le lac Ladoga.

Je pense à toi sans cesse.

Je t'envoie de l'argent. Va le chercher à Molotov fin août.

N'oublie pas de te nourrir correctement, ma petite brioche, mon soleil. J'embrasse ta main et la pose sur mon cœur.

Ton Alexandre

Tatiana lut et relut cette lettre des centaines de fois, puis la glissa sous son oreiller. Elle lui répondit :

Mon amour, mon Shura

J'en viens presque à regretter cet horrible hiver à Leningrad. À l'époque, il me fallait de l'énergie — pour mentir, pour faire semblant face à Dasha, pour essayer de la maintenir en vie. Et puis Maman était là. Je m'occupais d'elles deux, oui j'étais trop occupée pour mourir moi-même. Trop occupée aussi à cacher mon amour pour toi.

Alors qu'aujourd'hui, chaque matin je me pose la même question : comment vais-je faire pour tenir jusqu'au soir ?

Pour ne pas réfléchir, je me plonge dans la vie du village. Tu disais que j'en faisais trop — c'est pire à présent. J'essaie de me rendre utile, comme je le peux. J'aide une voisine qu'il a fallu amputer d'une jambe. Elle s'appelle Irina Persikova. Je crois que je l'aime bien aussi parce qu'elle porte le même prénom que ma mère.

Je pense beaucoup à Dasha. Je la pleure chaque jour et pourtant ce n'est pas son visage que je vois le soir avant de fermer les yeux — non, c'est le tien, mon amour. Tu occupes tellement mon cœur, que je croirais presque que tu l'as remplacée.

Comment allons-nous faire, mon Shura? Comment allons-nous faire pour te garder vivant? Cette pensée n'arrête pas de me hanter. Que puis-je faire, ici, pour te garder en vie?

Qui te soignera si tu tombes?

J'aimerais tant être auprès de toi.

Ta Tatiana

Tatia

Tu me demandes comment faire pour me garder en vie. J'avoue me poser souvent la question moi-même. C'est une chance cependant de pouvoir encore le faire — le sergent Petrenko, lui, n'a plus cette chance...

Mon commandant m'a donné l'ordre de prendre mes meilleurs hommes pour une mission. J'ai obéi. Ils sont morts.

Après le feu qu'on a subi aujourd'hui, j'ai peine à croire que je sois encore en vie, en train de t'écrire ces mots. Nous devions ravitailler la zone Nevski de l'autre côté du fleuve, avec des embarcations pleines de nourriture, d'armes, de munitions et de troupes fraîches. Mais, campés sur leurs collines comme des vautours, les Allemands nous ont canardés sans relâche depuis les hauteurs de Siniavino.

Petrenko est mort. Un obus lui a arraché un bras. Je l'ai pris sur mon dos et puis, bêtement, me suis baissé pour ramasser son bras. Alors il est tombé de mon dos dans la barque. Je le regardais et je me disais : Qui va raccommoder ce bras sur un cadavre? J'ai cru devenir fou.

En fait, je me rends compte que mon idée n'était pas tant de les réunir, lui et son bras. Je voulais juste qu'on les enterre ensemble. Que devient la dignité d'un homme s'il est en morceaux? J'ai ramé jusqu'à la rive et je les ai enterrés, son bras et lui, sous un bouleau. Un jour il m'avait dit qu'il aimait les bouleaux. J'ai dû lui prendre son fusil, nous manquons tellement d'armes, mais je lui ai laissé son casque.

Je l'aimais bien. Il n'y a pas de justice : un brave comme Petrenko meurt alors qu'un Dimitri reste en vie... Dans cette guerre, un homme bon a plus de chances de laisser sa peau qu'un salaud.

Veux-tu que je te dise à quoi je pensais dans cette barque, tandis que je ramais pour ramener à terre le corps de Petrenko? Je pensais à toi, Tania. Je me disais : Il faut que je reste en vie, sinon ma Tania ne me le pardonnera jamais.

S'il devait m'arriver quelque chose, ma chérie, ne t'inquiète pas de mon corps. Tu sais que mon âme n'y retournera pas, pas plus qu'elle n'ira vers Dieu. Non, elle s'envolera tout droit vers toi, à Lazarevo.

Ton Alexandre

3

Il n'y eut plus d'autres lettres.

Le mois de septembre arriva — et toujours aucun courrier d'Alexandre. Tatiana faisait tout son possible pour s'étourdir auprès des vieilles femmes et d'Irina Persikova, elle s'immergeait dans son anglais, dans ses livres, dans John Stuart Mill dont elle lisait tout haut des passages dans les bois — maintenant, elle comprenait presque tout...

Un vendredi, jour de cours de tricot, tête baissée sur son ouvrage — un pull-over pour Alexandre —, elle entendit Irina Persikova demander si elle avait enfin reçu des nouvelles.

Ce fut Naira qui répondit :

— Non, la petite n'en a pas eu depuis un mois. Pfffft. Ne parlons pas de ça. Toutes les semaines, elle va vérifier au Soviet de Molotov. Pfffft.

— Ne t'inquiète pas, Tanechka, repartit joyeusement Axinya. Les postes marchent très mal en ce moment, ajouta-t-elle comme la jeune femme levait enfin les yeux de son tricot. Je vais te raconter une histoire qui va te rassurer : une dénommée Olga vivait au village quelques mois avant ton arrivée. Son mari aussi était sur le front et elle aussi elle attendait des lettres qui ne venaient jamais. Eh bien, un jour, elle en a reçu dix d'un coup !

Tatiana sourit.

— Ce serait magnifique ! Dix lettres d'Alexandre...

— Oui, coupa Dusia, Olga a rangé ses lettres dans l'ordre chronologique. Elle en a lu neuf. La dixième était de la main du commandant de son mari : elle disait qu'il était mort sur le front.

— Dusia ! s'écria Axinya, indignée. Qu'est-ce qui te prend de raconter des choses pareilles à la petite ? Pendant que tu y es, pourquoi tu ne lui dis pas qu'Olga est allée se noyer dans la Kama ?

Le visage blême, Tatiana posa ses aiguilles et son tricot.

— Veuillez m'excuser, dit-elle.

Et elle rentra dans la maison. D'un pas chancelant, elle se dirigea vers sa malle, l'ouvrit, y prit le recueil de Pouchkine et, avec une lame de rasoir, découpa l'intérieur de la couverture. Alexandre avait remis l'argent dans sa cachette.

Elle compta les billets : cinq mille dollars.

Elle recompta : il y avait bien dix billets de cent dollars et quatre de mille dollars. Cinq mille dollars.

Elle se mit à douter d'avoir bien compris, pourtant elle l'entendait encore lui dire : *Ces billets sont la dernière chose qu'elle m'ait donnée quelques semaines avant son arrestation. On a découpé ensemble l'intérieur de la couverture du Pouchkine et on y a caché l'argent. Dix mille dollars d'un côté, quatre mille roubles de l'autre.*

Il était parti en l'assurant qu'il laissait la totalité de la somme. Non, il n'avait pas dit cela. Il avait dit : *Je te laisse de l'argent*. Et elle l'avait vu recoller la couverture.

Or il avait pris cinq mille dollars. Pourquoi ?

Et pourquoi juste cinq mille dollars ? Pourquoi pas tout ?

Elle serra la poignée de billets contre sa poitrine et essaya de se mettre à la place d'Alexandre, un homme qui, à quelques centaines de mètres de la liberté, avait choisi de revenir sur ses pas pour ramener le corps d'un gamin blessé. Certes, il avait espéré repartir en Amérique, mais il croyait plus en lui-même qu'en l'Amérique. Et, pardessus tout, il aimait Tatiana. Alexandre se connaissait bien. Il savait qui il était. Un homme de parole.

Et sa parole il l'avait donnée à Dimitri...

Quatrième partie

Au mépris de la vie même

Au bout de la peur

1

Tatiana ne resterait pas un jour de plus à Lazarevo.

Elle écrivit dix lettres à Alexandre — des lettres gaies, optimistes, rassurantes, qui donnaient des nouvelles suivant l'ordre des saisons, puis demanda à Naira Mikhaïlovna d'en expédier une par semaine. Elle savait que, si cllc partait sans un mot d'cxplication, lcs vicillcs sc dépêcheraient d'envoyer à Alexandre un courrier affolé. Alors il risquait d'avoir une réaction incontrôlée, imprudente, qui pourrait lui coûter la vie — si toutefois il n'était pas déjà mort.

Alors Tatiana leur raconta qu'elle partait travailler comme infirmière à l'hôpital de Molotov. Dusia marmotta bien quelques questions, mais ce fut tout. Bien sûr, Naira Mikhaïlovna voulut savoir pourquoi ces lettres ne pouvaient pas partir de Molotov. À quoi la jeune fille répondit qu'Alexandre lui avait fait promettre de ne pas quitter Lazarevo et qu'il serait furieux s'il apprenait qu'elle travaillait à la ville. Elle n'allait pas le contrarier alors qu'il combattait pour la patrie, n'est-ce pas?

— Tu sais combien il peut être jaloux et protecteur, Naira, ajouta-t-elle.

Trop heureuse d'entrer dans une conspiration visant à duper ce soldat au caractère épouvantable, la vieille femme accepta bien volontiers de se faire la complice du stratagème et de lui envoyer les lettres.

Tatiana fourra dans son sac les nouveaux vêtements qu'elle s'était confectionnés et autant de bouteilles de vodka et de boîtes de *tushonka* qu'elle pouvait en porter. Elle prit congé des quatre vieilles. Dusia marmotta une prière, Naira Mikhaïlovna pleura, Raisa tremblota et Axinya se pencha à son oreille pour lui chuchoter :

— Tu es folle, ma petite.

Folle de lui, compléta mentalement Tatiana. Et elle partit, toute de noir vêtue : pantalon noir, bottes noires, manteau noir. Elle avait noué ses cheveux blonds dans un fichu, cousu les dollars dans la doublure de son pantalon et passé les deux alliances à un ruban glissé sous sa chemise, contre son cœur.

Une fois à Molotov, elle se rendit au Soviet pour voir si Alexandre avait envoyé de l'argent pour le mois de septembre. Elle fut surprise de constater que oui, il avait bien expédié les mille cinq cents roubles, mais aucune lettre. S'il avait envoyé sa solde, il n'était pas mort. Dans ce cas, pourquoi n'avait-il pas écrit ? Elle se souvint alors que les lettres de sa grand-mère mettaient un temps infini avant de leur parvenir à Leningrad et trouva un peu de réconfort dans cette idée.

À la gare, elle dit à l'employé du Parti qui examinait son passeport que Leningrad manquait d'infirmières — c'était la raison pour laquelle elle y retournait. Il réclama la lettre de réquisition de l'hôpital. Elle lui répondit que cette lettre avait brûlé dans un incendie, mais elle pouvait lui montrer les documents fournis par l'usine Kirov, par l'hôpital Grecheski, sa citation dans l'Armée du peuple, plus une bouteille de vodka pour sa peine...

L'homme tamponna son passeport et elle put acheter son billet.

Avant de prendre le train, elle courut chez la femme du bijoutier qui mit un temps fou à retrouver les deux photos prises sur les marches de Saint-Séraphim le jour du mariage. Les clichés coûtèrent à Tatiana une nouvelle bouteille de vodka. Elle les fourra à la hâte dans son sac et courut prendre le train.

À la différence de celui dans lequel elle était arrivée à Molotov, ce train-là n'avait pas été conçu pour transporter du bétail — mais n'allait pas non plus dans la bonne direction. Il était à destination de Kazan. Elle n'avait pas le choix : elle le prit. Kazan était une grande ville, là-bas il y aurait sûrement un autre train. Son plan consistait à trouver un moyen de gagner Kobona, puis de prendre une barge pour traverser le lac Ladoga jusqu'à Kokkorevo.

Quand le train s'ébranla, elle jeta un œil en direction de la Kama qui scintillait au loin, entre pins et bouleaux, se demanda si elle reverrait jamais Lazarevo et se répondit que non, sans doute pas...

Elle prit des trains, des camions, puis d'autres trains et d'autres camions, monnayant son passage en boîtes de *tushonka*, et, de préférence, en bouteilles de vodka. Lorsqu'elle ne trouvait ni train ni camions, elle marchait, parfois des journées et des nuits entières. En ce début octobre, il faisait froid, mais les premières neiges n'étaient pas tombées. Elle n'était pas seule sur les routes, loin de là — des vieillards, des femmes, des enfants quittaient leurs villages, formant un flot errant auquel s'ajoutaient des évacués, des ouvriers agricoles, des soldats repartant pour le front... Sous leurs pas épuisés, le sol ne cessait de trembler au rythme des bombes qui explosaient. Comme les autres, Tatiana marchait sans lever les yeux. Le soir, après onze heures, les Allemands bombardaient moins. Alors elle marchait encore, avant d'aller s'écrouler dans une grange, vaincue par la fatigue.

Elle négocia son passage sur une barge et traversa le lac Ladoga contre une bouteille de vodka. Une fois à Kokkorevo, elle dut se dépouiller des quatre boîtes de *tushonka* qui lui restaient et de sa dernière bouteille pour pouvoir se cacher dans un camion qui transportait de la nourriture vers Leningrad.

La ville était sinistre, désertée. C'était la nuit, les rues étaient à peine éclairées, mais au moins l'électricité était rétablie. Comme elle se dirigeait vers son immeuble, Tatiana n'était pas sûre de le trouver encore debout.

Si. Il était là — toujours aussi triste et sale. Elle resta un moment immobile devant la porte, cherchant en elle cette chose impalpable qu'Alexandre appelait le courage — le courage de gravir les trois étages jusqu'à ces deux pièces où avait jadis vécu sa famille. Jusqu'à ce logement qui avait abrité leurs rires, leurs discussions, leurs disputes aussi, leurs petits rêves et tant d'espérances déçues.

Le courage, elle allait le trouver. Pour lui, pour Alexandre. Il serait son courage.

Elle poussa la porte. Le hall d'entrée empestait l'urine. Elle posa une main sur la rampe et, lentement, marche après marche, monta jusqu'à l'appartement collectif.

Là, elle glissa la clef dans la serrure.

Tout était silencieux. Personne dans la cuisine. Aucune porte ouverte, sauf celle de Slavin, légèrement entrebâillée. Elle frappa et jeta un œil à l'intérieur.

Couché par terre, Slavin écoutait la radio. Il poussa un hurlement :

— Qui est-ce ?

— Tania Metanova, tu te souviens, camarade ?

— Tu étais là pendant la guerre de 1905 ?

La jeune fille le dévisagea un moment sans

comprendre, puis opéra une retraite prudente et continua de longer le couloir jusqu'au logement.

La porte était grande ouverte.

Elle entra et trouva deux inconnus — un homme et une femme — assis sur le canapé, en train de siroter tranquillement un thé. Ils devaient avoir une quarantaine d'années. Lui était ventru et bientôt chauve, elle plutôt petite et ratatinée.

Tatiana se figea, médusée :

— Qui êtes-vous ?

— Et toi, qui tu es ? fit l'homme sans même lui consentir un regard.

Alors elle posa ostensiblement son sac à dos sur le sol et répondit d'une voix qu'elle espérait ferme :

— Tatiana Metanova. J'habite ici.

Sans se démonter, le couple se présenta à son tour : ils s'appelaient Inga et Stanislav Krakov.

Inga expliqua qu'ils habitaient un bel appartement sur la Perspective Suvorovski.

— Un appartement *à nous*, précisa-t-elle en pesant sur les mots. Avec cuisine, salle de bains et chambre à coucher !

Mais, comme tant d'autres, leur immeuble avait été bombardé. Pour faire face à la pénurie de logements, la municipalité réquisitionnait les appartements vides, comme celui des Metanov.

— Bien. Maintenant que je suis de retour, ce logement n'est plus vide, repartit Tatiana.

— Ah oui ? fit Stanislas Krakov en levant vers elle un regard arrogant. Et nous, où on va aller ? On est domiciliés ici maintenant.

— Il y a d'autres logements dans l'appartement, non ?

Et elle songea : D'autres logements tout aussi vides parce que d'autres y sont morts...

— Tous pris, maugréa l'homme. Bon, on va pas passer le réveillon là-dessus. Y a assez de place ici. T'auras une pièce pour toi toute seule, camarade. De quoi tu te plains?

— Mais *les deux pièces* sont à moi, insista Tatiana.

— Non, riposta Krakov tout en continuant de boire son thé. Les deux pièces sont à l'État. Et l'État est en guerre. On peut pas dire que tu aies l'esprit prolétaire, camarade, conclut-il en éclatant de rire.

— Stan et moi, on appartient à la section des ingénieurs de Leningrad, ajouta Inga.

— Formidable, fit Tatiana, que cette nouvelle acheva de décourager. Quelle pièce je peux prendre?

Inga et Stanislas Krakov s'étaient arrogé son ancienne chambre, celle où elle dormait autrefois avec Dasha. C'était aussi la seule pièce chauffée. Dans celle qu'occupaient jadis Deda et Babouchka le poêle était cassé. Et même s'il avait fonctionné, elle n'avait rien à y brûler.

— Je peux au moins récupérer mon *bourzhuika*? demanda-t-elle.

— Et nous, avec quoi on va se chauffer? rétorqua l'homme.

— Tania, fit sa femme, embarrassée, si tu pousses le lit de camp contre le mur, tu auras un peu de chaleur. Stan va te donner un coup de main.

— Arrête, Inga! Tu sais bien que j'ai mal au dos, riposta Krakov. Elle a qu'à le déménager toute seule, son pieu!

Ce qu'elle fit : elle transporta le lit de camp contre le mur, puis, poussant et tirant, y colla le divan de son grand-père de manière à créer une sorte de niche entre le mur et le dos du canapé. Après quoi, elle s'abattit sur le petit matelas et dormit dix-sept heures d'affilée, emmitouflée dans son manteau et sous trois couvertures.

Dès son réveil, elle courut s'inscrire comme résidente de Leningrad afin d'obtenir une nouvelle carte de rationnement.

— Qu'est-ce qui t'a pris de revenir, camarade? lui demanda avec brusquerie la guichetière tout en remplissant son formulaire. Le blocus continue, tu sais?

— Je sais, répondit Tatiana. Mais la guerre aussi continue, et la ville manque d'infirmières.

La femme haussa les épaules sans même lever les yeux.

Sa carte de rationnement en main, la jeune fille se rendit au grand magasin d'alimentation Elisseïev sur la Perspective Nevski plutôt qu'à son épicerie de la Fontanka qui lui rappelait trop de souvenirs. Comme elle ne travaillait pas encore, sa ration de pain n'était que de trois cent cinquante grammes, mais pour les actifs elle s'élevait à sept cents grammes. Tatiana se dit qu'elle allait chercher du travail.

De toute façon, elle arriva chez Elisseïev trop tard pour le pain, mais put tout de même acheter un peu de vrai lait, quelques haricots, un oignon, quatre cuillerées à soupe d'huile et, pour une centaine de roubles, une boîte de *tushonka*. Il lui restait encore trois mille roubles de l'argent d'Alexandre qu'elle aurait volontiers dépensés pour se chauffer. Elle se mit donc en quête d'un *bourzhuika*, mais sans succès.

Ensuite elle se rendit à l'hôpital Grecheski. Comme prévu, on y manquait d'infirmières. À l'administration, l'employé vit le tampon apposé par l'hôpital un an auparavant et lui demanda si elle avait été infirmière. Tatiana se garda de répondre qu'elle avait surtout lavé le sol dans les salles sans toutefois mentir complètement : elle dit que oui, elle avait été aide-soignante. On lui donna une blouse blanche et, pendant neuf heures, elle suivit une infirmière appelée Elizaveta, puis une autre, une certaine Maria, pour une nouvelle garde de neuf heures.

Après avoir travaillé dix-huit heures par jour pendant deux semaines, elle eut enfin ses malades à elle et un dimanche après-midi libre.

Là, enfin, elle s'arma de courage et prit le chemin de la caserne Pavlov.

2

Tout ce qu'elle voulait savoir, c'était si Alexandre se portait bien, s'il n'était pas blessé et où on l'avait envoyé.

Le jeune soldat en faction devant la caserne se montra fort secourable. Il vérifia le tableau de service des officiers présents et lui dit que le capitaine Belov n'était pas là. Tatiana lui demanda s'il savait où il se trouvait. Mais la sentinelle ne put lui répondre : on ne l'informait pas de ce genre de choses. Elle l'interrogea alors sur Dimitri. Lui, le soldat le connaissait puisqu'il s'occupait de l'approvisionnement, mais il n'était pas là non plus.

Tatiana tenta de se rappeler un autre nom, un autre visage qu'elle aurait pu connaître :

— Et le lieutenant Marazov, il est à la caserne?

Oui, il était là et, quelques minutes plus tard, il se tenait devant elle.

— Tatiana, quelle surprise! Alexandre m'a raconté votre évacuation. Je suis vraiment désolé pour Dasha.

— Merci, lieutenant.

L'évocation de sa sœur lui fit monter les larmes aux yeux. Pourtant, en même temps, elle ressentit un inexprimable soulagement : si Marazov mentionnait Alexandre avec tant de naturel, cela confirmait qu'il était en vie.

— Dimitri n'est plus dans mon unité, poursuivit Marazov.

— Oui, je sais, répondit Tatiana avant de s'interrompre aussitôt.

Comment pouvait-elle le savoir ? Comment faire tenir tous ces mensonges dans sa tête ? Et si elle n'était pas là pour Dimitri, qui venait-elle voir ?

Balbutiant, elle reprit :

— Je... je sais qu'il a été blessé. Je l'ai vu à... à Kobona il y a quelques mois. Et... Alexandre ? ajouta-t-elle après un silence.

— Alexandre a été blessé...

Elle vacilla, prête à s'évanouir.

— Tout va bien ? demanda Marazov.

— Oui... oui, très bien, articula-t-elle lentement. Que... que lui est-il arrivé ?

— Ses mains ont été brûlées lors d'une attaque au mois de septembre.

— Ses mains ?

— Oui, brûlées au deuxième degré. Pendant des semaines, il ne pouvait même pas tenir un verre. Maintenant ça va mieux.

— Où est-il ?

— Il est retourné sur le front. À Morozovo.

— Morozovo...

— Mais... pourquoi être revenue à Leningrad ? fit le lieutenant, l'air intrigué. Quelle drôle d'idée...

— Les hôpitaux manquent d'infirmières. Je suis revenue pour essayer de me rendre utile. J'ai été très heureuse de cette rencontre, lieutenant, s'empressa de conclure Tatiana.

— Moi aussi, répondit Marazov en la dévisageant d'une étrange façon, comme la première fois qu'ils s'étaient vus, au mois de septembre, l'année précédente. Je dois dire à Dimitri que...

— Oh, non! C'est inutile! s'écria-t-elle un peu trop vite.

Elle s'éloignait déjà quand il cria dans son dos :

— Et à Alexandre?

Elle se retourna, hésitante :

— Non, non... ce n'est pas la peine.

Elle baissa la tête et s'éloigna d'un pas vif.

Le lendemain soir, en rentrant de l'hôpital, elle trouva Dimitri qui l'attendait en compagnie des Krakov.

— Mais... qu'est-ce que tu fais ici? lui demanda-t-elle en incendiant le couple du regard.

— On l'a laissé entrer, dit Inga. Il a dit que vous vous connaissiez depuis longtemps.

Dimitri s'avança vers Tatiana pour la prendre dans ses bras. Elle s'esquiva.

— J'ai appris que tu étais passée me voir à la caserne. Ça m'a beaucoup touché. On peut aller dans ta chambre?

Elle accepta à contrecœur, non sans avoir jeté un dernier coup d'œil furibond à Stanislas et à sa femme.

— Qui t'a dit ça? fit-elle sèchement en refermant la porte du pied.

— La sentinelle. Tu ne lui avais pas laissé ton nom, mais je t'ai reconnue d'après sa description. Ça m'a vraiment ému. Je viens de passer des mois très durs, tu sais.

— Moi aussi, Dimitri. Et le moment est mal choisi : je suis très fatiguée, j'ai eu une rude journée à l'hôpital et je reprends demain à cinq heures. On se verra une autre fois, peut-être?

— Non, Tania, je ne suis pas sûr qu'il y ait jamais d'autre fois. Tu pourrais peut-être me faire un thé et une bricole à dîner, non? Comme au bon vieux temps.

Elle n'osait pas imaginer la réaction d'Alexandre s'il l'avait sue dans cette pièce avec Dimitri. Elle hésita un instant, puis se dit que, si Alexandre avait encore affaire à lui, alors elle aussi — et elle accepta de lui préparer à dîner.

Il posa l'assiette sur ses genoux et s'assit à l'autre bout du divan de Deda.

— Il fait froid dans cette pièce, observa-t-il tout en mangeant. Maintenant, ajouta-t-il la bouche pleine, raconte-moi comment tu vas. Tu as bonne mine, *très* bonne mine. Tu as l'air d'une femme à présent. Cette guerre te réussit. Tu as pris du poids depuis la dernière fois que je t'ai...

Tatiana l'interrompit :

— La dernière fois que tu m'as vue, Dimitri, c'était à Kobona, le jour où tu as refusé de m'aider à enterrer ma sœur. Tu as peut-être oublié. Moi pas.

— Oh, je sais, fit-il avec un geste désinvolte. On a perdu le contact. Mais je n'ai jamais cessé de penser à toi. Je suis content que tu t'en sois tirée à Kobona. Beaucoup y sont restés.

— Oui, Dasha, par exemple.

Elle brûlait d'envie de lui demander comment il avait pu regarder Alexandre en face sans lui dire que Dasha était morte, mais elle en fut incapable. Les mots refusaient de passer ses lèvres.

— Je suis désolé pour ta sœur, Tania. Mes parents aussi sont morts. Alors je sais ce que tu éprouves.

Elle ne répondit pas. Elle attendait — qu'il parte.

Et comme il ne partait pas, elle prit une ample respiration afin de parvenir à formuler une question qui leur donne un semblant de conversation.

— Qu'est-ce que tu fais maintenant dans l'armée ? lui demanda-t-elle en jetant un regard à sa jambe estropiée.

— Je m'occupe du ravitaillement. Tu sais en quoi ça consiste ?

Elle secoua négativement la tête. Elle mentait, mais tant qu'il parlait, au moins il ne lui posait pas de questions.

— Je transporte le ravitaillement depuis les camions, les avions, les bateaux, jusqu'aux troupes qui sont sur le front ou sur l'arrière. Et je me charge de la distribution, ici à Leningrad, et aussi en Carélie, près de la Finlande.

— Tu ravitailles aussi le front finlandais ?

— Oui. Et aussi notre nouveau QG de Morozovo pour les opérations sur la Neva. Je ne sais pas si tu as entendu parler de Lisiy Nos...

— Oui, fit Tatiana et ses doigts se refermèrent sur le bras du canapé.

— Eh bien, là-bas je ravitaille même les *généraux* ! déclara Dimitri avec une satisfaction manifeste. Je commence à devenir assez copain avec le général *Mekhlis*, poursuivit-il en insistant sur le nom. Je lui fournis du papier, des stylos, voire plus, si tu vois ce que je veux dire. Je ne lui demande jamais de me payer. Cigarettes, vodka, je lui donne tout ce qu'il veut. Inutile de dire qu'il attend toujours mes visites avec impatience.

— Ah bon ? fit Tatiana.

Jamais elle n'avait entendu parler de ce Mekhlis...

— Quelle armée commande-t-il celui-là ?

— Tania ! Tu te fiches de moi. Ne me dis pas que tu ne sais pas qui est le général Mekhlis ? C'est le bras droit de Beria, le chef du NKVD !

Tatiana connaissait la peur des bombes, de la faim, de la mort — elle ignorait encore ce que signifiait la peur d'un autre être humain. Ce soir-là, ce n'était pas pour elle qu'elle avait peur tandis qu'elle examinait, presque fascinée, les traits à la fois veules et menaçants de Dimitri — non, c'était pour Alexandre.

Avant cette soirée, elle avait parfois regretté d'avoir quitté Lazarevo, de ne pas avoir respecté sa promesse. Mais maintenant elle était sûre qu'Alexandre avait besoin d'elle : la mort ne l'attendait pas seulement sur le front — elle avait, en la personne de Dimitri, un émissaire aussi sournois qu'efficace.

Celui-ci glissa vers elle sur le divan :

— Tu n'es plus une enfant, Tania, murmura-t-il, douceâtre. Tu es une femme maintenant. Tes colocataires m'ont dit que, si tu passes tout ton temps à l'hôpital, c'est parce que tu as un petit ami médecin. C'est vrai ?

— S'ils te l'ont dit, répliqua sèchement Tatiana en se levant, c'est sans doute vrai. Ce sont des communistes. Les communistes ne mentent jamais, n'est-ce pas, Dima ? Maintenant il se fait tard : j'aimerais dormir.

— Allons, Tania. Tu es seule, je suis seul. Je déteste ma vie, je la déteste à chaque minute. Ça t'arrive aussi quelquefois ?

Uniquement ce soir, se dit-elle, mais elle lui répondit :

— Non. Je ne vis pas si mal : j'ai un travail, l'hôpital a besoin de moi, mes malades ont besoin de moi. Je suis vivante — et j'ai à manger.

— Mais tu dois tout de même te sentir bien seule...

— On t'a dit que je voyais un médecin, non ? ripostat-elle, exaspérée.

Dimitri se leva à son tour et tenta une approche. Immédiatement, elle tendit les mains loin devant elle pour se protéger.

— Dima, c'est fini. Je ne suis pas la femme qu'il te faut, fit-elle en le regardant droit dans les yeux. Tu l'as toujours su, n'est-ce pas ?

Il éclata d'un rire mauvais :

— Mettons que j'ai toujours espéré que l'amour d'une

femme bonne comme tu l'es rachèterait un gredin de mon espèce.

Elle le considéra avec froideur :

— Heureuse d'apprendre que tu envisages une rédemption.

— Plus maintenant ! s'exclama-t-il, riant toujours. Plus maintenant puisque tu ne m'aimes pas. Mais qui peut se faire aimer d'une femme comme toi, Tania ?

Elle ne répondit pas. Pétrifiée à l'endroit où jadis était posée la table, avant qu'Alexandre ne la débite en morceaux pour en faire du bois de chauffage, elle avait le sentiment que la faim, la maladie et le mensonge avaient à nouveau envahi la pièce.

Elle vit un éclair dans les yeux de Dimitri.

— Je ne comprends pas, dit-il, haussant le ton. Je ne comprends pas pourquoi tu es venue demander après moi à la caserne ! Je croyais que c'était ce que tu voulais ! Tu sais comment on appelle les filles comme toi ? ajouta-t-il, criant presque. Des allumeuses !

— C'est vraiment ce que tu penses, Dima ? répliqua calmement Tatiana. Que je suis une allumeuse ?

Il marmonna quelques paroles inintelligibles, les yeux baissés.

— Si je suis venue à la caserne, c'était pour voir un visage familier. Oui, j'ai demandé après toi, mais j'ai aussi demandé après Marazov.

— Et après Alexandre aussi naturellement...

Tatiana blêmit :

— En effet, j'ai demandé après tous ceux que je connaissais.

— Tous sauf Petrenko, rétorqua froidement Dimitri. Pourtant, tu le connaissais bien, le sergent Petrenko. Avant de se faire tuer, il m'a raconté qu'il t'avait accompagnée quelquefois à la boutique de la Fontanka, le matin.

Sur ordre du capitaine Belov, cela va de soi... Alors pourquoi n'as-tu pas demandé après lui ?

Elle resta muette. Elle n'avait pas demandé à parler à Petrenko parce qu'elle savait qu'il était mort. Et elle le savait par les lettres d'Alexandre. Or, pour Dimitri, Alexandre ne pouvait pas lui avoir écrit.

Elle ne savait plus que faire pour que cessent ces mensonges qui étouffaient sa vie. À bout de patience et de force, elle fut sur le point d'avouer leur mariage. Mieux valait la vérité, Alexandre le lui avait dit cent fois : dire la vérité et assumer les conséquences.

Mais, en l'occurrence, les conséquences le toucheraient *lui*.

Alors elle se raidit et répliqua d'un ton glacial :

— Que veux-tu me faire dire au juste ? Que cherches-tu à savoir ? Pourquoi je n'ai pas demandé après Petrenko ? Parce que j'ai pensé à Marazov et, quand j'ai su qu'il était à la caserne, je n'ai plus demandé après personne. Un point c'est tout !

Dimitri la fixa avec une gêne mêlée d'étonnement.

— Excuse-moi, Tania. Je ne voulais pas te mettre en colère. Je me suis mépris sur tes intentions. Mais, tu comprends... j'ai toujours espéré que ça marcherait entre nous.

— Tu as toujours...

Elle ne poursuivit pas. Il se tenait là, dans cette pièce où il avait passé tant de soirées à manger et à boire, tant de soirées avec la famille Metanov. Il s'y trouvait depuis plus d'une heure à présent, il avait tranquillement parlé de lui, de ses ravitaillements, l'avait accusée d'être une allumeuse et n'avait toujours posé aucune question sur les six personnes avec qui il avait autrefois partagé tous ces repas. Il n'avait posé aucune question sur ce qu'était devenue la mère de Tatiana, pas davantage sur son père, ses grands-parents, sa cousine Marina, sa Babouchka Maya. Il ne lui avait posé aucune question à Kobona, en janvier, quand il l'avait laissée ensevelir seule sa sœur. Il n'en posait pas davantage maintenant. Et, en supposant qu'il ait appris leur sort, il n'avait pas eu une parole de commisération, de condoléances, pas un geste de consolation. Comment s'imaginait-il pouvoir vivre un amour, cet homme incapable de s'arracher à la contemplation de lui-même, cet homme pour qui les autres n'existaient pas ?

Elle eut envie de lui dire tout cela, mais se ravisa — par prudence et aussi parce qu'elle jugea que c'était inutile.

Il se dirigea vers la porte, elle le suivit. Puis il se retourna, la main sur la poignée :

— Tania, on va se dire adieu. On ne se reverra sans doute pas, dit-il avant d'ajouter dans un murmure : Là où je vais, tu ne me reverras jamais.

— Ah oui ? fit-elle simplement.

Il sortit avec un haussement d'épaules.

Elle alla s'étendre sur son lit de camp, entre le mur et le divan de son grand-père. Elle se coucha tout habillée, le poing serré sur les alliances qu'elle portait sur son cœur, et ne ferma pas l'œil de la nuit.

3

Morozovo : Alexandre était assis à son petit bureau quand Dimitri pénétra sous sa tente avec des cigarettes et une bouteille de vodka. L'officier portait sa capote militaire pour se protéger du froid qui ankylosait ses mains blessées. Il n'avait pas le temps de se rendre au mess où il aurait trouvé un peu de chaleur et de quoi se nourrir : il devait rencontrer le général Govorov une heure plus tard et étudier avec lui les préparatifs d'une percée dans les lignes allemandes.

On était au mois de novembre, les quatre tentatives de la 67e armée pour passer la Neva avaient échoué. À présent elle attendait avec impatience qu'une épaisse couche de glace recouvre le fleuve. Le haut commandement de Leningrad avait abouti à la conclusion qu'il serait plus avantageux d'attaquer en déployant les soldats sur la glace plutôt que de laisser les Allemands canarder les cibles groupées qu'offraient les bateaux-pontons.

Dimitri posa la bouteille de vodka, le tabac et le papier à rouler sur la table. Alexandre le paya sans un mot. Il n'avait qu'une envie : lui voir tourner les talons — vite. Il venait de recevoir une lettre de Tatiana qui l'intriguait. Il ne lui avait pas écrit depuis qu'il avait été blessé et s'était refusé à dicter sa lettre à une infirmière : ne reconnaissant pas son écriture, Tatiana se serait imaginé des blessures plus graves qu'elles ne l'étaient en réalité. Pour ne pas l'inquiéter, il lui avait envoyé une partie de sa solde de septembre et avait attendu de pouvoir tenir un stylo pour lui écrire lui-même.

Dans sa lettre, il lui disait qu'en fait ses brûlures avaient été une bénédiction : incapable de porter une arme, il n'avait pu prendre part à deux assauts désastreux, lesquels avaient coûté la vie à tant de soldats qu'il avait fallu appeler en hâte la garnison de Leningrad.

Stalingrad était rasée, Hitler occupait l'Ukraine, Leningrad ne tiendrait plus longtemps, le moral des troupes de l'Armée rouge était au plus bas, le général Govorov prévoyait un nouvel assaut, et, assis à son bureau, Alexandre s'interrogeait sur les lettres de sa femme...

Aucune de celles qu'elle lui faisait parvenir avec la régularité d'un métronome ne mentionnait les blessures qu'il avait subies. Elles n'y faisaient même pas allusion. Lorsque Dimitri avait pénétré sous la tente, Alexandre s'évertuait à lire entre les lignes, pour tenter de comprendre.

Et maintenant Dimitri ne partait pas.

— Alex, tu me donnerais pas un coup à boire, comme au bon vieux temps ?

De mauvaise grâce, Alexandre lui servit un verre de vodka. Il s'en servit un aussi — plus petit — et se rassit à son bureau, face au soldat.

— Je ne comprends pas comment tu peux rester assis là tranquillement en sachant ce qui t'attend. Quatre tentatives pour franchir la Neva, la plupart des gars y ont laissé leur peau, et on dit que la cinquième, quand le fleuve aura gelé, sera celle de la dernière chance, qu'il faudra se battre tant qu'on n'aura pas brisé le blocus. T'es au courant ?

— Bien sûr.

— Je peux pas rester ici, Alex. C'est impossible. Hier encore, j'ai ravitaillé les troupes de la zone Nevski et un obus est tombé à une centaine de mètres de moi — tu te rends compte? Écoute-moi, ajouta Dimitri en baissant la voix, Lisiy Nos est quasiment désert à l'heure qu'il est. Je ravitaille nos troupes frontalières et je vois les Finlandais dans les bois. Ils sont peut-être une douzaine — pas plus. C'est inespéré. On pourrait prendre mon camion et l'abandonner avant la frontière pour...

— Dima! l'interrompit Alexandre. Abandonner le camion? Tu t'es regardé? Tu tiens à peine sur tes jambes. On en a déjà parlé au mois de juin...

— Pas seulement au mois de juin. Ça fait des années qu'on en parle et j'en ai marre de parler. Marre d'attendre. Allons-y, et si on se loupe, ils nous tueront. Quelle importance? Au moins, on se sera donné une chance. Cette guerre m'a montré que je devais lutter pour ma survie, à n'importe quel prix, par tous les moyens. Rien de ce que j'ai tenté jusqu'ici n'a été suffisant; ni les transferts, ni les mois à l'hôpital, ni Kobona : rien! J'ai passé mon temps à essayer de sauver ma peau pour qu'on puisse réaliser notre plan. Ces salauds de boches sont décidés à me tuer, et moi je suis décidé à ne pas me laisser faire. Ce qui rend ton numéro avec le petit Youri Stepanov encore plus exaspérant, quand j'y repense. Lui, il est mort, conclut Dimitri d'une voix à peine audible, et nous, on est toujours là. À l'heure qu'il est, on serait en Amérique si monsieur n'avait pas voulu jouer les héros.

Luttant pour conserver son calme, Alexandre se leva, fit le tour du bureau et vint se pencher sur Dimitri.

— Je te répète ce que je t'ai déjà dit à l'époque, fit-il, les mâchoires crispées. Vas-y! Pars! Je te donne la moitié de l'argent. Tu sais comment te rendre à Helsinki et à Stockholm. Pourquoi tu ne le fais pas ?

Dimitri recula sur son siège :

— Tu sais bien que je ne peux pas partir seul. Je ne parle pas un mot d'anglais.

— Tu n'as pas besoin de parler anglais ! Va à Stockholm et demande un statut de réfugié. Tu l'obtiendras, même si tu ne parles pas anglais.

— Et ma jambe...

— Tu peux encore marcher, non ? Même en boitant. Je vais te donner la moitié de l'argent et...

— Bon sang, de quoi tu parles ? le coupa Dimitri, haussant le ton. Ce coup-là, on devait le faire ensemble, tu te rappelles ? *Ensemble*. Je ne partirai pas tout seul.

— Dans ce cas, tu n'as qu'à attendre que *moi* je juge le moment opportun. Or le moment n'est pas encore venu. Au printemps...

— Je n'attendrai pas le printemps !

— Tu n'as pas le choix. Tu veux réussir ou te planter parce que tu n'as pas su attendre ? Tu sais que les troupes du NKVD exécutent sur-le-champ les déserteurs ?

— Au printemps, je serai mort, rétorqua Dimitri en se levant de sa chaise. Et toi aussi tu seras mort, ajouta-t-il en se plantant face à Alexandre. Qu'est-ce qui te prend, Alex ? Tu ne veux plus t'enfuir ? Tu préfères crever ici ? Il y a cinq ans, *tu n'étais rien, tu n'avais rien*, et je t'ai rendu un service, un grand service, capitaine Belov...

Alexandre fit un pas qui l'amena si près de Dimitri qu'il le touchait presque.

— Oui, tu m'as rendu un service. Je ne l'ai jamais oublié.

Dimitri recula et buta dans la chaise :

— D'accord, n'en... n'en parlons plus, bredouilla-t-il. Alors quand est-ce qu'on part ?

— Je te le dirai. Avant, il faut briser le blocus.

— Tu pourrais peut-être demander à Tania!

L'espace d'un instant, Alexandre crut avoir mal entendu.

— Qu'est-ce que tu viens de dire? demanda-t-il lentement.

— Que tu pourrais demander à Tania! Cette fille serait capable de filer seule jusqu'en Australie si elle voulait! D'ailleurs je lui ai dit : « Tania, tu devrais t'engager dans l'armée. En un rien de temps, tu serais général en chef! »

Les poings d'Alexandre se refermèrent sur le dossier de la chaise.

— Tu lui as... *dit*? articula-t-il avec difficulté.

— Oui, il y a huit jours, répondit Dimitri le plus naturellement du monde. Elle m'a fait à dîner chez elle, à Leningrad. Il y a des inconnus qui habitent dans son logement. C'est pas très pratique, mais...

— Arrête de mentir! l'interrompit Alexandre, parvenant mal à dissimuler son trouble. Tatiana n'est pas à Leningrad.

— Si, crois-moi, elle y est! Elle a l'air de bien se porter. Elle m'a avoué qu'elle avait une histoire avec un médecin. Tu te rends compte? Notre petite et fragile Tanechka. Qui aurait cru qu'elle serait la seule à survivre?

Alexandre aurait voulu le faire taire, mais, c'était sûr, le tremblement de sa voix allait le trahir. Alors il préféra garder le silence, les doigts toujours crispés sur le bois de la chaise. La veille, il avait reçu une lettre de Tatiana. Une lettre!

— Elle est passée me voir à la caserne, poursuivit Dimitri. Elle m'a dit qu'elle était à Leningrad depuis la mi-octobre. Elle m'a aussi raconté comment elle avait fait pour y arriver. Elle a traversé le front du Volkhov...

— Dima, je suis en retard. J'ai une réunion avec le

général Govorov dans quelques minutes. Tu m'excuses, n'est-ce pas ?

Quand Dimitri eut enfin quitté la tente, Alexandre laissa exploser sa colère. *Maintenant* il comprenait ce qui ne collait pas dans ces lettres. Elle n'avait pas reçu la sienne, elle n'écrivait pas de Lazarevo. Toujours fou de rage, il se rendit à la réunion avec Govorov. À peine en fut-il sorti qu'il sollicita un entretien avec Stepanov auquel il demanda une permission de quelques jours.

— Je croyais que les cinq semaines de cet été avaient suffi, rétorqua le colonel en le dévisageant attentivement.

— Je ne demande que quelques jours, mon colonel.

— Cette urgence aurait-elle un rapport avec l'argent qui part chaque mois à Molotov ?

— Oui, mon colonel. C'est vrai : je n'ai plus besoin d'envoyer la moitié de ma solde à Molotov.

Alexandre n'ajouta pas un mot. Stepanov comprit.

— Dix heures dimanche matin.

— J'y serai, mon colonel. Merci.

Il s'apprêtait à sortir de la tente quand il entendit la voix du colonel dans son dos :

— Réglez cette affaire, Belov. Après, vous n'aurez plus l'occasion de le faire tant qu'on n'aura pas brisé le blocus.

4

Lorsqu'elle rentra de l'hôpital ce soir-là, Tatiana trouva Inga comme à l'accoutumée en train de siroter son thé sur le divan de l'entrée. Elle réprima un mouvement de recul : la présence de ces étrangers chez elle lui semblait toujours aussi incongrue.

— Bonjour, Inga, fit-elle en ôtant son manteau.

— Hmmm, marmonna la femme. Y a quelqu'un qu'est passé pour toi, camarade.

— J'espère que tu ne l'as pas laissé entrer...

— Je ne l'ai pas laissé entrer. Il n'était pas trop content d'ailleurs. C'était un autre soldat, très grand...

Tatiana sentit son cœur s'arrêter.

— Où... où est-il parti ? bredouilla-t-elle.

— Que veux-tu que j'en sache ? J'y ai dit qu'il pouvait pas entrer, c'est tout. C'est un vrai régiment que t'as à tes trousses, camarade Tania !

Sans prendre la peine de remettre son manteau, Tatiana se précipita hors du logement et là, dans le couloir de l'appartement collectif, se trouva nez à nez avec Alexandre. Elle vit son regard sombre, la colère dans ses yeux. Peu importait : il était là. Elle posa la tête contre sa poitrine et se serra contre lui.

Il ne la prit pas dans ses bras.

— Entrons, dit-il froidement en l'attrapant par le coude.

— Tania m'avait dit de ne laisser entrer personne, capitaine, fit Inga. Tania, tu ne voudrais pas faire les présentations ?

— Non, elle ne veut pas, répliqua Alexandre.

Et, entraînant Tatiana dans l'autre pièce, il claqua la porte derrière eux d'un furieux coup de talon.

— Shura...

— Ne m'approche pas.

— Shura, je suis tellement heureuse de te voir. Comment vont tes mains ?

— Non, Tatiana ! Ne m'approche pas !

Il avait crié, hors de lui. Puis, sans doute pour se calmer, il alla se poster près de la fenêtre, à l'autre bout de la chambre.

Elle le suivit. Elle avait un tel besoin de le toucher, de le sentir... Elle oublia tout : Dimitri, les cinq mille dollars qui manquaient dans le Pouchkine, tous ses doutes, ses craintes, ses incertitudes...

— Shura, pourquoi me repousses-tu ?

— Qu'est-ce que tu fiches ici ?

— Tu le sais. Tu avais besoin de moi — alors je suis venue.

— Je n'ai pas besoin de toi ici ! hurla Alexandre. Ce dont j'ai besoin, c'est de te savoir en sécurité, à l'abri !

— Shura, je t'en prie, laisse-moi te toucher.

— N'approche pas !

— Je t'avais dit que je ne pouvais pas rester loin de toi, implora-t-elle. C'était au-dessus de mes forces.

— Tu ne pouvais pas rester loin de *moi* ? Oh non, pas loin de *moi*, Tatiana, riposta-t-il d'un ton cinglant en prenant appui sur le rebord de la fenêtre. C'est Dimitri que tu as demandé quand tu es allée à la caserne.

— Ce n'était pas lui que je voulais voir, mais *toi*. Je n'avais plus de lettres de toi !

— J'ai attendu de tes nouvelles pendant six mois, Tania ! Tu pouvais bien attendre quinze jours, non ?

— Non, je ne pouvais pas attendre ! Shura, c'est pour toi que je suis venue. Comment peux-tu en douter ?

— Tu m'avais promis de ne pas quitter Lazarevo ! *Tu m'avais donné ta parole !*

Elle le dévisagea : il avait besoin d'elle, elle le lisait dans ses yeux, mais il était aveuglé par la colère. Comme toujours.

— Mon Shura, mon mari — c'est moi, ta Tania, fit-elle en déboutonnant sa blouse d'infirmière.

Elle prit une de ses mains brûlées, en embrassa la paume et la posa sur son sein.

— Mon Dieu, Tania...

Il l'attira contre lui et ses mains se lancèrent comme d'elles-mêmes à l'assaut de ce corps qui s'offrait. Il la renversa sur le lit de camp, ses lèvres impétueuses ne quittaient pas la bouche de Tatiana. Il lui arracha sa blouse, ses sous-vêtements, agrippa ses cuisses nues.

— Je suis furieux contre toi, fit-il sans cesser de la dévorer de baisers. Tu t'en moques, c'est ça ?

— Oui, je m'en moque. Fais-moi l'amour.

— Comment vont tes mains ? lui demanda-t-elle plus tard, quand leurs corps fourbus se furent abattus côte à côte sur le lit.

Dans le noir, elle ne pouvait pas voir ses mains : au toucher, la peau semblait un peu calleuse, rugueuse.

— Elles vont bien.

— Tu m'as tellement manqué, Shura. C'est à cause de tes mains que tu ne m'as pas écrit ?

— Oui. Je ne voulais pas que tu t'inquiètes.

— Tu n'as pas pensé que je m'inquiéterais encore plus sans nouvelles de toi ?

— J'espérais juste que tu patienterais, répondit Alexandre en s'asseyant au bord du lit de camp avant d'ajouter : Bon sang ! Pourquoi fait-il si froid ici ?

— Le poêle est cassé et le *bourzhuika* est dans l'autre pièce.

— C'est pour ça que tu dors coincée entre le mur et le canapé ? Pour avoir chaud ? Pourquoi leur as-tu laissé la seule pièce chauffée, Tania ?

— Je ne la leur ai pas laissée : ils l'ont prise d'office. Ils sont deux, et je suis seule. Ils sont tristes d'avoir perdu leur appartement. Lui a mal au dos et...

— Habille-toi tout de suite, l'interrompit Alexandre en bouclant sa ceinture.

Sans l'attendre, il sortit de la pièce. Elle le suivit, ébouriffée, tout en reboutonnant sa blouse. Il passa devant Inga sans lui accorder un regard et pénétra brutalement dans l'autre pièce. Stanislas Krakov était plongé dans la lecture du journal. Alexandre lui ordonna, plus qu'il ne lui demanda, de changer de chambre avec Tatiana. L'homme refusa en grommelant :

— Non mais ! Y se prend pour qui celui-là ? Sait pas à qui il a affaire.

Quelques instants plus tard, Krakov se retrouvait debout contre le mur, le canon d'une arme sous la gorge.

— Et toi, tu te prends pour qui ? hurlait Alexandre. C'est toi qui ne sais pas à qui tu as affaire ! Tu me fais pas peur, salopard ! Dépêche-toi de déménager tes affaires dans l'autre pièce ! Je suis pas d'humeur.

Le couple obtempéra prudemment. Tatiana observait la scène, décontenancée. Un regard sombre d'Alexandre lui intima l'ordre de prendre possession des lieux. Elle pénétra dans la pièce où crépitait le *bourzhuika*, débarrassa rapidement le lit des draps d'Inga et Stanislas, les roula en boule dans l'entrée et les remplaça par les siens.

— C'est mieux comme ça, tu ne trouves pas? fit Alexandre en refermant la porte derrière lui.

5

Le lendemain matin, à peine levé, il entreprit de faire les bagages de Tatiana, fourrant à la hâte ses affaires dans le sac noir. Pendant quelques minutes elle l'observa en silence — elle avait tant redouté ce moment —, puis hasarda timidement :

— Qu'est-ce que tu fais ?

— Tes bagages.

— Mes bagages, répéta-t-elle d'une voix sans timbre. Où allons-nous ?

— Je vais t'emmener jusqu'à Vologda. De là, tu pourras prendre un train. Il faut partir tout de suite. Je vais mettre un bout de temps pour revenir et je dois impérativement être à Morozovo demain soir.

Tatiana secoua la tête avec vigueur.

— Quoi ? Qu'est-ce qui ne va pas ? fit sèchement Alexandre.

— Je n'irai nulle part, articula-t-elle enfin.

— Et moi je te jure que tu vas partir d'ici, riposta-t-il, haussant le ton.

— N'élève pas la voix, Shura, s'il te plaît.

Il jeta le sac noir sur le sol, s'approcha de Tatiana, la regarda droit dans les yeux et dit :

— Ne me provoque pas, Tania. Fais attention.

Elle resta droite, face à lui, sans détourner le regard :

— Tu ne me fais pas peur.

Soudain elle se rappela le premier jour de cette horrible guerre. Pasha aussi avait dit : « Non, je n'irai nulle part. » On l'avait obligé... et il était mort.

Le poing d'Alexandre s'abattit sur le mur, tout près de la tête de Tatiana. Une fine poussière de plâtre tomba sur le plancher.

Quelqu'un frappa à la porte de la chambre. Il l'ouvrit à la volée et se trouva nez à nez avec Inga qui bredouillait, hésitante :

— Je... je voulais juste voir si... si Tania allait bien. J'ai entendu crier, ta... taper...

— Oui, et c'est pas fini, camarade ! coupa Alexandre en lui claquant la porte au nez.

Puis il fit volte-face et, les poings serrés, avança vers Tatiana. Cette fois, elle recula, les bras tendus devant elle pour se protéger.

— Shura, je t'en prie...

Elle tomba à la renverse sur le lit et se couvrit la tête de ses mains. Alexandre se pencha vers elle, les écarta rudement de son visage. Elle poussa un cri. Soudain, il se redressa, les bras ballants, hébété, comme s'il se réveillait d'un cauchemar.

— Pardonne-moi, Tania. Je t'en prie, pardonne-moi, fit-il d'une voix brisée. Je t'en supplie : accepte de partir. Si tu m'aimes un peu, retourne à Lazarevo. Reste là-bas, tu y seras en sûreté. On dirait que tu ne te rends pas compte du danger. Tu n'entends pas les bombes ? Tu ne vois pas qu'il n'y a rien à manger dans cette ville ?

— Si, on trouve à manger à Leningrad. J'ai droit à sept cents grammes par jour. En plus, je déjeune et je dîne à l'hôpital. C'est bien mieux que l'année dernière, fit Tatiana avec un sourire qu'elle voulait rassurant. Quant aux bombes, je m'en fiche. Mais, ajouta-t-elle après un silence, ce ne sont ni les bombes ni les Allemands qui te font peur, n'est-ce pas, Shura?

Comme il ne répondait pas à sa question, elle se leva et se dirigea vers sa commode.

— Tu as laissé beaucoup de choses derrière toi à Lazarevo, fit-elle en ouvrant un tiroir. Moi... et ça!

Elle s'était retournée, brandissant les cinq mille dollars qu'elle avait cachés dans la doublure de son pantalon.

— Je suis venue te les apporter : tu n'en avais pris que la moitié. Pourquoi?

Il baissa les yeux en marmonnant :

— Je refuse de parler de ça avec cette Inga derrière la porte.

Était-ce un moyen de temporiser? Était-ce vrai? Allait-il vraiment lui parler? Tatiana l'ignorait. Alors elle lui proposa de sortir. Il accepta d'un hochement de tête. Emmitouflés dans leurs manteaux, ils traversèrent l'appartement collectif et descendirent l'escalier en silence. Une fois dans la rue, elle passa son bras sous celui d'Alexandre et pressa la tête contre sa manche.

— Parle-moi, Shura, dit-elle enfin. Nous sommes seuls à présent. Dis-moi pourquoi tu as pris la moitié de l'argent.

Il ne répondit pas. Elle attendit quelques secondes. Quelques minutes. Toujours rien. Elle baissa les yeux vers la neige fondue à leurs pieds, regarda passer un trolleybus, un policier à cheval. Rien. Rien. Il ne disait rien.

Elle poussa un soupir. Quel aveu pouvait être si difficile? Alors elle formula autrement sa question :

— Shura, pourquoi n'as-tu pas pris *tout* l'argent?

— Parce que, répondit-il lentement, je t'ai laissé la part qui me revient.

— Mais cet argent est à toi — *tout à toi*. Je ne comprends pas.

Il ne disait toujours rien.

— Alexandre ! Pourquoi avoir pris cinq mille dollars ? Soit tu veux t'enfuir et tu as besoin de toute la somme ; soit tu ne veux pas t'enfuir et tu n'as pas besoin de cet argent du tout. *Alors pourquoi la moitié ?*

Aucune réponse. C'était comme à Lazarevo : elle l'interrogeait, il répondait du bout des lèvres — quelques bribes de phrases, quelques mots — Lisiy Nos, Vyborg, Helsinki, Stockholm, Youri Stepanov —, et elle passait des heures à essayer de reconstituer l'histoire que masquaient les silences.

— Tu sais quoi ? fit-elle enfin, exaspérée, lâchant son bras. Je suis fatiguée de jouer aux devinettes. Soit tu me dis tout sans rien dissimuler, et *tout de suite*... Soit tu fais demi-tour, tu reprends tes affaires et tu sors de ma vie. *Pour toujours*. À toi de choisir.

Ils étaient arrivés près du canal de la Fontanka. Elle s'immobilisa sur le trottoir couvert de neige, puis, les yeux brouillés par les larmes, elle hoqueta :

— Tu crois peut-être que... que je n'ai pas compris ? Tu débarques ici, fou... fou de rage, parce que tu pensais m'avoir dit adieu... définitivement à Lazarevo.

— Non, Tania, ce n'est pas pour ça que j'étais...

— Eh bien, tu vas devoir me dire adieu ici, à Leningrad, et avoir le courage de me le dire en face, pas comme à Lazarevo ! J'ai eu le temps de réfléchir au peu que tu m'as raconté et j'ai tout compris, Alexandre. Depuis que tu vis en Union soviétique, tu n'as rêvé que d'une chose : fuir, retourner aux États-Unis. C'est ce qui t'a permis de tenir pendant toutes ces années dans l'armée — l'idée qu'un jour ou l'autre tu rentrerais chez toi.

Elle tendit la main vers lui. Il la prit et finit par avouer dans un souffle :

— Du jour où mon père a décidé d'abandonner la vie que nous avions en Amérique, il nous condamnait. Je l'ai compris le premier. Ensuite, ma mère a compris à son tour. Lui a été le dernier à comprendre, mais ça lui a brisé le cœur : tout ce à quoi il croyait s'effondrait. Ma mère pouvait se soulager en lui faisant des reproches. Moi, j'ai cru pouvoir soulager ma peine en m'engageant dans l'armée. Mon père, lui, n'avait rien ni personne à blâmer que lui-même — et aucun dérivatif pour soulager sa peine. Tu as raison, ajouta-t-il après un silence. J'ai toujours souhaité retourner en Amérique... jusqu'au jour où je t'ai rencontrée, Tania...

Il l'attira contre lui pour la serrer dans ses bras avant de poursuivre avec un sourire amer :

— Ce jour-là, pendant une heure ou deux, j'ai cru que, finalement, j'allais peut-être pouvoir être heureux. Et puis la vie s'est mise entre nous : il y avait Dimitri, il y avait Dasha, cette distance obligée. Ensuite il y a eu Louga, cette nuit où je suis venu te retrouver à l'hôpital, notre conversation au pied du Cavalier de bronze. Je n'ai pas pu. Si seulement il n'y avait pas eu Lazarevo...

Tatiana s'arracha brusquement à son étreinte.

— Quoi ? Qu'est-ce que tu dis ? Comment peux-tu regretter...

Elle ne put achever : regretter Lazarevo, c'était regretter ce qu'ils étaient ensemble, regretter d'avoir fait l'amour, regretter le mariage, regretter les quelques moments de bonheur volés à la guerre. Sans un mot, elle le dévisageait, atterrée.

— Comprends-moi, Tania. Depuis que je t'ai rencontrée, je n'ai fait que te blesser, te blesser et t'entraîner dans mon histoire sordide, t'entraîner à ta perte.

— Je... je ne comprends pas. Quelle perte ?

Elle le vit presque physiquement ravaler sa peur. Il se détourna lentement et commença de marcher le long du canal. Elle le suivit. Sans la regarder, il dit :

— J'ai pris les cinq mille dollars pour les donner à Dimitri. J'ai essayé de le convaincre de fuir seul...

Tatiana s'esclaffa — un éclat de rire amer qui fusa comme de lui-même :

— Je m'en doutais ! Mais comment as-tu pu t'imaginer qu'un gars incapable de faire cinq cents mètres avec moi pour enterrer ma sœur accepterait de partir seul en Amérique ? Dimitri est un lâche et un parasite, je te l'ai dit. Tu es l'hôte de ce parasite et l'unique courage de ce lâche. Qu'est-ce que tu crois ? Dès qu'il va comprendre qu'il n'a plus aucun espoir de s'enfuir, il va foncer au NKVD, chez son nouvel ami Mekhlis, et tu seras immédiatement...

Elle se figea sur la berge du canal et regarda fixement Alexandre.

— Tu sais déjà tout ça, n'est-ce pas ? Tu sais qu'il ne partira jamais sans toi.

À nouveau, elle n'obtint aucune réponse. Le silence, cette fois, était un aveu tacite.

Ils reprirent leur marche sans un mot et empruntèrent un pont mutilé par les bombes sur lequel ils durent enjamber de lourds débris de granit. Pourtant, Tatiana ne quittait pas des yeux le visage d'Alexandre. Sur ses traits d'ordinaire sereins, presque impassibles, elle lisait la peur — plus que de la peur en réalité : une vraie terreur. Ce n'était pas la menace qui pesait sur lui qu'il redoutait — c'était impossible. Alors quoi ? Tout à coup, la vérité lui apparut, d'une lumineuse cruauté. *Il avait peur pour elle*.

— Dis-moi, hasarda-t-elle, que fait-on aux femmes des officiers arrêtés pour trahison ? Ceux qu'on accuse d'être des espions à la solde de l'étranger? Que ferait-on à la femme d'un Américain ayant un jour sauté d'un train pour échapper à la prison?

Alexandre ne répondit pas. Il ferma les yeux.

— Que fait-on aux femmes des déserteurs?

Elle se planta devant lui pour lui barrer la route, l'empêcher de continuer, de lui échapper. Il tenta de la contourner afin de poursuivre son chemin, mais elle l'en empêcha, agrippant sa capote militaire.

— Réponds-moi, Shura. Que fait-on aux femmes des soldats qui fuient dans les marécages vers la Finlande? Que fait-on aux épouses soviétiques qu'ils laissent derrière eux?

Il ne répondait toujours rien.

— Shura! cria-t-elle. Dis-moi ce que va me faire le NKVD! Dis-moi ce qu'il fait aux femmes des disparus ou des prisonniers de guerre? Ceux que Staline appelle les « paniquards et froussards », ceux qu'il faut, comme il dit, « exterminer sur place »! Shura, réponds-moi!

Tandis qu'elle scrutait le visage d'Alexandre avec un mélange d'horreur et d'incrédulité, des images de Lazarevo flottaient dans sa tête : les bains dans la rivière Kama, l'amour, les bois, la paix... Lazarevo cachait la vérité et ses horreurs. Ici, à Leningrad, elle les avait sous les yeux : ombre contre lumière, jour contre nuit.

— Ce que tu refuses de m'avouer, reprit-elle lentement, c'est que, quoi que tu fasses — que tu partes ou que tu restes, je suis perdue. Comment ai-je pu ne pas y penser toute seule?

— Comment? répéta-t-il dans un souffle. Mais parce que tu ne penses jamais à toi. Toujours aux autres. C'est pour ça que je tenais tant à ce que tu restes à Lazarevo. Je voulais que tu restes le plus loin possible d'ici, le plus loin possible de *moi*.

Tatiana frissonna et enfonça ses mains dans les poches de son manteau.

— Qu'est-ce que tu croyais ? Qu'on n'allait jamais me retrouver à Lazarevo ? Le Soviet du village aurait reçu un télégramme ordonnant mon arrestation.

— Non. C'est pour ça que j'aimais tant Lazarevo : le Soviet du village n'a pas de télégraphe. Tu comprends maintenant ?

— Oui, je comprends, murmura-t-elle. Je comprends *tout*. Et tu t'imagines que ta mort est notre seule solution, c'est bien ça ? Mais jamais je ne te laisserai mourir, Shura, *jamais*. Tu n'as pas une chance ici, en Union soviétique : si les Allemands ne l'ont pas fait, ce sont les communistes qui te tueront. Alors pars, Shura, ajouta-t-elle, rassemblant le peu de forces qu'elle sentait encore en elle. Pars en Amérique. Va refaire ta vie là-bas. Oublie-moi.

Elle-même n'en croyait pas ses oreilles : comment parvenait-elle à articuler ces mots-là ? Respire, songeait-elle, respire fort, tiens le coup. Les larmes roulaient sur ses joues. Tu pleures, mais c'est la bonne décision.

— Tania, arrête. Tu ne penses pas un mot de ce que tu dis.

— Comment oses-tu dire une chose pareille ? Je te préfère vivant en Amérique plutôt que mort en URSS ! Tu ne comprends pas ça ? Shura, c'est la seule solution. Tu le sais comme moi.

Elle s'interrompit un instant, respira profondément, puis ajouta :

— Moi, je sais ce que je ferais si j'étais toi.

— Ah oui ? fit Alexandre, incrédule. Et que ferais-tu ? Tu me laisserais dans ce logement mal chauffé avec les horribles Krakov, dans cette ville en guerre, sous les bombes, dans la faim et le froid ?

Tatiana se mordit la lèvre : l'amour ou la vérité ?

Elle choisit l'amour, se redressa, bien raide, et répondit aussi fermement que possible :

— Oui, je choisirais l'Amérique plutôt que toi.

Alexandre sourit tendrement et la prit dans ses bras :

— Viens. Viens près de moi, menteuse.

— Tu peux être sauvé, Shura, poursuivit-elle, en larmes, pressant sa joue contre le tissu rêche de la capote. Si tu ne le fais pas pour moi, fais-le pour tes parents : tu étais leur seul fils. Et puis, il n'y a pas si longtemps, tu me demandais de rester en vie *pour toi*. À mon tour de te faire la même prière. Je suis comme la Paracha du poème de Pouchkine, ajouta-t-elle dans un murmure. Le prix à payer pour que tu restes en vie.

— Non, Tania ! Tu ne seras pas le prix à payer pour ma vie. Tais-toi.

— Je ne me tairai pas. Il faut que tu partes ! Tu le dois, et je ferai tout ce qui est en mon pouvoir pour ça.

Alexandre desserra son étreinte et s'éloigna de quelques mètres. La glace se formait au pied des parapets démantelés sur le canal de la Fontanka.

— Encore un mot, Tania, et je jure devant Dieu que je te quitte ici, et que tu ne me reverras jamais !

Elle hocha la tête :

— C'est justement ce que je te demande. Pars. Loin.

— Bon sang ! Mais dans quel monde vis-tu ? Tu crois qu'il te suffit de dire : « C'est bon, Shura, tu peux partir » pour que je tourne les talons ? Comment peux-tu penser que je vais te laisser ? Je n'ai pas pu abandonner un inconnu blessé dans un bois, et tu voudrais que je t'abandonne, *toi* ? Non, Tania, je n'irai nulle part sans toi.

— Si tu refuses de quitter ce pays, je te promets que dès que tu auras tourné les talons, je retourne au logement et je me pends avec le câble de douche. Comme ça tu n'auras rien à regretter, tu seras libéré de moi, et tu pourras partir en Amérique.

Un long moment, ils se dévisagèrent sans échanger une parole.

Puis Alexandre ouvrit les bras et elle s'y précipita. Il l'enveloppa de son manteau et ils restèrent ainsi de longues minutes, dans cette étreinte gelée sur le pont de la Fontanka.

— On va faire un marché, ma Tatiasha, murmura-t-il dans son cou. Je fais de mon mieux pour rester en vie et tu me promets de rester à bonne distance des câbles de douche. D'accord ?

— D'accord, chuchota-t-elle.

— Réfléchis, mon amour, quel genre de vie crois-tu que je pourrais mener là-bas, en Amérique, sachant que je t'ai laissée ici, livrée à la mort ou à la prison ? Crois-moi, le Cavalier de bronze ne me laisserait pas une seconde de répit, il me poursuivrait dans chacun de mes rêves.

— C'est le prix à payer, Shura.

— Je refuse. Jamais je ne m'enfuirai en abandonnant ma femme.

Ils reprirent lentement leur marche dans la neige, cette fois en direction des Jardins d'Été. Ils avançaient, tête basse. Alexandre avait passé un bras sur les épaules de Tatiana. Ensemble, ils empruntèrent le même sentier que plusieurs mois auparavant, mais à pas vifs, comme pour échapper à l'émotion qui les gagnait. Ils ne jetèrent pas un regard à la statue de Saturne dévorant ses enfants. Tatiana se rappela cette chaude journée d'anniversaire, leur pique-nique sur un banc, le désir qu'elle avait eu alors de le toucher, de sentir sa peau effleurer la sienne. Ils franchirent les grilles dorées et se retrouvèrent sur les quais de la Neva, puis, mus par un étrange instinct, ils se dirigèrent vers le Jardin de Tauride, vers cet arrêt de bus où ils s'étaient rencontrés la première fois. Tout les y appelait. Ils échangèrent un regard muet et s'assirent dans le froid.

— Pourquoi, fit-elle d'une voix tremblante, pourquoi ne peut-on pas avoir ce qu'ont Inga et Stanislas ? D'accord, ils vivent en Union soviétique, mais ils sont ensemble et peut-être encore pour vingt ans, voire plus. *Ensemble, Shura !*

— Tania, les Krakov sont des espions du Parti, ils ont vendu leur âme pour un deux-pièces qu'ils n'ont même plus. Toi et moi, nous en demandons trop à la vie soviétique.

— Je ne demande qu'une chose à cette vie : *toi*.

— Moi, mais aussi l'eau chaude, l'électricité, une petite maison et un État qui n'exige pas que tu lui sacrifies ta vie.

— Non. Je ne veux que *toi*. Je me fiche du reste.

— Et l'État te demande de sacrifier ta vie pour m'avoir *moi*.

— Cet État nous protège tout de même contre Hitler.

— Oui, mais nous, qui va nous protéger contre l'État ?

Elle se blottit contre lui. Elle devait l'aider, par tous les moyens, à n'importe quel prix. Mais comment ? Comment le sauver ?

— On vit dans un État en guerre, Tania, poursuivit-il. Et le communisme, c'est la guerre — la guerre contre toi et moi. C'est pourquoi je voulais que tu restes à Lazarevo : j'essayais de te cacher au moins jusqu'à la fin de la guerre.

— Eh bien, tu m'as cachée au mauvais endroit. Tu m'as dit toi-même qu'en Union soviétique il n'existait aucun endroit sûr. Avoue que ce serait drôle si ce n'était pas si tragique : tu dois mourir sur le front pour que je puisse continuer à vivre dans ce pays, et moi je dois me pendre dans la douche pour que tu puisses vivre en Amérique.

Allons, capitaine, conclut Tatiana avec un sourire, va te battre, reste en vie et... débarrasse-toi de Dimitri...

— Tu sais, Tania, j'ai déjà pensé à le tuer.

— De sang-froid ? Toi ? Tu en serais bien incapable. Et même si tu y arrivais, crois-tu que Dieu veillerait encore sur toi dans cette guerre ? Et sur moi dans ce pays ?

— Que vas-tu devenir maintenant, mon amour ?

— Ne t'inquiète pas, Shura. Après ce que j'ai vécu l'hiver dernier à Leningrad, je peux endurer le pire, tu le sais.

Et le meilleur aussi, songea-t-elle en ôtant son gant glacé pour caresser la joue d'Alexandre.

— Tu regrettes d'avoir traversé cette rue un jour d'été, soldat ?

Il prit sa main entre les siennes.

— Jamais, Tania. Dès que je t'ai aperçue sur ce banc, j'ai été à toi. La guerre venait de commencer le matin même, les gens couraient dans tous les sens et, au milieu de ce chaos, il y avait toi ! Toi qui mangeais une glace, assise seule sur ce banc. Tu dégustais cette glace avec tant d'abandon et de plaisir que je n'en croyais pas mes yeux. On aurait dit que plus rien n'existait en ce dimanche d'été. Plus rien que toi et tes souliers trop hauts, ta ravissante robe à roses rouges et cette glace — juste avant la guerre. Quelques instants plus tard, tu allais disparaître, partir chercher Dieu sait quoi, et *tu ne doutais pas de le trouver*. C'est pour ça que j'ai traversé la rue, Tatia : parce que je savais que tu trouverais ce que tu cherchais, *parce que je croyais en toi*.

Il essuya les larmes qui roulaient sur les joues de la jeune femme et pressa sa main fraîche contre ses lèvres.

— En tout cas, répondit-elle entre rire et pleurs, si tu n'avais pas été là, ce jour-là je serais rentrée bredouille.

— Non, Tania, ne crois pas ça. Si j'ai traversé, c'est parce que je savais que tu avais déjà tout *en toi*.

Ils restèrent encore un long moment serrés l'un contre l'autre sur le banc, tandis que des rafales d'un vent glacé balayaient les dernières feuilles mortes de novembre sur un ciel gris pâle.

Un tramway s'arrêta. Trois personnes en descendirent qui se dirigèrent vers le monastère Smolni, près du fleuve pétrifié par les glaces. Une couche de neige noircie recouvrait la ville.

Une fenêtre ouverte sur la liberté

1

Après le départ d'Alexandre, Tatiana lui écrivit chaque jour. Chaque jour aussi elle se rendait au bureau de poste dans l'espoir d'y trouver ses lettres. Le courrier arrivait par paquets : elle ne supportait pas le silence entre les liasses de lettres.

Pendant ses rares moments de loisir, elle restait enfermée dans sa pièce à étudier son anglais. Pendant les alertes aériennes, elle emportait le livre de cuisine de sa mère dans l'abri. Elle se mit à cuisiner pour Inga, désormais seule et malade.

Un après-midi l'homme au bureau de poste décréta qu'il ne lui donnerait son courrier que si elle se montrait gentille, très gentille avec lui...

Elle écrivit l'histoire à Alexandre, effrayée à l'idée qu'à l'avenir aucune de ses lettres ne lui parvienne.

Tania

Va à la caserne et demande à voir le lieutenant Oleg Kashnikov. Il a reçu trois balles dans la jambe et ne peut plus se battre. Il faisait partie du peloton qui m'a aidé à te dégager des décombres à Louga. Tu pourras lui demander à manger et lui confier tes lettres : il n'exigera rien en retour, je te le promets. Je t'en prie, ne mets plus les pieds dans ce fichu bureau de poste.

Tu me dis que Inga est seule. Pourquoi ? Où est passé Stanislas ?

Je dois t'avouer que c'est tout de même une consolation de te savoir plus près de moi. Je ne dis pas pour autant que tu aies eu raison de revenir à Leningrad... T'ai-je raconté que, lorsqu'on aura brisé le blocus, on aura droit à dix jours de permission ? Dix jours, Tania ! Tu te rends compte ?

En attendant, ne t'inquiète pas. On ne fait guère autre chose qu'acheminer troupes et munitions pour notre assaut qui devrait avoir lieu au début de l'année prochaine.

Je n'ai toujours pas bien compris pourquoi, mais on m'a donné une nouvelle médaille et une promotion. Finalement, peut-être Dimitri a-t-il raison : j'arrive étrangement à transformer les échecs en victoires. Je vais te raconter l'histoire : on testait la glace sur la Neva. Elle n'était pas encore assez solide : elle pouvait supporter un homme armé d'un fusil, peut-être un lance-fusées Katioucha, mais un char ? Voyant nos hésitations, un ingénieur, celui qui a conçu la première ligne de métro de Leningrad, a eu l'idée de poser le char sur des sortes de rails en bois pour en répartir le poids de façon égale. On a fabriqué les rails. Ensuite, il a fallu quelqu'un pour tester le procédé et conduire le char sur la glace. Je me suis proposé. Cinq généraux sont venus assister à la démonstration — dont le nouvel ami de Dimitri...

J'ai donc pris le plus lourd de nos chars, le KV-1 — que tu connais bien, Tania — et conduit ce monstre sur la glace. Mon commandant marchait à côté, les cinq généraux suivaient derrière, enchantés.

Je n'avais pas fait cent cinquante mètres que la glace a commencé à craquer. Les généraux et mon commandant se sont mis à courir pendant que le char s'enfonçait sous l'eau. Et moi avec. La tourelle était ouverte, j'ai pu sortir à la nage.

Le commandant m'a donné un verre de vodka pour me réchauffer. Alors l'un des généraux a dit qu'il fallait me décorer de l'ordre de l'Étoile rouge et m'accorder une promotion : me voici donc commandant, ma Tania.

Alexandre

Cher COMMANDANT *Belov !*

Je suis très *fière de toi. Bientôt tu seras général.*

Merci de m'avoir permis de faire passer mes lettres par Oleg. C'est un garçon charmant, très poli. Hier, il m'a même donné des œufs en poudre. J'avoue que je n'ai pas su quoi en faire, mais je vais apprendre.

Tu sais, Shura, je voudrais être dans tes bras.

Ta Tatiana

2

En décembre, la Croix-Rouge internationale envoya du personnel médical en renfort à l'hôpital Grecheski. Il restait trop peu de médecins à Leningrad. La ville en comptait trois mille cinq cents avant la guerre : il n'y en avait plus que deux mille à présent, pour soigner les deux cent cinquante mille malades répartis dans tous les hôpitaux de la ville.

Tatiana fit la connaissance du docteur Matthew Sayers alors qu'elle était en train de nettoyer une vilaine blessure sur le cou d'un jeune caporal.

Le médecin entra dans la salle et, avant même qu'il eût ouvert la bouche, elle le supposa américain : il sentait le savon, il était grand, mince, blond et se déplaçait avec une assurance qu'elle n'avait jusqu'alors rencontrée que chez Alexandre. Il jeta un œil à la courbe de température, puis au malade, puis enfin à elle. Il secoua la tête avec un claquement de langue, roula des yeux et dit en anglais :

— Pas joli joli, n'est-ce pas?

Tatiana avait compris, mais, prudente, préféra n'en rien laisser paraître. Alors le médecin répéta la phrase dans un mauvais russe, avec un fort accent américain.

Cette fois, elle hocha la tête et répondit :

— Je pense qu'il va s'en sortir. J'ai vu pire.

— J'imagine, dit-il en lui tendant la main. Je suis le docteur Matthew Sayers, de la Croix-Rouge internationale. Vous pouvoir prononcer mon nom ? Sayers ?

Tatiana le prononça à la perfection.

— Bravo ! Comment dire Matthew en russe ?

— Matvei. Mais je préfère Matthew.

Sur ces mots, elle retourna à son malade dont la gorge gargouillait par une plaie sanglante.

Matthew Sayers se révéla compétent, chaleureux, et améliora en un rien de temps la situation de l'hôpital grâce aux quelques produits miraculeux qu'il avait apportés dans ses bagages : pénicilline, morphine et plasma.

Quant au malade, il survécut.

3

Ma Tania chérie

Je suis sans nouvelles de toi. Oleg me dit qu'il ne t'a pas vue depuis plusieurs jours. Je suis mort d'inquiétude. Écris-moi dès réception de cette lettre. Je t'ai pardonné une fois de ne pas m'avoir écrit. Je ne sais pas si je saurai me montrer aussi charitable une deuxième fois.

Comme tu le sais, le jour J est pour bientôt. On va envoyer six cents hommes en reconnaissance. En réalité, c'est plus une attaque discrète qu'une véritable mission de reconnaissance. Nous attendrons sur l'arrière pour voir la réaction des Allemands. Si tout se passe comme nous l'espérons, nous suivrons les six cents premiers.

Écris-moi, ma Tania.

Ton Alexandre

P.-S. Tu ne m'as pas dit ce qui était arrivé à Stanislas.

Mon Shura

Rassure-toi, je vais bien, mais je suis très occupée à l'hôpital. Je ne suis plus que rarement à la maison. Je t'en supplie, ne t'inquiète pas trop pour moi, tu as assez à faire avec la guerre. Je suis là et j'attends ton retour.

Il fait nuit du matin au soir, avec juste une heure de jour dans l'après-midi. Penser à toi est mon soleil, alors mes journées sont ensoleillées car je pense à toi tout le temps.

Ta Tatiana

P.-S. Ce qui est arrivé à Stanislas, c'est l'Union soviétique, rien que l'Union soviétique...

Tatiasha chérie

Comment as-tu passé la nouvelle année? J'espère que tu as pu prendre un peu de repos et t'amuser un peu.

De mon côté, j'ai passé le réveillon au mess des officiers, avec une foule de gens parmi lesquels tu n'étais pas. Tu me manques. Je rêve d'une vie où toi et moi pourrions trinquer ensemble à une année nouvelle. Pour l'occasion, on nous a donné un peu de vodka et des cigarettes, en espérant que 1943 serait meilleure que 1942.

Nous avons perdu les six cents soldats envoyés en reconnaissance. Écris-moi, Tania, je t'en prie. Tu sais que nous n'allons pas nous revoir tant que le front de Leningrad et celui du Volkhov ne se seront pas rejoints, tant que nous n'aurons pas fait sauter le verrou et repris la voie ferrée menant à la ville. Ne me laisse pas partir sans nouvelles sur la glace de la Neva.

Ton Alexandre

Mon Shura!

Je suis là, je suis là, tu ne me sens pas, soldat?

J'ai passé le réveillon à l'hôpital, et chaque jour je trinque avec toi en pensée.

Je ne peux pas te dire pendant combien d'heures j'ai travaillé, combien de nuits j'ai passées dans cet hôpital sans mettre les pieds à l'appartement.

Dès que tu reviens, Shura, viens me voir immédiatement : j'ai la plus magnifique, la plus incroyable des nouvelles à t'apprendre. Il faut qu'on en parle tous les deux — vite. *Tu voulais un mot de moi, en voici un :* ESPÈRE.

Ta Tania

Dans les batailles de l'Histoire

1

12 janvier 1943 : au petit matin Alexandre regarda sa montre. L'opération Spark — la bataille de Leningrad — allait commencer. Ce serait l'ultime tentative. Les ordres de la Stavka, le haut commandement, et du GKO, le comité d'État à la Défense, présidé par Staline en personne, étaient formels : il fallait briser le blocus allemand, coûte que coûte, et desserrer l'étau.

Alexandre venait de passer trois jours et trois nuits caché dans un abri de bois au bord de la Neva, en compagnie de Marazov et de six caporaux. L'artillerie se trouvait camouflée juste à l'extérieur : deux mortiers de cent vingt, deux de quatre-vingt-un, une batterie antiaérienne, un lance-fusées Katioucha et deux canons de soixante-seize.

Après soixante-douze heures de confinement dans cet abri, à jouer aux cartes, fumer et parler de la guerre, il n'en pouvait plus. Il pensait à la dernière lettre de Tatiana. Qu'avait-elle pu vouloir dire dans ses dernières lignes ? Quelle était cette si merveilleuse nouvelle ? Il avait tellement besoin d'elle...

N'y tenant plus, il alla furtivement jeter un coup d'œil dehors, comptant sur sa tenue de camouflage blanche pour rester invisible. Le fleuve aussi se dissimulait sous un manteau blanc, et la rive sud était à peine visible dans la lueur grise du petit jour. Leur cantonnement se trouvait sur la rive nord de la Neva, à l'ouest de Schlüsselburg. Le bataillon d'artillerie que commandait Alexandre devait couvrir cette zone, et les Allemands étaient bien retranchés dans Schlüsselburg : à un kilomètre il pouvait discerner la forteresse Oreshek, au pied de laquelle gisaient les corps des six cents hommes qui avaient tenté l'assaut six jours auparavant. Il se demanda s'ils n'étaient pas tombés en vain. Ils n'avaient ménagé ni leur peine ni leur sang. Courageusement, ils avaient franchi le glacis de la Neva gelée et, les uns après les autres, avaient été abattus dans ce que le stupide Vova aurait appelé « un bain de sang ». L'Histoire retiendrait-elle leur sacrifice ?

Il sentit que l'heure approchait, on allait bientôt ordonner l'attaque. Briser le blocus ou mourir, ouvrir un corridor jusqu'à Leningrad. La 67e armée devait opérer depuis la ville, d'ouest en est. La 2e armée, commandée par Meretskov, depuis le Volkhov, d'est en ouest. Les artilleurs et quelques chars légers devaient traverser la rivière — soit, en tout, quatre divisions. Deux heures plus tard, trois autres divisions devaient suivre avec des chars lourds. Elles comptaient six hommes directement placés sous les ordres d'Alexandre. Lui les couvrirait derrière sa batterie. Il traverserait avec la troisième vague, des armes lourdes et un T-34, un char qui avait une chance de traverser sans sombrer.

Il se demanda si la Neva était plus large que la rivière Kama et conclut que oui, mais pas de beaucoup. À Lazarevo, il franchissait la Kama à la nage en vingt-cinq minutes aller-retour. Combien de temps lui faudrait-il pour parcourir six cents mètres d'une Neva gelée sous le feu allemand ? Moins de vingt-cinq minutes — il fallait l'espérer.

Juste avant neuf heures, le soleil venait à peine de se lever quand Alexandre reçut l'ordre de passer à l'action. Ses hommes tirèrent trois grenades fumigènes à émission lente qui explosèrent au-dessus du fleuve, plongeant temporairement dans le brouillard les lignes ennemies. Aussitôt, les soldats de l'Armée rouge se précipitèrent sur la glace en longues colonnes sinueuses.

Deux heures durant, les quatre mille cinq cents bouches à feu soviétiques tonnèrent sans interruption contre les positions allemandes. Alexandre trouvait que les hommes s'en tiraient mieux qu'il ne l'aurait cru — oui, remarquablement mieux. Avec ses jumelles, il en aperçut un certain nombre tombés sur l'autre rive, mais beaucoup aussi qui couraient se mettre à couvert dans les bois.

Trois avions allemands survolaient la zone à basse altitude, ils mitraillaient les soldats et creusaient dans la glace des trous qui allaient la rendre encore plus impraticable pour les engins comme pour les hommes.

— Descends encore, oui c'est ça, murmura Alexandre en ouvrant le feu sur l'un des avions.

L'appareil explosa. Les deux autres se dépêchèrent de reprendre de l'altitude. Il tira à nouveau : un deuxième avion s'enflamma. Le dernier gagna encore de l'altitude : de cette hauteur, il ne pouvait plus mitrailler la glace. Alexandre eut un hochement de tête satisfait et alluma une cigarette :

— Bravo, les gars ! cria-t-il à ses hommes.

Mais ceux-ci étaient tellement occupés à charger les obus et à faire feu qu'ils ne purent l'entendre. D'ailleurs, ce fut à peine si lui-même entendit sa voix.

À onze heures trente, le feu vert fut donné pour la deuxième vague de l'assaut. C'était un peu prématuré, mais Alexandre espérait que la surprise jouerait en leur faveur. Il fit un signe à Marazov.

Celui-ci le salua de loin, hurla un ordre à ses hommes et ils dévalèrent le glacis qui descendait sur la Neva. Deux caporaux couraient en portant des mortiers de quatre-vingt-un. On avait laissé les canons de cent vingt, trop lourds à transporter sans camions. Trois soldats filaient devant avec leurs pistolets-mitrailleurs Shpagin.

Soudain, Marazov s'écroula — il avait à peine parcouru trente mètres. Alexandre leva les yeux, comprit, visa, tira et vit l'avion s'abattre en spirale dans un nuage de fumée noire.

Marazov gisait toujours sur la glace. Piétinant près de leurs canons, ses hommes le regardaient, bras ballants, impuissants. Partout la glace était criblée de trous d'eau.

Alexandre confia la batterie à Ivanov, le dernier caporal demeuré avec lui, saisit sa mitrailleuse et bondit. En un clin d'œil, il fut sur la glace. Il cria aux hommes de courir sur l'autre rive tandis qu'il s'agenouillait près de Marazov. Il était touché au cou, chaque respiration semblait lui être une souffrance intolérable.

— Tiens bon, lui souffla-t-il. Tiens bon.

Cherchant des yeux un infirmier qui aurait pu lui donner un peu de morphine, il aperçut un homme vêtu d'un épais pardessus et d'un chapeau qui, au lieu d'une arme, portait une sacoche de médecin. Il ne portait même pas de casque et glissait plus qu'il ne courait vers un groupe tombé à proximité d'un trou d'eau. Alexandre eut à peine le temps de se dire : « Ce toubib est dingue ! » que, déjà, il entendait les soldats dans son dos hurler :

— Couchez-vous ! Couchez-vous !

Mais, au milieu des tirs de mortier, le médecin n'entendait rien. Il cria en anglais :

— *What?*

Alexandre comprit. Il avait un quart de seconde pour choisir. Il bondit et hurla en anglais :

— GET THE FUCK DOWN !

L'homme se laissa instantanément tomber sur la glace. Juste à temps. Un obus passa à un mètre de sa tête et explosa juste derrière lui. Il fut projeté dans les airs et alla atterrir tête la première dans un trou d'eau.

Alexandre jeta un dernier regard à Marazov : un flot de sang coulait de sa bouche, il avait les yeux fixes. Il traça sur son front le signe de la croix, ramassa sa mitrailleuse et parcourut les trente mètres qui le séparaient du trou d'eau où était tombé le médecin. Celui-ci avait perdu connaissance. Alexandre le saisit par le col de son pardessus et tira de toutes ses forces. Une fois étendu sur la glace, l'homme revint à lui en toussant :

— Bon sang ! Qu'est-ce qui s'est passé ?

Il avait posé la question en anglais. Alexandre lui répondit également en anglais :

— Taisez-vous. Je vais vous traîner jusqu'à ce camion blindé, à vingt mètres. Si on arrive à se cacher derrière, on sera plus à l'abri. Ici, on est complètement à découvert.

Il jeta un regard autour de lui et avisa les trois cadavres près du trou d'eau. Il en posa un sur le dos du médecin et en chargea lui-même un autre sur ses épaules.

— Ils vont nous servir de couverture. Cramponnez-vous au bas de mon manteau. Vite ! Il y va de votre vie !

Aussi rapidement qu'il le pouvait avec un mort sur le dos, Alexandre hala le médecin et le corps qui le protégeait sur la vingtaine de mètres qui les séparaient du blindé.

Il avait l'impression de devenir sourd tant les explosions semblaient marteler l'intérieur de son casque. Il fallait réussir. Absolument. Je peux y arriver, je peux y arriver se répétait-il, en traînant l'homme sur la glace noircie et ensanglantée. Il crut percevoir le sifflement d'un avion et se demanda ce qu'Ivanov attendait pour descendre ce salopard...

Puis il y eut le choc qui le propulsa avec une violence terrifiante contre le flanc du blindé. Heureusement que j'ai ce corps sur le dos : ce fut sa dernière pensée.

2

Soulever les paupières, ouvrir les yeux — un effort surhumain. Un effort tel qu'il sombra à nouveau interminablement : une semaine ? un an ? Il entendait des voix étouffées, des bruits étouffés. Des odeurs étouffées lui parvenaient aussi — celles du camphre et de l'alcool. Il se voyait rouler dans le désert, coincé dans la voiture entre son père et sa mère. Un désert en Amérique, pas vraiment beau, mais chaud, tellement chaud. Alors pourquoi avait-il si froid ?

Il rouvrit les yeux et, cette fois, avant de les refermer, tenta de fixer quelque chose. Mais sa vue était brouillée, il ne discernait aucun visage. Pourquoi ne voyait-il pas les visages ? Il ne distinguait que des visions fugitives, noyées dans une brume opaque, blanchâtre. Une forme se penchait vers lui. Il aurait pourtant juré avoir entendu quelqu'un murmurer *Alexandre*. Puis un cliquetis métallique. On lui soulevait la tête. Soulever...

Soudain, son esprit s'éveilla. Il était couché sur le ventre. C'était pour ça qu'il ne voyait aucun visage. Nouveau brouillard. Une forme petite et blanche. Une voix qui chuchotait. Il voulait parler mais aucun son ne sortait de sa bouche. Il sentait un souffle doux, chaud, sucré, un souffle qu'il connaissait tout près de son visage. Une odeur qu'il connaissait aussi, le parfum du réconfort.

— Shura, mon amour, je t'en prie, réveille-toi, murmurait la voix. Ouvre les yeux.

Il y eut des lèvres sur sa joue.

Lorsqu'ils s'ouvrirent enfin, ses yeux plongèrent dans ceux de Tatiana.

— Où suis-je ?

— À l'hôpital de campagne de Morozovo.

Il voulut secouer la tête. En vain.

— Tatia ? Mais... ça ne peut pas être toi.

Et il se rendormit.

Il était étendu sur le dos. Un médecin se tenait devant lui.

— Comment vous sentez-vous ?

Alexandre essaya de le fixer, puis de regarder autour de lui dans la pièce : un rectangle de bois percé de rares fenêtres et des lits, tous occupés par des hommes aux pansements blancs ou rougis par le sang.

— Depuis combien de temps..., articula-t-il lentement.

— Quatre semaines.

— Quatre... ? Que... que s'est-il passé ?

— Vous ne vous rappelez pas ?

— Non.

Le médecin s'assit près du lit et, après un silence, répondit en anglais :

— Il s'est passé que vous m'avez sauvé la vie.

Un vague souvenir, une image floue. La glace. Un trou dans la glace. Le froid. Alexandre marmonna :

— Parlez russe, s'il vous plaît, sinon c'est moi qui vais y laisser la peau.

Le médecin acquiesça :

— Je comprends, dit-il en russe.

Et il pressa dans la sienne la main d'Alexandre tandis que celui-ci, recouvrant peu à peu ses esprits, lui demandait :

— Qu'est-ce qui vous a pris de sortir à découvert sur la glace ? On a des infirmiers entraînés pour ça.

— Je sais, répondit Sayers dans un russe mauvais mais compréhensible. J'allais là pour sauver l'infirmier. Qui vous pensez avoir mis sur mon dos avant de me tirer au camion ?

— Oh.

Après un long silence, Alexandre dit encore :

— J'ai l'impression d'avoir du coton plein la bouche.

— Normal. Morphine. On vous a donné morphine un mois. On a commencé à diminuer semaine dernière. Devez être en manque.

— Comment vous appelez-vous ?

— Matthew Sayers. Croix-Rouge internationale. Je me suis conduit imbécile et vous avez failli mourir à cause moi. Mais... c'est la première fois pour moi sur le front.

Alexandre eut un pâle sourire. À nouveau, il examina la pièce. Tout était calme. Il avait dû rêver. Il avait dû *la* rêver.

— Un obus a explosé derrière nous, un éclat a touché vous, raconta Sayers. Vous avez été jeté contre le camion et puis vous êtes tombé. Je pouvais pas bouger vous tout seul. Il fallait civière. Une infirmière à moi est venue aider. Cette fille, un cas ! Étonnante ! Elle est venue à quatre pattes, en poussant caisse de plasma !

— Du plasma ? Qu'est-ce que c'est ?

— Le liquide sanguin, sans le sang. Se conserve mieux et gèle très bien, surtout par chez vous. Un miracle pour les blessés comme vous. Plasma a remplacé sang perdu jusqu'à ce qu'on puisse faire transfusion.

— Il... il a fallu me faire ça ? hasarda Alexandre, incrédule.

— Oui, répondit le médecin en souriant. Vous pas bien en forme là-bas, sur la glace. J'ai laissé infirmière près de vous pendant que j'allais chercher civière. Je sais pas comment, mais cette petite femme est arrivée à m'aider à porter vous. On a ramené vous sur la rive, et c'était elle qui avait l'air besoin plasma.

— Qui est cette infirmière ?

— Une de celles amenées avec moi de Leningrad. Elle, volontaire.

— À quel hôpital appartient-elle ?

— Grecheski. Son nom être Tatiana Metanova.

Alexandre laissa échapper un cri.

— Où est-elle maintenant ?

— Demandez plutôt où elle est pas, rétorqua Sayers avec un haussement d'épaules. En ce moment, elle reconstruire voie ferrée, je crois. On a brisé blocus. Six jours après vous blessé. Les deux fronts sont joints. Onze cents femmes reconstruisent voie ferrée. Tania est avec elles. Elles appellent ça la « Voie de la Victoire ».

— Pouvez-vous m'amener cette infirmière quand elle rentrera du chantier ?

Alexandre faillit tout expliquer à Sayers, mais la fatigue et la douleur l'emportèrent.

— Où avez-vous dit que j'étais blessé ?

— Au dos. Côté droit. Mais l'éclat a surtout déchiré le mort qui protégeait vous. On a eu du mal à sauver votre rein. Pour le reste, brûlé troisième degré autour de la blessure. C'est pour ça que si longtemps couché sur le ventre. Mais pas de souci : vous guérir. D'ici un mois, debout !

Le médecin hésita, dévisagea un moment Alexandre, puis lui murmura :

— Un jour, il faudra me dire...

— D'accord.

— Ah ! j'allais oublier. Vous gagner nouvelle médaille. La plus haute, on m'a dit : la médaille de *Héros de l'Union soviétique* !

— Tant que ce n'est pas à titre posthume...

— Dès que vous rétabli, nouvelle promotion, on m'a dit aussi. Félicitations. À propos, un homme du ravitaillement vient souvent demander nouvelles. Chernenko, vous connaissez ?

— Amenez-moi plutôt l'infirmière, voulez-vous ? répondit Alexandre en fermant les yeux.

3

Une nuit passa. Puis il se réveilla et elle était là, assise près de lui. Ils restèrent un moment à se dévisager sans un mot. Tatiana rompit le silence la première :

— Je t'en prie, Shura, ne sois pas fâché.

— Tania, tu es tellement têtue.

— Non, je suis ta femme, tout simplement, fit elle avant de se pencher vers lui pour ajouter dans un murmure : Et je t'aime. Tu avais besoin de moi, je l'ai senti. Alors je suis venue.

— Je n'avais pas besoin de toi *ici*. Combien de fois faudra-t-il te répéter que tout ce dont j'ai besoin, c'est de te savoir en sûreté ?

— Moi aussi j'ai besoin de te savoir en sûreté. Et... tu vas guérir, mon amour.

— Dis-moi la vérité : elle était grave cette blessure ?

— Non, pas trop, répondit Tatiana, souriant et blêmissant à la fois.

— Je me demande ce qui m'a pris de courir comme ça après Marazov. J'aurais dû laisser ses hommes s'occuper de lui. Mais ils étaient coincés. Ils ne pouvaient plus avancer, ils n'allaient pas le ramener. Pauvre Tolya, fit-il après un silence.

— J'ai dit une prière pour Tolya.

— En as-tu dit une pour moi aussi ?

— Non, parce que tu n'allais pas mourir. Mais j'en ai dit une pour moi. J'ai dit : « Seigneur, je vous en prie, aidez-moi à le guérir. »

— J'ai l'impression d'avoir le dos en feu, Tania.

Elle hésita un instant avant de répondre :

— Tu as été brûlé, mais rien de grave.

Elle sortit une petite fiole de morphine de sa poche et la fixa à la perfusion.

— Tu vas voir, chuchota-t-elle. Dans quelques instants, tu vas te sentir mieux.

— Reviens t'asseoir près de moi.

— Non, Shura, il faut qu'on soit prudents. Dimitri n'arrête pas de rôder dans le coin. Il entre, sort, jette un œil dans ta chambre, revient, repart. Je me demande ce qu'il cherche. Il a eu l'air surpris de me trouver là.

— Il n'est pas le seul. Comment as-tu atterri ici ?

— Cela faisait partie de mon plan, Shura.

— Quel plan, Tania ?

— Vieillir avec toi, mon amour, dit-elle en souriant. Shura, il faudra que je te parle quand tu seras lucide. Et tu devras m'écouter très attentivement.

— Vas-y, je t'écoute.

— Non, j'ai dit *quand tu seras lucide*. Maintenant il faut que je file. Je suis restée assise une heure à attendre que tu te réveilles. Je reviendrai demain. Tu vois, ajouta-t-elle encore en désignant la pièce d'un geste, j'ai demandé à ce que tu sois installé dans le coin, près du mur, pour qu'on puisse avoir un peu d'*intimité*. On en a presque plus que chez moi, à Leningrad.

— À propos, et Inga ?

Tatiana se mordit la lèvre avant de répondre :

— Elle n'habite plus là-bas.

— Elle a fini par déménager ?

— Non… *elle a été déménagée*.

Ils se regardèrent encore une fois en silence. Ils se comprenaient. Puis Alexandre ferma les yeux. Il murmura :

— Tania, c'est vrai que tu as rampé sur la glace, au milieu de la bataille ?

Elle se pencha sur lui pour l'embrasser — sans un mot.

— Demain, chuchota-t-il encore, n'attends pas une heure pour me réveiller…

4

Le lendemain, il ne pensa qu'au moment où il la reverrait. Elle arriva à l'heure du déjeuner. Ce fut elle qui lui apporta son plateau.

— Je vais lui donner son déjeuner, Ina, dit-elle à l'infirmière en charge d'Alexandre.

Celle-ci se renfrogna, mais Tatiana n'y prêta aucune attention.

— L'infirmière Metanova croit pouvoir s'approprier mes malades, dit la femme en signant avec mauvaise humeur la feuille de température.

— Elle en a le droit, Ina, répondit Alexandre. Après tout, c'est elle qui a apporté le plasma.

— S'il n'y avait que le plasma, marmonna énigmatiquement Ina.

Et, avant de quitter la salle, elle gratifia Tatiana d'un regard furibond.

— Qu'est-ce qu'elle a voulu dire ? demanda Alexandre.

— Aucune idée. Maintenant, mange, Shura.

Elle lui avait apporté une soupe où nageaient quelques pommes de terre, ainsi que du pain blanc avec du beurre.

— D'où sors-tu tout ce beurre ?

Il y en avait bien deux cent cinquante grammes.

— Les soldats blessés ont droit à une ration de beurre

supplémentaire. Et toi tu as eu un supplément en plus du supplément.

— Tout comme j'ai un supplément de morphine en plus du supplément, n'est-ce pas?

— Oui, avoua Tatiana. Il faut que tu te rétablisses vite.

— Tania, pourquoi ai-je eu besoin de plasma? Cette blessure est donc si...

— Non, l'interrompit-elle vivement. Tu as perdu un peu de sang, c'est tout. Maintenant, écoute-moi. Écoute-moi bien. Je...

Cette fois, ce fut lui qui l'interrompit.

— Comment es-tu arrivée sur le front?

— Si tu m'écoutes, je te le dirai, répondit Tatiana en baissant la voix. J'ai quitté Lazarevo avec l'idée d'être infirmière. Alors après ta visite, en novembre, je me suis portée volontaire pour le front, là où tu étais. Si tu te trouvais dans la bataille de Leningrad, je voulais y être aussi. Et aller sur la glace avec les infirmiers militaires.

— C'était ça ton plan?

— Oui.

Alexandre secoua la tête avec découragement.

— Maintenant écoute-moi bien, poursuivit Tatiana. À l'hôpital Grecheski, j'ai rencontré le docteur Sayers. Il appartient à la Croix-Rouge internationale. Quand il m'a dit qu'il partait soigner les blessés sur le front, je lui ai proposé de l'accompagner. Il a accepté et regarde, ajouta-t-elle fièrement en désignant son brassard blanc orné d'une croix rouge : Je ne suis plus une infirmière de l'Armée rouge, mais une infirmière de la Croix-Rouge! N'est-ce pas formidable? conclut-elle, rayonnante.

— Qu'y a-t-il de si formidable à se trouver sur le front au milieu des mourants?

— Shura! Ce n'est pas ça qui est formidable! Sais-tu d'où vient le docteur Sayers?

— Oui, d'Amérique.

— Non, je veux dire d'où il venait avec sa jeep de la Croix-Rouge avant d'arriver à Leningrad ?

— Aucune idée.

Dans un murmure excité, Tatiana souffla :

— D'Helsinki, Shura ! Et sais-tu où il va retourner d'ici peu ?

— Non, où ça ?

— À *Helsinki*, voyons ! Dès que je l'ai rencontré, j'ai commencé à réfléchir à un plan...

— Oh non, pas ça...

— Si, Shura. Je me suis demandé si on pouvait lui faire confiance et j'ai décidé que oui : il avait l'air d'un bon citoyen américain. Alors je me suis dit que j'allais lui demander de nous aider à partir pour Helsinki. Rien qu'Helsinki. Après on se débrouillera pour gagner Stockholm.

— Tania, cesse de dire des bêtises.

— Shura, ce ne sont pas des bêtises. Si tu savais à quel point la chance est de notre côté ! En décembre, un pilote finlandais a été conduit à l'hôpital Grecheski. Son avion s'était écrasé dans le golfe de Finlande. On a essayé de le sauver, mais ses blessures étaient trop graves. J'ai gardé son uniforme et sa plaque d'identité, ajouta Tatiana dans un murmure à peine audible. Je les ai cachés dans la jeep du docteur Sayers, dans une caisse de pansements. C'est là qu'ils t'attendent...

Alexandre resta sans voix. Incapable de prononcer une parole, il la dévisageait avec des yeux ronds.

— La seule chose que je craignais, poursuivit-elle sans se démonter, c'était que le docteur Sayers refuse de prendre des risques pour de parfaits inconnus. Je ne savais pas comment m'y prendre. Et là tu es intervenu, Shura ! Tu lui as sauvé la vie ! Maintenant je suis sûre qu'il nous aidera ! Tu vas porter un uniforme finlandais, pendant quelques heures tu seras Tove Hanssen, et tu passeras la frontière finlandaise dans le camion de la Croix-Rouge du docteur Sayers. Tu te rends compte ? On va te faire sortir d'Union soviétique !

Alexandre était toujours sans voix.

En voyant sa mine, Tatiana eut un petit rire.

— On a une chance incroyable, tu ne trouves pas ? Depuis Helsinki, on prendra soit un navire marchand si la glace de la Baltique le permet, soit un camion jusqu'à Stockholm, tout dépend de ton état. La Suède est un pays neutre, non ? ajouta-t-elle avec un clin d'œil malicieux. Ce n'est pas le meilleur plan que tu aies jamais entendu ? En tout cas, il est bien meilleur que ton idée de passer des mois caché dans les marécages.

Il la considérait avec un mélange de stupeur et d'incrédulité.

— Mais qui es-tu donc, Tania ? articula-t-il enfin.

— Ta femme, mon amour, répondit-elle en se penchant vers ses lèvres.

5

— Alexandre ? fit le docteur Sayers en s'asseyant sur une chaise près de son lit. Vous autorisez moi à parler tout bas anglais ?

— Bien sûr, murmura Alexandre en anglais. C'est bon d'entendre à nouveau parler cette langue.

— Je suis navré de n'avoir pu vous rendre visite plus tôt, poursuivit le médecin. Mais j'ai des journées de vingt heures et peu de temps libre.

— D'où venez-vous, docteur Sayers ? Je veux dire... de quelle ville ?

— De Boston. Vous connaissez Boston ?

Il hocha la tête :

— Ma famille était de Barrington.

— Dans ce cas, nous sommes presque voisins. Maintenant racontez-moi comment un Américain peut devenir commandant dans l'Armée rouge.

Pour toute réponse, Alexandre se contenta de dévisager le médecin d'un air circonspect.

— Vous pouvez me faire confiance, dit le docteur Sayers. Je vous le jure.

Alors Alexandre prit une ample respiration : après tout, si Tatiana lui avait accordé sa confiance, il pouvait lui donner la sienne. Et il lui raconta toute son histoire. Le docteur Sayers l'écouta avec une attention soutenue, puis dit en conclusion :

— Que puis-je faire pour vous ? J'ai une dette envers vous.

— Non. Vous ne me devez rien.

— J'aimerais tout de même vous aider. Vous voulez rentrer chez vous ?

— Oui.

— Comment puis-je vous y aider ?

— Parlez-en à mon infirmière, elle vous dira quoi faire.

— Votre infirmière ? fit le médecin avec étonnement. Ina ?

— Non, Tatiana. Docteur Sayers, j'ai une autre confidence à vous faire : vous tiendrez deux vies entre vos mains. Tatiana est... ma femme.

— Vraiment ?

Alexandre lut sur le visage du médecin un mélange de tristesse et d'incrédulité, puis une lueur dans ses yeux, comme quelqu'un qui comprend soudain un mystère jusqu'alors inexplicable.

— J'aurais dû m'en douter, fit-il. Tout est clair à présent. Eh bien, commandant, vous avez de la chance, beaucoup de chance, d'avoir une épouse comme Tatiana.

— Je le sais. Parlez-lui, docteur. Elle n'est ni sous morphine ni blessée. Elle vous expliquera son plan. Elle est très décidée.

— Je n'en doute pas. Désirez-vous que j'aide quelqu'un d'autre ?

— Non, personne. Merci.

Le docteur Sayers se leva de son siège et serra longuement la main d'Alexandre.

— Ina, quand va-t-on me transférer dans la salle des convalescents ?

L'infirmière qui s'occupait d'Alexandre entre les visites de Tatiana venait de pénétrer dans la pièce.

— Qu'est-ce qui presse ?

— Je n'ai perdu qu'un peu de sang. Je voudrais sortir d'ici.

— Un peu de sang ! Avec dans le dos un trou gros comme le poing ! Maintenant on se tourne — que je nettoie cette vilaine blessure.

— Elle est donc si vilaine ?

— L'obus a arraché un beau morceau de viande. L'infirmière Metanova vous l'a pas dit ? fit Ina en commençant de changer le pansement. Décidément, cette fille est impossible. Elle passe trop de temps avec les mourants. Au lieu d'aider les blessés graves, elle passe sa vie avec les condamnés. Elle reste avec eux jusqu'au bout. Ils meurent, mais... je sais pas comment dire ça... On peut pas dire qu'ils meurent heureux, non, mais...

— Ils n'ont pas peur, c'est ça ?

— Oui, c'est ça. Ils meurent sans peur. Je lui ai dit cent fois : « Tatiana, de toute façon ils sont fichus. Laisse-les. » Rien à faire, elle écoute pas. Pas plus qu'elle n'écoute le docteur.

Alexandre dissimula un sourire.

— Quand on vous a amené ici, le docteur Sayers est venu vous examiner. Il a dit que vous vous en sortiriez pas. C'est un brave homme, ce docteur, il était tout bouleversé. Il tenait à vous sauver, il se sentait responsable. Mais il a dit que vous aviez perdu trop de sang.

Le sourire d'Alexandre s'effaça instantanément. Couché sur le ventre, le souffle coupé, il écoutait Ina qui discourait tout en nettoyant sa blessure.

— Trop... de sang..., balbutia-t-il dans un souffle.

— Oui, il a dit : « On ne peut plus rien pour lui, il est perdu », et Tatiana lui a répondu — non, vraiment je sais pas comment elle a osé parler comme ça au docteur... Elle l'a regardé droit dans les yeux et elle lui a dit d'un air menaçant : « Docteur, une chance pour vous que cet homme n'ait pas dit la même chose en vous voyant flotter inconscient, la tête dans un trou d'eau ! Une chance qu'il n'ait pas tourné le dos en décrétant : "On ne peut plus rien pour lui." » Et elle vous a donné un litre et demi de son sang.

— Comment ?

Alexandre n'en croyait pas ses oreilles.

— Oui, l'infirmière Metanova est donneur universel. Le docteur lui a dit de ne pas donner plus d'un litre de sang, que c'était déjà trop, mais elle a tenu à donner le maximum : un litre et demi. Alors il lui a dit qu'elle perdait son temps et ses forces pour rien, qu'elle ne pourrait jamais donner assez de sang vu tout ce que vous aviez perdu. Le soir même, pendant ma ronde, je l'ai trouvée assise à côté de votre lit, un cathéter dans le bras : elle siphonnait directement son sang dans votre perfusion. J'ai crié, je lui ai dit qu'elle était folle. Elle m'a répondu : « Ina, si je ne le fais pas, il va mourir. » Je lui ai dit qu'on avait une trentaine de soldats à soigner qui, eux, avaient une chance de survivre. Qu'il valait mieux s'en occuper et laisser Dieu s'occuper des morts. Alors elle m'a répondu : « Il n'est pas mort. Il est encore vivant, et tant qu'il est vivant, il est à moi » — et elle rigolait pas, je vous prie de le croire. Je suis partie et, le lendemain matin, j'ai tout raconté au docteur Sayers. Il était furieux. Quand on est entrés dans la salle, on l'a trouvée par terre près de votre lit : elle avait eu une syncope. Mais vous, vous alliez mieux. Quand on l'a ranimée, ses premiers mots ont été : « Maintenant il faut l'opérer. » Le docteur n'en revenait pas. Il a fait ce qu'elle disait, il a enlevé cet éclat d'obus qui menaçait votre rein et elle, elle a tenu à assister à toute l'opération.

Le docteur a dit qu'il fallait changer le pansement toutes les trois heures pour éviter l'infection. On est seules, elle et moi, pour s'occuper des blessés dans cette partie de l'hôpital. Eh bien, figurez-vous que j'ai dû m'occuper seule de tous les autres sous prétexte que Tatiana Metanova ne s'occupait que de vous. Pendant deux semaines, nuit et jour, elle vous a baigné, pansé, soigné. À la fin, elle n'était plus que l'ombre d'elle-même, cette petite. Mais vous vous en êtes sorti. Je lui ai dit : « Quand il se réveillera, ce gars-là devrait t'épouser, Tatiana. » Et elle m'a répondu : « Tu crois ? » Commandant ? Commandant ? Ça ne va pas ? Pourquoi pleurez-vous ?

Ce midi-là, quand Tatiana pénétra dans la pièce avec son plateau-repas, Alexandre fut incapable de rien lui dire. Il la dévisagea sans un mot, les yeux remplis de larmes.

— Shura, mon amour, qu'est-ce qui ne va pas ?

Comme il ne répondait pas, elle mit son émotion sur le compte de la fatigue :

— Il faut que tu manges. Laisse-moi t'aider. J'ai encore une dizaine de blessés à nourrir, dont un qui n'a plus de langue, ce qui ne facilite pas les choses. Je reviendrai ce soir si je peux. Tu sais, Ina pense que j'ai le béguin pour toi. Pourquoi tu me regardes comme ça ?

Le soir, lorsqu'elle revint, les lampes étaient éteintes, il faisait sombre et seuls quelques gémissements troublaient le silence de l'hôpital. Elle s'assit sur le lit.

— Ina m'a dit ce qu'elle t'a raconté. Elle parle trop. Je lui avais pourtant demandé de ne pas embêter mon malade. Je ne voulais pas que tu t'inquiètes et...

— Tatia, je ne te mérite pas.

— Qu'est-ce que tu crois ? Que j'allais te laisser mourir

alors que j'avais trouvé un moyen de nous faire sortir d'ici ? Que j'allais te laisser mourir alors qu'on touchait au but que tu as recherché toute ta vie ?

— Je ne te mérite pas, répéta Alexandre.

— As-tu oublié Louga ? As-tu oublié Leningrad ? Et Lazarevo ? Moi non. Ma vie t'appartient, Shura.

6

Lorsqu'il se réveilla Alexandre trouva Tatiana assise sur le siège près de son lit. Elle s'était endormie. La pièce était plongée dans la pénombre et dans le silence. Il ôta doucement le fichu d'infirmière qui couvrait ses cheveux blonds, effleura les mèches qui tombaient sur ses joues, passa un doigt sur les taches de rousseur, sur ses lèvres. Elle ouvrit les yeux.

— Tania, murmura-t-il d'une voix rauque en déboutonnant doucement sa blouse.

Elle eut un mouvement de recul.

— Non, Shura, pas ici! Quelqu'un va se réveiller et nous voir. On comprendra peut-être que je te tienne la main, mais pas davantage...

— Si. Ouvre cet uniforme et montre-moi tes seins. J'ai besoin de les caresser. Tu ne peux rien refuser à ton malade préféré, Tania, fit-il encore en lui saisissant la main. J'ai besoin de sentir tes seins sur mon visage. Ouvre cette blouse et penche-toi sur moi comme si tu retapais mon oreiller. Personne n'y verra rien.

Elle obtempéra, manifestement mal à l'aise, et déboutonna sa blouse. Lorsqu'il aperçut ses seins dans la pénombre, Alexandre sursauta, le souffle coupé. D'une blancheur laiteuse, ils étaient gonflés, tendus...

— Mon Dieu, Tania, mais tu es...

— Oui, Shura, je suis enceinte.

— Qu'est-ce... qu'est-ce qu'on va faire ?

— Avoir un bébé, mon amour, répondit-elle sur le ton de l'évidence. En Amérique. Alors dépêche-toi de guérir pour qu'on puisse partir d'ici.

— De... depuis combien de temps sais-tu ?

— Depuis décembre.

Il resta comme pétrifié.

— Tu... tu le savais avant de venir sur... sur le front ? bredouilla-t-il.

— Oui.

— Tu as rampé sur la glace en sachant que tu attendais un enfant ?

— Oui.

— Et tu m'as donné ton sang en sachant que tu attendais un enfant ?

— Oui, répondit Tatiana avec un sourire. Oui. Oui. Mille fois oui.

Il tourna la tête vers le mur, incapable de soutenir plus longtemps son regard.

— Pourquoi ne m'as-tu rien dit ? marmonna-t-il.

— Shura, je te connais, tu te serais fait un souci terrible, surtout maintenant que tu es blessé et que tu penses ne pas pouvoir me protéger. Mais je vais bien, très bien même. Et puis je suis seulement au début de ma grossesse. Le bébé n'arrivera qu'en août.

Alexandre posa un bras sur ses yeux. Il ne voulait pas la voir. Il n'osait pas. Elle embrassa son bras et quitta la pièce sans ajouter un mot.

Il resta éveillé jusqu'au matin.

Elle ne comprenait donc pas sa terreur à l'idée de franchir une frontière gardée par les troupes du NKVD avec une femme enceinte ? À l'idée de traverser ce pays hostile qu'était la Finlande avec une femme enceinte ? Avait-elle un soupçon de bon sens, de raison ? Non, sans quoi elle n'aurait pas traversé cent cinquante kilomètres d'un territoire occupé par l'armée de Manstein pour lui apporter de l'argent afin qu'il puisse s'enfuir et la laisser. Elle n'avait aucun bon sens. Aucun discernement.

Il revit le logement des Metanov à Leningrad, il revit la saleté, sentit la puanteur, entendit les sirènes des alertes aériennes. Il se rappela cette femme, son bébé mort sur les genoux, dans le camion qui amenait Tatiana et Dasha au lac Ladoga. Il se mit à trembler. Quelle était la pire des solutions ? Rester dans ce pays en guerre ou risquer la vie de Tatiana et de l'enfant pour les emmener en Amérique ?

Officier décoré de la plus grande armée du monde, Alexandre se sentait désarmé.

Le lendemain matin, ce fut Tatiana qui lui apporta son petit déjeuner. Sans même accorder un regard au plateau, il lui dit posément :

— Je n'irai nulle part avec toi enceinte, j'espère que tu le sais.

— Bien sûr que si. On va partir ensemble.

— Bon sang ! Réfléchis, Tania ! s'exclama-t-il alors, haussant le ton. Je n'arrive déjà pas à quitter ce lit. Comment veux-tu que je fasse ? Je suis allongé ici, diminué, pendant que ma femme...

— Tu n'es pas diminué ! Tout ce que tu étais, tu l'es encore, même blessé.

Il frémit en songeant à ce voyage d'Helsinki à Stockholm, dans un camion roulant sur la glace sous le feu ennemi. D'un geste brusque, il repoussa le plateau qu'elle tentait d'installer sur ses genoux.

— Renonce à cet enfant, Tania. Demande au docteur Sayers de pratiquer un avortement. On aura d'autres bébés, tous les bébés que tu voudras, je te le promets. Mais ton plan est impossible à réaliser avec toi enceinte. Tu m'entends ? *Impossible*. On n'y arrivera jamais. En tout cas, moi je n'y arriverai pas.

Il voulut lui prendre la main : elle la lui arracha aussi brusquement qu'il avait repoussé le plateau et se redressa d'un bond.

— Tu ne parles pas sérieusement ?

— On ne peut plus sérieusement. Ça arrive à toutes les filles, Tania. Dasha avait déjà eu trois avortements, tu sais.

Le visage de Tatiana se figea dans une expression d'horreur :

— C'étaient... des enfants de toi ?

— Non, ils n'étaient pas de moi, répondit-il d'une voix lasse.

Avec un soupir de soulagement, mais toujours blême, elle murmura :

— Je croyais que l'avortement était illégal depuis 1938 ?

— Bon sang ! Comment peux-tu être aussi naïve ?

— Tu as raison, riposta Tatiana. J'aurais pu, moi aussi, avoir subi trois avortements avant de te rencontrer. Ça m'aurait peut-être rendue plus séduisante et moins naïve à tes yeux.

— Pardonne-moi, Tatia. Ce n'est pas ce que je voulais dire. Je croyais que Dasha t'en avait parlé.

— Non, elle ne m'a rien dit. Elle ne me parlait jamais de ce genre de choses. Je sais que ma mère a avorté six fois dans les années 1930, Nina Iglenko huit fois, mais ce n'est pas le problème...

— Alors quel est le problème, Tania ?

— Tu oses me poser la question ? Tu connais mes sentiments pour toi et tu me demandes d'avorter ? Crois-tu vraiment que je pourrais jamais faire une chose pareille ?

— Non, répliqua Alexandre, pincé. Pourquoi le ferais-tu, d'ailleurs ? Pourquoi ferais-tu une chose qui me laisserait un peu l'esprit en paix ?

Alors elle se pencha vers lui et, dans un sifflement cinglant, lui dit :

— Entre ta tranquillité d'esprit et notre bébé, le choix semble bien difficile.

Sur ces mots, elle fit volte-face et quitta la pièce à grands pas.

Elle ne reparut pas de toute la journée. Cloué sur son lit, Alexandre eut tout le temps de réfléchir à ce que signifiait cette absence : elle lui était insupportable. Savoir qu'elle lui en voulait était plus intolérable encore. Pendant les seize heures qui suivirent, il ne revit pas Tatiana. N'y tenant plus, il demanda à Ina et au docteur Sayers d'aller la chercher, mais elle lui fit répondre qu'elle était trop occupée. Elle ne finit par pousser la porte de la salle que tard dans la soirée.

— Tu es fâchée, n'est-ce pas ? demanda-t-il en attrapant sa main comme elle approchait du lit.

— Pas fâchée. Déçue.

— Alors c'est pire. Regarde-moi, Tania.

Elle leva les yeux vers lui.

— On fera comme tu voudras. Comme toujours.

— Shura, murmura-t-elle, ce bébé est un signe que Dieu nous envoie.

Alexandre la dévisagea, interloqué.

— Oui. Tu te souviens, à Lazarevo on n'arrêtait pas de faire l'amour et je ne suis pas tombée enceinte. Il a fallu que tu viennes un week-end à Leningrad, et voilà...

Il réprima un éclat de rire.

— Tania, je te rappelle que ce week-end-là *aussi* on a souvent fait l'amour.

— Oui, c'est vrai.

Ils n'ajoutèrent pas un mot, le regard rivé l'un à l'autre, entre gravité et désir.

— As-tu parlé au docteur Sayers ? demanda Alexandre tout en caressant la main qu'elle avait glissée sous sa couverture.

— Bien sûr. On a tout étudié en détail. On n'attend plus que toi, que tu puisses marcher. Tout est prêt. Il a déjà rempli mon nouveau sauf-conduit de la Croix-Rouge.

— Sous quel nom ?

— Jane Barrington.

— Génial ! Jane Barrington et Tove Hanssen. Ma mère et un Finlandais. Le couple idéal !

— N'est-ce pas ? répondit Tatiana avec un grand sourire. Dis-moi, Shura, ajouta-t-elle après un instant d'hésitation, je pourrai porter ton nom en Amérique ?

— J'espère bien, répondit Alexandre, l'air pensif.

— Qu'est-ce qui t'inquiète ?

— Nous n'avons pas de passeports.

— Il suffira d'aller au consulat américain à Stockholm.

— Je sais. Si toutefois nous arrivons d'Helsinki à Stockholm. On ne pourra pas rester à Helsinki, même une heure. Ce serait trop dangereux. On devra traverser la Baltique. Et ce ne sera pas facile.

— Tu crois que ça aurait été plus facile avec Dimitri, ton démon boiteux ? « *Eugène interpelle le passeur / et le passeur, insouciant, / pour dix kopecks, du meilleur gré, / le lance sur les eaux terribles* », ajouta-t-elle, citant Pouchkine. Tu te rends compte : ta mère, toi et les dix mille dollars que vous aviez mis de côté tous les deux, vous allez nous emmener en Amérique ? C'est merveilleux.

Sur ces mots, elle glissa son autre main sous la couverture et il se sentit suffoquer sous le poids du désir...

7

Chaque jour il sentait ses forces lui revenir. Désormais il pouvait se lever et se tenir debout près du lit. Son dos le faisait toujours souffrir, mais il n'était plus sous morphine et cette douleur l'empêchait d'oublier qu'il n'était pas invulnérable, comme il l'avait si longtemps cru. Il avait demandé à être transféré chez les convalescents, mais Tatiana l'en avait dissuadé. Pour la bonne marche de leur plan, il fallait qu'on continue de le croire gravement atteint, sans quoi on ne tarderait pas à le renvoyer sur le front.

Un après-midi où elle était venue lui rendre visite, Dimitri passa la tête par la porte :

— Tatiana ! Alexandre ! Quelle surprise de se retrouver comme autrefois ! Il ne manque que Dasha...

Alexandre et Tatiana serrèrent les dents sans un mot, sans échanger un regard.

— Je t'ai apporté des draps pour tes malades, Tania.

— Merci, Dimitri.

— Et voici des cigarettes pour Alexandre. T'inquiète, Alex, tu me paieras plus tard. Je me doute que tu n'as pas d'argent sur toi. D'ailleurs, si tu veux, je pourrais aller te chercher ton argent...

— Inutile de te donner cette peine.

Dimitri resta un moment sans un mot près du lit, à les examiner.

— Bien, dit-il enfin, j'étais ravi de vous voir. Je reviendrai demain, Alex. Tu me raccompagnes ? fit-il en s'adressant à Tatiana.

— Non, il faut que je change le pansement d'Alexandre.

— Je viens de croiser le docteur Sayers : il te cherche partout. « Où est *ma* Tania ? » qu'il dit. J'imagine que vous êtes très liés. Tu sais ce qu'on raconte sur les Américains...

Tatiana ne cilla pas, elle se contenta de tourner la tête vers Alexandre :

— Montre-moi ton dos, je vais changer ton pansement.

Alexandre ne bougea pas, les yeux braqués sur Dimitri.

— Tania, tu as entendu ce que j'ai dit ? fit celui-ci.

— J'ai parfaitement entendu ! répliqua-t-elle, exaspérée. Si tu vois le docteur Sayers, tu n'auras qu'à lui dire que je le rejoins dès que j'ai fini.

Une fois Dimitri sorti, Alexandre demanda :

— Tania, où est le sac à dos avec mes affaires ? Je l'avais quand j'ai été blessé...

— Non, tu ne l'avais pas. Il a sans doute été perdu, mon amour.

— D'habitude les troupes de l'arrière ramassent tout ce qui traîne une fois la bataille terminée. Quelqu'un a dû le prendre. Tu peux te renseigner ?

— Bien sûr.

Dans la soirée, alors qu'elle était assise près de lui, il lui dit :

— Tania, il faut que tu me fasses une promesse : s'il m'arrivait quelque chose, je voudrais que tu partes sans moi...

— Ne sois pas ridicule. Que veux-tu qu'il t'arrive ? On va partir ensemble dès que tu seras sur pied. Le docteur Sayers n'attend que ça. Il n'arrête pas de ronchonner — contre le froid, contre ce fichu pays, contre tout ! conclut-elle en s'arrachant un sourire.

— Je ne plaisante pas, Tania. Les choses peuvent mal tourner, tu le sais. Je peux être arrêté.

— Dans ce cas je t'attendrai.

— Où ? Combien de temps ? s'écria Alexandre.

Il savait désormais que, s'il ne parvenait pas à trouver les mots justes, il n'avait pas la moindre chance de la convaincre : elle n'en ferait qu'à sa tête.

— Je t'attendrai à Leningrad, répondit Tatiana. Les Karkov sont partis. J'ai deux pièces là-bas maintenant. Et quand tu reviendras, je serai là avec notre bébé.

— Tu sais bien qu'on ne te laissera pas seule dans deux pièces. On te prendra l'entrée et la chambre avec le poêle.

— Alors je t'attendrai dans l'autre — et le temps qu'il faudra.

— Bon sang, Tania ! Tu préfères devenir vieille fille dans une pièce glaciale plutôt qu'avoir une vie meilleure aux États-Unis ?

— Sans toi, ma vie n'existe pas, Shura.

— Il ne s'agit plus seulement de moi. Pense au bébé !

— J'y pense, crois-moi. Mais, même si je voulais, le docteur Sayers ne m'emmènerait pas sans toi. Je n'ai aucun droit de partir en Amérique, moi — je ne peux pas la revendiquer comme mon pays. Avec toi, j'irais n'importe où : Amérique, désert de Gobi, Australie, Mongolie, je m'en fiche, du moment que tu es là. Et si tu restes en Union soviétique, j'y resterai aussi. Je n'abandonnerai pas le père de mon enfant. Tu te rappelles ce que tu m'as dit à Leningrad ? « Quel genre de vie crois-tu que je pourrais mener là-bas, en Amérique, sachant que je t'ai laissée ici, livrée à la mort ou à la prison ? » Ce sont tes mots, mon amour. Crois-moi, à moi non plus le Cavalier de bronze ne me laisserait pas une seconde de répit...

— Tania, *c'est la guerre*, la guerre partout autour de nous... Les hommes meurent dans les guerres.

Une larme roula sur la joue de Tatiana.

— Alors je te demande de ne pas mourir, mon amour. Après avoir enterré tous ceux qui m'étaient chers, je ne serais pas capable de t'enterrer, toi aussi...

— Je ne mourrai pas, ma chérie, fit Alexandre, saisissant dans les siennes ses mains tremblantes. Comment pourrais-je mourir alors que c'est ton sang qui coule dans mes veines ?

Par un matin glacé, Dimitri pénétra dans la salle, le visage tuméfié et le havresac d'Alexandre dans les bras. Il le lui tendit.

— Je l'ai récupéré pour toi. Des gars te l'avaient piqué. Regarde ce que ça m'a coûté, ajouta-t-il en désignant son visage meurtri. Heureusement, Tatiana m'a soigné. Elle est merveilleuse, n'est-ce pas ?

Quelque chose dans sa voix noua l'estomac d'Alexandre.

— Oui, c'est une merveilleuse infirmière, répondit-il le plus calmement qu'il put. Merci pour le sac.

— Oh, ce n'est rien, fit Dimitri en se dirigeant vers la porte.

Puis, comme s'il venait soudain de se rappeler quelque chose, il pivota sur sa jambe valide :

— Je me suis permis d'ouvrir le sac pour vérifier qu'il ne te manquait rien. J'en ai profité pour te mettre du papier et un stylo, au cas où tu aurais des lettres à écrire, ainsi que des cigarettes et un briquet.

Le regard d'Alexandre s'assombrit :

— Tu as fouillé dans mes affaires ?

— Fouillé ? Le vilain mot ! Je l'ai ouvert, c'est tout. Mais, par hasard, j'ai trouvé une chose très intéressante à l'intérieur.

Alexandre se détourna. Par prudence, mais à regret, il avait brûlé toutes les lettres de Tatiana. Seulement il n'avait pu se résoudre à brûler cette robe blanche à roses rouges que Dimitri brandissait à présent sous son nez.

— Et alors ? dit-il.

— Alors ? Alors tu te promènes avec, dans ton sac, une robe appartenant à la sœur de ta fiancée morte : quoi de plus normal, n'est-ce pas ?

— Es-tu vraiment surpris ? Si tu fouillais dans mes affaires, c'était bien que tu cherchais quelque chose, non ?

— Oui et non. Mais je dois reconnaître que j'ai été un peu étonné : cette robe dans ton sac, Tatiana sur le front, travaillant avec un médecin de la Croix-Rouge, et toi, blessé, dans le même hôpital — avoue que ça fait beaucoup de coïncidences. Alors je suis allé trouver Stepanov. Il se souvenait de moi, le colonel. On était ensemble quand tu as ramené son fils, tu n'as pas oublié, n'est-ce pas ? Il s'est montré très chaleureux. Je lui ai dit que je serais heureux de t'apporter ta solde, pour que tu puisses t'acheter du tabac, du beurre, de la vodka, des trucs comme ça... Alors il m'a autorisé à aller en ton nom récupérer ta solde. Et là, on m'a donné cinq cents roubles : c'est bien peu pour un commandant, je me suis dit. J'ai posé la question et tu sais ce qu'on m'a répondu ?

Alexandre ne disait rien. Le sang battait dans ses tempes, il avait la mâchoire douloureuse tant il serrait les dents.

— On m'a répondu que tu envoyais le reste de l'argent à une certaine Tatiana Metanova. J'ai voulu en avoir le cœur net et je suis retourné voir Stepanov : il m'a dit qu'en effet tu t'étais marié pendant une permission. Tu es vraiment un *ami* très secret, Alex, ajouta Dimitri en pesant sur le mot « ami ». À mon avis, le colonel Stepanov ne se doute pas à quel point tu peux être secret...

À cet instant, Alexandre ne se posait qu'une question : arriverait-il à se lever et à marcher jusqu'à Dimitri ?

— Je voulais juste te complimenter pour ce mariage, Alex. Et je vais de ce pas adresser mes félicitations à Tatiana.

Alexandre et Tatiana n'échangèrent que peu de mots lorsqu'elle vint lui apporter son repas à l'heure du déjeuner — comme s'ils n'osaient pas parler, évoquer un sujet qui risquait de leur brûler les lèvres. Puis elle chuchota enfin :

— Dimitri est venu me trouver... Il m'a félicitée pour notre mariage. Il fallait bien qu'il l'apprenne, tôt ou tard. Mais, tu sais, ajouta-t-elle avec, sur le visage, une expression d'effroi où se mêlait l'espoir, il n'avait pas l'air si mauvais, comme si ça lui était égal maintenant.

— Ne t'y fie pas, Tania. Ne lui dis rien — et surtout pas que tu es enceinte. La guerre n'a pas fait de Dimitri un être humain. Il a bâti sa vie sur le mensonge, la tromperie, la manipulation, sur le mépris pour moi, l'irrespect pour toi. Il vit un enfer et veut tous nous y entraîner. Je t'en conjure, mon amour, n'essaie pas de « sauver » Dimitri. Il est au-delà de la rédemption.

— Peut-être, Shura. Il *voudra* être sauvé... mais il ne pourra pas.

Lorsque Dimitri revint un peu plus tard, Alexandre eut toutes les peines à poser les yeux sur lui — sa vue lui était intolérable.

— Écoute, Alex, je suis sincèrement heureux que Tatiana et toi soyez mariés. Je ne vous en veux pas, crois-moi. Mais je te connais, Barrington : je sais que vous avez un plan pour filer tous les deux. *Je le sens*. Tatiana nie, mais je suis sûr qu'elle ment. Alors vous allez me faire une petite place dans votre plan. Tu me dois bien ça, non?

Dire que j'ai pu faire confiance à cet homme, dire que j'ai pu mettre ma vie entre ses mains, et maintenant celle de ma femme et de mon enfant, songea Alexandre avant de répondre :

— Nous n'avons aucun plan, Dima, et, ajouta-t-il avec prudence, si jamais nous devions en avoir un, je te le ferai savoir...

Une heure plus tard, Dimitri claudiquait à nouveau dans la pièce, Tatiana à ses côtés. Il la fit asseoir sur le siège près du lit et s'accroupit péniblement à côté d'elle.

— J'ai besoin de toi pour convaincre ton mari, lui dit-il. Explique-lui que tout ce que je veux, c'est que vous me sortiez d'Union soviétique. C'est tout ce que j'ai toujours voulu : quitter ce pays. Je ne supporterais pas de vous voir partir sans moi, de vous voir me laisser au milieu de cette guerre. Compris?

Alexandre et Tatiana restèrent muets : lui gardait les yeux rivés sur sa couverture; elle, elle fixait Dimitri. Lorsqu'il la vit considérer sans flancher ce visage qu'ils exécraient tous deux, il se sentit plus fort, capable lui aussi de le regarder.

— Tania, je suis de votre côté, poursuivit Dimitri. Je ne vous veux aucun mal, bien au contraire, ajouta-t-il avec son mauvais sourire. Je vous souhaite beaucoup de bonheur — vraiment. C'est si difficile à trouver, le bonheur.

Je le sais : j'ai essayé. Je ne veux qu'une chose : avoir ma chance, moi aussi, et je vous demande juste de me la donner. Votre plan, c'est bien de filer avec le docteur Sayers quand il retournera à Helsinki, n'est-ce pas ?

Il n'obtint aucune réponse.

— Écoutez, je n'ai pas de temps à perdre, reprit-il alors, exaspéré, en prenant appui sur sa canne pour se redresser. Emmenez-moi, sinon je serai obligé de faire en sorte qu'Alexandre reste ici, en URSS, avec moi...

Debout, les bras croisés, il attendait.

Alexandre saisit la main de Tatiana et lui imprima une légère pression.

— Je ne quitterai pas cette pièce sans avoir obtenu de réponse, insista Dimitri. Ne sois pas égoïste, Tania, fit-il en dévisageant la jeune femme. Ça ne te ressemblerait pas : donne-moi la chance d'avoir une nouvelle vie, ça...

— Laisse-la tranquille, l'interrompit Alexandre. Tania, ne l'écoute pas. Cette histoire ne concerne que toi et moi, Dimitri. Elle n'a rien à voir là-dedans.

— Si, Shura. Je veux lui répondre, fit Tatiana en se levant de son siège. Mon mari t'a fait une promesse, ajouta-t-elle en se tournant vers Dimitri. Et il tient toujours ses promesses. Je te raconterai nos plans plus tard. En attendant, tiens-toi prêt.

— Mais je suis déjà prêt ! Je veux partir le plus tôt possible.

Sur ces mots, il tendit la main à Alexandre, comme pour toper. Celui-ci détourna la tête avec une mine écœurée. Alors Tatiana lui prit la main et la plaça dans celle de Dimitri.

— Tout se passera bien, fit-elle, la voix tremblante.

Une fois Dimitri sorti, elle chuchota :

— On n'avait pas le choix, Shura, ne me regarde pas comme ça. Ça va un peu bouleverser nos plans, mais pas tant. Tu le dis toi-même : Dimitri ne veut qu'une chose, survivre. On va l'emmener avec nous, après il nous laissera tranquilles. Mais, je t'en prie, rétablis-toi vite.

— Dans ce cas, dis au docteur Sayers que je suis prêt.

Une journée s'écoula.

Dimitri revint.

Il s'assit sur la chaise près du lit et s'éclaircit la gorge. Alexandre attendait — il ne le regardait pas.

— Alex, je voulais te parler de Tatiana.

— Je t'écoute.

— Elle est malade.

Pas de réponse.

— Oui, *malade*, poursuivit Dimitri. Tu ne sais pas ce que je sais et tu ne vois pas ce que je vois. Cette fille est un fantôme. Elle s'évanouit sans arrêt. L'autre jour, on l'a trouvée couchée dans la neige, elle était tombée dans les pommes. Elle se tient aux murs pour marcher. Tu le savais ?

Alexandre connaissait la cause de ces malaises, mais il n'allait certainement pas en faire la confidence à Dimitri. Il resta un long moment silencieux, puis articula enfin :

— Pourquoi me parles-tu de ça ? Que veux-tu ?

— On va entreprendre un périlleux voyage, un voyage qui demande de la force physique, du courage, de la détermination.

— Où veux-tu en venir ?

— Alex, elle est faible. Même avec l'aide de Sayers, ça va être difficile. Sais-tu qu'on aura six barrages à passer d'ici à Lisiy Nos ? Six ! Il suffit qu'elle prononce une syllabe, et on est morts. Alex, elle ne peut pas nous accompagner...

— Je n'écouterai pas un mot de plus, riposta

Alexandre, peinant à maîtriser sa colère. Elle vient avec nous, un point c'est tout.

— Pourtant, tu sais bien que j'ai raison. Elle s'évanouit au bout de six heures de travail.

— Mon pauvre Dimitri, elle en passe vingt-quatre par jour dans cet hôpital. Elle n'est pas comme toi, assise toute la journée le cul dans un camion, à fumer des cigarettes et à boire de la vodka. Elle dort sur un carton, mange les restes laissés par les soldats et fait sa toilette dans la neige. Alors ne viens pas me raconter ses journées !

— Écoute-moi, Alex, reprit Dimitri sans se démonter. C'est notre dernière chance de quitter ce pays — la meilleure qu'on ait jamais eue aussi. Cette fille va la réduire à néant. Si on doit forcer un barrage, se cacher dans les marais, comment veux-tu faire avec une fille qui ne tient pas debout ? Tu vas passer ton temps à t'occuper d'elle alors que tu auras besoin de toute ta vigilance pour nous sortir de là vivants ! Et si Sayers se faisait tuer...

— Pourquoi se ferait-il tuer ? C'est un médecin de la Croix-Rouge ? demanda Alexandre en étudiant attentivement les traits de Dimitri.

— Je ne sais pas... Tout peut arriver. Toujours est-il que, si on doit traverser la Baltique seuls, sur la glace, à pied, ou cachés dans un camion, deux hommes peuvent passer inaperçus, mais avec une fille, on est trop facilement repérables. Elle n'y arrivera pas.

— Elle a traversé les lignes de Manstein. Elle a passé la Volga sur la glace. Elle a survécu à tout, elle a même enseveli sa sœur sous la glace du lac Ladoga. Rappelle-toi, Dimitri. Elle y arrivera. Elle en aura la force et le courage.

Pourtant, tout en prononçant ces paroles, Alexandre sentait sa voix faiblir. Les dangers sur lesquels Dimitri mettait l'accent étaient bien ceux qu'il redoutait pour Tatiana.

— Peut-être as-tu raison, poursuivit-il au prix d'un effort surhumain. Mais, à ton avis, que va-t-il lui arriver quand je serai porté déserteur ?

— Rien du tout. Elle s'appelle toujours Tatiana Metanova. Vous avez bien caché votre mariage... Personne ne saura qu'elle est ta femme.

— *Moi je le sais*, répliqua Alexandre, serrant les dents pour réprimer un gémissement douloureux. Je ne l'abandonnerai pas. Et tu sais comme moi qu'au bout de trois jours elle serait arrêtée.

— Je te répète que personne ne saura qui elle est.

— Arrête tes conneries ! Tu l'as bien découvert, toi ! Tu crois les hommes du NKVD moins malins que toi ?

— Tout ira bien, ne te bile pas, poursuivit Dimitri. Elle n'a jamais connu que cette vie-là.

— Toi non plus, tu n'as jamais rien connu d'autre, Dima...

— Et puis, quoi que tu en penses, tu n'es pas irremplaçable : elle t'oubliera, elle rencontrera quelqu'un d'autre, elle retournera à Leningrad. Si, après la guerre, tu veux toujours qu'elle te rejoigne en Amérique, tu n'auras qu'à l'inviter à Boston : tu diras dans ta lettre qu'elle doit rendre visite à une vieille tante. Après elle se débrouillera. Envisage la chose comme une séparation temporaire, en attendant un moment plus opportun — pour elle... et pour nous.

— Dimitri ! s'écria Alexandre, le souffle court. Pour la deuxième fois de ta vie, tu as une chance de te comporter comme un type bien. La première, tu m'as aidé à voir mon père. Aujourd'hui je te demande de me laisser emmener ma femme.

— Non, Alex, comprends-moi : je dois penser à moi aussi. Je ne veux rien risquer pour protéger *ta* femme.

— Elle t'a tendu la main, c'est elle qui t'a proposé de nous accompagner, ne l'oublie pas.

— Elle l'a fait pour te protéger *toi*.

— Peu importe, *elle l'a fait*, Dima. Elle nous aidera à sortir d'ici, on sera libres tous les trois, et tu auras la seule chose qui compte pour toi : vivre libre loin de cette guerre.

Les paroles de Tatiana près de la statue du Cavalier de bronze lui revinrent en mémoire. Il lui avait demandé : « Tania : à ton avis, quelle est la chose que Dimitri souhaite le plus me prendre ? — Celle à laquelle tu tiens le plus », avait-elle répondu. Il chassa ces mots de son esprit.

— Grâce à elle, tu seras libre, Dimitri, reprit-il. Grâce à elle, nous ne mourrons pas.

— Faux : on va se faire tuer... à cause d'elle.

— Dima, je te jure que non ! fit Alexandre, criant presque. Pense à elle, je t'en conjure. Si elle reste, ils la tueront. Sauve-la.

— Non. Si elle nous accompagne, on y passera tous, répliqua froidement Dimitri. Réfléchis, Alex, si tu étais mort, elle aurait bien dû trouver le moyen de se débrouiller, non ? Eh bien, c'est pareil...

— Ça n'a rien à voir : maintenant elle entrevoit une lumière au bout du tunnel.

— Peu importe. Cette fille est un petit prix à payer pour l'Amérique.

« Un petit prix à payer »... Alexandre sentit ses poings se fermer.

— Puisque tu refuses de comprendre, Dimitri, je vais être plus clair : si Tatiana ne vient pas, je ne pars pas non plus. Le docteur Sayers s'en va seul. Dans trois jours je retourne sur le front et Tania rentre à Leningrad. Le débat est clos. Personne ne part, soldat Chernenko.

Dimitri le dévisagea avec un étonnement hostile.

— Tu es en train de me dire que tu vas gâcher notre seule chance d'évasion pour cette fille? Tu m'as sous-estimé, ajouta-t-il, menaçant. Dommage pour toi. Je vais aller trouver Tania, elle est beaucoup plus raisonnable que toi. Quand elle comprendra que son mari court un grave danger, *à cause d'elle*, je suis sûr qu'elle proposera d'elle-même de rester et...

Il ne put achever sa phrase : une poigne d'acier s'était emparée de ses deux mains et le déséquilibrait, sa jambe valide ne suffisant pas à le maintenir debout. L'étau se refermait sur son poignet.

— Comprends-moi bien, siffla Alexandre avec dégoût en l'attirant tout contre son visage. Je me fous que tu ailles parler à Tania, à Stepanov, au NKVD, à toute l'Union soviétique si ça te chante. Raconte-leur ce que tu veux! *Je ne partirai pas sans elle.*

Et, dans un impitoyable mouvement de torsion, il brisa l'avant-bras de Dimitri. L'os craqua sous ses doigts avec le même bruit que la hache lorsqu'elle s'abattait rageusement sur le bois à Lazarevo.

— C'est toi qui m'as sous-estimé, salopard!

Une nouvelle torsion, plus violente encore que la précédente, fit saillir l'os de la peau déchirée. Dimitri hurlait, beuglait, mugissait. Les occupants des autres lits s'étaient réveillés : tous se tournaient vers les deux hommes. Alexandre ne lâchait pas, inondé de sang, il abattait son poing sur le visage du boiteux — encore et encore et encore. Il l'aurait tué si Ina ne s'était précipitée dans la salle, alertée par les cris :

— Qu'est-ce qui se passe ici? fit-elle, s'interposant.

Alexandre lâcha prise et Dimitri s'effondra sur le sol

comme un pantin désarticulé, inconscient, le visage sanguinolent.

— Comme si la guerre suffisait pas à fabriquer des blessés, faut qu'il m'en fasse d'autres, celui-là, grommela Ina avec colère.

Alexandre retomba sur ses oreillers avec un seul regret : non pas celui de l'Amérique, celui de n'avoir pu tuer Dimitri.

Plus tard dans l'après-midi, il ne fut qu'à demi surpris de voir le colonel Stepanov pénétrer dans la salle, les yeux cernés, le teint blême. Depuis son lit, il salua. Stepanov lui rendit son salut avant de se laisser tomber sur le siège.

— Ce n'est pas le colonel qui vient vous voir, Belov, mais l'homme. Vous devinez la raison de ma présence ici ?

— Oui, mon colonel.

— Ce que m'a dit le général Govorov est donc vrai ? Mekhlis — il avait craché le mot plus qu'il ne l'avait prononcé — lui a transmis une information selon laquelle vous seriez un agent de l'étranger. *Un Américain !* Je n'ai pas voulu y croire, c'est ridicule...

— J'ai fièrement servi l'Armée rouge pendant six ans, mon colonel.

— Oui, vous avez été un soldat exemplaire. C'est aussi ce que je leur ai dit. Mais, vous ne l'ignorez pas, seule compte l'accusation.

— Combien de temps ai-je devant moi ?

— Ils viendront vous chercher ce soir, répondit Stepanov à contrecœur. Mais comme vous êtes un gradé, ils ne s'occuperont pas de vous ici, pour éviter le scandale.

— Mon colonel, en cas de questions, répondit Alexandre en cherchant ses mots, comprenez bien que certaines batailles sont perdues d'avance. Il serait vain de chercher à défendre mon honneur ou ma valeur militaire : ce serait courir un risque inutile. Pour une fois, battre en retraite est préférable, ajouta-t-il avec un sourire malheureux.

Restait le non-dit, la torture lancinante d'une question, la seule qui comptait. Il devait la poser. Absolument.

— Colonel, est-ce que ma femme...

— Non, l'interrompit Stepanov en se levant. Personne n'a parlé d'elle. Mais... ce n'est qu'une question de temps.

Merci, mon Dieu, songea Alexandre. Dimitri ne les voulait pas tous les deux. Il voulait les séparer, les punir, mais d'abord et avant tout sauver sa peau. Il restait donc un espoir pour Tatiana. Il entendit la voix de Stepanov qui disait :

— Puis-je faire quelque chose pour elle ? La renvoyer dans un hôpital de Leningrad... ou de Molotov peut-être ? Loin d'ici ?

Sans le regarder, Alexandre répondit d'une voix tremblante :

— Oui, mon colonel, oui. Voici ce qu'il faut faire pour elle...

Il demanda à Ina d'aller lui chercher le docteur Sayers. Elle s'acquitta de sa mission avec empressement, sachant que le médecin ne manquerait pas de réprimander le commandant Belov sur son comportement de l'après-midi. Casser le bras d'un pauvre boiteux, quand on est alité et dans cet état ! Sayers lui tint sensiblement les mêmes propos, à quoi Alexandre répliqua :

— Le soldat Chernenko a juste perdu au bras de fer.

— Et son nez ? Le bras de fer aussi sans doute ? rétorqua le médecin.

— Docteur, nous avons peu de temps. Je n'irai pas par quatre chemins : vous m'avez dit avoir une dette envers moi et je vous ai répondu que vous ne me deviez rien — je me trompais, j'ai besoin de votre aide.

— Je fais tout mon possible pour vous l'apporter, commandant. L'infirmière Metanova ne cesse de me parler de vos projets.

— C'est autre chose que je veux vous demander, docteur. Écoutez-moi bien : sortez ma femme d'Union soviétique. Au plus tard demain matin. Et prenez aussi Chernenko, le type à qui j'ai cassé le bras.

— Je ne comprends rien. Vous venez avec nous, non?

— Non, je ne viens pas. Docteur Sayers, Tania a besoin de votre aide. Elle est enceinte... Vous le saviez?

Abasourdi, Sayers répondit non d'un mouvement de tête.

— Elle va être terrifiée, elle aura besoin de vous pour la protéger. Vous voyez ces hommes dans le couloir? Ceux qui sont en train de discuter avec Ina.

Sayers tourna la tête vers l'entrebâillement de la porte.

— Ce sont des hommes du NKVD, poursuivit Alexandre dans un chuchotement. Vous vous rappelez ce que je vous ai raconté sur le NKVD? Vous vous souvenez de ce qu'ils nous ont fait, à mes parents et à moi?

Le médecin pâlit.

— Ils sont là pour moi. Demain ils m'auront emmené. Tania est en danger. Après mon arrestation, elle ne devra pas rester une minute de plus ici.

Sayers protesta, s'agita, arpentant fébrilement la travée près du lit.

— Je vais appeler personnellement le consulat des États-Unis...

— Docteur, l'interrompit Alexandre. Je sais que vous ne pouvez pas comprendre et je n'ai pas le temps de tout vous expliquer. Où est-il ce consulat? En Suède? En Angleterre? Le temps que vous parveniez à le joindre et qu'il contacte le département d'État, les hommes de Mekhlis nous auront arrêtés, Tania et moi. Qui plus est, les États-Unis n'auront que faire des problèmes d'une jeune Russe...

— Elle est votre femme.

— Je l'ai épousée sous mon nom russe — je n'en ai pas d'autre. Les Américains et le NKVD vont se lancer dans d'interminables palabres pour éclaircir l'histoire, et il sera trop tard pour elle. Oubliez-moi, docteur. *Pensez seulement à elle.*

— Non, fit simplement Sayers, de plus en plus agité.

Il ne cessait de se trémousser, retapait les oreillers, tapotait les couvertures...

Tiendrait-il le coup ?

— À votre avis, poursuivit Alexandre, excédé, que peut-il arriver à une Russe dont on découvre qu'elle a épousé un Américain soupçonné d'avoir infiltré le haut commandement de l'Armée rouge ? À votre avis, que va faire le commissariat aux Affaires intérieures de mon épouse russe enceinte ?

Sayers s'immobilisa soudain — muet.

— Moi, je vais vous le dire, docteur. Ils vont s'en servir contre moi : « Avoue, sinon c'est ta femme qui paiera. » Alors je serai obligé d'avouer — tout, n'importe quoi —, d'inventer au besoin et je n'aurai plus aucune chance de m'en tirer. Ou alors ils se serviront de moi contre elle : « Ton mari ne risque rien si tu nous dis toute la vérité. » Et elle le fera...

Le regard d'Alexandre se porta vers le couloir. Par la porte entrouverte il apercevait Ina, en conversation avec ces hommes aux mines sombres en train de fumer en se dandinant d'un pied sur l'autre.

— Emmenez Chernenko, conclut-il dans un murmure. Après ce qui s'est passé cet après-midi, il a dû comprendre. Il croyait que je sacrifierais Tatiana pour sauver ma peau. Il mesure les êtres à son aune, il est incapable d'imaginer autre chose. Maintenant il sait qu'il s'est trompé. Il sait aussi que je ne sacrifierai pas Tatiana pour le détruire, lui — pas plus que je ne la retiendrai ici pour l'empêcher *lui* de s'enfuir. Alors emmenez-le. Tania sera sauvée. Le reste m'importe peu.

Sayers resta un moment sans voix. Puis il secoua la tête et articula enfin dans un souffle :

— Alexandre, j'ai vu cette fille vous donner son sang au péril de sa vie. Je sais ce qu'elle va éprouver...

— Vous croyez peut-être que moi je ne le sais pas !

Il ferma les yeux. *Tout ce qu'elle avait, elle me l'a donné.*

— Vous vous imaginez qu'elle acceptera de partir sans vous ? reprit le médecin.

— Non. C'est pourquoi elle doit ignorer que j'ai été arrêté. Si elle l'apprend, elle ne partira pas : elle restera pour découvrir ce qui m'est arrivé, tenter de m'aider, me revoir une dernière fois. Alors il sera trop tard pour elle.

Puis Alexandre confia à Sayers ce qu'il attendait de lui.

— Je ne peux pas faire une chose pareille ! s'exclama celui-ci. Je refuse !

— Si. Vous le pouvez, docteur. Je ne vous demande que de prononcer certaines paroles, de faire semblant...

— Vous êtes fou ! Elle ne me croira jamais.

— Cela ne dépend que de vous. Sa seule chance de survie, c'est de quitter ce pays. Si vous flanchez, si vous hésitez, si vous vous montrez peu convaincant, si vous faiblissez une fois face à son chagrin, si elle s'aperçoit, l'espace d'une seconde, que vous ne lui dites pas la vérité, elle ne partira pas. Si elle me pense encore en vie, elle ne partira pas, n'oubliez jamais ça ! Et si elle ne part pas, ses jours sont comptés. Quand elle verra mon lit vide, elle va s'effondrer, ajouta encore Alexandre, accablé. Elle va lever vers vous un visage noyé de larmes et vous dire : « Vous mentez, docteur Sayers, vous mentez. Je sais qu'il est vivant. *Je le sens.* » Alors vous aurez envie de la réconforter, elle qui apporte tant de réconfort autour d'elle. Elle va vous dire : « Dites-moi la vérité et je vous suivrai où vous voudrez. » Vous allez fléchir, ciller, pincer les lèvres et, à cet instant-là, vous les aurez condamnés, elle et notre bébé, à la prison ou à la mort. Elle est très persuasive, vous le savez. Il est difficile de lui dire non, elle ne vous lâchera pas. Mais sachez que, si vous lui dites la vérité, vous la tuez. Mentez-lui, je vous en supplie, mentez-lui de tout votre cœur, de toute votre âme. La seule façon de m'aider, c'est de la sauver.

Alexandre avait pris la main du médecin. Sayers avait les larmes aux yeux.

— Saloperie de pays, marmonna-t-il. Je m'y ferai jamais.

— Moi non plus... Maintenant, je vous en prie, allez me la chercher et revenez avec elle. Elle est timide en public. Elle sera obligée de rester distante.

— Vous ne voulez pas rester seul avec elle ?

— Non, je ne pourrai pas l'affronter seul. Vous, vous arriverez peut-être à lui cacher la vérité. Moi pas. Elle me connaît trop bien.

Il ferma les yeux. Une dizaine de minutes plus tard, il entendit le pas de Tatiana dans le couloir, puis sa voix :

— Je vous avais bien dit qu'il dormait, docteur. Qu'est-ce qui a pu vous faire croire qu'il était agité ?

Alexandre ouvrit les yeux :

— Comment vas-tu ? lui demanda-t-il.

— Bien. Et toi ?

— Juste un peu fatigué, répondit-il. Je voulais t'annoncer une bonne nouvelle. Tu vas être fière de ton mari. Demain matin, on va m'emmener au Volkhov : je vais passer lieutenant-colonel.

Il jeta un œil noir au docteur Sayers, dont le visage grimaçait malgré lui.

— Vraiment ! s'exclama Tatiana, radieuse.

— Oui. Cette promotion accompagne la médaille de Héros de l'Union soviétique, pour avoir sauvé notre docteur.

— Je vois, fit-elle, espiègle, tu vas devenir assommant : je vais être obligée d'obéir à tous tes ordres.

— Tania, pour que tu m'obéisses, je crois qu'il faudrait au moins que je devienne général.

Elle éclata de rire.

— Quand rentres-tu du Volkhov ?

— Après-demain matin.

— Pourquoi pas demain après-midi ?

— Parce que la traversée du lac ne se fait que le matin de bonne heure. C'est plus sûr. Il y a moins de bombardements.

Dans son dos, Tatiana entendit la voix de Sayers :

— Il faut retourner travailler maintenant.

— Docteur, fit-elle en se tournant vers lui, puis-je rester un instant seule avec le commandant Belov ?

Non ! s'écria intérieurement Alexandre, dardant sur le médecin un regard lourd.

— Non, répondit celui-ci de sa voix la plus ferme. On doit vraiment y aller : on a du pain sur la planche.

— Encore un instant, s'il vous plaît, docteur.

Alors Sayers s'éloigna.

Mon Dieu, s'il n'arrive même pas à lui dire non pour une chose aussi simple, songea Alexandre avec désarroi, comment va-t-il s'y prendre pour lui mentir ?

Tatiana approcha du lit, mais un regard en coin lui

suffit à comprendre que le docteur les observait depuis le pas de la porte.

— Je ne vais même pas pouvoir t'embrasser, murmura-t-elle à l'oreille d'Alexandre.

— Si, embrasse-moi tout de même, Tatiasha, souffla-t-il, à bout de forces.

Leurs lèvres s'effleurèrent doucement.

— Dors bien, lieutenant-colonel.

Elle se redressa et se dirigea vers la porte.

Il eut envie de hurler : Non ! Non ! Tania, reviens, je t'en supplie !

Mais elle était déjà sortie — non sans lui avoir adressé un petit signe de la main et son plus radieux sourire.

Adieu, mon amour, ma vie, mes nuits blanches et mes jours ensoleillés. Adieu, puisses-tu trouver une vie meilleure, puisses-tu trouver le réconfort. Adieu, aie confiance, Tania.

Et voici que renaît un jour livide...

Le lendemain matin, en passant dans le couloir, Tatiana jeta un œil dans la salle où se trouvait le lit d'Alexandre, s'attendant à le trouver vide. Elle fut surprise de constater qu'on y avait couché un autre homme, un homme qui avait perdu ses deux bras et ses deux jambes.

Elle fixa un moment le blessé sans comprendre, puis alla trouver Ina : celle-ci ne savait rien, sinon que, la veille au soir, Alexandre avait demandé son uniforme de cérémonie.

Tatiana retourna dans la salle et alla regarder sous le lit : le havresac avait disparu. La médaille aussi. Le blessé qui occupait désormais le lit semblait perdre beaucoup de sang sous ses pansements. Machinalement, elle lui dit qu'elle allait chercher un médecin et sortit, un peu chancelante.

Elle se sentait bien, enfin aussi bien que possible pour une femme enceinte de quatre mois dont le ventre commence à devenir visible. Heureusement, ils partaient... Sinon, comment aurait-elle expliqué sa grossesse aux autres infirmières et aux malades ?

Soudain, une idée lui traversa l'esprit : et si Alexandre avait été renvoyé sur le front ? Elle se mit immédiatement en quête du docteur Sayers et le trouva dans une salle d'opération, occupé à recoudre un soldat auquel manquait une bonne partie du ventre.

— Docteur, murmura-t-elle, que se passe-t-il ? Pourquoi y a-t-il un nouveau blessé dans le lit du commandant Belov ? Où est-il ?

Le médecin ne leva pas les yeux.

— Tatiana, aidez-moi, voulez-vous ? Rapprochez les chairs pour que je puisse recoudre ce malheureux.

Elle saisit le pouls de l'homme, attendit quelques instants et souffla :

— Inutile, il est mort.

Puis elle sortit. Sayers la rejoignit quelques instants plus tard. Ils étaient tous deux debout dans la neige. Elle le dévisageait d'un air interrogateur.

— Écoutez, Tatiana, fit-il, blêmissant, j'ai une terrible nouvelle.

Elle le fixa un long moment sans rien dire. Elle ne lui facilitait pas la tâche. Alors il poursuivit, péniblement :

— Ce matin, le camion qui transportait Alexandre et deux autres soldats vers le Volkhov...

Il s'interrompit, incapable de continuer.

— Eh bien ? fit-elle.

Figée, glacée, elle refusait de l'aider, de comprendre d'elle-même ce qu'il tentait maladroitement de lui expliquer.

— Ils ont été pris sous le feu de l'ennemi alors qu'ils traversaient sur la glace du lac. Un obus a explosé juste devant eux.

— Où est-il ? demanda simplement Tatiana.

— Je suis désolé. Ils étaient cinq dans le camion. Il n'y a... il n'y a aucun survivant.

Elle se détourna et fut saisie d'un tel accès de tremblements qu'elle crut un instant que son corps allait se disloquer. Sans se retourner, elle demanda :

— Comment le savez-vous ?

— J'ai été appelé là-bas. On a essayé de les sauver, de les sortir du camion. Mais... il a coulé.

Sayers parlait d'une voix à peine audible. Mais Tatiana avait entendu. Soudain, ses mains vinrent se plaquer sur son ventre, elle se plia en deux et vomit dans la neige. À la hâte, elle s'accroupit, en ramassa une poignée dans son poing, se nettoya la bouche, le visage. Elle sentit la main du médecin dans son dos, l'entendit qui murmurait :

— Tania, oh Tania...

Elle ne se retourna pas.

— Est-ce que vous l'avez vu de vos yeux ? fit-elle, haletante.

— Oui, hélas. J'ai sa casquette d'uniforme...

— Il était vivant quand vous l'avez vu ?

— Non, Tania. Il était mort. Ne restez pas dehors dans le froid. Venez vous asseoir dans mon bureau...

— Donnez-moi sa casquette.

Sayers la lui tendit, en même temps que le certificat de décès. Elle les prit l'un et l'autre, mais ne put les garder entre ses doigts tremblants. Ils lui échappèrent et tombèrent dans la neige. Elle se baissa, les ramassa et, dans un brouillard de larmes, leva devant ses yeux le certificat. Elle ne put y lire que le nom d'Alexandre et le lieu du décès : lac Ladoga.

La glace du lac Ladoga.

— Pourquoi ne m'avez-vous pas réveillée ? cria-t-elle tout à coup. Comment avez-vous pu ne pas me le dire tout de suite ?

— Tania, écoutez-moi, répondit doucement Sayers. En rentrant, je vous ai cherchée. Je ne vous ai pas trouvée. Et puis... je redoutais de vous annoncer cette nouvelle, je l'avoue. Je crois que, si j'avais pu, je vous aurais envoyé un télégramme. Maintenant, nous devons partir, ajouta-t-il en frissonnant. Vous et moi. Quitter cet endroit. Je n'en peux plus. De toute façon, je dois regagner Helsinki. Venez, allons chercher vos affaires. Nous partirons ce soir.

Elle ne dit rien, incapable de s'arracher à l'acte de décès : il n'émanait pas de l'armée, mais de la Croix-Rouge.

— Vous m'entendez, Tania ? demanda Sayers.

— Oui, murmura-t-elle. Mais j'ai besoin de réfléchir...

— Venez vous asseoir dans mon bureau...

Alors elle leva enfin les yeux vers lui et le fixa avec un regard qui le crucifia, avant de s'éloigner à reculons, l'examinant toujours, comme hypnotisée, la casquette et l'acte de décès serrés sur sa poitrine. Puis elle fit volte-face et courut jusqu'au bâtiment principal. Là, elle se rua vers le bureau du colonel Stepanov. Il était occupé et refusait de la recevoir. Alors elle attendit devant sa porte. Tôt ou tard, il finirait bien par sortir. En effet. En la voyant, il se figea un instant.

— Tatiana, je... je suis désolé pour le commandant Be...

— Par pitié, l'interrompit-elle en attrapant sa main. Il faut me dire ce qui lui est arrivé.

— Je n'étais pas là. Tout ce que je sais, c'est qu'un camion transportant le commandant Belov, le lieutenant Ouspenski, un caporal et deux chauffeurs a explosé ce matin, touché par un obus semble-t-il, et a sombré dans le lac. Je n'ai aucune autre information. Il faut partir, Tatiana. Dès que possible. Leningrad ou Molotov sont des endroits plus sûrs. Je suis... je suis sincèrement désolé, conclut Stepanov. Alexandre était un homme...

— Je sais quel homme il était, le coupa Tatiana. Il a ramené votre fils.

Le colonel cligna des yeux et hocha la tête avec émotion.

— Mais lui, qui va le ramener? ajouta-t-elle.

Après avoir prononcé ces mots, elle lui tourna le dos. Il faut avancer, se disait-elle confusément. Mais comment? Je vais tomber... Non, je ne vais pas tomber. Je vais regarder par terre, la neige, et marcher... sans trébucher.

Pourtant son corps l'abandonna et elle s'écroula. Stepanov se précipita pour la relever, tentant de bredouiller quelques mots. Elle se redressa le plus vivement qu'elle put, rajusta son manteau et quitta le bâtiment sans lui accorder un regard. Vacillante, elle se dirigea vers le bureau du docteur Sayers, poussa la porte et se laissa tomber sur le sol, en face du médecin :

— Je vous en prie, murmura-t-elle, regardez-moi dans les yeux et jurez-moi qu'il est mort.

Sayers lui prit les mains :

— Je vous le jure, dit-il. Je vous jure qu'il est mort.

Il ne la regardait pas...

— Je ne peux pas, fit-elle d'une voix rauque. Je ne peux pas supporter l'idée qu'il soit mort dans l'eau glacée de ce lac, seul, *sans moi*. Vous comprenez? Dites-moi qu'il a été arrêté par le NKVD, qu'il a été envoyé en Ukraine, en Sibérie. Dites-moi n'importe quoi, mais ne me dites pas qu'il est mort sans moi. Je peux tout supporter, mais pas ça. Dites-moi la vérité et je vous suivrai où vous voudrez, je vous le promets. Je ferai tout ce que vous direz, mais je vous en supplie, dites-moi la vérité.

— Je suis désolé, répondit Sayers, je n'ai pas pu le sauver.

Tatiana se releva et s'écarta, les deux mains sur le visage.

— Je ne partirai pas, dit-elle. Je n'irai nulle part. C'est inutile.

— Tania, ne dites pas ça, je vous en prie. Je dois vous sauver, vous. *Pour lui.*

— Je vous le répète, c'est inutile.

— Inutile ? Et son enfant, vous y pensez ?

Elle ôta les mains de son visage et posa sur le médecin un regard accablé.

— Il vous a dit qu'on allait avoir un bébé ?

— Oui.

— Pourquoi ?

— Je l'ignore, répliqua Sayers avec une impatience qui trahissait sa gêne. Nos malades nous attendent, Tania. Vous croyez que vous pourrez...

Il n'acheva pas sa phrase.

— Non, je ne pourrai pas. Laissez-moi. J'ai besoin d'être seule.

— D'accord, répondit le médecin en quittant son bureau. Essayez de dormir si vous le pouvez.

Jusqu'au soir elle demeura assise sur le sol, tête sur les genoux, dos au mur. Tard dans la soirée, elle entendit quelqu'un pousser doucement la porte. Sayers pénétra dans la pièce, un sac à la main, et dit d'une voix douce :

— Je vous ai pris vos affaires. Nous partons. Chernenko nous attend.

— Je ne partirai pas avec lui. C'est impossible.

— Il est venu me voir cet après-midi pour me demander si nos plans avaient changé maintenant que...

Une fois encore, Sayers n'acheva pas.

— Et vous lui avez répondu qu'il n'y avait rien de changé, c'est ça ?

— Écoutez, pas plus que vous je n'ai envie de l'emmener. Mais il m'a laissé entendre que, dans le cas contraire, nous ne franchirions pas le premier barrage... Je veux vous sortir d'ici, Tania. Je n'ai pas d'autre solution que d'en passer par ce type.

— Je sais, murmura Tatiana.

Elle se releva et aida Sayers à fourrer pêle-mêle quelques affaires dans un sac. Ils sortirent et gagnèrent le véhicule de la Croix-Rouge, une grosse jeep dont l'arrière était fermé par une bâche. On avait cousu une croix rouge grossière dans la toile.

Dimitri attendait. Tatiana ne lui jeta pas un regard. Elle souleva la bâche et grimpa à l'arrière afin d'aider le médecin à charger la trousse de secours et la caisse contenant le plasma.

— Vous... grimper, ordonna Sayers à Dimitri dans son russe maladroit. Pas une minute à perdre. Dès que nous un peu loin, vous enfilez uniforme de pilote finlandais. Je sais pas comment vous faire avec bras cassé...

— Vous croyez que ça va s'infecter? demanda tout de suite Dimitri.

Le médecin ne répondit pas.

Tatiana lança enfin un coup d'œil en direction de Dimitri, tandis qu'il montait lui aussi à l'arrière de la jeep : il avait le bras droit plâtré et le visage tuméfié. Elle faillit lui demander ce qu'il lui était arrivé, puis se ravisa : après tout, quelle importance?

— Tania, lui souffla-t-il. On m'a dit ce qui s'était passé ce matin. Je suis désolé.

Sans un mot, elle tira de sa cachette l'uniforme du pilote finlandais et le laissa tomber aux pieds de Dimitri.

— Maintenant venez avec moi à l'avant, Tania, lui dit Sayers, toujours en russe.

Elle saisit la main qu'il lui tendait pour l'aider à descendre et sauta à bas du quatre-quatre.

— Tania? appela Dimitri.

Alors elle leva vers lui un regard qui le condamnait d'une manière tellement irrévocable qu'il ne put que détourner les yeux.

— Contente-toi de passer cet uniforme, siffla-t-elle entre ses dents. Couche-toi à plat ventre et ne bouge plus. C'est tout.

— Écoute, Tania. Vraiment, je suis désolé. Je sais à quel point tu...

— Ferme-la ! hurla-t-elle soudain. Je ne veux pas entendre un mot de tes foutus mensonges. Ne m'adresse plus jamais la parole. Compris ?

Sayers plaqua une main sur sa bouche et l'entraîna à l'avant.

— Tania, lui souffla-t-il à l'oreille en anglais. Il ne faut pas attirer l'attention. Nous partons. Ça ira ?

Elle répondit d'un hochement de tête. Il la lâcha. Elle boutonna jusqu'au col son manteau avec l'insigne de la Croix-Rouge cousu sur la manche, refit le nœud de son petit bonnet blanc d'infirmière et grimpa à l'avant sur le siège du passager. Le médecin démarra et la jeep commença de rouler dans la nuit.

Elle tenait la carte ouverte sur ses genoux, mais ne la regardait pas. Sayers devrait trouver seul la route de Lisiy Nos à travers les bois, sur des sentiers boueux couverts de neige fondue. Les yeux fixés droit devant elle dans l'obscurité, elle n'avait en tête qu'une seule question : que lui restait-il d'Alexandre ? Son argent, son volume de poésies de Pouchkine, ses lettres, leurs photos, sa casquette de l'Armée rouge, son alliance.

Le médecin s'adressa alors à elle en anglais :

— Ne vous inquiétez pas. Tout va bien se passer.

— Vous croyez, docteur ? fit-elle, également en anglais. Et lui ? ajouta-t-elle en désignant d'un geste vague l'arrière du véhicule. Que va-t-on faire de *lui* ?

— Une fois à Helsinki, il pourra bien faire ce qu'il voudra, peu importe. Ce qui m'importe, *c'est vous*, *Tania*. Nous prendrons un avion de la Croix-Rouge pour Stockholm. Puis, de Stockholm, un train pour Göteborg et, de là, un bateau pour l'Angleterre. Et, enfin, direction l'Amérique...Tania, vous m'écoutez?

— Je vous écoute, docteur, répondit-elle, absente.

— Je ne savais pas que tu parlais anglais, Tania...

La voix de Dimitri avait retenti à l'arrière de la jeep, parvenant à couvrir le bruit du moteur. Tatiana saisit un tuyau en fer que Sayers gardait toujours près du siège passager, en cas de problème, et frappa un coup violent contre la paroi. Le médecin sursauta, le 4 × 4 fit une embardée.

— Boucle-la, Dimitri! cria la jeune fille. Tu es finlandais. Je ne veux plus t'entendre prononcer un mot de russe.

Elle laissa tomber le tuyau à ses pieds avec un soupir.

Quelques heures plus tard, ils s'arrêtèrent au bord de la route. À l'arrière, Dimitri avait enfilé l'uniforme du pilote finlandais. Tatiana l'entendit dire à Sayers :

— Il est vraiment trop grand. J'espère que personne ne me demandera de me mettre debout, sinon on verra qu'il n'est pas à moi. Vous avez encore de la morphine? Je souffre tellement...

Le médecin lui fit une nouvelle injection, puis regagna sa place au volant.

— Encore une dose et il est cuit. Son bras n'a pas fini de lui poser des problèmes.

— Que lui est-il arrivé? demanda Tatiana en anglais.

Sayers resta un moment sans répondre.

— Il a failli se faire tuer, dit-il enfin. Une vilaine fracture ouverte. Je me demande comment il tient encore debout.

Elle ne posa pas davantage de questions. Oui, pourquoi Dimitri était-il encore debout? Ils étaient tous tombés, tous morts, les jeunes, les forts, les justes, leurs vies avaient été brisées, mais lui, il tenait encore debout, comme si rien ne pouvait jamais entamer cette âme ignoble dans son corps estropié...

— Un jour, il faudra que vous m'expliquiez, Tania, fit le médecin avec un geste pour désigner l'arrière de la jeep. J'avoue que je ne comprends rien à cette histoire.

— Je ne crois pas que j'en serai capable, répondit-elle simplement dans un murmure.

Sur la route de Lisiy Nos, ils rencontrèrent les six barrages prévus. Chaque fois, on leur demanda leurs papiers. Sayers présentait les siens, ainsi que ceux de son infirmière, Jane Barrington. Dimitri n'avait aucun papier, juste une plaque d'identité en métal sur laquelle était gravé « Tove Hanssen » — un pilote finlandais blessé qu'on les avait chargés de ramener à Helsinki où il serait échangé contre un prisonnier russe. À chaque barrage, les gardes soulevaient la bâche, braquaient leurs torches sur le visage tuméfié de Dimitri, puis faisaient signe au médecin de continuer sa route.

Tatiana ne pensait à rien. Elle essayait juste de faire revivre dans sa mémoire la dernière fois où Alexandre et elle avaient fait l'amour. C'était un dimanche de novembre. Mais où ? Sur le divan ? Sous la douche ? Dans son lit ? Avec Inga derrière la porte ? Impossible de se rappeler.

Alors elle tenta de se souvenir des dernières paroles qu'il avait prononcées la veille. Il lui avait souri, lui avait dit qu'on allait l'emmener au Volkhov pour lui donner une promotion. Lui avait-on menti ? Lui avait-il menti à elle ?

À présent, le véhicule de la Croix-Rouge approchait de la frontière entre l'Union soviétique et la Finlande. Il était six heures du matin. Tout était calme. Les troupes frontalières, côté soviétique en tout cas, semblaient endormies.

Alexandre avait expliqué à Tatiana qu'il ne s'agissait pas vraiment d'un poste-frontière, plutôt d'une ligne de défense : seuls trente à soixante mètres séparaient les soldats finlandais des Soviétiques. De chaque côté, on veillait sur son territoire et on attendait la fin de la guerre — c'était tout.

Rien ne paraissait différencier la forêt de conifères que Tatiana apercevait au-delà de la frontière, côté finlandais, de celle qu'elle venait de traverser pendant ces heures interminables. Les phares de la jeep éclairèrent brusquement un étroit ruban de route non pavée. Sayers ralentit.

Soudain, ils entendirent quelqu'un crier. Trois hommes du NKVD surgirent près de la portière du conducteur. Le médecin freina, coupa le moteur, baissa la vitre et montra les papiers. L'un des soldats du NKVD les examina avec attention puis, avec un fort accent russe, s'adressa à Tatiana en anglais :

— Il fait frisquet ce matin, non ?

À quoi elle répondit dans son meilleur anglais :

— Glacial. Je parierais qu'il va neiger.

L'homme hocha la tête et, escorté de ses deux compagnons, alla soulever la bâche à l'arrière. Tatiana et Sayers attendirent.

Silence.

Ils entrevirent la lueur blafarde d'une torche.

Silence.

— Attends un peu que je revoie cette tête-là, dit l'un des soldats.

Puis il y eut un rugissant éclat de rire. L'officier du NKVD s'adressa à Dimitri dans une langue qui devait être du finnois. Il n'obtint naturellement aucune réponse.

Il répéta sa question — plus fort.

Dimitri resta silencieux, puis se décida à bredouiller

quelques paroles incompréhensibles — sans doute tout son vocabulaire finlandais.

— Descends de là, riposta immédiatement en russe l'un des soldats.

— Oh non, souffla Sayers. Vous croyez qu'on s'est fait prendre ?

— Chut, murmura-t-elle pour toute réponse.

Dimitri n'avait pas bougé. Les hommes du NKVD répétèrent l'ordre sur un ton exaspéré. Il ne bougea pas davantage.

Alors Sayers descendit de la jeep et, de loin, s'adressa à eux dans son mauvais russe :

— Lui blessé. Pas se lever.

À quoi l'officier répliqua :

— Il va pourtant devoir se lever, camarade, s'il ne veut pas faire un mort. Quelle que soit sa langue, dis à ton malade de sortir de là.

Tatiana avait rejoint le médecin.

— Docteur, lui chuchota-t-elle, soyez prudent. Si Dimitri ne peut pas sauver sa peau, il voudra nous perdre.

Sayers se tut. Les trois hommes du NKVD grimpèrent à l'arrière du 4 × 4 et jetèrent Dimitri à bas du hayon avant d'ordonner au médecin et à son infirmière d'approcher. Ils obéirent. Sayers se tenait un peu devant Tatiana, illusoire protection mais qui toutefois la réconfortait. Elle se sentait faible, proche de l'évanouissement. Face à elle, à quelques mètres à peine, Dimitri se tenait debout devant les trois soldats dans son uniforme trop grand.

— Alors, le Finlandais, lui dit en russe l'un d'entre eux, on te demande qui t'a fait la tête au carré et tu nous réponds que tu vas à Helsinki ?

Il ne dit rien et jeta dans la direction de Tatiana un regard implorant. Ce fut Sayers qui intervint :

— Écoutez, nous venir de Leningrad, lui gravement blessé...

Discrètement, la main de la jeune fille vint se poser sur son bras :

— Taisez-vous. On va avoir des ennuis.

— Il est peut-être gravement blessé, commença l'officier, mais il n'est pas gravement finlandais.

Les trois hommes s'esclaffèrent bruyamment.

— Alors, Chernenko, poursuivit-il, tu me reconnais pas ? C'est moi, Rasskovski !

Les bras en l'air, Dimitri voulut descendre une main vers sa tempe pour le saluer.

— Garde les mains en l'air, Chernenko !

À cet instant, Tatiana se demanda où était passée l'arme de Dimitri. L'avait-il sur lui ?

Seul Rasskovski s'était approché. Les deux autres soldats se tenaient un peu à l'écart. Ils avaient baissé leurs fusils. Avec son bras en écharpe et son visage tuméfié, Dimitri ne leur inspirait manifestement aucune inquiétude. Il les amusait plutôt.

— On le connaît, sergent ? demanda l'un d'eux.

— Ça pour le connaître, on le connaît ! s'exclama Rasskovski. Qui ne connaît pas Chernenko ? Personne n'a jamais vendu les clopes si cher, pas vrai, Chernenko ? On s'est vus il y a pas un mois. T'as pas pu oublier, hein ?

Dimitri ne prononça pas une parole.

— Tu croyais peut-être que j'allais pas reconnaître ta sale face de rat sous les bleus ? Maintenant, tu vas m'expliquer ce que tu fabriques à l'arrière d'une jeep de la Croix-Rouge avec un uniforme finlandais sur le dos...

Dans la lueur aveuglante des phares, Dimitri fixait Tatiana. Elle ne soutint son regard qu'une fraction de seconde, puis baissa les yeux. Il comprit.

Alors il cria en russe :

— Tatiana ! Tu leur racontes toute l'histoire ou tu préfères que je le fasse ?

— Tatiana ? répéta Rasskovski en se dirigeant vers elle. Ça fait pas très américain ça...

Dimitri mit à profit la diversion qu'il venait de provoquer pour dégainer son arme de son bras valide, et fit feu sur l'officier.

Tatiana ne sut jamais qui il avait visé. Était-ce vraiment Rasskovski ? Toujours est-il qu'il le manqua et toucha le docteur Sayers. Après tout, peut-être n'avait-il pas manqué l'homme du NKVD, peut-être avait-il vraiment voulu tuer Sayers. À moins qu'il n'ait tiré *sur elle*... En un instant toutes ces pensées se bousculèrent dans sa tête, mais elle ne chercha pas davantage de réponses à ses questions et plongea à plat ventre dans la neige.

Elle vit Rasskovski courir vers Dimitri. Celui-ci tira à nouveau avant que les deux soldats n'aient eu le temps d'épauler. Cette fois, il abattit l'officier. Puis, *enfin*, ne put s'empêcher de songer Tatiana, les deux hommes ouvrirent le feu sur lui. L'impact des balles le projeta près de la jeep.

À ce moment, les tirs auraient dû cesser. Pourtant ils redoublèrent d'intensité. Cette fois, ce n'étaient plus les soldats du NKVD qui tiraient, mais les Finlandais. S'étaient-ils cru attaqués ? Profitaient-ils de l'occasion que leur offrait l'incident ? Tatiana n'aurait su le dire. Dans un crépitement de mitraillettes, ils faisaient feu sur le 4 × 4. Le pare-brise vola en éclats, puis, très vite, vinrent les relents de l'essence qui s'échappait du réservoir percé. La jeune femme pria pour que la jeep ne s'enflamme pas : elle était son seul refuge, son unique protection. Elle se glissa dessous, dans la neige, à l'instant précis où les deux hommes du NKVD s'effondraient.

Une rafale cribla de trous la portière au-dessus de sa

tête. Soudain, elle sentit quelque chose se ficher dans sa joue. Immédiatement, elle eut dans la bouche un goût de sang et de métal. D'instinct, sa langue effleura l'objet. Elle réprima un cri de douleur. Un flot sanguinolent et chaud lui coula sur les lèvres et le menton. Pourtant, bizarrement, la peur semblait plus saisissante encore que la douleur.

Elle leva les yeux et vit Dimitri couché dans la neige, à côté du docteur Sayers. Tendant le bras, elle attrapa celui du médecin et, de toutes ses forces, le traîna près d'elle sous la jeep. Tout à coup, elle crut voir Dimitri remuer. Avait-il vraiment bougé ? Était-ce une illusion ? Non, ce n'était pas une illusion : il était vivant. Il fit un geste, comme pour tenter de ramper sous le véhicule.

Un obus de mortier partit du côté soviétique et alla exploser dans la forêt, au-delà de la frontière. Le feu, une fumée noire, des hurlements. D'où venaient-ils ? D'ici ? De là-bas ?

Pour Tatiana, il n'y avait plus ni ici ni là-bas — juste Dimitri qui s'efforçait de ramper vers elle, Dimitri qui vivait toujours, Dimitri dont la bouche articulait silencieusement sous un déluge de feu :

— Tania... je t'en prie...

Il tendait la main vers elle.

Elle ferma les yeux. Non, je ne veux pas de lui près de moi.

Ce fut sa dernière pensée. Elle perdit connaissance.

Lorsqu'elle revint à elle, sa langue vint à nouveau se déchirer sur le bout de verre qui trouait sa joue. Elle ouvrit les yeux avec horreur. Il n'y avait plus aucun bruit. Les tirs avaient cessé. Près d'elle le corps inconscient de Sayers et un liquide chaud, visqueux, qui s'écoulait en rigoles dans la neige. Elle se rappela la gare de Louga, les cadavres poisseux qui l'avaient protégée des murs de briques s'écroulant. Non, il n'était pas mort. Il respirait encore. Elle se souleva sur un coude et, à tâtons, glissa une main sous le manteau du médecin pour chercher la blessure — oui, c'était là, à l'épaule. Elle tenta de colmater le trou avec son gant, puis retomba sur le dos, épuisée.

Shura, à quoi bon lutter encore? Je t'ai sauvé de la mort sur la glace pour que tu retournes mourir sur la glace — seul, sans moi. Je n'ai même pas pu t'ensevelir comme je l'ai fait pour Dasha. À quoi bon lutter encore? À quoi bon vivre sans toi encore une minute, une seconde?

Un gémissement de Sayers la tira de l'engourdissement mortel qui la happait.

Elle tendit la main pour secouer doucement le médecin :

— Docteur? Docteur, vous m'entendez?

— Oui, Tania, oui, murmura-t-il dans une demi-conscience.

Alors, lentement, elle sortit de sous la jeep. Le jour se levait. Une aube bleutée comme l'acier.

Elle passa sa main sans gant sur son visage et constata qu'il était couvert de sang. Ses doigts effleurèrent le tesson de verre dans sa joue. Un éclat du pare-brise, se dit-elle confusément. Fiché dans sa chair gelée, anesthésiée par le froid, il ne la faisait pas trop souffrir, mais lorsqu'elle tenta de le sortir, la douleur fut intolérable. Pourtant, étrangement, cette souffrance-là, si nette, si cruelle, *physique*, la soulageait de cette autre souffrance, insidieuse, lourde, irréparable : vivre sans Alexandre.

Alors, dans un geste désespéré, elle arracha l'éclat de verre de son visage — hurlant dans un flot de sang.

Non — décidément ça ne faisait pas encore assez mal.

Son regard vide balaya les alentours : la jeep de la

Croix-Rouge, hors d'usage, le corps des soldats du NKVD, les taches bleu sombre de leurs uniformes dans la neige, le sang gelé, à quelques mètres de là, côté finlandais, un camion abandonné, et, à ses pieds, le cadavre de Dimitri, les yeux grands ouverts, la main toujours tendue vers elle, comme pour lui demander de le délivrer d'une éternité qui serait un enfer. Un instant, elle examina ce visage glacé d'horreur. Alexandre aurait apprécié l'ironie de l'histoire : Dimitri démasqué par le NKVD, puni par son propre péché.

Elle détourna les yeux et regarda en direction de la frontière. Pas un bruit, pas une ombre, personne. Sans doute les maigres troupes qui la gardaient des deux côtés avaient-elles été décimées. D'autres allaient bientôt venir. On l'interrogerait — et ensuite?

— Tania!

Sayers l'appelait. Aussi vite qu'elle put, elle se précipita sous la jeep.

— Docteur, comment vous sentez-vous?

— Pas au mieux de ma forme, répondit-il dans un souffle. Mais ça ira.

— J'ai vu un camion de l'autre côté de la frontière. Il a l'air en état. Pensez-vous pouvoir marcher jusque-là? Et le conduire?

— Oui, Tania, oui... avec votre aide.

Alors elle aida le médecin à se mettre sur pieds et, le soutenant du mieux qu'elle put, le guida jusqu'au camion, côté finlandais.

Ils avaient quitté l'Union soviétique...

Sayers avait conduit le camion le long du golfe de Finlande, de Lisiy Nos jusqu'à Vyborg, les pieds sur les pédales, tandis qu'écrasée contre lui Tatiana tournait le volant et tentait de passer les vitesses suivant ses instructions. La route avait été longue, très longue jusqu'à Helsinki. Là, ils avaient été admis à l'hôpital universitaire, une fois encore grâce à Sayers qui y avait travaillé en 1940. On avait recousu la joue de Tatiana et administré au médecin de fortes doses d'antibiotiques. En vain. Sa température ne cessait de grimper. Elle l'avait veillé comme elle avait toujours veillé les mourants, en lui tenant la main, en baignant son front, en murmurant des paroles décousues sur l'Amérique qu'il reverrait bientôt, docteur, ne vous inquiétez pas... Mais le médecin n'avait pas survécu à sa blessure. Elle s'était infectée, la balle n'étant pas ressortie.

Alexandre avait dit de ne pas rester à Helsinki — le NKVD avait le bras long, même là-bas, dans cette Finlande hostile. Une poignée de dollars suffit à Tatiana pour soudoyer le chauffeur d'un camion en route pour Stockholm. Là, elle mit deux mois à quitter la Suède, très exactement soixante-six jours avant de trouver, à Göteborg, un cargo en partance pour le port de Harwich, en Angleterre, où elle monnaya un passage clandestin. Les dollars d'Alexandre, de sa mère, les dollars du Pouchkine lui permirent de gagner l'Amérique. Une fois en Grande-Bretagne, elle prit le train pour Liverpool où elle attendit deux semaines un bateau pour New York.

Au bout de dix jours d'une traversée nauséeuse au cours de laquelle elle eut dix-neuf ans — au beau milieu de l'Atlantique —, Tatiana arriva en vue du port de New York. Cent fois Alexandre lui avait récité les vers d'Emma Lazarus inscrits dans le socle de la statue. Elle les connaissait par cœur :

« Donnez-moi vos pauvres et vos opprimés aspirant à la liberté, / De vos rivages populeux, les misérables rejetés. /

Confiez-moi ces sans-abri, par la tempête ballottés. / La porte d'or par ma lampe est éclairée. »

Anthony Alexander Barrington vint au monde le 30 juin 1943, à l'hôpital d'Ellis Island, dans la rade de New York, face à la pointe sud de Manhattan et à la statue — un centre de détention pour tous les immigrés et réfugiés venus d'Europe, le temps que les autorités procèdent aux contrôles sanitaires et aux formalités d'immigration. Tatiana était infirmière et parlait l'anglais — c'était plus que n'en pouvaient prétendre l'immense majorité des réfugiés en quarantaine sur l'île.

En attendant que les autorités décident de son sort et de celui de son fils, Tatiana repensait sans cesse aux derniers instants de Matthew Sayers : les quelques secondes, quelques minutes où il avait repris conscience. Un soir, elle l'avait entendu murmurer :

— Tania, je suis désolé... Pardonnez-moi.

— Ne dites pas ça, Matthew. C'est moi qui suis désolée. Maintenant... Maintenant...

Elle ne trouvait pas ses mots, hésitait, luttait tant pour ne pas pleurer...

— Maintenant il faut me dire, *Matthew.*

— Vous dire quoi, Tania?

— Ce qui est arrivé à mon mari. Je vous en supplie, dites-moi la vérité. Dimitri l'a trahi, n'est-ce pas? Alexandre a été arrêté. Répondez-moi, Matthew. Nous sommes à Helsinki. Je ne vais pas faire demi-tour pour rentrer en Union soviétique, je vous le promets. J'ai juste... besoin de savoir.

— Partez... Partez en Amérique, Tania. Pour lui.

— Vous ne m'avez pas répondu : l'avez-vous vraiment vu mort sur le lac?

Sayers l'avait regardée. Longtemps. Très longtemps. Puis ses paupières s'étaient lentement baissées dans la mort.

Composition Euronumérique
92120 Montrouge

Achevé d'imprimer par GGP
en Juillet 2002
pour le compte de France Loisirs
Paris

Dépôt légal: Août 2002
N° d'éditeur version reliée: 37086
N° d'éditeur version brochée : 37087
Imprimé en Allemagnc